de 1951

encanta-me, as coisas soli[...]
ero saber de Paris. Creio q[ue]
[a]í uns dias, até as mala[s]
[...] daqui parto para Lisboa,
[te]legrafarei logo que saib[a]
[d]o vôo. Aqui não faz fri[o]
[...] a noite, com[o]
[...], acima de níve[l ---]
[...] comigo, mas creio qu[e]
desejo viajar em avião [...]
e, para isso, convem p[...]
a' resolver um "poem[a]
[...] mal. apesar-de semp[re]
algumas coisas secund[árias]
[...] incógnita em Lisb[oa]
"figueiral" [...]
[...] diz[er]
[...] qu[e]
[...] minhas saudades e tu[do]
que aqui existem — o po[...]
[...], tentando por estes [...]
[...] chuva finíssima — [...]
[...] paixões passam...) C[...]

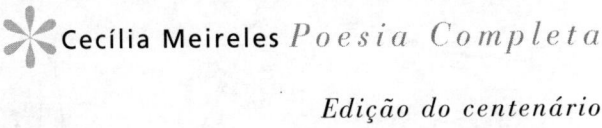Cecília Meireles *Poesia Completa*

Edição do centenário

Organização, apresentação e estabelecimento de texto
Antonio Carlos Secchin

Cecília Meireles

Poesia Completa Volume I

Organização: *Antonio Carlos Secchin*

2ª impressão

EDITORA
NOVA
FRONTEIRA

© para edições em brochura, para vendas em livrarias, pontos alternativos, crediário e reembolso postal no Brasil, Portugal e demais países de língua portuguesa, da EDITORA NOVA FRONTEIRA S.A.

© para quaisquer outras modalidades de edição, reprodução e utilização atualmente conhecidas ou que venham a ser futuramente desenvolvidas, do condomínio dos titulares dos direitos do Autor.
Todos os direitos reservados. Nenhuma parte desta obra pode ser apropriada e estocada em sistema de banco de dados ou processo similar, em qualquer forma ou meio, seja eletrônico, de fotocópia, gravação etc., sem a permissão do detentor do copirraite.

EDITORA NOVA FRONTEIRA S.A.
Rua Bambina, 25 – Botafogo
CEP 22251-050 – Rio de Janeiro – RJ – Brasil
Tel: (21) 2131-1111 – Fax: (21) 2286-6755
http://www.novafronteira.com.br
e-mail: sac@novafronteira.com.br

Edição:
Izabel Aleixo
Daniele Cajueiro

Revisão:
Gustavo Penha
Eni Valentim Torres
Glória Braga Onelley
Cláudia Ajúz

Rediagramação e finalização:
Filigrana Desenhos Gráficos

Capa e projeto gráfico:
Adriana Moreno

Desenho da capa:
Auto-retrato de Cecília Meireles

Desenho da folha de rosto:
Cecília Meireles por Arpad Szenes

CIP-Brasil. Catalogação-na-fonte
Sindicato Nacional dos Editores de Livros, RJ.

M453p   Meireles, Cecília, 1901-1964
           Poesia completa / Cecília Meireles. – Rio de Janeiro : Nova Fronteira, 2001.

           ISBN 85-209-1218-4

           1. Poesia brasileira. I. Título.

                                         CDD 869.91
                                         CDU 869.0(81)-1

Poesia Completa
Cecília Meireles

Volume I

Apresentação
Cecília Meireles e o tempo inteiriço
Notícia biográfica
Caderno de imagens
Bibliografia de Cecília Meireles
Bibliografia crítica e comentada de Cecília Meireles

Parte I

Espectros (1919)
Nunca Mais... e Poema dos Poemas (1923)
Baladas para El-Rei (1925)
Cânticos (1927)
A Festa das Letras (1937)
Morena, Pena de Amor (1939)
Viagem (1939)
Vaga Música (1942)
Mar Absoluto e Outros Poemas (1945)
Retrato Natural (1949)
Amor em Leonoreta (1951)
Doze Noturnos da Holanda & O Aeronauta (1952)
Romanceiro da Inconfidência (1953)

Volume II

Poemas Escritos na Índia (1953)
Pequeno Oratório de Santa Clara (1955)
Pistóia, Cemitério Militar Brasileiro (1955)
Canções (1956)
Poemas Italianos (1953-1956)
Romance de Santa Cecília (1957)
Oratório de Santa Maria Egipcíaca (1957)
Metal Rosicler (1960)
Solombra (1963)
Sonhos (1950-1963)
Poemas de Viagens (1940-1964)
O Estudante Empírico (1959-1964)
Ou Isto ou Aquilo (1964)
Crônica Trovada da Cidade de Sam Sebastiam (1965)

Parte II

Dispersos (1918-1964)

Sumário

Apresentação, xvii
Cecília Meireles e o tempo inteiriço, xxi
Notícia biográfica, lxi
Bibliografia de Cecília Meireles, lxvii
Bibliografia crítica e comentada de, lxxxi

PARTE I

Espectros, 3

Prefácio, 7

Espectros, 15; Brâmane, 16; A Belém!, 17; Neroniano, 17; *Ecce homo!*, 18; Antônio e Cleópatra, 19; Herodíada, 19; Judite, 20; Sansão e Dalila, 21; Joana d'Arc, 21; Maria Antonieta, 22; Noite de Coimbra, 23; Dos jardins suspensos, 24; Átila, 24; Evocação, 25; Sortilégio, 26

Nunca Mais... e Poema dos Poemas, 29

Nunca Mais..., 33

À hora em que os cisnes cantam..., 34; Beatitude, 34; A minha princesa branca, 35; Canção desilusória, 37; A chuva chove..., 38; Tumulto, 39; Ísis, 39; *Intermezzo*, 40; Sob a tua serenidade..., 41; Cantiga outonal, 42; À que há de vir no último dia..., 42; Oração da noite, 44; A elegia do fantasma, 44; Depois do sol..., 45; Dança bárbara, 46; Agitato, 48; Panoramas além..., 48; *Berceuse* para quem morre, 49; Canção triste, 50; Noturno de amor, 51; A inominável..., 52

Poema dos poemas, 53

Oferenda, 54; PRIMEIRA PARTE: Poema da fascinação, 56; Poema da ansiedade, 57; Poema da grande alegria, 58; Poema da esperança, 59; Poema da dúvida, 60; Poema da ternura, 62; Poema da tristeza, 63; SEGUNDA PARTE: Novo poema da tristeza, 66; Poema dos desenganos, 67; Poema da despedida, 68; Poema das súplicas, 69; Poema das lágrimas, 70; Poema do perdão, 72; Poema das bênçãos, 73; TERCEIRA PARTE: Poema da solidão, 76; Poema da saudade, 77;

Poema da dor, 78; Poema da renúncia, 80; Poema da humildade, 81; Poema do regresso, 82; Poema da sabedoria, 84;

Baladas para El-Rei, 87

Na *grande noite tristonha*, 90; Inicial, 91; Para mim mesma, 92; Do caminhante que há de vir..., 93; Dolorosa, 95; Sem fim, 96; Do meu outono, 97; De Nossa Senhora, 99; Da flor de oiro, 100; Dos pobrezinhos, 101; Das avozinhas mortas, 102; Para El-Rei, 103; Suavíssima, 105; Dos dias tristes, 106; Dos cravos roxos, 107; Para a minha morta, 108; Das três princesas, 110; Soturna, 111; Do crisântemo branco, 112; Final, 113; Oferenda, 115

Cânticos, 117

Dize:, 121; Cântico: I. *Não queiras ter Pátria*. 121; II. *Não sejas o de hoje*. 121; III. *Não digas onde acaba o dia*. 122; IV. *Adormece o teu corpo com a música da vida*. 122; V. *Esse teu corpo é um fardo*. 123; VI. *Tu tens um medo:* 124; VII. *Não ames como os homens amam*. 124; VIII. *Não digas: "o mundo é belo"*. 125; IX. *Os teus ouvidos estão enganados*. 125; X. *Este é o caminho de todos que virão*. 126; XI. *Vê formarem-se sobre todas as águas* 126; XIII. *Não fales as palavras dos homens*. 127; XII. *Renova-te*. 127; XIV. *Eles te virão oferecer o ouro da Terra*. 128; XV. *Não queiras ser*. 128; XVI. *Tu ouvirás esta linguagem*, 129; XVII. *Perguntarão pela tua alma*. 129; XVIII. *Quando os homens na terra sofrerem* 130; XIX. *Não tem mais lar o que mora em tudo*. 130; XX. *Não digas que és dono*. 131; XXI. *O teu começo vem de muito longe*. 131; XXII. *Não busques para lá*. 132; XXIII. *Não faças de ti* 133 XXIV. *Não digas: Este que me deu corpo é meu Pai*. 133; XXV. *Sê o que renuncia* 134; XXVI. *O que tu viste amargo*, 134

A Festa das Letras, 135

Ah! Ah! — pois o A, com a sua cartolinha bicuda, 140

Morena, Pena de Amor, 169

Dedicatória, 171; 1. *Me chamam Morena* 172; 2. *Eu nasci num dia sete*, 172; 3. *O meu dia — terça-feira*. 172; 4. *Olhos verdes, olhos* verdes, 173; 5. *Não perguntes nada*, 173; 6. *Clara no escutar*, 173; 7. *Por nascer morena*, 174; 8. *Eu sou a folha arrancada* 174; 9. *Quem nasceu mesmo moreno*, 174; 10. *Por ser morena, não danço* 175; 11. *Árvore da folha bela*, 175; 12. *(Não me digas nada*, 175; 13. *Gente que andar pela vida* 175; 14. *(Não me digas nada*, 176; 15. *Os meus morenos suspiros*, 176; 16. *Quem fora pastor de outrora*, 176; 17. *Cismo, cismo, cismo* 177; 18. *Lua de prata*, 177; 19. *Por todos os lados*, 178; 20. *(Não me digas nada:*, 178; 21. *Quando uma morena chora*, 178; 22. *Finas pestanas* 179; 23. *A tristeza desta vida* 179; 24. *De manhã, solto o cabelo* 180; 25. *Quem passou na minha vida?* 181; 26. *Choro de pena*, 181; 27. *Logo no mês de janeiro*, 181; 28. *Por que Deus teve desejo* 182; 29. *Ai, não te espantes*, 182; 30. *Todos dizem que têm penas*, 183; 31. *(Não me digas nada*, 183; 32. *Chamei Deus — e estava ausente*, 183; 33. *Olhos morenos*, 184; 34. *Eu estou sonhando contigo*, 184; 35. *Clara de olhar*, 184; 36. *(Não digas nada*, 185; 37. *O bem da morena sorte* 185; 38. *Minha vida* 185; 39. *Morena de qualidade*, 186; 40. *De dia, te andei buscando*, 186; 41. *Para espanto* 186; 42. *(Não me digas nada:* 187; 43. *Por longo tempo de amor*, 187; 44. *Sei que toda a vizinhança* 188; 45. *"O tempo arranca os ponteiros* 188; 46. *Deus que te traz e te leva* 188; 47. *Descansa, peito sereno*, 189; 48. *Semeei plantas de amores*, 189; 49. *Nesta vida é mesmo assim*, 189; 50. *Eu venho de desterrados*; 190; 51. *A onda que se levanta* 190; 52. *Se me quisesses deveras*, 191; 53. *Sei de um capitão pirata*, 192; 54. *Já foi isto, mais aquilo*, 192; 55. *Lua, lua marinheira*, 193; 56. *Tomara mesmo que exista* 193; 57. *A gente morena é pouca*, 194; 58. *Ando tão agradecida* 194; 59. *Um moreno de alta classe* 195; 60. *Esperei-te, não vieste*. 195; 61. *A mão que tímida pousa* 196; 62. *Bateram na noite escura*, 196; 63. *Eram trovões nos espaços*, 197; 64. *O mal que no mundo existe* 197; 65. *Sete sinais no pescoço* 198; 66. *A solidão das morenas* 198; 67. *Fado negro, negro fado*, 199; 68. *O bem da gente morena* 199; 69. *Estrelas em assembléia* 200; 70. *Cruzaste a noite chuvosa* 200; 71. *Têm sempre as vidas morenas* 201; 72. *Ai, se Deus fosse moreno*, 201; 73. *Quero subir pelos ares*, 202; 74. *Buda, Jesus, Maomé*, 202; 75. *Se Deus quisesse ser gente* 202; 76. *Amar por uns dois meses*, 202; 77. *Quem veja cara morena*, 203; 78. *Ai doce terra morena*, 203; 79. *Por aqui ninguém caminha* 203; 80. *Quem sorriu para o ar sereno* 204; 81. *Quanto mais ando ocupada*, 204; 82. *Sangue dos corpos morenos* 205; 83. *O que há de belo no mundo* 84. *Existe mar, noite escura*, 205; 85. *Dos*

Sumário

desesperos a norma 206; 86. *São Jorge, santo querido*, 206; 87. *Não sei o que quero ao certo*: 206; 88. *Subo por uma montanha*, 207; 89. *Deitei-me com alegria*, 207; 90. *Saí mui morenamente*, 207; 91. *As morenas mais esquivas* 208; 92. *Mar tamanho, mar tamanho*, 208; 93. *Coração que desfalece* 209; 94. *Por ser morena de raça*, 209; 95. *Sou mais alta que esse morro*, 209; 96. *O céu tem suas morenas* 210; 97. *Juro por Santa Maria* 210; 98. *Juro por Santa Maria* 210; 99. *Meu amor e minha pena* 210; 100. *Ai, deixa as coisas defuntas* 211; 101. *Cruzaste a Morenaria*, 211; 102. *Comprei lentes de diamante* 211; 103. *Quem ri desde que desperta*, 212; 104. *A chuva que a noite molha* 212; 105. *Minha tristeza é só comigo*, 213; 106. *Criatura do sorriso*, 213; 107. *Chamei Deus bem docemente*, 213; 108. *A todos os deuses rezo* 214; 109. *Criatura do sorriso*, 214; 110. *Caminho do pensamento*, 214; 111. *O que te digo está dito* 215; 112. *Ó sorte amorenecida*, 215; 113. *Quando dizes que me queres*, 216; 114. *Morador da solidão*, 216; 115. *Há muitas mãos neste mundo* 216; 116. *Morena gente que rema*, 217; 117. *Quero ver-te à luz do dia*, 217; 118. *Houve guerras. Fui vencê-las.* 218; 119. *A minha melancolia* 218; 120. *O tempo que foi passado* 218; 121. *Há três espécies de gente* 218; 122. *Lâmpada acesa* 219; 123. *Entre nuvens e águas vibra* 220; 124. *Máscara que me puseram* 220; 125. *Jardim de flores adversas* 220; 126. *Meus olhos são duas folhas* 221; 127. *Meu marfim amorenado*, 221; 128. *Quem diz mágoa diz espinho*, 222; 129. *Dizem-me Morena* 222

Viagem, 223

Epigrama nº 1, 227; Motivo, 227; Noite, 228; Anunciação, 229; Discurso, 229; Excursão, 230; Retrato, 232; Música, 232; Epigrama nº 2, 234; Serenata, 234; A última cantiga, 235; Conveniência, 237; Canção, 237; Perspectiva, 238; Canção, 239; Solidão, 240; Aceitação, 241; Epigrama nº 3, 242; Murmúrio, 242; Canção, 243; Gargalhada, 244; Fim, 245; Criança, 246; Desamparo, 246; Fio, 247; Inverno, 248; Epigrama nº 4, 249; Orfandade, 249; Alva, 250; Cantiguinha, 251; Terra, 252; Êxtase, 255; Som, 255; Guitarra, 256; Distância, 257; Epigrama nº 5, 258; Campo, 258; Rimance, 259; Renúncia, 260; Pausa, 261; Vinho, 262; Valsa, 262; Grilo, 263; Descrição, 264; Epigrama nº 6, 265; Atitude, 265; Corpo no mar, 266; Luar, 267; Diálogo, 268; Estrela, 268; Desventura, 269; Noturno, 270; Noções, 271; Epigrama nº 7, 272; Realejo,

272; Fadiga, 273; Horóscopo, 276; Ressurreição, 277; Serenata, 278; Praia, 278; Sereia, 279; Encontro, 281; Epigrama nº 8, 282; Cantiga, 282; Cavalgada, 283; Medida da significação, 284; Grilo, 288; Acontecimento, 288; Epigrama nº 9, 289; Província, 289; Cantar, 291; Destino, 292; Quadras, 294; Noturno, 296; Origem, 297; Feitiçaria, 297; Marcha, 298; Epigrama nº 10, 300; Onda, 301; Herança, 302; História, 302; Assovio, 304; Personagem, 305; Estirpe, 306; Tentativa, 307; Cantiga, 308; Epigrama nº 11, 309; Passeio, 309; Cantiga, 311; A menina enferma, 311; Desenho, 313; Timidez, 315; Taverna, 316; Pergunta, 317; Epigrama nº 12, 318; Vento, 319; Miséria, 319; Metamorfose, 321; Despedida, 322; Epigrama nº 13, 323

Vaga Música, 325

Ritmo, 328; Epitáfio da navegadora, 328; O Rei do Mar, 329; Mar em redor, 330; Pequena canção da onda, 330; Canção da menina antiga, 331; Regresso, 332; Epigrama, 333; Agosto, 334; Música, 335; Canção excêntrica, 336; Canção quase inquieta, 337; Vigília do Senhor Morto, 338; Viagem, 339; Epigrama do espelho infiel, 340; Exílio, 341; Canção do caminho, 342; O ressuscitante, 343; Recordação, 344; Inscrição na areia, 345; Canções do mundo acabado, 346; Canção quase melancólica, 347; A doce canção, 348; A mulher e a tarde, 349; Canção de alta noite, 350; Partida, 351; Embalo da canção, 352; Em voz baixa, 352; Canção suspirada, 353; Lembrança rural, 354; Descrição, 355; Velho estilo, 356; Velho estilo, 357; Canção mínima, 359; A vizinha canta, 359; Pequena canção, 360; Cançãozinha de ninar, 360; Embalo, 361; Ponte, 362; Visitante, 363; Gaita de lata, 364; Despedida, 365; Tardio canto, 366; Cantiga do véu fatal, 367; Pergunta, 368; Serenata ao menino do hospital, 369; Aluna, 371; Pequena flor, 372; Memória, 372; Mau sonho, 374; Retrato falante, 375; Canção nas águas, 377; Ida e volta em Portugal, 378; Solilóquio do novo Otelo, 380; A dona contrariada, 384; Modinha, 385; Canção a caminho do céu, 386; Epigrama, 387; Idílio, 387; Soledad, 388; Canção do carreiro, 390; Interlúdio, 391; Domingo de feira, 392; Mexican List and Tourists, 394; Canção da tarde no campo, 396; Madrigal da sombra, 397; Passam anjos, 397; Campos verdes, 398; Para uma cigarra, 399; Encomenda, 400; Confissão, 401; Naufrágio antigo, 402; Explicação, 406; Romancinho, 407; Rosto perdido, 409; Elegia, 410; Reinvenção, 411; Canção do deserto, 412; Lua adversa, 413; Canção para remar, 414; Chorinho, 415; Monólogo, 416; Fantasma, 417; Panorama, 418; Da Bela Adormecida, 419; Itinerário, 422; Canção dos três barcos, 423; Eco, 424; Imagem, 425; Cantiguinha, 426; Roda de junho, 426; Rimance, 427; Deus dança, 429; Despedida, 430; Trabalhos da terra, 431; Amém, 432; Narrativa, 433; Alucinação, 434; A amiga deixada, 438; A mulher e o seu menino, 439; Oráculo, 442

Mar Absoluto e Outros Poemas, 443

MAR ABSOLUTO: Mar absoluto, 448; Noturno, 452; Contemplação, 453; Prazo de vida, 455; Auto-retrato, 456; Vigilância, 459; Madrugada no campo, 460; Compromisso, 461; Sugestão, 463; Museu, 464; Minha sombra, 465; Irrealidade, 466; Romantismo, 468; Pastorzinho mexicano, 469; 1º motivo da rosa, 470; Convite melancólico, 470; Desejo de regresso, 471; Distância, 472; Este é o lenço, 473; Canção, 476; Caramujo do mar, 477; Mulher adormecida, 478; Suspiro, 479; Prelúdio, 480; Lamento da noiva do soldado, 481; Instrumento, 481; Epigrama, 482; Por baixo dos largos fícus, 483; Os presentes dos mortos, 484; 2º motivo da rosa, 485; Suave morta, 486; O tempo no jardim, 487; Diana, 487; Beira-mar, 488; Evelyn, 489; Xadrez, 490; Doce cantar, 491; Poema a Antonio Machado, 492; Realização da vida, 493; Desapego, 494; Baile vertical, 494; Balada do soldado Batista, 495; Vimos a lua, 497; Cavalgada, 498; Retrato obscuro, 500; Pássaro azul, 502; 3º motivo da rosa, 503; Transição, 504; Romantismo, 505; Saudade, 506; Interpretação, 507; O convalescente, 507; Surpresa, 509; Lamento da mãe órfã, 509; Transformações, 511; Caronte, 511; Madrugada na aldeia, 513; Leveza, 514; Futuro, 514; Noturno, 515; Inibição, 516; Blasfêmia, 517; Carta, 522; Desenho, 523; 4º motivo da rosa, 524; Obsessão de Diana, 524; Estátua, 525; Amor-Perfeito, 527; Os mortos, 528; Pedido, 529; Noite no rio, 530; Enterro de Isolina, 531; Cantar saudoso, 532; Mulher ao espelho, 533; Sensitiva, 534; Sobriedade, 535; Simbad, o poeta, 536; Transeunte, 537; Domingo na praça, 538; Aparecimento, 539; Lamento do oficial por seu cavalo morto, 540; Guerra, 541; 5º motivo da rosa, 542; Inscrição, 543; Viola, 544; Natureza morta, 545; Os homens gloriosos, 545; Noite, 547; Constância do deserto, 548; Cantar guaiado, 549; Canção, 550; Evidência, 550; Turismo, 551; Trânsito, 552; Miraclara desposada, 553; Acalanto, 554; Canção, 555; Mudo-me breve, 556; Nós e as sombras, 557;

Anjo da guarda, 558; Dia de chuva, 559; Campo, 560; A voz do profeta exilado, 562; Périplo, 563; Os DIAS FELIZES: Os dias felizes, 566; O jardim, 567; O vento, 568; Visita da chuva, 569; Chuva na montanha, 570; Surdina, 571; Noite, 572; Madrugada, 572; As formigas, 573; A menina e a estátua, 574; Tapete, 575; Pardal travesso, 575; Joguinho na varanda, 576; O aquário, 577; Edite, 579 Alvura, 580; Jornal, longe, 581; ELEGIA: 1. Minha primeira lágrima caiu dentro dos teus olhos. 584; 2. Neste mês, as cigarras cantam 585; 3. Minha tristeza é não poder mostrar-te as nuvens brancas, 586; 4. Escuto a chuva batendo nas folhas, pingo a pingo. 587; 5. Um jardineiro desconhecido se ocupará da simetria 587; 6. Tudo cabe aqui dentro: 589; 7. O Crepúsculo é este sossego do céu 590; 8. Hoje! Hoje de sol e bruma, 591

Retrato Natural, 596

Canção no meio do campo, 600; Ar livre, 600; Apelo, 601; Cantata matinal, 602; Desenho, 603; Melodia para cravo, 604; Apresentação, 606; Canção quase triste, 606; Cantarão os galos, 607; Elegia a uma pequena borboleta, 608; As valsas, 610; Vigília, 611; Palavras, 612; Pequena meditação, 614; Cantata vesperal, 615; Tempo viajado, 616; Balada das dez bailarinas do cassino, 617; O enorme vestíbulo, 619; Serenata, 621; Comentário do estudante de desenho, 621; Pranto no mar, 622; Canção romântica às virgens loucas, 623; Emigrantes, 624; Pássaro, 625; Canção, 626; Canção do Amor-Perfeito, 627; Improviso, 628; Canção, 628; Canção póstuma, 629; Fui mirar-me, 630; Canção, 631; Inclina o perfil, 632; Sorriso, 633; Infância, 634; Comunicação, 635; Improviso, 636; Dia submarino, 637; Retrato em luar, 638; Improviso do Amor-Perfeito, 639; Canção, 640; Inscrição, 641; Pomba em Broadway, 641; Transformação do dançarino, 642; Canção, 643; Canção do Amor-Perfeito, 644; Improviso para Norman Fraser, 645; O ramo de flores do museu, 646; Os gatos da tinturaria, 647; Balada de Ouro Preto, 648; Ausência, 650; Improviso, 650; Caminho, 651; Entusiasmo, 652; Paisagem mexicana, 653; Postal, 654; Desenho, 655; O afogado, 655; Retrato de uma criança com uma flor na mão, 658; Profundidade, 659; Resíduo, 659; Inscrição, 660; Faisão prateado, 661; Canção, 662; O rosto, 663; Tempo celeste, 664; Ária, 665; O impassível marinheiro, 666; O andrógino, 667; O principiante, 668; Canção, 669; Declaração de amor em tempo de guerra, 670; Se eu fosse

Sumário

apenas..., 671; Fragilidade, 672; Imagem, 673; Recordação, 674; Desenho leve, 675; O cavalo morto, 676; Ramo de adeuses, 678; A flor e o ar, 678; Pastora descrida, 679; Canção, 681; A alegria, 682; Os outros, 683; Presença, 686

Amor em Leonoreta, 687

I. Pela noite nemorosa, 691; II. Do teu nome não sabia, 692; III. Leonoreta, 695; IV. Morrerei, se suspirares. 697; V. Pela celeste ampulheta, 698; VI. Leonoreta, 699; VII. Pela celeste ampulheta, 700

Doze Noturnos da Holanda & O Aeronauta, 703

Doze Noturnos de Holanda, 707

Um. O rumor do mundo vai perdendo a força, 708; Dois. Abraçava-me à noite nítida, 709; Três. A noite não é simplesmente um negrume sem margens nem direções. 710; Quatro. Em que longos abismos dançavam? Em que longos salões 712; Cinco. Claro rosto inexplicável, 713; Seis. E a noite passava sobre palácios e torres. 714; Sete. Tudo jaz, diluído e cintilante, numa profunda névoa. 716; Oito. Quem tem coragem de perguntar, na noite imensa? 718; Nove. Vi teus vestidos brilharem 719; Dez. Há muito mais noite do que sobre as torres e as pontes: 720; Onze. Mas a pequena areia caminha com seu passo invisível; 721; Doze. Sem podridão nenhuma, jazerá um afogado 722

O Aeronauta, 727

Um. Agora podeis tratar-me 728; Dois. Daquele que antes ouvistes, 729; Três. Eu vi as altas montanhas 730; Quatro. Agora chego e estremeço. 731; Cinco. Como um pastor apascento 732; Seis. Vede por onde passava 733; Sete. E assim no vosso convívio 734; Oito. Ó linguagem de palavras 735; Nove. Eu estava livre de imagens 736; Dez. Ai daquele que é chegado 738; Onze. Com desprezo ou com ternura, 739

Romanceiro da Inconfidência, 741

Fala inicial, 744; Cenário, 746; Romance I ou Da revelação do ouro, 751; Romance II ou Do ouro incansável, 756; Romance III ou Do caçador feliz, 758; Romance IV ou Da donzela assassinada, 758; Romance V ou Da destruição De Ouro Podre, 761; Romance VI ou Da transmutação dos metais, 765; Romance VII ou Do negro nas catas, 768; Romance VIII ou Do Chico-Rei, 770; Romance IX ou De vira-e-sai, 772; Romance X ou Da donzelinha pobre, 773; Romance XI ou Do punhal e da flor, 774; Romance XII ou De Nossa Senhora da Ajuda, 775; Romance XIII ou Do Contratador Fernandes, 779; Romance XIV ou Da Chica da Silva, 784; Romance XV ou Das cismas da Chica da Silva, 787; Romance XVI ou Da traição do Conde, 790; Romance XVII ou Das lamentações do Tejuco, 792; Romance XVIII ou Dos velhos do Tejuco, 794; Romance XIX ou Dos maus presságios, 795; Cenário, 797; Fala à antiga Vila Rica, 797; Romance XX ou Do país da Arcádia, 799; Romance XXI ou Das idéias, 801; Romance XXII ou Do diamante extraviado, 805; Romance XXIII ou Das exéquias do Príncipe, 807; Romance XXIV ou Da bandeira da Inconfidência, 810; Romance XXV ou Do aviso anônimo, 813; Romance XXVI ou Da Semana Santa de 1789, 815; Romance XXVII ou Do animoso Alferes, 817; Romance XXVIII ou Da denúncia de Joaquim Silvério, 823; Romance XXIX ou Das velhas piedosas, 825; Romance XXX ou Do riso dos tropeiros, 828; Romance XXXI ou De mais tropeiros, 829; Romance XXXII ou Das pilatas, 832; Romance XXXIII ou Do cigano que viu chegar o Alferes, 833; Romance XXXIV ou De Joaquim Silvério, 835; Romance XXXV ou Do suspiroso Alferes, 836; Romance XXXVI ou Das sentinelas, 838; Romance XXXVII ou De maio de 1789, 840; Romance XXXVIII ou Do embuçado, 844; Romance XXXIX ou De Francisco Antônio, 846; Romance XL ou Do Alferes Vitoriano, 848; Romance XLI ou Dos delatores, 850; Romance XLII ou Do sapateiro Capanema, 852; Romance XLIII ou Das conversas indignadas, 855; Romance XLIV ou Da testemunha falsa, 857; Romance XLV ou Do padre Rolim, 860; Romance XLVI ou Do caixeiro Vicente, 862; Romance XLVII ou Dos seqüestros, 864; Fala aos pusilânimes, 866; Romance XLVIII ou Do jogo de cartas, 870; Romance XLIX ou De Cláudio Manuel da Costa, 872; Romance L ou De Inácio Pamplona, 874; Romance LI ou Das sentenças, 876; Romance LII ou Do carcereiro, 877; Romance LIII ou Das palavras aéreas, 879; Romance LIV ou Do enxoval interrompido, 881; Romance LV ou De um preso chamado Gonzaga, 885; Romance LVI ou Da arrematação dos bens do Alferes, 886; Romance LVII ou Dos vãos embargos, 888; Romance LVIII ou Da grande madrugada, 890; Romance LIX ou Da reflexão dos justos, 892; Romance LX ou Do caminho da forca, 895;

Sumário

Romance LXI ou Dos domingos do Alferes, 898; Romance LXII ou Do bêbedo descrente, 902; Romance LXIII ou Do silêncio do Alferes, 904; Romance LXIV ou De uma pedra crisólita, 906; Cenário, 908; Romance LXV ou Dos maldizentes, 910; Romance LXVI ou De outros maldizentes, 912; Romance LXVII ou Da África dos setecentos, 916; Romance LXVIII ou De outro maio fatal, 918; Romance LXIX ou Do exílio de Moçambique, 922; Romance LXX ou Do lenço do exílio, 924; Romance LXXI ou De Juliana de Mascarenhas, 925; Imaginária serenata, 928; Romance LXXII ou De maio no Oriente, 929; Romance LXXIII ou Da inconformada Marília, 932; Romance LXXIV ou Da Rainha prisioneira, 933; Fala à Comarca do Rio das Mortes, 938; Romance LXXV ou De Dona Bárbara Eliodora, 943; Romance LXXVI ou Do ouro fala, 944; Romance LXXVII ou Da música de Maria Ifigênia, 947; Romance LXXVIII ou De um tal Alvarenga, 949; Romance LXXIX ou Da morte de Maria Ifigênia, 951; Romance LXXX ou Do enterro de Bárbara Eliodora, 952; Retrato de Marília em Antônio Dias, 954; Cenário, 955; Romance LXXXI ou Dos ilustres assassinos, 957; Romance LXXXII ou Dos passeios da Rainha louca, 958; Romance LXXXIII ou Da Rainha morta, 960; Romance LXXXIV ou Dos cavalos da Inconfidência, 962; Romance LXXXV ou Do testamento de Marília, 966; Fala aos Inconfidentes mortos, 967

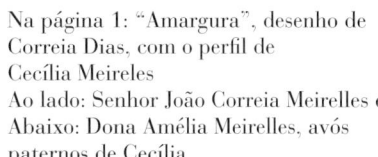

Na página 1: "Amargura", desenho de Correia Dias, com o perfil de Cecília Meireles
Ao lado: Senhor João Correia Meirelles e
Abaixo: Dona Amélia Meirelles, avós paternos de Cecília

Dona Jacintha Garcia Benevides e sua filha, Dona Mathilde Benevides, avó e mãe de Cecília Meireles

Senhor Carlos Alberto de Carvalho Meirelles, pai de Cecília

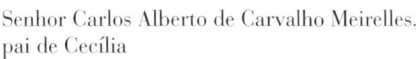

Cecília Meireles em sua formatura de professora. Rio de Janeiro, 1917

Cecília Meireles e Correia Dias primeiro marido da autora, no dia de seu casamento, em 1922. O casal teve três filhas: Maria Elvira, Maria Mathilde e Maria Fernanda

Desenho de mulher chorando, por Cecília Meireles, 1926

3º Salão Pró-Arte. Na foto, além de Cecília Meireles (segunda à esquerda, sentada), Guignard (ajoelhado), Correia Dias (segundo à esquerda, em pé) e Di Cavalcanti. Rio de Janeiro, 1933

Entrega do Prêmio Olavo Bilac 1938, da Academia Brasileira de Letras.
Na foto, da esquerda para a direita, Melo Nóbrega (prêmio de Obras Inéditas), Cecília Meireles (primeiro lugar em Poesia, com o livro *Viagem*), o acadêmico Antonio Austregésilo, Maria Jacintha (prêmio de Teatro), Vladimir Emanuel (segundo lugar em Poesia) e Martins de Oliveira (menção honrosa em Contos e Fantasia).
Rio de Janeiro, 29/06/1939

Cecília em frente à primeira biblioteca infantil do Brasil, fundada por ela, no Pavilhão Mourisco (Rio de Janeiro, início da década de 1930)

Exposição de folclore
organizada por Cecília em
sua casa, em 1948

Instala-se amanhã o I Congresso de Folclore

Terá como objetivo a emulação do estudo dos nossos mais remotos costumes e, muito em particular, procurará dissipar a confusão até agora reinante, no Brasil, com respeito ao termo "Folclore", principalmente no domínio da música popular — A escritora Cecília Meireles fala à reportagem de A NOITE, sôbre o assunto

Escritora Cecília Meireles

A Comissão Nacional de Folclore instalará amanhã, no Rio, o Primeiro Congresso de Folclore, contribuindo, assim, para estimular o estudo dos nossos mais remotos costumes e, sobretudo, dissipar a confusão que até hoje se faz no Brasil, com relação ao termo e ao assunto, particularmente no domínio da música popular, sempre a misturar algo com bugalhos.

Cecília Meireles é uma das pioneiras do movimento que teve como conseqüência a criação da Comissão Nacional de Folclore, e ninguém melhor do que ela poderia fornecer aos nossos leitores informações completas sôbre o Congresso. Cecília reside em Laranjeiras e com o seu bom gôsto de escritora, construiu a moldura própria para a sua vida.

(CONTINUA NA 15.ª PÁGINA)

Instala-se, amanhã, às 17 horas, no Itamarati, o I Congresso Brasileiro de Folclore, e transcorre, depois de amanhã, no Museu Nacional, a Exposição de Artes Populares.

Instala-se, amanhã, o I Congresso de Folclore

CONTINUAÇÃO DA ÚLTIMA PÁGINA

à sua casa, no fresco e verde caminho do Corcovado.

Alma de poeta, tudo no ambiente de Cecília Meireles, respira poesia. Desde o caramanchão das pedras brancas que pontilham o gramado do seu jardim, até as côres suaves dos seus estofos, a sobriedade dos móveis coloniais, seus canapés de palhinha. Nesse conjunto está o reflexo de sua personalidade, fina e atraente.

E' aí que a encontramos e a entrevista começa, por assim dizer, pela história da Comissão Nacional de Folclore.

— Há vários anos, a Comissão Nacional de Folclore do IBECC vem trabalhando discreta e sistematicamente, como é próprio dos trabalhos de cultura. O público em geral apenas tem notícia das suas reuniões, e vê pelos jornais o resumo dos assuntos nelas tratados. Mas os especialistas, os de que por ela se interessam mais de perto, sabem que se tem procedido a uma penetração vagarosa por todo o Brasil, valendo-se a Comissão de elementos que lá nêle estão esquecidos ou desprezados, estimulando o seu reaparecimento, enfim, resguardando costumes e tradições que no são caros, pois representam o nosso patrimônio de povo.

As Semanas de Folclore

— Há uns anos, os resultados desse paciente trabalho de que vêm participando trabalhos de todos os pontos do país, por intermédio dos sub-comitês estaduais, vêm sendo apresentados, no mês de agosto, na chamada "Semana Folclórica".

A primeira dessas "Semanas" se realizou no Rio, em 1948, com um programa de conferências, concertos, exposição de arte popular, etc. A segunda e a terceira "Semanas" foram realizadas, respectivamente, em São Paulo e em Porto Alegre, com programas idênticos.

A "Semana Folclórica" de 1951 deve realizar-se em Maceió, mas, excepcionalmente, não será êste ano, pois em dezembro, pela sua vez, no mês de agosto, teremos o Primeiro Congresso de Folclore, que, como se vê, resulta do desenvolvimento das atividades da Comissão Nacional.

Verificou-se a necessidade de assentar bases para certas coisas, no campo folclórico. A matéria é vasta, e muitas são as confusões existentes. E' preciso disciplinar a pesquisa. E como êste ano coincidem quatro centenários dos folcloristas — Manuel Querino, Pereira da Costa, filho do Visconde e Valle Cabral — se julgou-se oportuno o aproveitamento da data, para uma reunião de trabalho.

Então perguntamos:

— Acredita que poderá o Congresso resultar benéfico aos estudiosos?

— Acho que todos os Congressos conduzem sempre a dois resultados: o melhor conhecimento dos assuntos de que tratam, e das pessoas que deles se ocupam.

O temário dêste Congresso abrange estudos de Técnica Geral do Folclore, com os seus muitos capítulos, e ainda especializados de Poesia Popular, Novelística, Crendices e Superstições, Artes populares, etc., bem como a aplicação do Folclore, ou seja a sua contribuição à Literatura, às Belas Artes, à Educação e ao Turismo.

Sôbre os diversos pontos dessa vasto temário, foram apresentadas mais de cem teses, memórias, sugestões, etc., que serão relatadas, debatidas e, as mais importantes, publicadas.

Ora, tudo isso representa uma palpitante revisão da matéria, e a presença dos congressistas dará àquele informes humano, àquele clima de simpatia que tanto concorre para facilitar êsses trabalhos, essencialmente de equipe.

Além disso, a apresentação de certos aspectos vivos do nosso folclore e a exposição de arte popular poderão completar e colorir no Brasil, tornando-o mais conhecido dos próprios brasileiros em sua versão autêntica.

— Que julga da proteção à arte popular? Pensa que o Congresso pode resolver alguma coisa nesse sentido?

— A proteção à arte popular é assunto dos mais úteis e urgentes. Na verdade, também dos mais difíceis, pois, no estado em que se encontram as coisas, a tendência é converter-se em indústria, — exatamente o oposto do que se deve aconselhar.

Várias teses e sugestões foram apresentadas ao Congresso, sôbre êsse tema. Creio que o Congresso cria elementos para debater judiciosamente a questão, e coloca-la numa verdadeira terma, o que favorecerá as soluções posteriores.

— Como acredita que o Folclore possa ser um elemento favorável do Turismo?

— Em geral, quem viaja do nosso turismo deseja ver cousas diferentes, conhecer outros costumes, outros estilos de vida, enfim, sentir como os outros povos respiram dentro das mesmas estruturas. Facilitar as mesmas peculiaridades populares é, sem dúvida, colocar o Folclore a serviço do Turismo. Também há o visitante erudito, que procura a ligação porque não muito distração, mas como contribuição de estudo. O Folclore, nesse caso, proporcionará ao Turismo os elementos genuínos de informação. Até aqui tem havido muita confusão sôbre o termo «folclore» — especialmente em música. O Congresso tratará de definir com precisão o que é folclórico, de modo a defender o caso de certas impropriedades que, embora aparentemente de pequena importância, afetam, no entanto, a nossa estrutura nacional, não podendo ser mal entendidas. Só isso daria razão de ser a Comissão Nacional de Folclore, e justifica...

Participantes do I Congresso Brasileiro de Folclore (Rio de Janeiro, 1951), do qual Cecília foi secretária geral. Na foto, à sua direita, o presidente do Congresso, Renato Almeida

Retrato de Cecília Meireles,
por Correia Dias

Fernando Correia Dias, retratado por
Cecília Meireles

Desenho de mulher com alaúde,
feito por Cecília Meireles

Imagem de capa e ilustração de Cecília Meireles para a revista "Batuque, samba e Macumba: estudos de gesto e de ritmo, 1926-1934"

Cecília Meireles em 1932

"La poésie – Retrato corpo inteiro de Cecília Meireles". Óleo sobre tela, de Arpad Szenes.

"Retrato Cecília Meireles",
por Arpad Szenes, 1945

Retrato de Cecília Meireles.
Óleo sobre madeira, de Alberto da
Veiga Guignard. Década de 1940

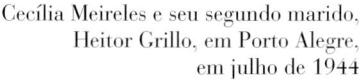

Cecília Meireles e seu segundo marido,
Heitor Grillo, em Porto Alegre,
em julho de 1944

Acadêmicos de Direito
recebem, na Estação da
Luz, Cecília Meireles, que
faria uma conferência na
Faculdade do largo de
São Francisco. Lygia Fa-
gundes Telles ofereceu-lhe
violetas.
São Paulo, 1946

Cecília Meireles e
Mário de Andrade

Cecília e William Faulkner

Cecília Meireles e Gabriela Mistral

Cecília Meireles na década de 1950

Cecília com Manuel Bandeira, Carlos Drummond de Andrade e Vinicius de Moraes, em 1962

Horário de Trabalho

Depois das 13 poderei sofrer:
antes, não.
Tenho os papéis, tenho os telefonemas,
tenho as obrigações à hora certa.

Depois irei almoçar vagamente
para sobreviver,
para aguentar o sofrimento.

Então, depois das 13, todos os deveres cumpridos,
disporei ~~o material dos esquecidos~~
           o material da dôr
com a ordem necessária
para prestar atenção a cada elemento:
acomodarei no coração meus antigos punhais,
distribuirei minhas cotas de lágrimas.

Terminado êsse compromis
voltarei ao trabalho ha

8-5-63   CM

Apresentação
Antonio Carlos Secchin

A obra poética de Cecília Meireles já mereceu acolhida em diversas versões de "poesias completas". A primeira delas, de 1958, da Editora José Aguilar, foi a única publicada em vida da autora. A segunda, de 1967, pela mesma casa, incorporou os livros de Cecília editados entre 1960 e 1965. Pela Nova Aguilar vieram a lume a terceira edição (1977), basicamente uma reedição da anterior, e a quarta (1994), bem mais volumosa, pela inclusão, em sua "Segunda Parte", de numerosos dispersos e de alguns livros que a escritora preferira excluir da publicação de 1958. Esse novo material, aliás, já se encontrava nas *Poesias completas*, em nove volumes, que Darcy Damasceno organizou, a partir de 1973, para a Editora Civilização Brasileira. Finalmente, a Nova Fronteira lançou, em quatro volumes, no ano de 1997, a Poesia completa, fiel à lição textual de Damasceno.

Esta é a primeira publicação que deseja apresentar toda a obra da poeta em sua seqüência (tanto quanto possível) cronológica, a fim de que o leitor possa acompanhar o desdobramento do projeto criador de Cecília. De início, um obstáculo se antepunha: como tratar os livros iniciais, ausentes da compilação feita em vida da autora? Manter a exclusão? Agrupá-los em "apêndice"? Não; optamos por inseri-los junto às demais publicações, baseados no fato de que, em algum momento, corresponderam à "verdade poética" de Cecília, e não havia por que sonegar essa etapa ao conhecimento público. Merece especial destaque a reedição de *Espectros*, obra de estréia da autora, lançada em 1919, e que, fiel ao nome, parecia ter-se "desmaterializado". Agora, mais de oitenta anos depois, pela primeira vez se reedita essa coletânea, de extraordinário valor documental. Fique claro, porém (e isso se aplica também aos "Dispersos", na Parte II), que a autora validava irrestritamente apenas a sua poesia a partir de *Viagem* (1939), apesar de vários críticos enxergarem méritos na produção anterior a esse período.

Defrontamo-nos ainda com questões relativas a obra lançada tardiamente (*Cânticos*) e a coletâneas que sequer chegaram à publicação, embora tivessem sido claramente organizadas por Cecília com tal objetivo. No primeiro caso, inserimos os *Cânticos* em seu efetivo período de criação, registrando a defasagem entre a escrita e a publicação. No segundo caso, tratamos efetivamente como livros (que não receberam a demão final da autora) todas as compilações cuja unidade a própria Cecília reconheceu, ao individualizá-las sob os títulos Morena, pena de amor, Poemas de viagens, O estudante empírico e Sonhos.

Com isso, cremos que a partir de agora o leitor terá oportunidade de apreciar a obra de Cecília em sua inteireza e plena coerência de projeto e execução.

Para o estabelecimento do texto, cotejamos todas as primeiras edições dos livros avulsos da poeta com a versão estampada na Obra de 1958, a única, conforme assinalamos, publicada em vida da autora. Consultamos, também, as primeiras edições de Cecília publicadas entre 1960 e 1965, bem como os livros póstumos (a segunda parte de Ou isto ou aquilo, os Poemas italianos). Ressalte-se, como regra geral, que, uma vez publicados em livro, a escritora não mais alterava os poemas. Isso não impediu que, ao longo do tempo (e mesmo na edição de 1958), erros se fossem acumulando, e de vária natureza: ausência ou troca de palavras, equívocos de estrofação, truncamentos sintáticos. Todas as correções foram criteriosamente efetuadas de acordo com a ortografia e as normas gramaticais vigentes, sempre respeitando a vontade autoral de Cecília, aqui restituída depurada ao máximo das centenas de pequenas, médias ou grandes distorções que vinham acompanhando as sucessivas edições de sua obra poética.

Finalmente, registramos com satisfação que esta Poesia completa é enriquecida pelo belo estudo introdutório de Miguel Sanches Neto, pela concisa e precisa biografia de Eliane Zagury e pela utilíssima e atualizada bibliografia crítica e comentada de Ana Maria Domingues de Oliveira.

Dedicamos esta edição à memória de Darcy Damasceno por tudo que fez, e fez muito, em prol da poesia de Cecília Meireles.

Cecília Meireles e o tempo inteiriço
Miguel Sanches Neto

"A minha visão é universal
e tem dimensões que ninguém sabe."
Jorge de Lima, in *A túnica inconsútil*

"O tempo e o espaço são duas categorias anacrônicas
que o homem deverá abstrair se quiser conquistar a
poesia da vida."
Murilo Mendes, in *Discípulo de Emaús*

"Prefiro a nuvem ao ônibus."
(idem)

1.

Desde o início, e ao longo de toda a sua carreira, Cecília Meireles foi marcada por uma sensação profunda de deslocamento e de orfandade, sentimento configurador de uma obra que aposta, por um lado, na recusa de toda e qualquer identificação pacífica com o imediato, visto como limitador, e, por outro, num projeto de reunificação, pela palavra, de tempos e espaços, criando uma mitopoética que garante uma temporalidade livre das amarras cronológicas.

Será a orfandade, portanto, a circunstância caracterizadora de uma estética da ascese, lugar geométrico que a poeta elege como morada. E isso talvez possa ser explicado por um dado biográfico com posição axial na formação de Cecília. Tendo seu pai falecido meses antes de ela nascer, também ficará sem mãe, vivendo a infância sob o signo da perda. Isso a le-vou a tomar os pais como habitantes da distância, uma distância que a menina povoou magicamente em seus compensatórios jogos de evasão. Afastada fisicamente dos genitores, entregue aos cuidados da avó materna, D. Jacinta Garcia Benevides, ou seja, sendo educada por uma mulher bem mais velha e, por isso, mais propensa ao comércio com os símbolos da morte, Cecília conviverá de forma mítica, e não-traumática, com este incontornável horizonte: "as mortes ocorridas na família acarretaram muitos contratempos materiais, mas, ao mesmo tempo, me deram, desde pequenina, uma tal intimidade com a Morte que docemente aprendi estas relações entre o Efêmero e o Eterno que, para outros, constituem aprendizagem dolorosa e, por vezes, cheia de violência [...]. A noção ou sentimento da transitoriedade de tudo é fundamento mesmo de minha personalidade"[1]. E é neste período de constituição de sua índole evasiva, forjada na solidão e no silêncio, que seu lirismo orfânico tomará corpo.

Criada pela avó, que lhe preenchia os dias com as histórias de um mundo remoto e mágico, Cecília acabou sofrendo influência de todo um imaginário ibérico e oceânico, no qual ancorará sua obra, encontrando numa língua portuguesa ancestral e num senso de afastamento suas coordenadas poéticas.

Muito mais do que um programa estético, ela descobre no grupo da revista *Festa* uma confirmação de sua própria condição de ser apartado dos percalços materiais, entregue à contemplação das distâncias interiores. Vivendo um tempo de modernização estética, de valorização da ruptura, tal como foi o nosso Modernismo, ela não consegue se identificar com os artistas radicais, entregues à contestação simplista do passado e por demais confiantes no presente. Ferida por uma latente sensibilidade para o transitório, como nos confessa, é natural a sua escolha de um território poético em que o precário não é centro. Para sua condição de órfã, e insisto neste dado biográfico, o papel da poeta era fazer a ponte com o elevado, opondo-se assim ao culto de um agora restritivo.

Participando do grupo da *Festa*, ela fortalece a idéia de uma modernidade continuadora, ou seja, em conexão com valores atemporais, que não podem ser apagados, sob pena de isolar ainda mais o homem em seu tempo presente. Enquanto os modernistas estavam engajados na luta contra os parnasianos e seus passadismos estéticos, o grupo espiritualista retomava

---

[1] Depoimento da autora transcrito na *Obra poética*: Aguilar, 1972, p.58.

uma corrente periférica até em seu momento de apogeu, o Simbolismo, principalmente pela superação das circunstâncias materiais tanto do ser humano quanto da linguagem. O pessoal de *Festa* não estava congregado em torno de uma corrente religiosa definida, aglutinando-se em torno de uma visão mística, contrária aos valores de um mundo industrial e mecânico que, num primeiro momento, causa deslumbramento em intelectuais e artistas do subúrbio do capitalismo, que se sonham integrados à nova civilização. Estes intelectuais, no entanto, rapidamente vão dar uma guinada em suas posturas, buscando um antídoto deste mundo industrial no Brasil profundo.

Ao se ligar a esta ala moderna, sem ser exteriormente modernista, Cecília assume, pelo menos num primeiro momento, uma condição "pós-simbolista", como afirma Otto Maria Carpeaux ("Poesia intemporal"). O crítico a coloca entre os três grandes poetas brasileiros vivos daquele momento, ao lado de Drummond e de Bandeira, chamando atenção para a essência de uma poética simultaneamente atual e inatual. Ignorar esta ambivalência de sua produção é cair em leituras redutoras.

Não se trata, portanto, de uma "neo-simbolista" que apenas voltava ao Simbolismo de maneira passiva, mas de uma autora que parte deste movimento, e do que havia nele de conexões com o Parnasianismo, rumo a uma arte moderna escoimada de seu materialismo limitador, fazendo preponderar um desejo de unificação e não de cisão, de universalização e não de particularização. E este desejo se realiza muito pelo desprendimento dos vínculos terrenos, num movimento de ascensão que lhe dá um olhar mais amplo sobre o homem e a existência.

Nikos Kazantzákis estabeleceu os quatro degraus do caminho para o alto. O primeiro seria o da consciência gritante do Eu. Depois é preciso que o Eu se faça um meio pelo qual se manifeste a Raça: "Aclara o sangue obscuro dos antepassados, articula os gritos deles em palavra, purifica-lhes a vontade, alarga-lhes a fronte estreita e bronca: esse é o teu segundo dever" (p.73). E, tendo ouvido dentro dele as vozes dos antepassados, ele deve procurar atingir a escala da Humanidade, fazendo-se porta-voz das inumeráveis gerações de homens de todas as raças e tempos.

Mas o quarto grau de ascensão só é atingido quando tudo que existe na terra se faz representar no Eu: "Não és tu que gritas. Não é a raça que grita dentro do teu peito efêmero. Não gritam em teu coração apenas as gerações de homens brancos, amarelos e negros. Grita dentro de ti a Terra inteira, com suas águas e suas árvores, seus bichos, seus homens e seus deuses" (p.86). Subir, nesta escala, significa ir conquistando uma abertura que permite deixar para trás as coordenadas estreitas de um eu epocal.

Logo, não se pode cobrar de uma poeta espiritualista como Cecília uma poesia de inovações lingüísticas, de colorido nacional, de experimentações ou de posicionamentos políticos, sejam de sexo ou de classe. Isto está fora de um projeto poético voltado para ascensão universalizante. Daí José Paulo Paes pensar sua obra como "uma região de terras altas, mais perto das nuvens que da cidade dos homens lá em baixo" (p.34). Tal movimento se efetiva em um estilo conectado com a lírica portuguesa, através da qual ela faz falar a raça: "Os ritmos breves, de um *cantabile* reforçado pela freqüência da rima; o vocabulário declaradamente 'poético', mais próximos da seriedade e da nobreza simbolistas que do plebeísmo paródico de 22; uma metafórica generalizante em que o real perde o que tenha de grosseiro e de chocante para sutilizar-se em arabescos; o fluido, o fugaz, o inefável e o ausente promovidos a *Leitmotive* — eis alguns dos marcos de delimitação do território poético de Cecília Meireles" (p. 36). Se estas são as constantes de sua produção, não significa que o real não possa se impor em alguns momentos. Mas o conjunto tende mesmo a uma fluidez rítmica e semântica e a um rearranjo das formas já existentes. Manuel Bandeira percebeu isso na sua *Apresentação da poesia brasileira*: "Sente-se que Cecília Meireles estava sempre empenhada em atingir a perfeição, valendo-se para isso de todos os recursos tradicionais ou novos" (p.143). E esta perfeição não pode ser entendida aqui no plano apenas estilístico, mas também espiritual, uma vez que, para ela, ambos são indissociáveis. Bandeira ainda fala de "graça aérea", própria de uma poética das alturas.

O importante, nesta caraterização, é que o arrojo para o alto obedece ao desejo de universalidade, uma universalidade que se manifesta tanto na forma (trabalhada com precisão parnasiana) quanto no conteúdo (ampliado metaforicamente). Estas opções estão relacionadas a um sentimento de orfandade que a leva a religar-se com o eterno, distanciando-se do efêmero e se livrando assim do lastro da matéria, uma das forças que age sobre o homem. Segundo Kazantzákis: "o escopo da vida efêmera é a imortalidade. Nos transitórios corpos vivos, lutam duas correntes: a ascendente, rumo à síntese, à vida, à imortalidade; e a descendente, rumo à dissolução, à matéria, à morte" (p.38). A poesia de Cecília Meireles se funda nesta tensão, opondo-se à poética pedestre da lírica moderna.

2.

Os primeiros livros de Cecília Meireles apresentam uma nítida rarefação, revelando assim uma maior presença do imaginário simbolista, que vai sendo aos poucos incorporado à sua voz, marcando-lhe a diferença sem, no entanto, monopolizá-la. É esta autonomia uma das marcas da poeta, segundo Mário da Silva Brito: "Figura solitária, buscou em todas as fontes os recursos que melhor servissem ao seu ideal poético. Aproveitou-se das lições do classicismo e do Gongorismo, do Romantismo e do Parnasianismo, e do Surrealismo" (p.169). No início, todavia, até por seu vínculo mais estreito com um grupo espiritualista, ela vai pagar tributo às metáforas simbolistas.

Seu volume de estréia (*Espectros*, 1919), reeditado agora pela primeira vez, graças à persistência de Antonio Carlos Secchin, nos devolve um retrato da artista como aluna. O livro se distingue por ser o único, em toda a sua obra, a contar com introdução, assinada por seu professor — Alfredo Gomes. Este texto, na verdade, é um comovido elogio da normalista e novel poeta, saudada como figura suave e peregrina, incorruptível nas lides humanas. Alfredo Gomes a enxerga como eleita, pessoa de natureza etérea, num carinhoso retrato em que destaca a elevação de sentimentos da jovem num mundo mercantilista. Ele antecipa as características da poética de Cecília, o que é uma prova de que o livro, mesmo escrito num tom um tanto colegial, já apresenta em gérmen a grande escritora, justificando sua leitura hoje.

Dentro de um horizonte estudioso, em que está em formação a personalidade da artista, ainda muito apegada à sua natureza escolar, a jovem rende homenagem a grandes nomes (Jesus, Marco Antônio e Cleópatra, Joana d'Arc, Maria Antonieta, etc.), levantando-os contra a mediocridade da vida contemporânea. Ela erige modelos, forja mitos, elege o que se distingue nas páginas da história. Revivendo estas personalidades de um tempo ido, a poeta estreante se sente partícipe de uma época de grandes feitos. O primeiro soneto ambienta o leitor, preparando-o para o desfile de heróis e anti-heróis. A poeta está estudando velhos alfarrábios numa noite solitária, quando surgem os espectros:

Nas noites tempestuosas, sobretudo
Quando lá fora o vendaval estronda
E do pélago iroso à voz hedionda
Os céus respondem e estremecem tudo,
Do alfarrábio, que esta alma ávida sonda,
Erguendo o olhar, exausto a tanto estudo,
Vejo ante mim, pelo aposento mudo,
Passarem lentos, em morosa ronda,

Da lâmpada à inconstante claridade
(Que ao vento ora esmorece, ora se aviva,
Em largas sombras e esplendor de sóis),

Silenciosos fantasmas de outra idade,
À sugestão da noite rediviva,
— Deuses, demônios, monstros, reis e heróis.

Esta população, fugida de velhos livros, povoa a sua noite, pondo-a em sintonia com uma "outra idade". Tais fantasmas, que nem sempre são do bem (como um Nero), ganham corpo nos sonetos, materializando-se em linguagem, mais precisamente em versos voltados para um Ideal artístico. O livro atende à mecânica parnasiana, sendo uma glosa lírica sobre grandes vultos. Mas a atmosfera noturna aproxima-o do misticismo — presente também na opção de retomar algumas passagens bíblicas. Cecília Meireles se revela inteira nesta obra juvenil e imatura: uma poeta afastada da realidade imediata, perseguindo o convívio com os símbolos. No terceiro soneto do livro ("Brahmane"), preconiza a suspensão do tempo. No interior da mata, indiferente aos fatos externos, um faquir se entrega à contemplação que o projeta num grande vácuo:

> [...] E a cólera hibernal do vento
>
> Não ousa à barba estremecer um fio
> Do esquelético hindu, rígido e frio,
> Que contempla, extasiado, o firmamento.

Paralisado o tempo, o que está ainda vibrando no passado tende a retornar na forma de espectro.

Talvez pudéssemos pensar seus primeiros livros como espectrais, devido à mínima espessura do real. Eles não fazem parte da *Obra poética* (1958) nem da *Antologia poética* (1963), organizada por Cecília. Esta recusa das primeiras obras não pode ser ignorada pois revela que a poeta já não se reconhecia plenamente nelas, embora sejam manifestações de uma identidade que se firmará em nosso panorama poético a partir da publicação de *Viagem* (1939). Sutis exercícios líricos, estes livros funcionam como reconhecimento de território num instante decisivo em que ela está delimitando suas fronteiras.

Talvez fosse correto pensar sua segunda coletânea, *Nunca mais...* e *Poema dos poemas* (1923), não pela excelência de seus poemas, que não ficam na memória do leitor, mas pela afirmação de uma atmosfera outonal, em que o eu se sente reduzido à condição fugaz, sem lugar na história e no mundo físico. Os poemas agora comunicam a alma de uma poeta que se desmaterializou para vagar em dimensões do espírito em busca de grandezas metafísicas. Parca é a alegria em textos contaminados por um sentimento de impotência e de desilusão que leva o eu a abismar-se na contemplação de um infinito representado principalmente pela noite, símbolo de tudo que se apaga. A idéia fixa do fim retira do eu qualquer possibilidade de aceitar-se como componente de um horizonte físico, vivendo ele uma condição fantasmagórica, extremamente espiritualizada, num mundo de conceitos abstratos.

Vagar por este mundo libera a poeta da própria vida: "Porque foi que eu morri / Quando foi que eu morri?". Esta existência parada, própria de quem se põe numa dimensão outra, onde tudo o que foi não é mais, leva Cecília Meireles, aos 21 anos de idade, a ver-se como morta, como alguém que se desprendeu totalmente do terreno. É um estado importante para entender estes poemas crepusculares, em que o real é fraturado por um sentimento de infinito.

Se em *Nunca mais...* há esta desilusão em relação a tudo, uma desistência do mundo e o desejo de abrigo num tempo que passou ("E faz perguntas, faz perguntas... / Quer saber das vidas defuntas / que antigamente andavam juntas..."), em *Poema dos poemas* a autora acena com uma promessa de luminosidade, que abre o conjunto ("A Ti, ó sol do último céu, por quem sofre toda a imensa miséria da minha treva..."), colocando em termos antagônicos os dois conjuntos de poemas, embora eles sejam complementares. Também construído como escalada para o sublime, pois o interlocutor é um Tu divinizado, os poemas são uma abertura de luz na noite psicológica da poeta, que ainda continua no plano da abstração, falando mais de sentimentos do que de coisas, num posicionamento de abstencionismo.

Dividido em três partes, o livro é a trajetória espiritual de um eu atraído pelo elevado e pelos grandes sentimentos, como a fascinação, a ansiedade, a alegria, a esperança e a ternura. Neste caminho de ascese, ele acalenta a esperança de romper com a escuridão que o envolve.

Na segunda parte, no entanto, descobre-se enganado por sua própria ilusão e conhece a tristeza: "Sou triste porque sonhei / coisas inalcançáveis, / que não se devem sonhar...". Entramos no momento de consciência do inatingível, marcado por desenganos, despedidas, súplicas e lágrimas, fechado com um pedido de bênção e uma certa pacificação, quando ele descobre que suas aspirações estão fora das realizações humanas, embora seja sua sina sentir-se atraído definitivamente pelo Eleito, mas sempre "sem poder conhecê-Lo e sem poder encontrá-Lo...".

Daí a condição de ser exilado.
A frustração desta viagem de ascese leva o eu a um novo estado de alma. Os sentimentos agora são de solidão, saudade, dor, renúncia e humildade, fazendo com que regresse à condição terrena:

*Eleito, Eleito, ó meu Eleito,
mas, então,
era aqui embaixo que estavas?*

É esta descoberta da necessidade de viver terrenamente, mesmo desejando o elevado, que lhe dá o domínio de uma verdade experimentada e não apenas sentida:

*Sofri a ascensão dolorosa
de quem vai,
numa noite negra,
por entre escarpas,
e lá no alto era o exílio...*

O retorno à dimensão física e aos abismos conduz a poeta a uma visão mais concreta do dado espiritual. No alto é o exílio; embaixo, os abismos — possibilidade permanente de queda. Está aí mapeado o terreno de um eu que agora o percorre com sabedoria, tendo feito da frustrada ascese um caminho para o terreno, por maior que seja seu desejo de elevação, criando o antagonismo de uma vida dividida entre duas forças polarizadas.

Estes livros configuram um discurso que poderia ser definido como insinuante, sugestivo, tal o uso das reticências — as reticências estão para a linguagem como a neblina e o mistério para a vida física. Este mundo oculto assim aparece cifrado numa perspectiva horizontal, na linha do horizonte, e não só na elevação. As reticências são uma constante estilística de Cecília Meireles nestes poemas matinais em que a poeta sonha com o distante, revelando toda a sua insatisfação com o que está perto.

Em "Inicial" (*Baladas para el-rei*), um poema que fala de um eu que espera, desde criança, por seu destino de transcendência, a distância, grande palco de um sonho ainda não-materializado, é o alvo do olhar:

> *Lá muito longe, muito longe, muito longe,*
> *anda o fantasma espiritual do meu destino...*
>
> *anda em silêncio: alma do luar... forma do aroma...*
> *Lembrança morta de uma história reticente*
> *que nos contaram noutra vida e noutro idioma...*
>
> *Anda em silêncio: alma do luar... forma do aroma...*
> *Lá na distância... O meu destino... Vagamente...*
> *..*
>
> *Sentei-me à porta de um sonho, há muito, nessa*
> *dúvida triste de um infante pequenino,*
> *a quem fizeram, certa vez uma promessa...*

A lonjura, promessa que ainda não se realizou, é uma realidade outra não desvelada, cabendo à poeta, que vive na expectativa de conhecê-la, valer-se de formas de expressão que codifiquem seu isolamento e solidão. As frases interrompidas são pequenos núcleos semânticos que não têm prosseguimento, representando o próprio fugir de perspectivas que caracteriza esta realidade que se desmaterializa no horizonte, do qual o eu se sente irremediavelmente afastado. A poeta consegue captar pedaços de uma história, de uma paisagem vislumbrada de maneira nebulosa, mais pela via sensorial, criando um poema que não alcança o que fica além, embora sinta-o com toda a força do espírito, encenando, dessa forma, a impossibilidade de atingir o sentido. Resta-lhe apresentar os retalhos de sensações desconexas. As reticências entram no verso com uma significação muito relevante: são a própria distância interrompendo o fluxo cognitivo do verso, aumentando o sentimento de abandono, de exílio, de desolação de um eu que não consegue alcançar as "formas de neblinas fugitivas" — aqui representadas pelos três pontinhos que instauraram a descontinuidade do espaço e do pensamento líricos. E os pontos de suspensão chegam a ocupar um verso inteiro, materializando o vazio que se interpõe entre a poeta e o seu desejo de habitar o além indevassável. Nestes poemas iniciais, as reticências representam o mundo rarefeito, onde a paisagem nunca se revela por completo, denunciando antes as "distâncias ermas" de que fala a poeta na abertura do livro. E, como tudo é tão longe e tão impossível, ela conclui em "Dolorosa", um poema sobre a mãe, que o seu viver é arrastar "uma alma desiludida, / pela paisagem de desencanto / da Vida..." (p.52). Sentindo-se separada dos seus, em alguns poemas construídos a partir de sua condição de órfã, Cecília tende a viver de forma desencantada a sua juventude, pois tudo tende para a desagregação, contra a qual ela vive.

A idéia de união aparece em outro livro deste período (*Cânticos*,1927). Nas duas primeiras partes, Cecília defende a unidade do mundo na indivisibilidade do ser:

Não queiras ter Pátria.
Não dividas a Terra.
Não dividas o Céu
[...]
Não sejas o de hoje.
Não suspires por ontens...
Não queiras ser o de amanhã.
Faze-te sem limites no tempo.

3.

Apenas em 1939, ao reunir poemas produzidos entre 1929 e 1937, Cecília chega a seu estilo definitivo, com o livro *Viagem*, trazendo toda a sua inquietação mística para um plano mais próximo da realidade cotidiana, que, no entanto, aparecerá sempre como alegoria. Esta tendência alegórica dará a tônica de sua poesia, pois para a autora o real não é algo em si, mas referência a um mundo abstrato. Ou seja, a esfera da materialidade só conta para ela por conduzi-la além da matéria, guardando antes de mais nada uma condição figurada. O livro é significativamente dedicado aos amigos portugueses. A idéia da viagem traz um sentido muito forte. Está ligada à própria história de Portugal, à vinda de seus antepassados açorianos, revelando assim conexões históricas e biográficas, mas aparece em oposição a uma prática do geografismo na literatura.

Se a viagem era o grande tema modernista (que vai dos romances *Memórias sentimentais de João Miramar* e *Macunaíma*, de Oswald e de Mário de Andrade, a um *Cobra Norato*, de Raul Bopp), pois os autores daquele momento viam no perder horizontes uma possibilidade de fazer a radiografia do país profundo, Cecília subverte este conceito que tanto marcou a geração à qual, cronologicamente, ela pertence. Seu livro dialoga com toda uma tradição de modernidade que apostou no deslocamento do espaço como projeto lingüístico, folclórico, histórico e sociológico, assumindo o papel de observador e de coletor de dados. Viajar, para esta geração, era anexar novas realidades, nacionais ou internacionais, tirando o Brasil de seu isolamento e de seu autodesconhecimento. A poesia nascida sob tal primado se caraterizou por um olhar telúrico e tinha como programa a definição de uma identidade fragmentária e em movimento. Ficava implícito o nosso conceito geográfico de nação: num país de proporções territoriais tão extensas e díspares, viajar era a maneira mais natural de conquistar uma identidade. Vale lembrar ainda que a viagem modernista nasce do culto à máquina e à velocidade. Sem os automóveis e sem o estímulo tecnológico, a viagem poderia ficar restrita ao âmbito semântico de um Brasil lerdo e ultrapassado. Não é a viagem em lombo de burro nem em trenzinhos monótonos. Os modernistas passaram a olhar a paisagem de um veículo mais rápido, definindo assim os recortes inusitados de nossa paisagem. Um grande exemplo desta conexão entre automóvel e poesia é "Como se vai de São Paulo a Curitiba", texto em que Raul Bopp relata uma aventura motorizada por estradas de terra do interior do país.

Quando Cecília batiza seu primeiro grande livro como o nome de *Viagem*, está prometendo se inserir num discurso já desgastado. Ela, no entanto, faz uma desleitura deste tópico, colocando a viagem dentro de uma perspectiva antigeográfica, que remete à idéia de transitoriedade. No primeiro texto, define a canção (em oposição ao poema modernista) como "flor de espírito, desinteressada e efêmera". É esta trajetória para o declínio que vai configurar a canção e a existência. Viajar é sinônimo de viver, de se deslocar rumo ao distante, afastando-se dos tumultos humanos. Em "Herança", fica declarado: "Eu vim de infinitos caminhos". Podemos dizer também que ela vai por caminhos infinitos. Em todo o livro o conceito de viagem está ligado mais ao mundo simbólico.

Assim fica estabelecida uma conexão de sentido entre o eu transeunte e o transitório. Inúmeras serão as imagens que confirmam esta proximidade semântica. O mundo por onde o eu se move é marcado pela presença de elementos volúveis. As metáforas mais recorrentes são flor, água, ondas, espuma, vento, nuvens, música, cigarra e infância. A fixação nestes tropos da inconstância aponta para uma percepção aguda da rapidez de tudo, da viagem veloz rumo ao fim. Ou seja, Cecília se apropria da noção modernista de velocidade, usando-a não como recurso estilístico, mas como alegoria da existência.

Se tudo se move com tanta rapidez, se não há terreno fixo na condição humana, se os signos existenciais vêm sempre marcados pela falência (e abundam referências a quedas e naufrágios em sua obra), a poeta se assume como pastora de nuvens ("Destino"), ou seja, como alguém que lida com o inefável e o fugidio. O seu território é um não-lugar, uma fronteira imprecisa, o que a obriga a viver em suspensão:

Pastora de nuvens, fui posta a serviço
por uma campina tão desamparada
que não principia nem também termina,
e onde nunca é noite e nunca madrugada.

(Pastores da terra, que saltais abismos,
nunca entendereis minha condição.

Pensais que há firmezas, pensais que há limites.
Eu não.)

Enquanto cuida de um gado inconstante num prado móvel, vivendo sob o signo da desproteção e do desamparo, a poeta vê os outros pastores tão confiantes no mundo físico ao ponto de saltar abismos. O uso de sinais gráficos no início das segundas estrofes representa visualmente esta proteção que poderíamos chamar de uterina. Todas as segundas estrofes aparecem entre parênteses, sugerindo um mundo fechado, com limites definidos, dentro do qual o eu se sente no conforto de um invólucro. Os três primeiros versos destas estrofes são longos e vão definir a natureza desta proteção, mas o quarto é um refrão brusco, que interrompe o ritmo e o sentido, revelando a posição da pastora de nuvens: "Eu, não". Expulsa deste útero, ela se sente orfanada, mas ao mesmo tempo liberta.

Se o poema se organiza a partir de estrofes paralelas, mostrando a separação entre as duas naturezas, Cecília usa imagens antagônicas para representá-las: a poeta ficará queimando vigílias em planícies aéreas e os pastores da terra dormirão como pedras suaves. Nuvens *versus* pedras. O informe em permanente mutação *versus* a matéria repousada em sua forma eterna. Uma tradução imagética para a variação que ocorre no poema: estrofes normais *versus* estrofes parentéticas.

Enquanto os seres vistos como pedras vivem na falsa segurança de sua materialidade, a poeta se concebe como um elemento móvel, mutável, inapreensível: ela é frágil matéria fluindo no tempo. A idéia de viagem acaba assim inserida na própria identidade de um eu que se sente de passagem.

Neste vácuo em que se move, ela está absolutamente sozinha. O Eleito é também marcado por uma vacância:

Pastora de nuvens, esqueceu-me o rosto
do dono das reses, do dono do prado.

Esta viagem será, portanto, destituída de senso de direção, cabendo ao eu um deslocamento sem rumo definido. A inexistência de projeto, de itinerário, implicada na ausência do dono do prado, leva a poeta a não investir em projeto de qualquer natureza. Ela se deixa levar ("Não sou dos que me levam: sou coisa levada...", confessa em "Tentativa"), recusando os papéis sociais. Sobre este tema, leiamos o "Epigrama n.º 7": "A tua raça de aventura / quis ter a terra, o céu, o mar. // Na minha, há uma delícia obscura / em não querer, em não ganhar... // A tua raça quer partir / guerrear, sofrer, vencer, voltar. // A minha, não quer ir nem vir. / A minha raça quer *passar*". O fato deste verbo aparecer em itálico aponta o seu sentido figurado, o mesmo que encontraremos agregado à idéia da viagem. Este desinteresse pela conquista, pela definição dos caminhos e pelo sentido do ser determina o seu completo desamparo, de tal modo que seria melhor entender este movimento como uma errância e o eu como um nômade que nega os valores dos pastores da terra, identificados com o papel de colonos. Um está fixado a um espaço e faz dele a sua identidade. O outro leva uma existência imprecisa.

O conceito de viagem aparece em Cecília Meireles desideologizado, limpo da missão lingüística, cultural e folclórica cara aos modernistas.

Sem se reconhecer nos sentidos e nos projetos humanos, a poeta se rende à casualidade, que será tanto existencial quanto literária. Rompendo com o poema, entendido como construto racional, investirá na música das palavras, fortalecendo a vagueza vislumbrada em tudo. O melódico tem em sua obra um sentido muito importante, pois é a correspondência estilística de um universo fluido, incerto, nebuloso. O "lirismo tradicional" de Cecília atende antes a uma consciência melódica que opõe às dissonâncias estéticas do modernismo os ritmos serenos e vagos que descaracterizam o real.

Em *Viagem* são inúmeras as referências à canção, tematizadas em textos ou presentes neles como estrutura subjacente. Cantar é a própria justificativa de um eu que se incorpora à mitologia da sereia, este ser fronteiriço, pertencente ao mar (mar absoluto, como veremos) e ao mundo dos homens:

A mulher do canto lindo
ajuda o mundo a sonhar,

> com o canto que a vai matando,
> ai!
> E morrerá de cantar.

E aqui a figura da sereia se aproxima da simbologia da cigarra, o inseto que falece depois de emitir seu canto. Em ambas as metáforas, prevalece a condição cantante destes seres, nos quais a poeta se reconhece ("Não tenho inveja às cigarras: também vou morrer de cantar"). A canção é uma conexão com o mundo das essências, de onde ela se sente apartada. Através da música, Cecília se conecta a uma dimensão distante. Em "Discurso", fica revelada a solidão desta permanência no outro lado, suportável graças à arte:

> E aqui estou, cantando.

Quanta força neste verso que abre o poema! Ao iniciá-lo com a conjunção e, Cecília deixa pressuposto todo o sofrimento de não poder participar da outra esfera: "e no entanto aqui estou". A conjunção une os dois lados, embora um deles permaneça oculto. O lá e o aqui. Esta é uma realidade insatisfatória e a poeta se rebela contra ela, criando uma ponte com o lá. O fecho do verso é o gerúndio *cantando*. Ele vem separado por vírgula, o que nos obriga a ler o verbo com mais vagar, operando uma mudança de ritmo. Se a primeira parte do verso ("E aqui estou") é uma abertura abrupta e inesperada, a segunda se distingue — seja pela pausa introduzida pela vírgula, seja pelo alongamento do verbo no gerúndio, seja pelo eco (*can-tan-do*) — por um ritmo mais moderado. A poeta se põe a cantar indefinidamente, pensando-se como um ser que existe no e para o ritmo:

> Um poeta é sempre irmão do vento e da água:
> deixa seu ritmo por onde passa.

> Venho de longe e vou para longe:
> mas procurei pelo chão o sinal do meu caminho
> e não vi nada porque as ervas cresceram e as serpentes andaram.

> Também procurei no céu a indicação de uma trajetória,
> mas houve sempre muitas nuvens.
> E suicidaram-se os operários de Babel.
>
> Pois aqui estou, cantando.

Sem encontrar sua trajetória nem no céu, nem no chão, resta-lhe cantar. A forma de habitar o aqui se dá pelo movimento ("venho de longe e vou para longe"), retomando a idéia de uma viagem pessoal, interna e psicológica. O ato de cantar ganha uma dimensão absoluta e, certeza única da poeta, é a sua arma contra a morte, vista como um estado de mudez:

> Sei que canto. E a canção é tudo.
> Tem sangue eterno e asa ritmada.
> E um dia sei que estarei mudo:
> — mais nada.
>
> ("Motivo")

Valorizando de tal forma a canção, Cecília Meireles vai se declarar entregue a ela em *Vaga música* (1942). A nova coletânea, no entanto, não constitui um rompimento em sua produção, antes funcionando como intensificação das tensões do livro anterior. Eis outra característica desta poeta que sempre teve muito bem distinta uma voz: a sua obra toma corpo a partir da intensificação das questões axiais e do domínio cada vez maior dos recursos da lírica da língua portuguesa. Não encontraremos grandes saltos de um livro para outro. Defensora de um tempo inconsútil, Cecília não aposta no ruptura (seja estilística ou temática), e sim na continuidade.

Logo, *Vaga música* é uma extensão da poética anterior, que intensifica a questão melódica, fortalecendo o clima de rarefação — próprio de sua estética aérea. Como não confia no racional, ela se deixa levar pelo ritmo, confirmando a sua condição de andarilha solitária e de exilada sem parada fixa. O primado da melodia, dessa forma, tem uma significação muito importante: ele é uma referência velada ao movimento permanente do eu. Ao invés de se fixar na logopéia (leia-se: qualquer possibilidade de sentido), ele se deixa levar pelas ondas de uma música que se assume como vaga, errante, símbolo desse eu instável. É o embate entre a música e o pensamento (ou entre o Simbolismo e o Parnasianismo) teatralizado nestes poemas, onde surge outra metáfora fundante: o mar — visto pelo compasso musical de suas vagas eternas. Em "Mar ao redor" (um título que dá uma idéia de solidão), a poeta declara a força do ritmo sobre a razão:

> *Meus ouvidos estão como as conchas sonoras:*
> *música perdida no meu pensamento,*
> *na espuma da vida, na areia das horas...*

Esta metaforização desmaterializa a paisagem, tirando-lhe o peso e dando-lhe a liberdade das coisas sem uma forma limitadora. O esfumaçamento do real cria o cenário nebuloso, de quem olha a paisagem não em busca do imediato, mas tentando divisar o que fica além do horizonte. A música, dentro deste contexto, serve para aumentar a imprecisão deste território. Daí Cecília percorrer a paisagem atenta aos elementos que lhe revelem o "rosto da música". O movimento melódico, uma das metáforas fundadoras de seu fazer literário, lhe confere a liberdade de quem se deixa arrastar. *Vaga música* agrupará inúmeros poemas que trazem no título palavras do campo semântico da desproteção. Em "Canção do caminho", fica revelada a condição errática desta poeta: "Por aqui vou sem programa, / sem rumo, / sem nenhum itinerário". A mesma idéia aparece em "Despedida": "Meu caminho é sem marcos nem paisagem". O estar em movimento neste labirinto de névoa, de areia ou de espuma, denuncia o descontentamento com sua forma humana, terrena e social. Em "Partida", ela volta a afirmar-se livre de tudo que possa significar segurança, sem mapas e sem guia. Em "Canção da alta noite", faz uma profissão de fé, anunciando-se destinada à sina andarilha:

> *Andar, andar, que um poeta*
> *não necessita de casa.*

[...]
Porque o poeta, indiferente,
anda por andar — somente.
Não necessita de nada.

O seu território é a alta noite, momento de solidão plena, de apagamento da paisagem familiar. A poeta itinerante está entregue à essência vaga da música, ao ritmo volúvel das águas e do vento, e elege, "Panorama", a sua morada:

Em cima, é a lua,
no meio, é a nuvem,
embaixo, é o mar.

Deixando o convívio dos homens, as suas ilusões de felicidade, ela se perde nestes três espaços. A lua simboliza a memória, tudo aquilo que retorna e nos conduz a tempos e fatos idos. A nuvem figura como metáfora da precariedade, de uma vida que se move numa suave cadência por diáfanos caminhos. O mar é a representação do infinito, um conceito próximo da noite e do deserto. O interessante é que todos os três substantivos trazem implícita a idéia de movimento, reforçando a natureza viajante deste eu em contínuo deslocamento. Os três também aludem à longitude. Poderíamos dizer que a poeta se coloca no caminho da distância, indiferente ao que está a seu lado:

De tanto olhar para longe,
não vejo o que passa perto.

Seus poemas não poderiam se fixar numa radiografia da paisagem. São justamente o inverso: sonhos, lendas, música. É este distanciamento a marca de sua poesia numa fase em que fica teatralizado o embate platônico entre o mundo da essência e o da aparência.

Sem saltos, Cecília Meireles chega a *Mar absoluto e outros poemas* (1945), livro composto por peças escritas durante os conflitos da II Guerra Mundial. Neste período, Carlos Drummond de Andrade, sob o impacto bélico, está escrevendo os poemas do tempo presente de seu *A rosa do povo* (1945). Cecília, no entanto, continua vendo o mar não em sua historicidade (como palco de lutas terríveis), mas dentro de sua gramática de infinito, solitude e melodia. Em *Vaga música*, o mar aparecia como personificação da memória ("O mar, de língua sonora, / sabe o presente e o passado", escreveu ela em "Modinha") e estava ligado à mitologia pessoal da poeta, sem referências concretas a fatos. Os naufrágios, para ela, são metáforas da falência humana sem maiores ressonâncias históricas. Estas significações vão ser intensificadas e outras agregadas à tópica marítima, num livro que fará a passagem do mundo lendário para o dos homens, chamando-a para um tempo presente, embora ela jamais se entregue à poesia engajada, mantendo sempre a posição arredia de quem não se reconhece apenas no agora.

Evitando o diálogo, a poeta busca o solilóquio memorialístico com as águas em *Mar absoluto*, pois o mar, num primeiro momento, é para ela a região de convívio com seus familiares remotos, fazendo do encontro com eles uma recuperação, pelos mecanismos da sugestão, de todo um tempo morto. Ela se sente atraída por sua gente marinheira e se deixa levar pelo chamado:

E o rosto de meus avós estava caído
pelos mares do Oriente, com seus corais e pérolas,
e pelos mares do Norte, duros de gelo.

Então, é comigo que falam,
sou eu que devo ir.
Porque não há mais ninguém,
não, não haverá mais ninguém,
tão decidido a amar e a obedecer a seus mortos.

Esta fidelidade mostra que são os mortos que comandam os vivos, numa hierarquia de ascendência espiritualista. Como ela se sente afastada dos seus, faz do poema uma viagem ancestral, na qual encontra não o convívio com os antepassados, mas uma ausência de eventos que destaca a sua essência solitária. O mar é tratado como lugar extremo, vastidão deserta, exílio sem margens. Daí não se realizar o encontro com os seus mortos, mas um confronto com o infinito e um afastamento das atividades cotidianas:

Queremos a sua solidão robusta,
uma solidão para todos os lados,
uma ausência humana que se opõe ao mesquinho formigar do mundo
e faz o tempo inteiriço, livre das lutas de cada dia.

Esta solidão almejada é o caminho de ascese para uma existência inserida numa dimensão una. O mar, sendo espaço sem rupturas, é passagem para o tempo indivisível, no qual a poeta encontra uma superação da orfandade. É neste sentido que devemos entendê-la, na opinião de Wilson Martins, como poeta da nostalgia: "Cecília Meireles renunciou a integrar-se a seu tempo: a sua poesia é, por isso, em conjunto, uma poesia nostálgica, voltada para o passado" (*Pontos de Vista III*, p. 346). Não se pode ver nisso, no entanto, uma limitação ou um acidente. Ela não se liga ao presente por vê-lo como destinado a unir-se ao passado, sem o qual inexiste a desejada pan-temporalidade.

O mar guarda para a poeta o sentido de memória viva e de caminho para a eternidade. Reintegrar-se a ele significa superar a orfandade, que não é só a biográfica, mas também espiritual. O mar, no entanto, não funciona apenas como paisagem do mundo natural, mas como metáfora do eu lírico:

Aceita-me apenas convertida em sua natureza:
plástica, fluida, disponível,
igual a ele, em constante solilóquio,
sem exigências de princípio e fim,
desprendida de céu e terra.

O eu se faz mar, convertendo-se naquilo em que reconhece a sua própria essência fluida. A poeta é o mar. Ambos são condenados ao sem fim e ao solilóquio, ao movimento incessante e ao incaracterístico, havendo entre eles uma profunda equivalência. É ao se converter nele que há a integração ao passado familiar e ao elemento imorredouro. Assim, o mar é símbolo de um tempo pleno.

A sua vocação marítima aponta um desejo de regresso, de reunificação, que define suas opções estéticas. Ao longo de todo o livro, ela continua trabalhando com os símbolos da transitoriedade, principalmente na série de poemas "Motivo da rosa", que pontilham a estrutura do livro. É a aguçada consciência da fugacidade que a leva a um posicionamento absenteísta, e abundará — neste como nos dois livros anteriores — a temática da fuga, não só do mundo como do próprio eu: "Senhor da Vida, leva-me para longe! / Quero retroceder aos aléns de mim mesma!" ("Os homens gloriosos"). É justamente neste poema e em alguns outros que aparece, um tanto diluída, a temática da guerra. Ela entra como negação do mundo da poeta: "Como ficaram meus dias, e as flores claras que eu pensava! / nuvens brandas construindo mundos, / como se apagaram de repente". A pastora de nuvens é obrigada a ser agora pastora das ondas. Ou seja, tem aumentada a concretude de seu rebanho, embora ele ainda continue um elemento impreciso. Mas, nesta mudança, sua natureza perdeu a suavidade, sendo agora mais violenta.

Dá-se no livro uma tensão entre o mar absoluto, metafísico, e o real, que é o da guerra, mas é também o que faz a ponte ao universo lusitano, pátria pretérita de Cecília. Portugal entra neste volume pela homenagem a poetas lusos, referências a topônimos e aproveitamento de estruturas tradicionais da lírica portuguesa:

Barqueiro do Douro,
tão largo é teu rio,
tão velho é teu barco,
tão velho e sombrio
teu grave cantar.

Esta primeira estrofe de "Noite no rio" valoriza em Portugal a largueza do espaço e do tempo, ligando-se assim à metáfora fundadora do livro: o espaço uno. Há uma analogia inconfundível entre este país-tronco, que é uma espécie de *lá* histórico e físico, e o *lá* místico de que vem tratando a poeta. Mas Portugal ainda está presente num dos sentimentos primordiais de Cecília Meireles, a saudade — sentimento relacionado ao declínio do poderio marítimo do império luso, ao qual ela dá uma significação mais profunda. Embora não trabalhe com elementos concretos, e sim com uma gramática oblíqua, Cecília Meireles não pode ser entendida como representante da estética torre de marfim, que permanece indiferente aos acontecimentos. As suas conhecidas atividades pedagógicas e jornalísticas desfazem a imagem de uma pessoa isolada numa individualidade casulosa. No âmbito da poesia, ela não foi diretamente participante, mas um livro como *Mar absoluto* mostra o choque com um tempo de homens partidos. Cecília não ficou indiferente a ele, dando respostas que definitivamente não são engajadas, embora também não estejam desconectadas do tempo vivo do qual participava. Dentro de seu projeto de reunificação (um projeto nascido, como afirmamos, de sua condição de órfã), ela nega as idéias de divisão que movem a guerra e intensifica uma estética da união, seja do presente com o passado, seja do novo homem nacional com o velho português, seja das formas modernas com as tradicionais. Todo o movimento de sua poesia toma este rumo.

Jardim de caminhos que se bifurcam, levando a poeta para a dimensão mística e também para sua pátria primeira, *Mar absoluto* é composto ainda por uma segunda parte, a dos poemas escritos em outro período e em outra clave. São eles "Os dias felizes" e "Elegia" (1933-37). Para Eliane Zagury, estes textos apensos ao livro funcionam como passagem para uma poesia menos carregada de misticismo e de simbologia, verdadeira abertura para a conquista do mundo real, que será o ponto de contato para o próximo volume: *Retrato natural* (1949). Veja-se o primeiro verso de "Os dias felizes": "Os dias felizes estão entre as árvores, como os pássaros". Trata-se, como bem observou Zagury, de uma poesia solar, de um encontro com a natureza, com uma maneira de ser mais simples, despida da retórica lírica e mística que marcou seus livros até aqui: "agora a paisagem límpida, plantada no chão, é que comanda a sua natureza, já tão distante dos esfumaçados dos primeiros livros e da fluidez dos seguintes" (Zagury, p. 46). *Mar absoluto* fecha o ciclo de poemas místico-marinhos, abrindo uma vertente nova, a do encontro com a natureza e com uma maior tranqüilidade de alma: "se *Mar absoluto* tinha sido composto durante a Segunda Guerra Mundial e aparentemente [*só aparentemente, como mostramos*] escapava de sua tensão, *Retrato natural* vai de certa forma analisar e reconstruir os escombros, agora que a participação mais isenta permite a integridade relativa do participante, não mais sob o pânico de ser destruído na sua fusão mística com o mundo em destruição" (idem, p.52). Esta pacificação leva a poeta a se reconhecer na natureza, tirando dela uma lição solar.

4.

Com *Retrato natural* Cecília atinge uma poesia mais moderna, tanto pelo despojamento estético como pela temática mais cotidiana, mas de um cotidiano separado do "formigar do mundo". Isto significa que, embora deixando em segundo plano a nebulosidade e a fluidez de sua obra anterior, o livro de 1949 continua dentro de um espaço individual, subjetivo, emocional, do qual Cecília Meireles jamais sairá. Poderá ela falar dos homens apodrecendo nos campos de luta ("Declaração de amor em tempo de guerra"), do leproso de olhar sinistro ("Balada de Ouro Preto"), das meninas entregues à luxúria ("Balada das dez bailarinas do cassino") ou da índia chorando ("Paisagem mexicana"), que ainda assim será uma visada subjetiva dos acontecimentos que a atingem, sem no entanto lhe tirar de seu universo — visto como reino submarino, exílio profundo, de onde a poeta, na condição de náufraga, olha o que acontece na terra. É por isso que Eliane Zagury diz que, mesmo entrando no seio da ação, é de caráter afetivo a participação de Cecília nas dores do mundo (p.57). Ou seja, ela continua sempre fixada nestes domínios da solidão: "Só conservo a minha solidão marinha" ("Sorriso") e "Aqui está minha herança — este mar solitário" ("Apresentação").

Se este livro é composto por poemas ao ar livre, onde a linguagem poética pulsa menos nos domínios obscuros dos símbolos e tem maior concretude e clareza, não podemos ver nele um rompimento com a produção anterior, pois suas tensões continuam latentes, embora com outra roupagem. O arcabouço metafórico tornou-se leve, o verso mais breve e o sentido ficou mais na superfície do poético, tudo traduzindo uma abertura de linguagem. Os marinheiros agora são seres límpidos e os poemas trazem algo de solar, de canto matinal, visível em textos que falam da manhã, dos galos, do dia, do entusiasmo, da infância. Isso não significa que inexistam os elementos negativos, como o naufrágio, a tristeza, a melancolia, a decepção e a morte, e sim que há uma maior pacificação no tratamento desses signos, vertidos numa linguagem mais contida nos seus mecanismos metaforizantes.

Um poema antológico, "Os gatos da tinturaria", retrata bem o desejo de maior controle sobre as alegrias/tristezas da vida terrena:

Os gatos brancos, descoloridos,
passeiam pela tinturaria,
miram polícromos vestidos.

Com soberana melancolia,
brota nos seus olhos erguidos
o arco-íris, resumo do dia,

ressuscitando dos seus olvidos,
onde apagado cada um jazia,
abstratos lumes sucumbidos.

No vasto chão da tinturaria,
xadrez sem fim, por onde os ruídos
atropelam a geometria

os grandes gatos abrem compridos
bocejos, na dispersão vazia

da voz feita para gemidos.
E assim proclamam a monarquia
da renúncia, e, tranqüilos, vencidos,
dormem seu tempo de agonia.

Olham ainda para os vestidos,
mas baixam a pálpebra fria.

Composto a partir da oposição branco *versus* colorido (desdobrada em outra: entusiasmo *versus* melancolia), o poema define a altivez destes gatos que conseguiram uma iluminação interior, abrindo mão da festa dos sentidos — no caso, as luzes do arco-íris e os gemidos, amortecidos por um olhar frio e por um bocejo de tédio. Fica aqui representada "a monarquia da renúncia" destes seres lascivos. Lembre-se que a renúncia é também uma forma de exílio. E temos realmente a impressão de que este existir dos gatos na tinturaria tem algo de fuga para o deserto, visto como provação e como controle das forças anarquizantes. O gato é um animal com um simbolismo ambivalente, podendo ter tendências benéficas ou maléficas. É esta ambigüidade que Cecília explora neste poema que talvez seja o centro de *Retrato natural*. É preciso vencer os entusiasmos perigosos e aprender a viver neste exílio, sem reacender os lumes olvidados, mesmo quando o arco-íris está tão próximo (no poema ele é representado pela festa dos vestidos). O passeio dos gatos pela tinturaria é lento, eles se movem num passo de monarca, sugerindo que é este o comportamento esperado de quem habita o plano terreno sem se fiar em suas aparências. Contra o mundo da exterioridade (os vestidos representam uma superfície cheia de promessas), os gatos exibem uma postura de tranqüila renúncia, uma inércia pacificadora.

Este poema dá o tom desta fase da poesia de Cecília, onde os desesperos matinais são substituídos pelo equilíbrio das tensões. Dando continuidade ao mesmo campo semântico, em "O impassível marinheiro" ela narra a história de um viajante que passou por mil tormentos e que se mantém inflexível, a mão segura conduzindo o leme. E esta serenidade não é fruto de um encontro com o Rei, que vive sempre na distância inatingível, mas de uma identificação com os seres naturais — os gatos aristocráticos, nobres em sua desistência, ou as plantas que lhe dão idêntica lição:

> *São mais duráveis a hera, as malvas,*
> *que a minha face deste instante*
> *[...]*
> *Sinto-me toda igual às árvores:*
> *solitária, perfeita e pura.*
> ("Retrato ao luar")

Se as dores do mundo atormentam este eu influenciável, como o leproso mineiro que o fita com um olhar demoníaco, ele se espelha nas criaturas do mundo natural, dentro de um projeto de afastamento das ilusões humanas. Outro poema extremamente significativo para o recorte que estamos fazendo é "Pastora descrida", que dá prosseguimento à imagem da poeta a pastorear por uma campina improvável. Se antes ela não encontrava o dono do prado, agora lhe resta um diálogo quebrado com o eco, representação da vacância divina e da de seus ancestrais:

> *Eu, pastora, que apascento*
> *estrelas da madrugada*
> *pelas campinas do vento,*
>
> *fui falar ao eco antigo,*
> *a cuja voz fui criada,*
> *e que supus meu amigo.*
>
> *"Sou sempre a de antigamente",*
> *murmurei-lhe, enternecida.*
> *E ele anunciou longe: "Mente!"*

Nestas estrofes iniciais, o eu tenta se ver confirmado numa entidade investida de sentido místico, o eco antigo, que lhe nega a condição de sobrevivente de um tempo maior: "Sou sempre a de antigamente". A palavra *sempre* já traz a idéia de continuidade, projeto de toda a poesia de Cecília. O eco, que se encontra longe, ou seja, tão inalcançável quanto o Rei, contradiz a afirmação. Esta verdade proferida contra a sua frágil certeza faz com que ela a repita, acrescentando que pertence ao ontem e ao agora, tempos que estão conjugados em sua pessoa. Esta é a afirmação axial de toda a poética ceciliana: os tempos não estão compartimentados, mas são algo único e se estendem como ponte infinita sobre a breve existência humana. O eco surdo e soturno repete a sua acusação, levando o eu ao desespero por se ver negado em seu princípio fundamental, o do tempo inteiriço.

No meio desta crise que a conduz ao choro desesperado, ela é consolada pela manhã que nasce e principalmente por seu rebanho, que lhe confirma sua face eterna, imorredoura:

Mas o gado que pascia
pelas colinas da aurora,
mascando as margens do dia,

veio a mim sem que eu esperasse
lambeu-me os olhos de outrora
— reconheceu minha face.

Na ausência do Eleito, ela se entrega ao convívio — metafórico — com estes seres do mundo natural (pombas, gatos, estrelas, galos, cabras, rosas, amor-perfeito, criança etc.), tirando deles o exemplo de uma monarquia da renúncia e da tranqüilidade.

Em *Retrato natural* temos uma poética ao rés do chão, onde o aqui e o agora são valorizados. Mas a nostalgia é forte e funciona como dispositivo de recuperação não só de um eu passado como de tempos idos e de espaços jamais trilhados. E essa volta ao passado será uma viagem de afastamento dos referenciais imediatos.

É um passado medieval e português que ela reencena, valendo-se de glosas, em *Amor em Leonoreta* (1951), um poema longo que retoma o canto de amor de Amadis de Gaula, unindo a língua atual à de tempos matinais, num texto de tons elevados. Zagury lembra que "a Idade Média é um tempo ficcional propício para o devaneio ceciliano" (p.63), mas é preciso determinar o sentido deste deslocamento, que atende à nostalgia de que falamos e a um desejo de superação da orfandade vivida como indivíduo e como cidadã da língua portuguesa. Não se trata de um simples devaneio, mas da retomada de um tempo e de um idioma repletos de raízes, atendendo a um projeto de participação no universo ibérico do qual ela descende.

O equivalente, no Brasil, a esta viagem ao passado mítico chama-se *Romanceiro da Inconfidência* (1953), uma reconstrução lírica e épica de um episódio central da identidade brasileira. Cecília Meireles se apropria da Inconfidência sem a intenção de tirar dela um ideário político ou de fazer qualquer tentativa de participação. O que a atrai naqueles episódios é a fundação de uma nacionalidade intemporal. Foi este poder de se fazer presente, mais ainda, de se fazer fundamental na vida dos pósteros, que levou Cecília a se dedicar a velhos e vívidos personagens e narrar "a estranha história de que haviam participado e de que me obrigaram a participar também, tantos anos depois, de modo tão diferente, porém com a mesma, ou talvez maior, intensidade" (depoimento da autora citado por Zagury, p. 75). É a natureza lendária dos fatos que seduz uma poeta que colocou toda a sua obra a serviço da transcendência: "Nesse tempo emocional que o tempo acumula todos os dias nem o mais breve suspiro se perde, se ele foi dedicado ao aperfeiçoamento da vida. Muitas coisas se desprendem e perdem — ou parecem desprendidas ou perdidas — ilimitado tempo: mas outras vêm, como heranças intactas, de geração em geração, caminhando conosco, vivas para sempre, vivas e atuantes, e não lhes podemos escapar" (idem). A crença neste poder de permanência da dignidade dos atos humanos se efetiva na valorização das palavras, vistas pela poeta como aéreas. O mais pungente e bem realizado poema de *Romanceiro* da Inconfidência é justamente o "Romance LII", que trata da saga dos homens que morrem pela palavra:

> *Ai, palavras, ai, palavras,*
> *que estranha potência, a vossa!*
> *Ai, palavras, ai, palavras,*
> *sois de vento, ides no vento,*
> *no vento que não retorna,*
> *e, em tão rápida existência,*
> *tudo se forma e se transforma!*

Apesar de sua imaterialidade, a palavra é o centro da história, e em vários romances Cecília vai render homenagem ao ato de escrever, contrapondo a escrita libertária e poética dos inconfidentes à escrita burocrática e covarde dos funcionários e traidores. Em todo o longo conjunto, há a idéia de que é preciso fazer o testamento desta geração. Marília, já velha, aparece inventariando seus pertences, em oposição à sua dimensão lendária. Por isso, ela aparece como uma figura melancólica, contabilizando suas posses:

> *Triste pena, triste pena*
> *que pelo papel deslizas!*
> *— que cartas não escrevestes*
> *— que versos não improvisas*
> *— que entre cifras te debates*
> *e em cifras te imortalizas...*

Em oposição à escrita contábil das riquezas, própria em um tempo de cobiça onde o ouro fala mais alto, aparece Tomás Antônio Gonzaga deixando, depois de ter seguido para o exílio africano, uma único bem: um par de esporas de prata. Este objeto é simbólico. As esporas funcionam como motor da ação. Sua finalidade as dota de um sentido elevado, o de ser a mola propulsora da revolução. É importante ainda o material de que são feitas: prata. Em oposição ao ouro da cobiça, com seu amarelo doente, Cecília escolhe a claridade da prata, imagem do que existe de mais nobre nas ações humanas. Este embate entre a cobiça e a liberdade, entre o ouro e a prata, também surge no inventário de Tiradentes ("Da arrematação dos bens do Alferes"). Os seus pertences são irrelevantes e antagonizam com a riqueza reinante no período. Pouco possuía o herói: um cavalo rosilho, esporas, fivelas, navalhas, tabaqueira de chifre, um relógio, os instrumentos de dentista, um pobre canivete e um espelho. Signos de sua pobreza e de sua condição de trabalhador (patente em seu próprio apelido), estes objetos são um atestado de sua grandeza humana.

Mesmo os inconfidentes mais ricos terão seus bens confiscados e conhecerão a ruína. Cecília dramatiza nestas histórias a oposição entre a posse material e a liberdade. Só é livre aquele que está disposto a renunciar a seus bens. A recompensa vem de uma entidade que a autora define como imaterial: as aéreas palavras.

Vale destacar que a Inconfidência não foi só uma revolta de heróis abnegados, mas de heróis letrados, que fizeram da palavra algo maior do que um mero instrumento de comunicação, dando-lhe um caráter transcendente. Era a liberdade pela palavra, o que é o mesmo que dizer: pela história. Daí o "Romance das palavras aéreas" ocupar o centro do livro. É nelas que se manifestam a permanência dos fatos ocorridos e a sobrevivência mítica de seus heróis, que foram vencidos no passado e hoje são os vencedores. É pela e na palavra que eles sobrevivem. No "Romance dos ilustres assassinos", fica confirmado este valor das palavras de estranha potência, que negam a própria morte:

Por fictícia austeridade,
vãs razões, falsos motivos,
inutilmente matastes:
vossos mortos são mais vivos;
e, sobre vós, de longe, abrem
grandes olhos pensativos.

O *Romanceiro da Inconfidência* efetiva a passagem da música para o significado das palavras. Aqui, Cecília se dedica a explorar a potência perenizadora de um código que vence as limitações históricas e funda reinos aéreos. Este livro revela ainda a nostalgia de um tempo mítico, recuperado pelas "asas de memória e de saudade" (como está escrito na abertura do poema).

Amor em Leonoreta também pode ser incluído nesta nova vertente da poesia ceciliana, que valoriza não a melopéia que prepondera em sua obra até esta data, mas as idéias, que já vinham rivalizando com a música desde o começo, a ponto de Wilson Martins tomar sua poesia como conceitual, por ver nela não propriamente a expressão dos sentimentos, mas "um apelo constante aos recursos discursivos, à dissertação lógica, à explicação de seu próprio texto" (p.347).

Uma variação menos feliz de uma lenda lírica de fundação da pátria é *Crônica trovada* (1965), que trata dos primórdios do Rio de Janeiro. Mas até nessa obra secundária sobressai o projeto de afastamento do agora e de recuperação mítica de um tempo que ficou perdido nas dobras do passado.

Se nestes dois livros Cecília Meireles teatraliza as raízes de um país profundo no tempo e não no espaço, em *Pequeno oratório de Santa Clara* (1955) abria-se outra forma de viagem, agora pela atualização poética da vida santa, com prosseguimento em *Romance de Santa Cecília* (1957) e *Oratório de Santa Maria Egipcíaca* (escrito também em 57). Os três poemas são peças menores, mas ajudam a entender esta projeção do passado mítico no presente como maneira de negar uma visão restritiva do tempo.

Encontramos neste último volume um poema lírico em forma de drama que traduz em versos a história de Maria de Alexandria — que santa se tornou depois de ter largado a sua sina torta pelos largos e pavimentados caminhos do prazer, tomando a trilha apertada que a levou ao deserto e a Deus. A autora reporta-se a um episódio religioso, mas sem se prender a detalhes sobrenaturais, mostrando o processo de transformação da mulher pecadora. De Alexandria para a Terra Santa, na rota dos romeiros, pagando a viagem com seu corpo, a formosa meretriz se confronta consigo mesma, retirando-se do burburinho do mundo. Na verdade, o grande tema do poema é este caminho para o exílio, descoberta de um espaço sem divisões em que o eu se sente parte da eternidade. Na história de Santa

Maria Egipcíaca, a longa permanência no deserto é muito mais do que penitência, é uma forma de fazer-se integrar ao tempo infinito habitando um território sem fronteiras. Neste caso, o deserto é uma variação das imagens do mar e da noite, tão importantes na semântica da autora. *Oratório de Santa Maria Egipcíaca* dá espessura narrativa a uma mitologia poética muito cara a Cecília Meireles. A santificação de Maria ocorre quando ela incorpora uma experiência de espaço uno que a projeta num tempo aberto.

É este desejo de unificação espacial pela palavra com potência poética que encontraremos em textos ligados a determinadas geografias.

A tópica da viagem deixa de ser figurada para ser literal em *Doze noturnos da Holanda* (1952), o primeiro de uma série de livros que nasce de um deslocamento no espaço: *Pistóia, cemitério militar* (1955), *Poemas escritos na Índia* (1961), *Poemas de viagens* (1940-1962) e *Poemas italianos* (escritos entre 1953 e 1956). Nestes livros, a poeta vai anexando novas paisagens e novos personagens à sua obra, intensificando o tom universalista de sua poesia, sempre voltada para a conjunção de tempos e espaços, como fica sugerido em "Adeuses", um dos poemas escritos na Índia:

> Tão grande, o mundo!
> Tão curta, a vida!
> Os países tão distantes!

Estes países não são apenas os que estão no mapa, mas os que estão no tempo, cabendo à poeta itinerante costurá-los no grande manto de uma poesia que escuta "o chamado, / o apelo do mundo inteiro, / nos contrastes de cada lado" ("Lei do passante" — *Poemas escritos na Índia*).

Todos os lugares visitados e vertidos para poesia aparecem em sua obra como retratos de uma grande pátria transcendente, que é a Índia, Minas da Inconfidência, Itália, Portugal, Jerusalém, Roma etc. É a pátria que supera as fronteiras espaço-temporais deste apertado país dos vivos e busca a eternidade experimentada nas palavras aéreas. Os lugares retratados e contemplados em seus poemas são, como ela diz no título de um texto, os fluidos países por onde passeia. Países sem limitações, sem peso, que se confundem com as nuvens, da qual a poeta se fez pastora. E no conhecer outros lugares ela se reconhece inúmera: "Pois não sou esta, apenas: / — mas a de cada instante humano, / em todos os tempos que passaram" ("Via Appia"), completando este ciclo de pan-temporalidade, vivido por um eu em viagem por outras geografias, reais e imaginárias.

É ainda a alma inconsútil que ela busca representar em *Metal rosicler* (1960) e *Solombra* (1963), livros em que a mística ressurge, adensando a rarefação. Concebendo ciclicamente o tempo, a poeta retorna à gramática do infinito, agora dentro de uma forma mais leve, mais moderna, pondo-se ainda a serviço de seu projeto de elidir as distâncias:

> *Tudo é no espaço — desprendido de lugares.*
> *Tudo é no tempo — separado de ponteiros.*
> (Solombra)

Esta preocupação se estende aos seus poemas infantis, reunidos no volume *Ou isto ou aquilo* (1964), no qual a autora, mediante um verso pleno de sonoridade e de jogos de palavras, recupera os jogos de palavra, vivendo poeticamente a infância como uma idade suplementar. Embora haja grandes diferenças estilísticas entre os poemas infantis e os adultos, todos obedecem ao mesmo princípio orientador que estamos perseguindo neste ensaio.

5.

Tanto na expressão mística quanto na histórica e natural, Cecília Meireles se guia pelo desejo de abolição das linhas divisórias. Esta sua concepção não lhe permitiu fixar-se numa única corrente estética, levando-a a se apropriar de conquistas de várias delas, sem deixar de se manter fiel ao seu projeto literário mesmo nos livros mais circunstanciais. Contra a cizânia, ela usou a palavra como instrumento unificador, sendo o poeta brasileiro que melhor fez a passagem dos valores do século XIX para os do século XX. É verdade que sofreu discriminação por não ter sido moderna no sentido combativo e vulgar da palavra, mas Cecília estava acima destes combates.

Desde *Viagem*, ela entra no campo literário nacional se insurgindo contra a originalidade, valorizada em extremo pelo Modernismo mais programático, empenhado em inventar diferenças que o distinguisse de outros tempos. Assim, o modernismo mais europeizante dos anos 20 vai desaguar no culto do Brasil. Em ambos os casos, o que se sobressai é a idéia da particularização — remédio e veneno para artistas que não se admitem senão como início de um novo tempo e de um outro território, tudo levando-os a uma identidade exclusivista —, fim último do ideário do novo.

Não é por acaso que, na cola do Modernismo, aparecem três identidades poéticas fortes: o poeta do Brasil, o poeta do tempo presente e o poeta da invenção. Logicamente, Cecília Meireles se viu afastada do epicentro da poesia moderna, o que aguçou a sua condição de moradora de uma latitude própria.

Avessa ao sentimento estético separatista, ela se apossa de uma palavra agregadora, por sentir de forma aguda a fugacidade de tudo. Afastada do centro da poética modernista, manejando uma língua intemporal, ela deu continuidade a uma tradição lírica ibérica, trilhando a contramão dos rumos poéticos de nossa modernidade, que negou justamente a conexão com a cultura portuguesa, em nome da afirmação do local ou por deslumbramento por culturas mais avançadas tecnicamente.

O que é considerado conservador em sua postura adquire um papel de revolta, de resistência, até hoje pouco valorizado em nossa cultura afoita demais pelas novidades. Foi justamente um poeta português, David Mourão-Ferreira, que melhor definiu a conexão de Cecília com Portugal, em seu livro *Hospital das letras*: "A estes vínculos de sangue lusíada, que já seriam por si tão determinantes na formação de uma personalidade poética, Cecília Meireles desde cedo acrescentou aqueles outros que provêm da aquisição cultural, — e toda a sua obra testemunha, exuberantemente, a mais estreita familiaridade com a poesia portuguesa. Dos cancioneiros medievais a António Nobre, de Camões a Afonso Duarte, de Sóror Violante do Céu a Fernando Pessoa, de Tomaz António Gonzaga a Carlos Queiroz, bem pode-se dizer que toda nossa tradição poética lhe correu nas veias e nos versos, embora transposta, quase sempre, em renovados ritmos, enriquecida de motivos próprios, arrebatada por mais vastos temas" (p.209). E, a seguir, Mourão-Ferreira reforça este caráter agregador da poesia de Cecília, que "soube sempre conservar-se fiel à sua condição luso-brasileira, acrescentando de livro para livro o patrimônio poético da língua comum, e, simultaneamente, à sua vocação de privilegiada intérprete de alguns dos maiores temas da poesia universal". Esta língua comum é exercitada numa poética em sintonia com a lírica universal.

Cecília não foi uma poeta da invenção, pois isto significaria afastar-se de outros tempos com os quais ela se sentia irmanada. Segundo sua visão, as particularidades temporais, estéticas, sociais e históricas são secundárias. Ela pôde realizar-se sem seguir o modelo do poeta moderno, esquizofrenicamente contemporâneo de si mesmo. Recusando uma identidade nacionalista, preferiu, segundo a fórmula de Fernando Pessoa, ser patrimônio da língua portuguesa. Este seu desejo de universalidade fica patente ainda na sua opção de não ser apenas uma voz feminina. Ao se assumir como poeta (substantivo masculino, utilizado por ser um termo genérico), não quis negar sua condição de mulher, mas impedir a compartimentação. Leia-se um depoimento seu: "Considera-se que o poeta tem sempre coisas para dizer, mas a poetisa, não. Em geral, o homem costuma segregar a mulher que escreve, que é, por assim dizer, uma mulher prendada. Dizem os homens que a poesia na mulher é uma habilidade [...]. A mulher também tem o que dizer. Tal como o homem, também tem uma experiência humana" (p.153). Esta experiência humana de Cecília está conjugada a uma visão espiritual do mundo, sua marca de poeta e não de mulher-poeta. Diz ela em "Motivo": "Irmão das coisas fugidias, / não sinto gozo nem tormento". O sujeito masculino é usado para representar a universalidade de sua voz e não para negar o olhar feminino, que aparecerá em vários poemas da autora. Esta irmandade com tudo a leva a uma concepção do poeta fora da categoria do gênero, não a colocando no centro de sua poesia. A mulher, para Cecília, não era uma categoria biológica, assim como a poesia não era apenas estrutura de linguagem ou um documento do tempo presente, e sim um objeto dotado de universalismo. Evitando cultuar a diferença, ela privilegiou antes a comunhão mística de tempos, espaços, vozes e estilos.

Por conta desta visão de uma modernidade espiritualizada, a sua obra, nas últimas décadas, sofreu rotulagens equivocadas. Mas agora aparece no Brasil uma nova geração de leitores e poetas, que habita a língua portuguesa e que tem uma posição crítica sobre o culto do efêmero. Caberá a esta geração recuperar a produção de Cecília como um ponto de referência decisivo.

Curitiba, Carnaval de 2001.

Bibliografia consultada

ANDRADE, Carlos Drummond de. *Reunião*. 9ª ed. Rio de Janeiro: J. Olympio,1978.
BANDEIRA, Manuel. *Apresentação da poesia brasileira*. Rio de Janeiro: Ediouro, s/d.
BRITO, Mário da Silva. *Poesia do Modernismo*. Rio de Janeiro: Civilização Brasileira, 1968.
CACCESE, Neusa Pinsard. *Festa: contribuição para o estudo do Modernismo*. São Paulo: IEB, 1971.
CARPEAUX, Otto Maria. *Ensaios reunidos*. Rio de Janeiro: Topbooks, 1999. vol. I.
CASTRO, Sílvio. O Modernismo em poesia. In: —. *História da literatura brasileira*. Lisboa: Publicações Alfa, 2000. vol.III.
KAZANTZÁKIS, Nikos. *Ascese: os salvadores de Deus* (trad. José Paulo Paes). São Paulo: Ática, 1997.

LIMA, Jorge de. *Poesias completas*. Rio de Janeiro: Aguilar, 1974.
LINS, Álvaro. Consciência artística e beleza formal em Cecília Meireles. In: —. *Os mortos de sobrecasaca*. Rio de Janeiro: Civilização Brasileira, 1963.
MARTINS, Wilson. Duas poetisas. In: —. *Pontos de vista*. São Paulo: T. A. Queiroz, 1992. vol. III.
MEIRELES, Cecília. *Obra poética*. 3ª ed. Rio de Janeiro: Nova Aguilar, 1972.
_____. *Poesia completa*. Rio de Janeiro: Nova Fronteira, 1997. 4 vol.
_____. *Antologia poética*. 3ª ed. Rio de Janeiro: Nova Fronteira, 2001.
MENDES, Murilo. *Poesia completa e prosa*. Rio de Janeiro: Nova Aguilar, 1994.
MOURÃO-FERREIRA, David. *Hospital das letras*. Lisboa: Imprensa Nacional / Casa da Moeda, 1981.
PAES, José Paulo. *Os perigos da poesia*. Rio de Janeiro: Topbooks, 1997.
PICCHIO, Luciana Stegagno. *História da literatura brasileira*. Rio de Janeiro: Nova Aguilar, 1997.
RAMOS, Péricles Eugênio da Silva. O Modernismo na poesia. In: COUTINHO, Afrânio, org. *A literatura no Brasil*. 3ª ed. Rio de Janeiro: J. Olympio, 1986. vol. III.
SILVEIRA, Jorge Fernandes da. *Romanceiro da Inconfidência*: escrever Portugal no Brasil?. In: SARAIVA, Arnaldo, org. *Literatura brasileira em questão*. Porto: Faculdade de Letras, 2000.
ZAGURY, Eliane. *Cecília Meireles*. Petrópolis: Vozes, 1973.

Notícia biográfica
Eliane Zagury

Cecília Benevides de Carvalho *Meireles* nasceu no Rio de Janeiro, em 7 de novembro de 1901, filha de Carlos Alberto de Carvalho Meireles, funcionário do Banco do Brasil, e Matilde Benevides, professora municipal.

A ronda da morte, que já levara os três irmãozinhos mais velhos, Vítor, Carlos e Carmen, leva também o pai, três meses antes do nascimento do poeta, e a mãe, três anos depois. A menina Cecília é criada pela avó materna, Jacinta Garcia Benevides, nascida na Ilha de São Miguel, nos Açores.

Esta infância terrível e, no entanto, feliz moldou as bases do temperamento poético que se desenvolveu. A morte viria a ser, na poesia, o Absoluto que o espírito anseia mas é incapaz de assumir. A solidão, o silêncio e a conseqüente serenidade contemplativa serão o *tonus* básico desse espírito criador, embalado pelos sentimentos mais puros da arte folclórica, aprendidos desde cedo com a avó e a ama Pedrina. Também desde a infância se instala a disciplina do trabalho, que acompanhará o poeta toda a vida. Já em 1910, ao fim do curso primário na Escola Estácio de Sá, recebia das mãos de Olavo Bilac, Inspetor Escolar do Distrito, uma medalha de ouro feita especialmente para homenageá-la.

Mais tarde, cursando ainda a Escola Normal, estuda canto e violino no Conservatório Nacional de Música. Desenvolve também, desde já, o estudo de línguas, hábito incorporado ao longo da vida, que tornará possível o convívio com os textos de língua francesa, espanhola, inglesa, italiana, alemã, russa, hebraica e do grupo indo-irânico.

Imediatamente após a formatura na Escola Normal, em 1917, começa a trabalhar. Leciona num sobrado da avenida Rio Branco, transferindo-se depois para a Escola Deodoro, junto ao relógio da Glória. Por esta época, em 1919, publica o primeiro livro de poemas, *Espectros*.

Três anos depois, Cecília Meireles se casa com o artista plástico português Fernando Correia Dias, natural de Penajóia (Lamego) e radicado no Brasil desde antes da primeira guerra mundial. É um período de atividade intensa, em que publica o segundo livro, *Nunca mais...* e *Poema dos poemas*, ilustrado pelo marido. Nasce a primeira filha, Maria Elvira, e a jovem professora não descansa, mãe agora, duplamente perscrutando a alma infantil, escrevendo a prosa poética de *Criança meu amor*, mais tarde oficialmente adotado como livro de leitura nas escolas. A família cresce, com o nascimento de mais duas filhas, Maria Matilde e Maria Fernanda. E vem à luz o volume de *Baladas para el-rei*, lindamente ilustrado por Fernando Correia Dias, que parece ter fixado nesses desenhos diversos ângulos expressivos da fisionomia do poeta.

Entretanto, as dificuldades econômicas são grandes. Os preconceitos da época, barrando o caminho dos espíritos mais livres, tornam ainda mais penoso o encargo da subsistência para o artista plástico e a professora, não considerando o ofício de poeta, economicamente inexistente ainda hoje. Em 1929, Cecília Meireles apresenta a tese *O espírito vitorioso* para a cátedra de Literatura da Escola Normal do Distrito Federal. A defesa é brilhante, mas incapaz de vencer as mentes predispostas já a oferecer o cargo a quem fosse reconhecidamente do grupo católico. Segue-se um período difícil, de perseguição mais ou menos velada, em que durante quatro anos, por ironia e desagravo de sua capacidade pedagógica, Cecília Meireles mantém uma página diária sobre Educação, no *Diário de Notícias*.

Em 1934, é designada pela Secretaria de Educação da Prefeitura do Distrito Federal para dirigir um Centro Infantil, a ser instalado no Pavilhão do Mourisco. Cria então a primeira biblioteca infantil da cidade e aproveita ao máximo as possibilidades arquitetônicas do Pavilhão, para oferecer às crianças múltiplas atividades educativas e recreativas. Naquele clima de magia tão essencial à mente infantil, as torres passam a abrigar, entre refúgio e descoberta, coleções de selos e estampas e uma discoteca. O porão, decorado por Fernando Correia Dias, é uma espécie de cidade encantada onde as crianças podem exercitar livremente sua imaginação. Nas datas especiais, imprimem-se folhetos educativos, com figuras, poemas, textos breves e fotos, para distribuir aos pequenos usuários do Centro. Foi curta, porém, a vida desse paraíso infantil. Novamente armaram-se as intrigas políticas, e a entidade foi fechada, sob a alegação de que a biblioteca continha livros perigosos para a formação das crianças. A evidência foi a presença de *As aventuras de Tom Sawyer*, de Mark Twain. Mais evidente, entretanto, foi a má repercussão do episódio, tanto nos Estados Unidos quanto no Brasil.

Em setembro do mesmo ano, Cecília Meireles faz sua primeira viagem ao exterior. A convite do governo português, apresenta uma série de conferências nas Universidades de Lisboa e Coimbra. Em Portugal mesmo, publicam-se os textos de duas delas, *Notícia da poesia brasileira* e *Batuque, samba e macumba*, este último acompanhado dos desenhos que o próprio poeta traçara e expusera no recinto da conferência, para melhor ilustrar o nosso folclore.

Sofrendo crises de depressão cada vez mais fortes, Fernando Correia Dias vai perdendo a resistência. Sua frágil constituição, arruinada por constantes reveses, não agüenta e o artista junta forças para a ação última, o trágico suicídio que deixa a esposa absolutamente só, sem qualquer parente que a possa apoiar, na guarda das três filhas.

São terríveis os tempos, agora. Há dívidas a pagar, além de todo o peso da subsistência. E como arranjar forças para tudo isso, em meio ao sofrimento de um abalo tão duro? É preciso multiplicar-se, no tempo, no espaço, no espírito. O poeta se esconde, embuçado em professor universitário e jornalista. De 1936 a 1938, a Universidade do Distrito Federal acolhe suas aulas de Literatura Luso-Brasileira, Técnica e Crítica Literárias. O jornal *A Manhã* abriga a coluna de Folclore, o *Correio Paulistano* divulga as crônicas semanais, *A Nação* publica outros escritos regulares. Passa a trabalhar no Departamento de Imprensa e Propaganda, onde é responsável pela revista *Travel in Brazil*.

Por esta época, recebe uma estranha carta que lhe pede que tire um dos *ll* do sobrenome, para aliviar a carga e fazer a vida mais leve. Pelo sim, pelo não, o poeta atende ao pedido. E — *yo no creo en brujas, pero que las hay, las hay* — melhores ventos começam a soprar. O período é marcado por dois acontecimentos felizes: seu livro *Viagem* ganha o prêmio da Academia Brasileira de Letras, depois de muita polêmica, em que se ressalta a figura de Cassiano Ricardo em sua defesa. Ao realizar uma entrevista para o *Observador Econômico e Financeiro*, Cecília Meireles conhece Heitor Grillo, com quem se casará no ano seguinte.

Logo após o casamento, faz uma viagem aos Estados Unidos e ao México. Sob o patrocínio do Departamento de Imprensa e Propaganda, ministra um curso de Literatura e Cultura Brasileiras na Universidade de Austin, no Texas.

Mais tranqüila agora, pode devotar-se quase por inteiro à obra poética e aos estudos complementares que mais lhe agradem. Trabalha incansavelmente, do início da manhã ao final da tarde, no escritório da casa onde vive, no Cosme Velho. Em 1942, publica *Vaga música* e, três anos depois, *Mar absoluto*. Nesse meio tempo, conhece a Argentina e o Uruguai. Em 1949, vem à luz *Retrato natural*.

Dois anos mais tarde, secretaria o I Congresso Nacional de Folclore, no Rio Grande do Sul. Faz sua segunda viagem à Europa, conhecendo a França, a Bélgica, a Holanda — onde escreve os *Doze noturnos* — e volta a Portugal, vivendo a emoção de conhecer os Açores, terra natal de sua avó. Encontra-se com Armando Côrtes-Rodrigues, sua alma-irmã de longa e profunda correspondência.

Publica *Amor em Leonoreta* (1951) e, no ano seguinte, *Doze noturnos da Holanda & O aeronauta*. O fruto de dez anos de pesquisa, sendo quatro de devoção absoluta, chega à sua forma final, cristalizando o *Romanceiro da Inconfidência*.

Cecília Meireles é então convidada pelo primeiro-ministro Nehru para visitar a Índia e participar de um simpósio sobre a obra de Gandhi. Recebe o título de Doutor *Honoris Causa* pela Universidade de Delhi e compõe os *Poemas escritos na Índia*, sob a emoção de travar conhecimento direto com uma cultura há tanto tempo amada e pesquisada nos livros. Seus estudos seguirão e o poeta virá a traduzir Tagore e a escrever ensaios sobre Gandhi. Sua elegia a Gandhi será traduzida para várias línguas, inclusive e principalmente para as da Índia.

Na volta, passa novamente pela Europa e detém-se na Itália, onde colhe material para inúmeras peças líricas, postumamente publicadas sob o título de *Poemas italianos*.

Em 1957, empreende nova viagem, desta vez para Porto Rico. No ano seguinte, vai a Israel, onde efetua um ciclo de conferências. O contacto com os lugares santos desperta-lhe grande comoção, acrescida do fascínio das recentes descobertas arqueológicas do

Mar Morto. Mas Israel de hoje não é abandonado pelo interesse do poeta, que vem a traduzir para o português vários textos de autores modernos.

Ao mesmo tempo que Cecília Meireles novamente se volta para um lirismo mais intimista, que culminaria com a cristalização de *Solombra*, inicia nova pesquisa histórica, dessa vez em torno da figura de Mem de Sá, bem mais misteriosa do que parece à primeira vista. Sua intenção é compor um novo poema épico-lírico que se prenda ao quarto centenário da cidade do Rio de Janeiro. Mas a poesia da morte sai vencedora, invade a vida real do poeta, e não é possível terminar a obra.

Vítima do mal sem cura, característico do nosso século, o poeta expira, no dia 9 de novembro de 1964.

São muitas as homenagens póstumas, pois o abalo é grande nos meios culturais. Destaca-se o Prêmio Machado de Assis, para conjunto de obra, oferecido pela Academia Brasileira de Letras. E a sala de concertos e conferências do então Estado da Guanabara, passa a se denominar "Sala Cecília Meireles".

O poeta deixa cinco netos: Ricardo (de Maria Elvira), Alexandre, Fernanda Maria e Maria de Fátima (de Maria Matilde) e Luiz Heitor Fernando (de Maria Fernanda). Deixa também vasta obra inédita, mistério último esperando a revelação.

Bibliografia de Cecília Meireles

Antonio Carlos Secchin

I) POESIA

Obras em primeira edição

Espectros. Rio de Janeiro: Leite Ribeiro & Maurillo, 1919.

Nunca mais... e *Poema dos poemas*. Rio de Janeiro: Leite Ribeiro, 1923.

Baladas para el-rei. Rio de Janeiro: Lux, 1925.

Saudação à menina de Portugal. Rio de Janeiro: Gabinete Português de Leitura, 1930.

A festa das letras. Porto Alegre: Globo, 1937. (Co-autoria de Josué de Castro)

Viagem. Lisboa: Ocidente, 1939.

Vaga música. Rio de Janeiro: Pongetti, 1942.

Mar absoluto e outros poemas. Porto Alegre: Globo, 1945.

Retrato natural. Rio de Janeiro: Livros de Portugal, 1949.

Amor em Leonoreta. Rio de Janeiro: Hipocampo, 1951.

Doze noturnos da Holanda & *O aeronauta*. Rio de Janeiro: Livros de Portugal, 1952.

Romanceiro da Inconfidência. Rio de Janeiro: Livros de Portugal, 1953.

Pequeno oratório de Santa Clara. Rio de Janeiro: Philobiblion, 1955.

Pistóia. Rio de Janeiro: Philobiblion, 1955.

Espelho cego. Rio de Janeiro: separata da revista *A Sereia*, 1955.

Canções. Rio de Janeiro: Livros de Portugal, 1956.

Romance de Santa Cecília. Rio de Janeiro: Philobiblion, 1957.

Metal rosicler. Rio de Janeiro: Livros de Portugal, 1960.

Poemas escritos na Índia. Rio de Janeiro: São José, s/d [1961].

Solombra. Rio de Janeiro: Livros de Portugal, 1963.

Ou isto ou aquilo. São Paulo: Giroflê, 1964.

Crônica trovada da cidade de Sam Sebastiam. Rio de Janeiro: José Olympio, 1965.

Poemas italianos. São Paulo: Instituto Cultural Ítalo-Brasileiro, 1968.

Ou isto ou aquilo & Inéditos. São Paulo: Melhoramentos, 1969. (Com 36 novos poemas em relação à edição de 1964)

Morena, pena de amor. In: *Poesias completas*. Rio de Janeiro: Civilização Brasileira, 1973. vol.6. p. 1-39.

Sonhos. In: *Poesias completas*. Rio de Janeiro: Civilização Brasileira, 1974. vol.8. p. 113-49.

Poemas de viagens. In: *Poesias completas*. Rio de Janeiro: Civilização Brasileira, 1974. vol.9. p.1-88.

O estudante empírico. In: *Poesias completas*. Rio de Janeiro: Civilização Brasileira, 1974. vol.9. p.133-58.

Cânticos. São Paulo: Moderna, 1981.

Oratório de Santa Maria Egipcíaca. Rio de Janeiro: Nova Fronteira, 1986.

Seletas e poemas reunidos em primeira edição

A rosa. Salvador: Dinamene, 1957.

Obra poética. Rio de Janeiro: Aguilar, 1958.

Antologia poética. Rio de Janeiro: Editora do Autor, 1963.

Antologia poética. Lisboa: Guimarães, 1968.

Flor de poemas. Rio de Janeiro: José Aguilar, 1972.

Poesias completas. Rio de Janeiro: Civilização Brasileira, 1973/4. 9 vol.

Poesia. Rio de Janeiro: AGIR, 1974.

Elegias. Rio de Janeiro: Alumbramento, 1974.

Flores e canções. Rio de Janeiro: Confraria dos Amigos do Livro, 1979.

Melhores poemas. São Paulo: Global, 1984.

Verdes reinos encantados. Rio de Janeiro: Salamandra, 1988.

Poesia completa. Rio de Janeiro: Nova Fronteira, 1997. 4 vol.

Poesia completa. Edição do centenário. Rio de Janeiro: Nova Fronteira, 2001. 2 vol.

Seletas de autoria coletiva em primeira edição

O amor na poesia brasileira. Rio de Janeiro: Guanabara, 1933. (Org: Olegário Mariano)

A nova literatura brasileira. Crítica e antologia. Porto Alegre: Globo, 1936. (Org: Andrade Muricy)

Obras-primas da lírica brasileira. São Paulo: Martins, 1943. (Org: Manuel Bandeira)

Apresentação da poesia brasileira. Rio de Janeiro: Casa do Estudante do Brasil, 1944. (Org: Manuel Bandeira)

Pequena antologia da moderna poesia brasileira. Lisboa: Secção Brasileira do S.P.N., 1944. (Org: José Osório de Oliveira)

10 poemas em manuscrito. Rio de Janeiro: Edições Condé, 1945.

As mais belas poesias brasileiras de amor. Rio de Janeiro: Vecchi, 1947. (Org: Frederico dos Reys Coutinho)

Antologia das rosas. Rio de Janeiro: Laboratório Leite de Rosas, 1948. (Org: Elza Marzullo)

Poemas de amor de poetas brasileiros contemporâneos. Salvador: Caderno da Bahia/ Coleção Dinamene, 1950. (Org: Pedro Moacir Maia)

Cancioneiro do amor. Simbolistas e contemporâneos. Rio de Janeiro: José Olympio, 1952. (Org: Wilson Lousada)

Panorama do movimento simbolista brasileiro. Rio de Janeiro: Departamento de Imprensa Nacional, 1952. vol. III. (Org: Andrade Muricy)

Antologia da poesia brasileira moderna. São Paulo: Clube de Poesia de São Paulo/ Secretaria de Educação e Cultura, 1953. (Org: Carlos Burlamaqui Kopke)

Líricas brasileiras. Lisboa: Portugália, [1954?]. (Org: José Osório de Oliveira)

Poesia nossa. Rio de Janeiro: Gráfica Laemmert/ Biblioteca do Exército, 1955. (Org: Julio Nogueira)

Introdução à moderna poesia brasileira. Lisboa: separata da revista *Cidade Nova*, IV série, n° 5, 1956. (Org. Miguel do Rio-Branco)

Vozes femininas da poesia brasileira. São Paulo: Conselho Estadual de Cultura/ Comissão de Literatura, 1959. (Org: Domingos Carvalho da Silva)

Panorama da poesia brasileira. O pré-modernismo. Rio de Janeiro: Civilização Brasileira, 1960. (Org: Fernando Góes)

Antologia poética para a infância e a juventude. Rio de Janeiro: Instituto Nacional do Livro, 1961. (Org: Henriqueta Lisboa)

Poesia do Brasil. Rio de Janeiro: Editora do Autor, 1963. (Org: Manuel Bandeira)

Escritores brasileiros contemporâneos. 2ª série. Rio de Janeiro: Civilização Brasileira, 1964. (Org: Renard Perez)

Presença da literatura brasileira. Modernismo. São Paulo: DIFEL, 1964. (Org: Antonio Candido e José Aderaldo Castello)

Antologia brasileira de literatura. Lirismo. Rio de Janeiro: Distribuidora de Livros Escolares, 1965. (Org: Afrânio Coutinho)

Antologia da moderna poesia brasileira. Rio de Janeiro: Orfeu, 1967. (Org: Fernando Ferreira de Loanda)

Antologia dos poetas brasileiros. Poesia da fase moderna. Antes do modernismo. O modernismo. Rio de Janeiro: Tecnoprint, 1967. (Org: Manuel Bandeira e Walmir Ayala)

Antologia escolar brasileira. Rio de Janeiro: Departamento Nacional de Educação, 1967. (Org: Marques Rebelo)

Poesia moderna. Antologia. São Paulo: Melhoramentos, 1967. (Org: Péricles Eugênio da Silva Ramos)

Poesia do modernismo. Rio de Janeiro: Civilização Brasileira, 1968. (Org: Mário da Silva Brito)

Poemas do amor maldito. Brasília: Editora de Brasília, 1969. (Org: Gasparino Damata e Walmir Ayala)

Antologia da poesia brasileira. Lisboa: Editorial Verbo, s/d.[197?]. (Org: José Valle de Figueiredo)

A literatura brasileira através dos textos. São Paulo: Cultrix, 1971. (Org: Massaud Moisés)

Para gostar de ler. São Paulo: Ática, 1980. vol. 6.

Os sonetos. Antologia. São Paulo: Banco Lar Brasileiro, 1982. (s/org.)

Antologia da poesia brasileira. Porto: Chardron/ Lello & Irmão, 1984. vol. III. (Org: Alexandre Pinheiro Torres)

Grandes sonetos da nossa língua. Rio de Janeiro: Nova Fronteira, 1987. (Org: José Lino Grünewald)

Antologia de antologias. 101 poetas brasileiros "revisitados". São Paulo: Musa, 1995. (Org: Magaly Gonçalves, Zélia Aquino, Zina Bellodi Silva)

Cadernos poesia brasileira /Infantil. São Paulo: Instituto Cultural Itaú, 1995. (Org: Luís Camargo)

Cadernos poesia brasileira Modernismo. São Paulo: Instituto Cultural Itaú, 1995. (Org: Luís Camargo)

Pedras de toque da poesia brasileira. Rio de Janeiro: Nova Fronteira, 1996. (Org: José Lino Grünewald)

A poesia fluminense no século XX. Rio de Janeiro: Imago, 1998. (Org: Assis Brasil)

Revista Brasileira. Rio de Janeiro: Academia Brasileira de Letras, 1998. vol.VII, ano V, n° 17. (Org: Leodegário A. de Azevedo Filho)

Os cem melhores poemas brasileiros do século. Rio de Janeiro: Objetiva, 2001. (Org: Italo Moriconi)

Os cem melhores poetas brasileiros do século. São Paulo: Geração Editorial, 2001. (Org: José Nêumane Pinto)

Traduções em primeira edição

Antología poética.(1923-45). Montevideo: Poesía de América, 1947.

Poèmes. La Haye: Erospress, 1953.

20 Ausgewählte Gedichte. Rio de Janeiro: revista Intercambio n° 10-12, 1959.

Poésie. Paris: Seghers, 1967.

Poems in Translation. Washington D.C.: Brazilian-American Cultural Institute, 1977.

Poemas. Lima: Centro de Estudios Brasileños, 1979.

Mare assoluto e altre poesie. Milano: Lineacultura, 1997.

Traduções coletivas em primeira edição

9 poetas nuevos del Brasil. Lima, s/e, 1930. (Org: Enrique Bustamante e Ballivian)

Brazilia Üzen. Budapeste: Brazil Költök, 1939. (Org: Paulo Rónai)

Veinte poetas del Brasil contemporáneo. Medellin: Universidad de Antioquia, 1941. (Org. Gaston Figueira)

Poesia brasileña contemporánea (1929-46). Montevideo: Instituto de Cultura Uruguayo-Brasileño, 1947. (Org. Gaston Figueira)

Antología de poetas brasileños de ahora. Barcelona: El Libro Inconsútil, s/d. [195?] (Org: Alfonso Pintó)

Atlantische Landschaft. Hamburg: Verlag Heinrich Ellermann, 1951. (Org: Wolf Bergman)

Antología de la poesía brasileira. Madrid: Ediciones Cultura Hispánica, 1952. (Org: Renato de Mendonça)

Manuel Bandeira, Cecília Meireles, Carlos Drummond de Andrade, tres edades en la poesía brasileña actual. Montevideo: A.C.E.B.U., 1952. (Org: Cipriano S. Vitureira)

Un demi-siècle de poésie. Lausanne: La Concorde, 1952. (Org: Mélot du Dy)

Un secolo de poesia brasiliana. Siena: Casa Editora Maia, 1954. (Org: Mercedes La Valle)

Ciclos de la poesía brasileña. Bogotá: Kondo de Editores Indoamericanos, 1955. (Org: J. A. Pinto do Carmo, Joel Pontes, Xavier Placer)

Poetas del Brasil. Caracas: Lirica Hispana, 1955. (Org. Gaston Figueira)

Schwan im Schatten. Munique: Langen Müller, 1955. (Org: Albert Theile)

Anthologie de la poésie ibero-américaine. Paris: Nagel, 1956. (Org: Federico de Onís)

Le piú belle pagine della letteratura brasiliana. Milano: Nuova Academia, 1957. (Org: P. A. Jannini)

Modern Brazilian Poetry. Bloomongton: Indiana University Press, 1962. (Org: John Nist)

Cinque notturni brasiliani. Cinco noturnos brasileiros. Rio de Janeiro: GRD, 1964. (Org: Anton Angelo Chiocchio)

Poesía del Brasil- homenaje a Cecília Meireles. Chile: revista *Orfeo* n°15-16, 1965. (Org: Carmen Abalos e Gabriela Fuensalida)

La poésie brésilienne contemporaine. Paris: Seghers, 1966. (Org: A. D. Tavares Bastos)

Anthology of twentieth-century brazilian poetry. New England: Wesleyan University Press, 1972. (Org: Elizabeth Bishop e Emanuel Brasil.)

Antología de la poesía brasileña. Barcelona: Seix Barral, 1973. (Org: Ángel Crespo)

Las voces solidarias. Buenos Aires: Calicanto, 1978. (Org: Santiago Kovadloff)

Poesía brasileña — siglo XX. Cuba: Casa de Las Americas, 1986. (Org: Helio Orovio)

Antologia da poesia brasileira. Edição bilingüe. Pequim: Embaixada do Brasil, 1994. (Org: Antonio Carlos Secchin)

Seis poetas contemporáneos del Brasil. La Paz: Cuadernos Brasileños/ Embajada del Brasil, s/d. (Org: Manuel Graña)

II) PROSA

Obras em primeira edição

Criança meu amor. Rio de Janeiro: Anuário do Brasil, 1924.

O espírito vitorioso. Rio de Janeiro: Anuário do Brasil, 1929.

Leituras infantis. Distrito Federal: Oficina Gráfica do Departamento de Educação, 1934.

Notícia da poesia brasileira. Coimbra: Biblioteca Geral da Universidade de Coimbra, 1935.

Batuque, samba e macumba. Lisboa: separata da revista *Mundo Português*, 1935.

Rute e Alberto resolveram ser turistas. Porto Alegre: Globo, 1939.

Olhinhos de gato. Lisboa: revista *Ocidente*, vol. III, n° 7-8, 1938; vol. IV, n° 9-10-11; vol. V, n° 12; vol. VI, n° 15-16; vol. VII, n° 17-18-19, vol. VIII, n° 20, 1939; vol. VIII, n° 23, 1940.

Evocação lírica de Lisboa. Lisboa: separata da revista *Atlântico* n° 6, 1948.

Rui — pequena história de uma grande vida. Rio de Janeiro: Casa de Rui Barbosa, 1949.

Problemas da literatura infantil. Belo Horizonte: Imprensa Oficial, 1951.

As artes plásticas no Brasil — artes populares. Rio de Janeiro: Instituição Larragoiti, 1952.

Panorama folclórico dos Açores, especialmente da Ilha de São Miguel. Ponte Delgada: revista *Insulana*, set. 1955.

Giroflê giroflá. Rio de Janeiro: Philobiblion, 1956.

A Bíblia na poesia brasileira. Rio de Janeiro: Centro Cultural Brasil-Israel, s/d [1957].

Eternidade de Israel. Rio de Janeiro: Centro Cultural Brasil-Israel, 1959.

Rabindranath Tagore and the East-West Unity. Brazilian National Commission for UNESCO, 1961.

Tagore and Brazil. New Delhi: Sahitya Akademy, 1961.

Escolha o seu sonho. Rio de Janeiro: Record, 1964.

Inéditos. Rio de Janeiro: Bloch, 1967.

Notas do folclore gaúcho-açoriano. Rio de Janeiro: Cadernos do Folclore n° 3/ Ministério da Educação e Cultura, Campanha de Defesa do Folclore Brasileiro, 1968.

Ilusões do mundo. Rio de Janeiro: Nova Aguilar, 1976. (Esta obra é uma reorganização de Inéditos, com supressão de 3 crônicas e acréscimo de 20 outras)

O que se diz e o que se entende. Rio de Janeiro: Nova Fronteira, 1980.

Crônicas em geral. Rio de Janeiro: Nova Fronteira, 1998.

Crônicas de viagem 1. Rio de Janeiro: Nova Fronteira, 1998.

Crônicas de viagem 2. Rio de Janeiro: Nova Fronteira, 1999.

Crônicas de viagem 3. Rio de Janeiro: Nova Fronteira, 1999.

Crônicas de educação 1. Rio de Janeiro: Nova Fronteira, 2001.

Crônicas de educação 2. Rio de Janeiro: Nova Fronteira, 2001.

Crônicas de educação 3. Rio de Janeiro: Nova Fronteira, 2001.

Crônicas de educação 4. Rio de Janeiro: Nova Fronteira, 2001.

Crônicas de educação 5. Rio de Janeiro: Nova Fronteira, 2001.

Obras de autoria coletiva em primeira edição

Expressão feminina da poesia na América. In: 3 conferências sobre cultura hispano-americana. Rio de Janeiro: Ministério da Educação e Cultura/ Serviço de Documentação, 1959. p. 61-104.

Um retrato de Rabindranath Tagore. In: *Tagore*. Rio de Janeiro: Associação Brasileira do Congresso pela Liberdade da Cultura, 1961. p. 3-10.

Quadrante. Rio de Janeiro: Editora do Autor, 1962.

Quadrante 2. Rio de Janeiro: Editora do Autor, 1963.

Gandhi. In: *Quatro apóstolos modernos*. São Paulo: Donato Editor, s/d. [196?]

Vozes da cidade. Rio de Janeiro: Record, 1965. p.156-84.

Tradução

Ojitos de gato. Buenos Aires: Centro de Estudos Brasileiros, 1981.

III) POESIA E PROSA

Seletas em primeira edição

Seleta em prosa e verso. Rio de Janeiro: José Olympio, 1973.

Literatura comentada. São Paulo: Abril, 1982.

Seleta de autoria coletiva em primeira edição

Antologia escolar de literatura brasileira. São Paulo: Musa, 1998. (Org: Magaly Gonçalves, Zélia Aquino, Zina Bellodi Silva)

IV) TEATRO

O menino atrasado. Rio de Janeiro: Livros de Portugal, 1966.

V) ORGANIZAÇÃO DE ANTOLOGIAS

Poetas novos de Portugal. Rio de Janeiro: Dois Mundos, 1944.

Cecília e Mário. Rio de Janeiro: Nova Fronteira, 1996.

VI) TRADUÇÕES

As mil e uma noites. Rio de Janeiro: Anuário do Brasil, s/d. [1926] 3 vol.

Os mitos hitleristas — problemas da Alemanha contemporânea, de François Perroux. São Paulo: Companhia Editora Nacional, 1937.

A canção de amor e de morte do porta-estandarte Cristóvão Rilke, de Rainer Maria Rilke. Rio de Janeiro: Revista Acadêmica, 1947.

Orlando, de Virginia Woolf. Porto Alegre: Globo, 1948.

Os caminhos de Deus, de Kathryn Hulne. Rio de Janeiro: Ypiranga/ Biblioteca de Seleções do Reader's Digest, 1958. p. 9-141.

Bodas de sangue, de Federico García Lorca. Rio de Janeiro: AGIR, 1960.

Amado e glorioso médico, de Taylor Caldwell. Rio de Janeiro: Ypiranga/ Biblioteca de Seleções do Reader's Digest, 1960. p. 303-525.

Um hino de Natal, de Charles Dickens. Rio de Janeiro: Ypiranga/ separata de Biblioteca de Seleções do Reader's Digest, s/d. [196?]

7 poemas de Puravi, Minha bela vizinha, Conto, Mashi e O carteiro do rei, de Rabindranath Tagore. Rio de Janeiro: Ministério da Educação e Cultura/ Serviço de Documentação, 1961. p. 99-225.

Çaturanga, de Rabindranath Tagore. Rio de Janeiro: Coleção Prêmio Nobel de Literatura/Delta, 1962.

Poesia de Israel. Rio de Janeiro: Civilização Brasileira, 1962.

Yerma, de Federico García Lorca. Rio de Janeiro: AGIR, 1963.

Antologia da literatura hebraica moderna. Rio de Janeiro: Biblos, 1969.(Tradução da seção "Poesia de Israel", p. 15-96, e do conto Latifa na seção "Prosa de Israel", p.141-5)

Poemas chineses, de Li Po e Tu Fu. Rio de Janeiro: Nova Fronteira, 1996.

Bibliografia crítica e comentada de
Cecília Meireles

Ana Maria Domingues de Oliveira

ALMEIDA, Lúcia Machado de. Esse instante emprestado. *O Estado de São Paulo*, São Paulo, 20 fev. 1965. Suplemento literário, *9* (418): 2.

Artigo em que Lúcia Machado de Almeida (autora mineira grandemente incentivada por Cecília Meireles em sua carreira literária) recorda o estreito relacionamento de amizade vivido por elas. Relata como se conheceram em circunstâncias que, por escaparem ao previsível da formalidade que as rodeava, possibilitaram a revelação do potencial humano que aquele encontro propiciara. Transcreve trechos da longa correspondência mantida desde então (e que durou por quase vinte anos, até a morte da Poetisa), com destaque para um curioso bilhete, de 1962, em que Cecília narra um sonho sem dúvida premonitório, já que vai encontrar a amiga exatamente como o sonho indicava. As cartas apontam muito do cotidiano de Cecília, mas seu interesse não se restringe ao biográfico: há várias referências ao processo de elaboração do *Romanceiro da Inconfidência*, valiosas à compreensão da obra. Ilustram o texto duas fotos, mas há um equívoco na legenda referente à foto superior: aparecem ali Jacinta Garcia Benevides e Matilde Benevides (avó e mãe da Poetisa, respectivamente, e não, segundo consta, Cecília e sua avó). O bilhete mencionado está reproduzido em fac-símile no texto "Para Lúcia Machado de Almeida", publicado no suplemento literário do jornal *Minas Gerais* de 7 de abril de 1984 (v. *19*, nº 914, p. 6.)

ALVARENGA, Otávio Mello. Romanceiro da Inconfidência. *Minas Gerais*, Belo Horizonte, 12 ago. 1967. Suplemento literário, *2* (50): 2.

Análise do *Romanceiro da Inconfidência* que se detém em dois aspectos principais: a corajosa opção de Cecília Meireles pela narrativa poética de um episódio histórico (num momento em que os poetas, via de regra, estavam voltados à introspecção) e a habilidade com que soube conceber um conjunto épico a partir de inquietações de caráter lírico, evidenciadas, principalmente, nas considerações laterais sobre as personagens ou sobre os eventos, que, ao mesmo tempo, comentam e encadeiam a ação. O autor esboça, ainda, um panorama da estrutura do livro, composto, segundo afirma, de sete segmentos, demarcados pelas "falas" e "cenários" intercalados aos "romances". Este texto presta-se, portanto, a fornecer elementos básicos para uma compreensão da obra a que se refere, em termos de sua organização interna e de sua representatividade no quadro da literatura brasileira.

ALVES, Guilherme. O segredo e a faca na poesia de Cecília Meireles. *Minas Gerais*, Belo Horizonte, 24 jul. 1982. Suplemento literário, *15* (825): 8-9.

Mais do que analisar a obra de Cecília Meireles, esse texto parece dialogar com ela. Guilherme Alves intercala breves parágrafos — mais poéticos que teóricos — a trechos de poemas da Autora (extraídos, em sua maioria, de *Cânticos*) e descreve, ao longo das dezesseis seções do texto, a singular visão de mundo da Poetisa. Não menos singular é a visão crítica do autor, que se abstém de explicar teorias e usa, como instrumental para a análise dos poemas, a própria investigação poética.

AMARAL, Amadeu. Cecília Meireles. Em seu: *Elogio à mediocridade*. São Paulo: Hucitec; Secretaria da Cultura, Ciência e Tecnologia, 1976, p. 157-164 (Obras de Amadeu Amaral, dir. Paulo Duarte).

Edição original desse livro — uma reunião de artigos esparsos — data de 1924. Até então, Cecília Meireles só havia publicado dois livros de poemas: *Espectros* e *Nunca mais...* e *Poema dos Poemas*. O texto em questão é uma crítica acerca deste último. Amadeu Amaral inicia com reflexões sobre duas poetisas de algum renome naquele momento, Gilca Machado (sic) e Rosalina Lisboa, e declara que Cecília não se enquadra no "sensualismo espiritual" da primeira e nem na "razão orgulhosa" da última: ela "paira sobre o imenso e doloroso tumulto da vida sem o querer dominar e sem lhe abandonar". Aponta a simplicidade, o apuro emocional e o misticismo de seus versos (e *Poema dos Poemas* seria, segundo o autor, o momento em que este caráter místico aparece de modo mais evidente), em meio a transcrições abundantes de estrofes ou mesmo de poemas inteiros do livro. Para terminar, menciona Verlaine como uma das possíveis influências recebidas pela Poetisa, sem negar, contudo, sua originalidade e, a despeito de sua estréia recente, conclui que Cecília já é "uma figura de belo e inconfundível relevo" no Brasil. Amadeu Amaral é um dos raros críticos da época a reconhecer o talento da Autora e a prever a significação de sua obra futura. Publicado inicialmente na *Gazeta de Notícias* (Rio de Janeiro, 6 set. 1923) e reproduzido ainda na *Ilustração brasileira* (Rio de Janeiro, out. 1924). O título do volume que é o mesmo do artigo que inicia a série, é justificado em nota preliminar do próprio autor: "...neste mundo, excetuados apenas alguns gênios universais, todo homem é afinal medíocre em relação a outros homens..." Portanto, a expressão é usada em seu sentido etimológico, sem conotações negativas.

ANDRADE, Carlos Drummond de. Cecília. *Correio da manhã*, Rio de Janeiro, 11 nov. 1964.

Crônica publicada por ocasião do falecimento de Cecília Meireles, freqüentemente reproduzida (por exemplo, nas orelhas da segunda edição da *Seleta em prosa e verso*, antologia preparada por Darcy Damasceno para a Livraria José Olympio Editora). Nesse texto, Drummond evoca a figura irreal da Poetisa, que "estava sem estar" entre as pessoas e relaciona esta "ausência do mundo" ao caráter metafísico de sua poesia. Afirma ainda que, com a morte de Cecília, seus poemas alcançaram a perfeição absoluta: música que agora "circula no ar para sempre", independente da executante. É um raro exemplo (ao menos entre a bibliografia estudada) de utilização da biografia da Autora no sentido de enriquecer — e não limitar — a interpretação de sua obra.

ANDRADE, Mário de. Cecília e a poesia. *O empalhador de passarinho*. 3ª ed. São Paulo: Martins; Brasília: INL; MEC, 1972, p. 71-75.

Texto datado de 16 jul. 1939. Nele, Mário de Andrade comenta o prêmio de poesia da Academia Brasileira de Letras, conferido a Cecília Meireles, em 1938, pelo livro *Viagem*. O autor julga que a academia se valorizou, ao premiar Cecília, e que esta sacrificou a si mesma, inscrevendo-se no concurso, apenas para que a entidade pudesse ser elevada. Com fina ironia, Mário desvaloriza a Academia como instituição, e enaltece o valor literário da Poetisa. Em seguida, faz uma análise do poema "Eco" (do mesmo livro), que considera "uma definição nova de certo momento irracional", só possível de ser conhecido através da poesia, por escapar à lógica inerente à prosa. As considerações finais sobre estes dois gêneros ultrapassam o sentido do poema interpretado, e chegam a constituir uma teorização acerca do assunto. Trata-se, portanto, de um texto útil não só para compreensão da obra ceciliana, mas também como uma reflexão sobre o que seja poesia como gênero.

ANDRADE, Mário de. Viagem. *O empalhador de passarinho*. 3ª ed. São Paulo: Martins; Brasília: INL; MEC, 1972, p. 161-164.

Neste artigo, datado de 26 nov. 1939 (e, portanto, escrito quatro meses depois do anterior), Mário de Andrade parece debruçar-se mais de perto em *Viagem*, o livro premiado pela Academia Brasileira de Letras. Constata na obra uma alternância de bons e maus momentos e atribui esta variação ao longo tempo de geração do livro (1927 a 1935, segundo o frontispício da edição original), o que possibilitaria a convivência, no livro, de poemas nascidos em diferentes épocas de preocupação estética. Exemplifica esta constatação com trechos considerados "menos bons" e, no restante do texto, cita e comenta os poemas que julga melhores, apontando neles a habilidade de Cecília Meireles em utilizar-se do verso metrificado sem se tornar prisioneira da forma. Trata-se de um texto muito citado, especialmente pelos elogiosos comentários que Mário faz acerca da sensibilidade aguçada da Poetisa.

ANJOS, Paola Maria Felipe dos. *Cecília Meireles: O Modernismo em tom maior*. Campinas: IEL/Unicamp, 1996 (Dissertação de Mestrado, policopiada).

Esta dissertação teve como objetivo analisar a relação de Cecília Meireles com duas correntes antagônicas, as correntes simbolista e a modernista. Através do livro *Viagem*, Paola Maria

Felipe dos Anjos mostra a interação entre as raízes simbolistas de Cecília Meireles e o movimento modernista.

AYALA, Walmir. A poesia de Cecília Meireles. *Jornal do commercio*, Rio de Janeiro, 01 e 08 jul. 1962.

Conferência de Walmir Ayala, ministrada na Sociedade Brasileira de Cultura Inglesa em 25 de junho de 1962, com poemas de Cecília Meireles declamados por Teresa Rachel. O autor percorre a obra da Poetisa, explanando os seus motivos principais: a morte, a noite, o mar, etc. Enquanto visão panorâmica da obra ceciliana, é um texto básico e exemplar. A lamentar, somente, a dificuldade em sua localização, já que não foi reproduzido em outras publicações de mais fácil acesso. A cópia utilizada neste trabalho foi obtida a partir de microfilmes da Biblioteca Nacional do Rio de Janeiro.

AZEVEDO Filho, Leodegário A. de. *Poesia e estilo de Cecília Meireles*. Rio de Janeiro: José Olympio, 1970, 201 p. (Documentos Brasileiros, 149).

Trata-se de um dos raros livros dedicados integralmente ao estudo da obra de Cecília Meireles. É uma versão ampliada de artigo anteriormente mencionado (Cecília Meireles, do mesmo autor): a bibliografia é a mesma, com as mesmas imprecisões notadas naquele texto (confira a referência correspondente). O capítulo seguinte diz respeito à participação de Cecília no grupo reunido em torno da revista *Festa*, e faz uma análise da importância desse movimento no quadro da literatura brasileira da época. A seguir, o autor examina cada um dos livros de poemas da Autora, desde *Espectros* (1919) até a inacabada *Crônica trovada da cidade de Sam Sebastiam* (1965). O capítulo final, intitulado "Valoração estética final" é também transcrito no artigo mencionado: trata-se de trechos em que todos os livros de Cecília são relacionados e brevemente comentados, com pequenos acréscimos quanto a citações e detalhes de construção de alguns poemas. Como fechamento do volume, uma bibliografia extensa, que só possui um defeito: menciona ao mesmo tempo tanto as obras gerais quanto os textos específicos, o que dificulta o trabalho do pesquisador que deseja localizar somente aqueles referentes à Poetisa. O caráter didático do livro é indiscutível, excetuando-se os momentos em que o autor revela-se um apaixonado pela obra de Cecília, interrompendo seu distanciamento crítico e comprometendo suas conclusões finais.

AZEVEDO FILHO, Leodegário A. de. *Três poetas de Festa: Tasso, Murilo e Cecília*. Rio de Janeiro: Padrão, 1980. p. 13-50.

Este texto diz respeito aos três poetas da revista Festa: Tasso, Murilo e Cecília. Na parte reservada a Cecília Meireles, o autor trata dos temas e da métrica predominantes em cada um dos livros da Autora. O que Leodegário Azevedo pretende com este trabalho é que estes três poetas não sejam esquecidos pelas novas gerações de estudiosos brasileiros.

BASTIDE, Roger. Poesia feminina e poesia masculina. *Minas Gerais*, Belo Horizonte, 21 fev. 1970. Suplemento literário, 5 (182): 11.

Artigo publicado inicialmente em *O Jornal* (Rio de Janeiro, 29 dez. 1945). Trata-se de uma reflexão sobre a existência ou não de uma poesia feminina ou masculina, a partir dos livros *Mar absoluto e outros poemas*, de Cecília Meireles, e *A face lívida*, de Henriqueta Lisboa, ambos de 1945. Roger Bastide, depois de mencionar algumas opiniões correntes acerca da polêmica, acaba por considerar a idéia de procurar uma poesia feminina como a "manifestação, em alguns críticos, de um complexo de superioridade masculina" que é preciso abandonar, porque o feminino só existe na sexualidade. A partir daí, o autor deixa de lado estas questões para estabelecer as semelhanças e as diferenças entre as duas poetisas e conclui que, a despeito do uso de diferentes recursos formais, a poesia de ambas possui parentescos ao nível da temática. A despeito das considerações relevantes que Roger Bastide faz sobre Cecília e Henriqueta, ao final do texto, o valor deste ensaio encontra-se, justamente, no seu início. O percurso argumentativo do autor, ao dissertar sobre a poesia feminina, assegura ao artigo a condição de texto básico para quaisquer outras discussões sobre o mesmo tema.

BELON, Antonio Rodrigues. *O tempo na poesia de Cecília Meireles*. São José do Rio Preto, IBILCE/Unesp. 1992. 98 p. (Dissertação de Mestrado, policopiada).

Nesta tese, o autor tece a trajetória de Cecília Meireles enquanto pessoa, poeta e intelectual. Além disso, apresenta uma resenha crítica e uma análise da transitoriedade do tempo nos seus principais livros de poesia, destacando-se *Mar absoluto e outros poemas*.

BLOCH, Pedro. Cecília Meireles. *Manchete*, Rio de Janeiro, (630): 34-37, 16 mai. 1964.

Entrevista freqüentemente citada, em que Cecília Meireles fornece pequenos depoimentos sobre sua infância, sua produção literária, seus estudos, seus gostos, entremeados a trechos de poemas e intervenções de Pedro Bloch. Publicado poucos meses antes da morte da Poetisa, é um texto indispensável para a compreensão da pessoa de Cecília. Ilustrado por uma bela foto da Autora, envelhecida e muito magra, certamente já doente.

BOBERG, Hiudéa Tempesta Rodrigues. *O canto e a lida: Percurso esotérico e místico da poesia de Fernando Pessoa e Cecília Meireles*. Assis: Faculdade de Ciências e Letras — Unesp. 1989 (Dissertação de mestrado policopiada).

Trata-se de dissertação de mestrado desenvolvida sob a orientação da Dra. Elêusis Camocardi, e que procura estabelecer pontos de contato entre os poemas de Cecília Meireles e Fernando Pessoa, excluindo os livros *Mensagem* e *Romanceiro da Inconfidência*. A autora procura rastrear elementos comuns entre as obras, sobretudo do ponto de vista de seus aspectos místicos e esotéricos.

BONAPACE, Adolphina Portella. *O Romanceiro da Inconfidência: meditação sobre o destino do homem*. Rio de Janeiro: São José, 1974.

Trata-se de um dos poucos livros dedicados integralmente a Cecília Meireles, que se ocupa com exclusividade do *Romanceiro da Inconfidência* (1953). Adolphina Portella Bonapace relata o processo de composição da obra, utilizando trechos da conferência "Como escrevi o *Romanceiro da Inconfidência*" (feita por Cecília em 1955), e traça um breve resumo de seu conteúdo, desde a descoberta do ouro em Minas Gerais até a morte de Marília, passando pela conspiração, morte e exílio dos conjurados e loucura de D. Maria I. A autora disserta ainda sobre a estrutura do livro, calcada nos romanceiros peninsulares medievais. Para expor sua tese sobre a obra (contida no título *Meditação sobre o destino do homem*), Adolphina examina o assunto tratado, do nível semântico ao da composição do estrato ótico (a utilização de diferentes recursos tipográficos, como estrofes deslocadas, tipos itálicos, parênteses, etc.), bem como o uso de vozes outras que não a do narrador. Tudo isso contribui de forma indispensável para uma melhor compreensão do *Romanceiro da Inconfidência*. No entanto, no que diz respeito à conclusão, o trabalho deixa a desejar: todo o aparato teórico utilizado na análise do livro é suplantado por interferências pessoais, tentando interpretá-lo como uma alegoria sobre o destino do homem, sem usar efetivamente os resultados da análise mais objetiva, realizada a princípio. Esta deficiência, porém, não chega a invalidar a importância do estudo: como instrumento para uma visualização da estrutura desta obra ceciliana, seu valor é inegável.

CACCESE, Neusa Pinsard. *Festa*. São Paulo: Instituto de Estudos Brasileiros da Universidade de São Paulo, 1971.

Livro que sistematiza todo o trabalho realizado pelo grupo reunido em torno da revista *Festa* (os chamados espiritualistas), do qual participou Cecília Meireles. A autora apresenta o que foi o periódico, seus integrantes, seu ideário. No final, além de índices diversos (por autor, por título, etc.), traz reproduções de algumas páginas da revista e entrevistas com Andrade Muricy e Murilo Araújo, muito esclarecedoras quanto à participação de cada um dos artistas do grupo na elaboração do periódico.

CAMARGO, Luís. *Poesia infantil e ilustração: estudo sobre **Ou isto ou aquilo** de Cecília Meireles*. Campinas: Instituto de

Estudos da Linguagem da Universidade Estadual de Campinas — Unicamp, 1998 (dissertação de mestrado, policopiada).

Trata-se de um estudo original sobre as ilustrações das várias edições de *Ou isto ou aquilo*, de Cecília Meireles. O autor estabelece um instrumental de análise bastante útil e, a partir dele, analisa as ilustrações de alguns poemas de *Ou isto ou aquilo*, percorrendo todas as diferentes edições da obra.

CARPEAUX, Otto Maria. Poesia intemporal. Em seu: *Livros na mesa*. Rio de Janeiro: São José, 1960, p. 203-209.

Publicado inicialmente no suplemento literário do jornal *O Estado de São Paulo*, de 10 de janeiro de 1959, à página 1, a propósito da primeira edição da *Obra poética* de Cecília Meireles (José Aguilar, 1958). Neste texto, Carpeaux combate com maestria os adeptos do termo "poesia feminina", afirmando que a maior parte da poesia assim adjetivada foi e está sendo produzida por homens. Outro ponto contra o qual investe é o da pouca "brasilidade" da Autora. Atribui esta acusação ao fato de que Cecília não participa da evolução da poesia brasileira, apesar de ocupar uma posição dentro dela. Situa a Poetisa entre os pós-simbolistas, afirmando ser ela o único poeta brasileiro que pode ser enquadrado nesta categoria, à qual pertencem, segundo C. M. Bowra (em *The Heritage of Symbolism*, publicado em Londres, em 1947, por Macmillan e citado aqui por Carpeaux), Valéry, Rilke e Yeats, entre outros. A característica principal destes autores é a de não se retirarem esteticamente do mundo e nem se entregarem às novas realidades, encontrando um equilíbrio entre "aloofness" e "engagement", no dizer do autor. Esta postura da qual Cecília participaria, segundo Carpeaux, não encontra outros adeptos no Brasil, o que favorece a opinião de que ela não participa de seu momento literário (e histórico) e nem é legitimamente brasileira. Trata-se de um texto indispensável não só para o estudo da obra de Cecília Meireles, mas para a história da literatura brasileira também.

CARVALHO, Rui Galvão de. A açorianiedade na poesia de Cecília Meireles. *Ocidente*, Lisboa, *33* (113): 8-15, set. 1947.

Artigo com uma análise muito curiosa, que observa como o fato de Cecília Meireles ter sido descendente de açorianos (sua avó materna, que a criou, era da Ilha de São Miguel) está evidente em sua poesia. Apesar de um certo determinismo radical, ao afirmar ser inevitável que alguém nascido em Açores (ou descendente de açorianos) escreva acerca do mar, o texto, em sua parte introdutória, revela um lado pouco estudado da Poetisa: o de sua ligação com suas origens açorianas.

CAVALIERI, Ruth Vilela. *Cecília Meireles: o ser e o tempo na imagem refletida*. Rio de Janeiro: Achiamé, 1984.

Este livro originou-se da dissertação de mestrado da autora, apresentada à PUC/RJ, em janeiro de 1983, sob a orientação de Dirce Côrtes Riedel. Ruth Vilela Cavalieri analisa como é desenvolvida a questão do "Tempo" nos poemas de Cecília Meireles. Observa as imagens que o representam e os simbolismos que, por sua vez, as englobam: o hipoformo (referente à imagem do cavalo) e o textiforme (relativo à tecelagem). A autora também verifica em que medida a tematização das relações entre o Efêmero e o Eterno promove um questionamento do tempo e adquire um caráter de negação da Morte. É considerada, ainda, neste ponto, a influência exercida pelo pensamento oriental, em conjunção com mitos ocidentais. Por último, examina a problemática histórico-social na poética ceciliana, do ponto de vista da intertextualidade em relação aos poemas de Cláudio Manuel da Costa, especialmente. Trata-se de um estudo aprofundado e revelador acerca de pontos polêmicos da obra de Cecília Meireles, analisada a partir de textos fundamentais da psicanálise e da antropologia: Freud, Marcuse, Meyerhoff, Bachelard, Durand, Eliade e Norman Brown, entre outros.

CÉSAR, Ana Cristina. Literatura e mulher: essa palavra de luxo. *Almanaque*, São Paulo (10): 32-36, 1979.

Montagem de pequenos trechos acerca da literatura feminina, com opiniões de Roger Bastide, Menotti Del Picchia,

Darcy Damasceno, Sylvia Riverrun e outros. Trata-se de um texto polêmico, com depoimentos escritos no calor da hora. De modo especial, os trechos de Sylvia Riverrun carecem de uma argumentação mais sólida, pois beiram o panfletário na maior parte do tempo.

CÉSAR, Ana Cristina. Riocorrente, depois de Eva e Adão... *Folha de São Paulo*, São Paulo, 12 set. 1982. Folhetim (295): 4-5.

Texto a respeito da literatura feminina, que, no início, trata de Angela Melim e, mais tarde, resvala para o artigo de Roger Bastide sobre Cecília Meireles e Henriqueta Lisboa (confira a referência correspondente), citando ainda o texto "Literatura e mulher: essa palavra de luxo", da mesma autora, anteriormente comentado. As reflexões que passam por Cecília, Adélia Prado e Clarice Lispector são interessantes, mas não chegam a concluir se, afinal, existe uma literatura feminina.

COELHO, Nelly Novaes. O "eterno instante" na poesia de Cecília Meireles. Em seu: *Tempo, solidão e morte*. São Paulo: Conselho Estadual, 1964, p. 7-26 (Ensaios, 33).

Texto que examina o Tempo como força-motriz da poesia de Cecília Meireles. Da luta entre o eterno e o instante é que se nutre o Espírito Moderno e, assim, Cecília pode ser considerada como poeta moderno. Através dessa perspectiva, o *Romanceiro da Inconfidência* (1953) torna-se o resultado da tentativa de, transfigurado o tempo pela poesia, vencê-lo, fazendo presentes emoções e fatos do passado. Publicado anteriormente em Marília, na revista *Alfa* (5): 89-107, mar. 1964.

CONDÉ, João. Arquivos implacáveis. *O Cruzeiro*, Rio de Janeiro, 28 (11): 29, 31 dez. 1955.

Rápidas informações sobre Cecília Meireles, com depoimentos breves que vão desde suas preferências com relação a passatempos até o número de seus sapatos, e desde as pessoas que mais admira até as coisas que mais a horrorizam. Trata-se de um texto interessante para aquele que se interessa pela pessoa da

Poetisa, mas pouco relevante no que diz respeito à compreensão de sua obra. O artigo contém apenas uma imprecisão: *Espectros* foi publicado em 1919, quando Cecília tinha dezoito anos, e não dezesseis.

CRESTANI, Rosenice Pagliarim. *Leitura de um percurso erótico na poesia de Manuel Bandeira e de Cecília Meireles: uma introdução*. Santa Maria: UFSM, 1995 (Dissertação de mestrado, policopiada).

Esta tese trata do erotismo na linguagem poética de Manuel Bandeira e Cecília Meireles, através da crítica de fundamentação psicanalítica. Para tal análise, a autora traça um percurso histórico da antigüidade à poesia modernista. Analisa a obra dos referidos poetas recorrendo à conceituação de erotismo fundamentada, principalmente, nas teorias de Bataille e de Octavio Paz.

CRETTON, Maria da Graça Azis. *O jogo inquieto entre o efêmero e o eterno: uma leitura de Cecília Meireles*. Rio de Janeiro: UFRJ, 1981 (Dissertação de mestrado, policopiada).

Na sua dissertação, Maria da Graça Cretton, faz uma análise dos elementos que compõem os livros *Viagem*, *Vaga música*, *Mar absoluto e outros poemas*, *Retrato natural*, *O aeronauta*, *Metal rosicler* e *Olhinhos de gato*. Esta análise aborda o tema dos "olhos sobre espelhos", levando em consideração a constelação narcisista, bem como o signo da busca. Aborda também "a passagem da seta" e "a superação da fugacidade". No primeiro, leva em consideração a metáfora do tempo e o tempo no espelho; no segundo, considera a existência e a poesia.

CRISTÓVÃO, Fernando. Compreensão portuguesa de Cecília Meireles. *Colóquio/Letras*, Lisboa (46): 20-27, nov. 1978.

Artigo que constata como a crítica portuguesa se antecipou à brasileira em reconhecer o valor de Cecília Meireles. Atribui o atraso dos brasileiros ao fato de a Poetisa não se ter prendido às correntes literárias de sua época. O texto tem um valor inestimável, pois sistematiza a crítica em torno de Cecília, tanto em Portugal como no Brasil, ao menos quanto aos estudos fundamentais.

DAMASCENO, Darcy. *Cecília Meireles: o mundo contemplado*. Rio de Janeiro: Orfeu, 1967.

É o primeiro livro dedicado integralmente a Cecília Meireles. Trata-se de um conjunto de cinco textos publicados em periódicos ou em introduções a obras da Poetisa. O primeiro, que empresta título ao volume, foi publicado com o nome de "Poesia do sensível e do imaginário" na edição da *Obra poética* de Cecília Meireles (1958) e mostra, de maneira abrangente, os procedimentos poéticos mais constantes da Autora, a partir da fase em que participou do grupo da revista *Festa* (década de 30). Já o segundo, "Cromatismo na lírica ceciliana", publicado anteriormente na revista *Ensaio* nº 3 (1953), examina, como o próprio título diz, o emprego das cores na poesia de Cecília, constatando a luminosidade que estas conferem aos poemas. O terceiro texto, "As *Canções* de Cecília Meireles" é um estudo dos temas que permaneceram ao longo do itinerário percorrido pela Poetisa desde *Viagem* (1939) até *Canções* (1956), detendo-se com mais vagar neste último. O quarto estudo é uma análise de *Poemas escritos na Índia* (1961), em que Darcy Damasceno verifica a presença de uma "ilusória simplicidade": a aparência despojada dos versos oculta a refinada elaboração dos poemas. Por último, no quinto texto, "*Solombra*: o rapto místico", o autor constata, nos poemas do livro, uma radicalização dos temas já explorados por Cecília, com destaque para a fugacidade da vida e o desejo de transcendência.

DAMASCENO, Darcy. *Cecília Meireles: poesia*. Rio de Janeiro: Agir, 1974 (Nossos clássicos, 107).

Trata-se de um pequeno livro, de caráter didático, bastante eficiente. Traz uma cronologia biográfica de Cecília Meireles, uma apresentação contendo a situação histórica do Brasil e do mundo e uma apreciação crítica de cada um de seus principais livros de poesia, com dados acerca da temática e dos procedimentos poéticos utilizados em cada um. A parte mais extensa da obra é dedicada a uma antologia com poemas de todos os livros mais conhecidos de Cecília. No final, uma bibliografia de e sobre a Autora, acompanhada de excertos de algumas críticas a respeito de sua poesia. Fechando o livro, um questionário sobre a Poetisa e sua obra. Levando em conta a finalidade didática dessa publicação, Darcy Damasceno conseguiu realizar um trabalho muito útil e completo.

DAMASCENO, Darcy. Cecília: um cinqüentenário. *Jornal do Commercio*, Rio de Janeiro, 23 mar. 1969, p. 2.

Texto publicado a propósito dos cinqüenta anos da primeira (e única) edição de *Espectros* (1919), estréia literária de Cecília Meireles, retirado de sua *Obra poética* por vontade da própria Autora. A importância do artigo se deve à quantidade de informações que traz acerca da obra (que não foi encontrada nem mesmo no arquivo da família da Poetisa): transcreve um de seus poemas, relaciona os títulos dos outros dezesseis e relata as circunstâncias em que foi escrito e sua repercussão, na época do lançamento.

DAMASCENO, Darcy. Guia do leitor do *Romanceiro da Inconfidência*. Em: MEIRELES, Cecília. *Obra poética*. 3ª ed. Rio de Janeiro: Aguilar, 1977, p. 405-416.

Introdução ao *Romanceiro da Inconfidência* (1953) que expõe o itinerário espaço-temporal do livro e traça um breve retrato de seus personagens principais. Trata-se de um texto útil ao leitor da obra que seja leigo neste labirinto de intrigas que foi a Conjuração Mineira.

DANTAS, José Maria de Souza. *A consciência poética de uma viagem sem fim: a poética de Cecília Meireles*. Rio de Janeiro: Eu & Você, 1984.

Este livro é a reformulação da tese de doutoramento do autor, com o mesmo título, defendida na Universidade Federal do Rio de Janeiro, em 1978, sob a orientação de Afrânio Coutinho, e pretende ser o primeiro de uma série de três estudos acerca de toda a obra de Cecília Meireles. O autor, neste volume, demonstra como já estão presentes, em *Viagem* (1939), as linhas mestras da produção ceciliana posterior. A princípio, resume as posições da crítica sobre o livro (considerado pela própria Autora como o marco decisivo e inicial de sua carreira literária), e o panorama obtido é, de certa forma, semelhante ao deste trabalho, no que diz respeito às conclusões finais. No capítulo seguinte, estão contidas as reflexões centrais do estudo. Através da análise do tratamento dado à Memória e ao Tempo, da recorrência de certas imagens e da existência de certos momentos surrealistas nos poemas de *Viagem*, o autor termina por afirmar que o livro é demonstrativo da consciência poética que percorre as demais obras da Poetisa. Há um pequeno deslize: as letras maiúsculas no início do primeiro verso de cada poema, na edição da *Obra poética* de Cecília Meireles (organizada por Afrânio Coutinho) foram critério do editor, e não podem ser atribuídas à Poetisa.

DEL PELOSO, Lina Tâmega. A imagem da "estrela" na poesia de Cecília Meireles. *Colóquio*, Lisboa (58): 61-63, abr. 1970.

O texto é, na verdade, a introdução a um ensaio inédito, no qual a autora procura encontrar na palavra 'estrela' o núcleo imagético que seria uma das raízes geradoras da poesia de Cecília. O excerto publicado, no entanto, já toca em alguns pontos polêmicos: a não-filiação da Poetisa a uma corrente literária, a acusação de pouco vigor social em sua poesia e o caráter ibérico de sua obra. Ilustram o texto um manuscrito de Cecília (uma carta ao escultor Diogo de Macedo) e um retrato da Autora, feito pelo seu primeiro marido, Fernando Correia Dias.

DOSSIÊ Cecília Meireles. *Poesia sempre* 12, ano 8, Rio de Janeiro, abr. 2000, p. 206-281.

A Revista *Poesia sempre*, publicada pela Biblioteca Nacional, organizou, para esse número, um dossiê Cecília Meireles, composto de três artigos. Acompanham o dossiê um dos poemas de *Espectros*, duas crônicas de Augusto Frederico Schmidt, algumas traduções feitas por Cecília e uma bibliografia ativa e passiva da poetisa. O primeiro artigo é "A poesia de Cecília Meireles: breves aspectos", de Adolphina Portella Bonapace, que analisa o conjunto dos cinco motivos da rosa presentes na obra *Mar absoluto e outros poemas*. O texto seguinte, de Alexei Bueno, é "Em torno do *Romanceiro da Inconfidência*", que analisa alguns aspectos dessa obra de Cecília. O último artigo é de Valéria Lamego, "O itinerário de uma cronista", em que Valéria, a partir de seu levantamento das crônicas de Cecília inéditas em livro, compõe um panorama da vasta atuação da Poetisa nesse campo. Muitas páginas são ilustradas com fotos, desenhos e manuscritos de Cecília Meireles, quase sempre em preto e branco. Há, entre essas ilustrações, muito material inédito, o que amplia a importância desse dossiê para os estudiosos da obra da poetisa

FAGUNDES, Francisco Cota. Fernando Pessoa e Cecília Meireles: A poetização da infância. *Persona*, Porto, abr. 1981. p. 15-22.

Este texto refere-se às afinidades estilísticas e temáticas entre Fernando Pessoa e Cecília Meireles, ressaltando a infância como tema comum. Ainda diante de comparações entre as suas respectivas obras, segundo o autor, pode-se verificar o estímulo e não a influência de Fernando Pessoa sobre Cecília Meireles

FONSECA, José Paulo Moreira da. *Canções* de Cecília Meireles. *Correio da manhã*, Rio de Janeiro, 6 abr. 1957, p. 10.

Resenha do livro *Canções* (1956). José Paulo aponta como Cecília Meireles cria atmosferas, retirando emoções de coisas concretas. Ao final, comenta o caráter feminino de sua poesia, revelado, segundo o autor, na delicadeza do tratamento de cada tema. É um texto bastante útil para os estudiosos da chamada poesia feminina.

FREIRE, Natércia. Um fantasma de poesia: *Amor em Leonoreta*. *Ocidente*, Lisboa, 56 (254): 329-334, jun. 1959.

Artigo acerca do livro *Amor em Leonoreta* (1951). Natércia vê nesta obra mais uma prova do "lusitanismo" de Cecília Meireles:

o mote usado pela Poetisa, "Leonoreta, fin roseta" faz parte do *Amadis de Gaula*. A autora aponta, ainda, outra característica do livro, a atualização do passado: "Cecília (...) pegou, como só ela sabe fazer, com dedos de nuvem, num vestido poeirento, e depois de sobrevoar todas as suas mortes e ressurreições, entregou-nos, mais uma vez, um perturbante *fantasma de poesia*." (Os grifos são da própria autora). Natércia constata, por fim, que a "acusação" de lusitanismo que fazem à Poetisa só pode ser vantajosa para Portugal, em função do valor da obra ceciliana.

FROTA, Lélia Coelho. Cecília menina. *Cultura*, Brasília, 5 (21): 25-30, abr./jun. 1976.

Texto que faz um resumo das atividades profissionais de Cecília Meireles, e procura enfatizar aquelas ligadas à infância. O trecho mais longo é dedicado ao livro de poemas *Ou isto ou aquilo* (1964), em que Lélia Coelho Frota vê intenções ao mesmo tempo didáticas e recreativas. Ilustram o artigo fotos de peças da coleção de arte popular da Autora, além de um retrato a óleo da Poetisa, feito por Arpad Szenes. Há, na parte final do texto, uma imprecisão bibliográfica: o texto citado, sobre a infância de Cecília, não é de *Giroflê, giroflá*, mas sim da entrevista da Poetisa a Fagundes de Menezes (*Manchete* nº 76, de 03 de outubro de 1952, às páginas 48-49).

GOLDSTEIN, Norma Seltzer & BARBOSA, Rita de Cássia. *Cecília Meireles*. São Paulo: Abril Educação, 1982 (Literatura comentada, 3, 3 s.).

Volume integrante de uma coleção com intenções declaradamente didáticas. Contém, além de antologia de textos de Cecília Meireles (precedidos de breves comentários), iconografia, cronologia biobibliográfica, panorama de época, cronologia histórico-cultural, análise das características da Autora, exercícios de fixação e criação e fontes para consulta. Destinado, sobretudo, a estudantes secundaristas, o livro cumpre sua função: não há incorreções nos dados biobibliográficos, o panorama de época é exato, a análise da obra está assentada em bibliografia de autores conceituados. A antologia, no entanto, é calcada na *Seleta em prosa e verso* (organizada por Darcy Damasceno para a José Olympio), por exigências ligadas a questões de direito autoral, segundo depoimento dos coordenadores da coleção. A seleção dos textos apresenta a vantagem de não se prender aos poemas considerados "antológicos" de Cecília, mas, por esta mesma razão, não inclui a produção mais conhecida da Autora, como os poemas "Retrato" e "Motivo" (de *Viagem*), para citar apenas dois exemplos. Por conseqüência, no que diz respeito ao presente volume, levando em conta sua finalidade didática e sua penetração junto a um público mais amplo, este fator pode frustrar o leitor menos avisado, que, provavelmente, irá procurar ali seus poemas preferidos e não os encontrará.

GOTLIB, Nádia Batella. Cecília a dos "olhos verdes". *O Estado de São Paulo*, São Paulo, 20 abr. 1985. p. 6-7 (Suplemento Literário).

Este artigo discorre acerca do parentesco forte da obra de Cecília Meireles com a lírica medieval em decorrência da sua forte ligação com Portugal. Há neste artigo comparações de versos de Cecília Meireles com os de D. Dinis, Camões e outros, comprovando, assim, as marcas trovadorescas da linguagem poética da Autora.

GOUVÊA, Leila. *Cecília em Portugal*. São Paulo: Iluminuras, 2001.

O livro de Leila Gouvêa é o resultado de uma minuciosa pesquisa efetuada pela autora em Portugal, reconstituindo as viagens de Cecília Meireles àquele país, sobretudo nos anos de 1934 e 1951. Leila recupera os itinerários de Cecília pelo país, as amizades que estabeleceu, as conferências que pronunciou e a repercussão desses fatos na imprensa portuguesa. Além disso, sempre que possível, a autora revela, através de entrevistas com portugueses, as impressões acerca de Cecília que ficaram marcadas na memória dessas pessoas. Estes aspectos do trabalho já seriam suficientes para garantir sua relevância, mas Leila vai adiante: rastreia as obras de Cecília, em poesia e prosa, em busca de ecos destas viagens, chegando a resultados surpreendentes. Através da comparação de cartas, crônicas e poemas, é possível, por exemplo, observar as impressões da Poetisa sobre a casa dos parentes de seu primeiro marido, Correia Dias, em Moledo da Penajóia: em todos estes textos, o casarão da família aparece de modo igualmente vívido. O trabalho de Leila Gouvêa constitui, pois, um referencial obrigatório para o estudo da obra de Cecília Meireles, sobretudo no que diz respeito às suas relações culturais com Portugal. Além disso, é preciso destacar que, em sua dedicada pesquisa, Leila conseguiu trazer à luz vasta documentação bibliográfica da crítica sobre Cecília em Portugal e, ainda, generosos vislumbres sobre a vasta correspondência da Poetisa com intelectuais de seu tempo no Brasil e em Portugal.

GOUVEIA, Maria Margarida de Maia. *Cecília Meireles: uma poética do eterno instante*. Ponta Delgada: Universidade dos Açores, 1993. (Tese de doutorado, policopiada).

Trata-se de uma tese de doutorado, realizada sob a orientação de Fernando Cristóvão, que procura perfazer um abordagem global da obra poética de Cecília Meireles, com ênfase nos seus aspectos espiritualistas. Para isso, Maria Margarida analisa a filiação da Poetisa ao grupo da revista *Festa*, a concepção de tempo expressa em seus poemas e a imagem da ilha presente em seus textos como uma herança dos antepassados açorianos. Por último, a pesquisadora analisa o *Romanceiro da Inconfidência* enquanto obra que transcende o episódio histórico para constituir, assim, uma reflexão sobre a "tragédia da condição humana".

GOUVEIA, Margarida Maia. *Vitorino Nemésio e Cecília Meireles — a ilha ancestral*. Porto: Fundação Engenheiro António de Almeida; Ponta Delgada: Casa dos Açores do Norte, 2001.

O livro da professora açoriana Margarida Maia Gouveia é constituído por uma coletânea de ensaios acerca de Vitorino Nemésio e de Cecília Meireles. Na primeira parte, são seis textos sobre o poeta açoriano. Na segunda, há cinco ensaios sobre Cecília Meireles. O primeiro deles é uma leitura comparativa da poesia de Nemésio e Cecília, através da questão da temática da insularidade. O segundo texto analisa crônicas e poemas da Poetisa, em busca de referências à questão da "ilha como condição humana". Para isto, Margarida aborda rapidamente, ainda, as obras de Nemésio e do poeta simbolista Roberto Mesquita. O terceiro ensaio dedica-se à intensa correspondência entre Cecília e o poeta açoriano Armando Côrtes-Rodrigues e à repercussão dessas cartas na obra da Poetisa. O quarto ensaio, mais abrangente, discute a presença da literatura portuguesa na obra de Cecília Meireles, com ênfase para a relação entre *Mensagem*, de Fernando Pessoa e o *Romanceiro da Inconfidência*, da Poetisa brasileira. O último ensaio discute a interculturalidade na poesia de Cecília, através da presença do Oriente em seus poemas, sobretudo no que concerne às referências à Índia, através da figura de Gandhi. Pelo que se pode deduzir desta explanação, o conjunto de ensaios de Margarida abrange aspectos sempre pertinentes da obra de Cecília Meireles. Para além disso, é importante observar que o volume traz valioso material iconográfico, com a reprodução de fotos da Poetisa, de capas de algumas primeiras edições e de documentos da correspondência entre Cecília e Côrtes-Rodrigues.

GROSSMAN, Judith. Painel de Cecília Meireles. *Cadernos Brasileiros*, Rio de Janeiro (37): 7-20, set./out. 1966.

Como o título declara, o texto é um painel de toda a obra de Cecília Meireles. A autora constata a existência de dois eixos temáticos no universo poético ceciliano, em torno dos quais os seus poemas giram: poemas da *sombra* e poemas do *sol*, eixos que se opõem e se completam, contrabalançando o positivo e o negativo. Os poemas da sombra subdividem-se em cinco grupos temáticos, e os do sol, em quatorze. O texto ganha certa monotonia a partir do momento em que a autora procura exemplificar cada grupo temático, mas não deixa de ser uma leitura indispensável, apenas dificultada pela pouca acessibilidade do artigo. A cópia utilizada neste trabalho foi localizada na Oficina Literária "Afrânio Coutinho", no Rio de Janeiro.

KEITH, Henry Hunt, SAYERS, Raymond S. A poesia de Cecília Meireles. In: MEIRELES, Cecília. *Poems in translation*. Trad.

Henry Keith & Raymond Sayers. Washington D.C., Brazilian-American Cultural Institute, 1977, p. IX-XXVII.

Trata-se de um estudo introdutório a esta edição bilíngüe dos melhores poemas de Cecília Meireles, que abrange, de forma panorâmica, a obra da Poetisa. Os autores situam-na no contexto literário de sua época: as mulheres escritoras, a Semana de Arte Moderna, a corrente espiritualista e o neo-simbolismo. Definem sua busca de solidão e sua abstração como um misticismo diferenciado de outros autores. Citam Mário de Andrade como um dos raros críticos a notar essa característica, e lamentam o fato de ele não ter vivido o suficiente para conhecer *Solombra* (1963), que é, segundo Keith e Sayers, o exemplo mais acabado da "poesia pura" de Cecília Meireles. Apenas o *Romanceiro da Inconfidência* (1953), pelo seu caráter narrativo, se destacaria do restante da obra ceciliana. Ao final, há explicações dos autores sobre as dificuldades encontradas na tradução dos poemas e uma breve biografia da Poetisa. A lamentar, somente o fato de que o acesso ao volume é difícil: foi publicado nos Estados Unidos, em edição fora do comércio. Seria enriquecedor para a crítica de Cecília Meireles uma republicação do texto no Brasil, pelo fato de este ser, talvez, o que melhor abrange, de modo panorâmico, a poética da Autora.

LAMEGO, Valéria. *A farpa na lira*. Rio de Janeiro: Record. 1996. 225 p.

Inicialmente, Valéria Lamego contextualiza histórica e socialmente a origem do jornal *Diário de Notícias* e depois tece considerações acerca da função que Cecília Meireles desempenhava naquele periódico. Trata ainda da postura da Poetisa frente ao movimento modernista, da sua aproximação do grupo de *Festa* e, sobretudo, de suas posturas progressistas em se tratando de educação. Antes de transcrever a correspondência trocada entre Cecília Meireles e o professor Fernando de Azevedo, Valéria Lamego transcreve também algumas das matérias que a Poetisa escreveu no *Diário de Notícias*, durante o exercício do cargo de jornalista.

LAURITO, Ilka Brunhilde. *Tempos de Cecília*. São Paulo: FFLCH/USP, 1975 (dissertação de mestrado, policopiada).

Estudo acerca do *Romanceiro da Inconfidência* (1953). A autora verifica como Cecília Meireles constrói uma teia de vozes épica, lírica e dramática, à medida que se alternam os romances, falas e cenários. Ilka examina também o desenho imagético do livro, composto de figuras como a roda, a teia (o bordado), a estrela, o leque, o jogo de cartas, o vento, o fogo, a água e o cavalo, todas relacionadas, de alguma forma, à *roda do destino*, cuja figura abriga a dialética temporal que comparece em toda a obra ceciliana: "Se o que se passa na periferia é móvel ou efêmero, contingente e transitório, o centro é fixo, eterno, transcendente" (p. 155). Essa luta entre o Efêmero e o Eterno, entre os tempos e o Tempo, que é o grande motivo da poética de Cecília, é também analisada por Ilka de forma exemplar. É, sem dúvida, um dos mais sérios estudos sobre Cecília Meireles. Indispensável para uma melhor compreensão do *Romanceiro da Inconfidência*, é lamentável que ainda não tenha sido editado.

LEMOS, Tite de. Cecília Meireles: solidão e silêncio, área mágica da poesia. *O Globo*, Rio de Janeiro, 07 nov. 1974, p. 27.

O texto, publicado por ocasião dos 10 anos da morte da Poetisa, subdivide-se em dois. No primeiro, as três filhas de Cecília Meireles prestam depoimentos acerca de sua mãe, sobre sua poesia, seu trabalho, sua vida no lar. No segundo, subintitulado de "Ausente presença", o autor procura rastrear os traços metafísicos e esotéricos da poética ceciliana, num texto original e indispensável para o estudo da obra de Cecília Meireles.

MACHADO, Ruy Affonso. Cecília Meireles, amiga. *O Estado de São Paulo*, São Paulo, 20 fev. 1965. Suplemento literário, 9 (418): 2.

Trata-se da versão reduzida de um artigo maior, ainda inédito, que relata episódios da amizade entre Cecília Meireles e Ruy Affonso, iniciada em agosto de 1942, por ocasião da viagem da Poetisa a São Paulo, quando convidada por alunos da Faculdade de Direito do Largo de São Francisco (entre os quais estava Ruy

Affonso), e que só terminou com a morte da Autora. São transcritos trechos da correspondência que mantiveram desde então e que, juntamente com a narração de fatos relacionados à amizade de ambos, compõem um quadro muito útil para o enriquecimento da biografia de Cecília.

MANNA, Lucia Helena Scaraglia. *Pela trilhas do Romanceiro da Inconfidência*. Niterói: EDUFF, 1985. 207 p.

Neste livro, com o intuito de uma penetração maior no texto, o autor elucida as alusões, apresenta as acepções dos vocábulos pouco usuais e trata de certos aspectos mais notáveis do comportamento lingüístico de Cecília Meireles, na obra *Romanceiro da Inconfidência*. A análise de cada poema é constituída de Notas Filológicas e Comentário.

MARANHÃO, Haroldo. Cecília Meireles fala à *Folha do Norte*. *Folha do Norte*, Belém, 10 abr. 1949. Suplemento literário, p. 1.

Entrevista em que Cecília Meireles fala de sua poesia, da literatura em geral (da brasileira, especialmente) e das correntes existencialistas que começavam a ganhar força, depois da Segunda Grande Guerra. Ilustra o texto uma bela foto, feita durante a entrevista. Trechos desse artigo foram reproduzidos no final da "Notícia biográfica" que integra a *Obra poética* de Cecília Meireles (1958).

MARISE, Leila. Cecília entre nós. *A Nação*, São Paulo, 10 nov. 1963, p. 3.

Artigo escrito por ocasião de uma das internações de Cecília Meireles no Hospital do Câncer, em São Paulo, exatamente um ano antes de sua morte. Leila Marise (pseudônimo de Maria Serafina Vilela de Andrade) disserta apaixonadamente acerca da vida e da obra da Poetisa, detendo-se de forma especial no *Romanceiro da Inconfidência* (1953) e citando críticas de João Gaspar Simões e Nuno Sampaio. No final, menciona dois trabalhos de Cecília, em fase de execução naquele momento: *Cancioneiro do Rio* (que talvez seja a *Crônica trovada da cidade* de *Sam Sebastiam*, obra incompleta, publicada postumamente em 1965) e o *Romanceiro dos Annes* (provavelmente acerca de seus antepassados açorianos, baseado nos estudos genealógicos feitos pela Autora), do qual não se tem notícia ainda hoje. Trata-se como se vê, de um texto bastante útil, especialmente no que diz respeito à bibliografia da Poetisa.

MELLO, Ana Maria Lisboa de. A linguagem náutica na poesia de Cecília Meireles. *Ciências e Letras*, Porto Alegre, n∞ 14, p. 35-41, 1994.

Ana Maria Lisboa de Mello tece considerações acerca de uma constante na produção literária de Cecília Meireles: a linguagem náutica. Segundo a autora, a linguagem náutica incorpora-se ao lirismo da escritora, através de símbolos aquáticos (barcos, âncoras, velas, corais...). Há também, neste texto, poemas de Cecília Meireles que comprovam esta constante.

MELLO, Ana Maria Lisboa de. *A poesia de Cecília Meireles: o encontro com a vida*. Porto Alegre: Pontifícia Universidade Católica do Rio Grande do Sul, 1984 (dissertação de mestrado, policopiada).

Estudo apresentado como dissertação de mestrado, sob a orientação de Regina Zilberman, ainda inédito. Trata-se de uma análise da obra poética de Cecília Meireles, segundo a concepção de mundo fornecida pelo pensamento oriental. Num primeiro momento, depois de traçar uma biografia da Poetisa, Ana Maria Lisboa de Mello expõe quatro eixos básicos da filosofia oriental: o Ser Absoluto, o Um; O Eterno e o Efêmero; o exílio terrestre e o cumprimento do destino. A seguir, a autora verifica de que modo estes quatro eixos perpassam a poética ceciliana e, nessa tarefa, cita inúmeros exemplos retirados de poemas de Cecília que configuram, de um modo totalizador, a visão de mundo oriental. Nesse trabalho, aparecem claramente as sempre citadas influências orientais da poesia ceciliana. É lamentável que o estudo ainda continue inédito, pois sua publicação contribuiria grandemente para o surgimento de novas pesquisas acerca da obra de Cecília Meireles, voltadas para o mesmo parâmetro de análise.

MENEZES, Fagundes de. Silêncio e solidão — dois fatores positivos na vida da Poetisa. *Manchete*, Rio de Janeiro (76): 48-49, 03 out. 1953.

Entrevista muito citada, que faz parte de uma série intitulada "As grandes mulheres do Brasil". Foi reproduzida quase que integralmente na "Notícia biográfica" constante da *Obra poética* de Cecília Meireles (1958). A Poetisa fala de sua infância, de seus poetas preferidos, de suas atividades literárias e de seu pequeno museu de arte popular. Trata-se de um texto fundamental para uma melhor compreensão do que tenha sido a pessoa de Cecília Meireles.

MOURÃO-FERREIRA, David. Motivos e temas na poesia de Cecília Meireles. *Humboldt*, Hamburgo, 6 (14): 55-58, 1966.

Reproduzido em *Hospital das Letras* (Lisboa: Guimarães, 1966), do mesmo autor. Trata-se de um texto acerca dos temas constantes da poesia de Cecília Meireles (a morte, a solidão etc.) e dos motivos relacionados a esses temas (a viagem, a música, o mar etc.). O autor constata uma afinidade entre Cecília e os inconfidentes, que teria feito com que a Poetisa escrevesse o *Romanceiro da Inconfidência* (1953): a vinculação a Portugal. David Mourão-Ferreira considera os poemas que compõem essa obra como uma forma de dar voz aos mortos, recuperando a História através da poesia. Ilustram o texto um auto-retrato de Cecília Meireles e o manuscrito de uma das cartas que a Poetisa enviou ao autor.

MURICY, Andrade. Meia hora com Cecília Meireles a Correia Dias. *Festa*, Rio de Janeiro, *1* (7): 9-10, mar. 1935 (2ª. fase).

Entrevista realizada no regresso do casal (vindo de Portugal), pouco antes do suicídio do pintor Fernando Correia Dias (primeiro marido de Cecília Meireles). Durante todo o texto, apenas Cecília vai relatando episódios da estada em Portugal. Correia Dias só é notado através dos insistentes "não é, Fernando?" da Poetisa: o silêncio do pintor talvez já seja um dos sintomas da "crise de neurastenia" que o levaria ao suicídio, segundo jornais da época. A nota introdutória ao texto é assinada por T.S. (Tasso da Silveira), mas em entrevista posterior a Neusa Pinsard Caccese, em seu livro *Festa* (confira referência correspondente), Andrade Muricy reivindica a autoria de todo o artigo.

OLIVEIRA, Ana Maria Domingues de. *De caravelas, mares e forcas: um estudo de Mensagem e Romanceiro da Inconfidência*. São Paulo: FFLCH/USP, 1994 (Tese de doutorado, policopiada).

Nesta tese, realizada sob a orientação de Benjamin Abdala Júnior, Ana Maria Domingues de Oliveira procura, através de um estudo comparativo, estabelecer pontos de contato entre as obras *Mensagem*, de Fernando Pessoa e *Romanceiro da Inconfidência* de Cecília Meireles. Por suas referências históricas, *Mensagem* e *Romanceiro da Inconfidência* são considerados, por muitas pessoas, livros de difícil leitura e é por isso que a autora traça um panorama dos eventos históricos mais importantes, verificando como eles comparecem nos poemas das obras.

PARAENSE, Sílvia. *Cecília Meireles: mito e história*. Santa Maria: UFSM, 1999.

Este estudo sobre o *Romanceiro da Inconfidência* consiste na publicação da dissertação de mestrado defendida pela autora junto a Universidade Federal do Rio Grande do Sul, em 1991. Sílvia Paraense adota, inicialmente, uma perspectiva diacrônica, ao discutir a filiação desta obra ao romanceiro ibérico, apontando aproximações e afastamentos e, depois disso, propõe uma abordagem sincrônica, ao analisar o sistema simbólico que percorre os poemas do livro, através do estudo de suas metáforas e mitos.

PEÑUELA CAÑIZAL, Eduardo. A poesia de Cecília Meireles. *Revista de Letras*, Assis (8/9): 58-77, 1966.

Trata-se de um estudo original da obra de Cecília Meireles, em que autor destaca duas abordagens da natureza na poética ceciliana. A primeira relaciona o poeta ao mundo, fundindo sentimentos, seres e elementos; a outra usa a natureza apenas como ponto de referência para que o poeta fale de si mesmo.

PUZZO, Miriam Bauab. *A condição feminina na literatura brasileira: Cecília Meireles e Adélia Prado.* São Paulo: FFLCH/ USP, 1997. (Dissertação de mestrado, policopiada).

Nesta dissertação de mestrado, realizada sob a orientação de Nádia Battella Gotlib, Miriam analisa comparativamente os livros *Viagem*, de Cecília Meireles, e *Bagagem*, de Adélia Prado, tendo como parâmetros a relação das obras com seu contexto histórico social e a questão da condição feminina. Inicialmente, Miriam dedica-se ao estudo das condições de produção de cada uma das obras, com análise do momento histórico em que surgem. Além disso, a pesquisadora discute algumas relações entre a vida e a obra dessas poetisas, para depois deter-se na análise mais textual de poemas representativos dos livros em questão.

RIBEIRO, João. Espectros. *Crítica: os modernos.* Rio de Janeiro, Academia Brasileira de Letras, 1952, p. 265-266.

Publicado anteriormente em *O Imparcial* (Rio de Janeiro, 18 de outubro de 1919). Trata-se do primeiro artigo conhecido acerca de Cecília Meireles, e foi publicado a propósito do lançamento de seu primeiro livro, *Espectros* (1919). A maior parte do texto cita o prefácio do livro, escrito por Alfredo Gomes, ex-professor da Poetisa. O artigo é, como o jornal, imparcial: elogia a obra, transcreve um dos dezessete sonetos, mas não entusiasma um possível leitor. Segundo testemunhos de pessoas ligadas à Autora, João Ribeiro teria escrito o artigo a pedido de seu amigo, o prefaciador. O livro foi retirado de sua bibliografia pela própria Cecília. O principal valor do texto de João Ribeiro é a transcrição de um dos poemas, uma das únicas amostras anteriores à presente edição daquilo que era a obra.

RICARDO, Cassiano. *A Academia e a poesia moderna.* São Paulo: Revista dos Tribunais, 1939.

Trata-se de uma obra importante para a história do Modernismo no Brasil, pois documenta toda a polêmica na Academia Brasileira de Letras, por ocasião da atribuição do prêmio de poesia de 1938 ao livro *Viagem*, de Cecília Meireles, que teve à frente do debate

Olegário Mariano e Cassiano Ricardo (defensor da proposta vencedora). O autor transcreve todo o processo: as discussões, os pareceres, o julgamento, a decisão, a repercussão na imprensa (com muitos artigos transcritos na íntegra) e até mesmo o discurso que a Poetisa deixou de fazer, na entrega do prêmio ao seu livro, em protesto contra os cortes efetuados no texto pela censura prévia da Academia. Se a disposição de Cassiano Ricardo em publicar toda a polêmica fosse imitada em outras ocasiões, a história da literatura brasileira estaria muito melhor documentada. É uma obra indispensável não só ao estudo da obra de Cecília Meireles.

RODRIGUES, José de Souza. Cecília Meireles. Em: MEIRELES, Cecília. *Poemas*. Trad. Ricardo Silva-Santisteban. Lima: Centro de Estudios Brasileños, 1979, p. 11-20.

Trata-se de um estudo introdutório a essa antologia bilíngüe de poemas de Cecília Meireles. O responsável pela seleção dos textos, José de Souza Rodrigues, estabelece, de início, a ligação da Poetisa com outros autores que tematizaram a transitoriedade da vida e do mundo, tanto no Barroco quanto no Modernismo. Em seguida, aponta em quê Cecília se diferencia deles: "En la obra de Cecília Meireles, por lo tanto, lo transitorio es vivido subjetivamente, como entre los románticos, cantado metafóricamente, como entre los simbolistas y, más importante que todo, revelado conceptualmente con todo el equilibrio consciente de un poeta contemporáneo" (p. 17). Ao final, o autor detém-se com mais vagar no comentário destas características no *Romanceiro da Inconfidência* (1953). É um estudo sério e original acerca de Cecília Meireles, e é lamentável que o volume em que aparece não seja facilmente encontrado (o exemplar utilizado neste trabalho foi obtido junto à Embaixada do Brasil no Peru).

RÓNAI, Paulo. Adeus à amiga. *O Estado de São Paulo*, São Paulo, 14 nov. 1964. Suplemento literário, p. 1.

Lembranças de Paulo Rónai acerca de Cecília Meireles: seu relacionamento com a Poetisa, seu trabalho, seus últimos dias. É um artigo que, apesar de seu interesse aparentemente biográfico, ilumina de modo novo a obra da Autora.

RÓNAI, Paulo. O conceito de beleza em *Mar absoluto*. Em seu: *Encontros com o Brasil*. Rio de Janeiro: MEC/INL, 1958, p. 53-57.

Artigo datado de 1946, a propósito de *Mar absoluto e outros poemas* (1945). O autor expõe de que maneira o conceito de beleza é trabalhado no livro e constata que Cecília Meireles busca captar em objetos do mundo, como a rosa, por exemplo, "aquilo que não passa". Ou seja, tenta "fazer o efêmero eterno".

SADLIER, Darlene J. *Cecília Meireles & João Alphonsus*. Brasília: André Quicé, 1984.

Livro composto por quatro ensaios, dois dos quais dedicados a Cecília Meireles. No primeiro, "Cecília Meireles e a imagem da mulher", a professora americana analisa dois poemas, "Balada das dez bailarinas do cassino" (de *Retrato natural*) e "Mulher ao espelho" (de *Mar absoluto e outros poemas*), com o intuito de verificar a imagem da mulher neles presente. Constata aí uma crítica sutil ao papel imposto à mulher pela sociedade, afirmação que surpreenderia os que vêem em Cecília um poeta alienado. Já o segundo ensaio, "Um retrato da natureza: 'Madrugada no campo'" (de *Mar absoluto e outros poemas*), é uma análise voltada especialmente ao trabalho formal do poema em questão. Darlene Sadlier aponta o rigor existente numa estrutura aparentemente simples: iludido pela uniformidade métrica e rítmica do texto, o leitor menos atento pode não perceber a profundidade de seu conteúdo e a complexidade das metáforas que integram o eu poético à natureza descrita. São ensaios que primam pela originalidade e pela seriedade, e mereceriam uma circulação mais intensa entre os estudiosos da obra da Poetisa.

SADLIER, Darlene J. *Imagery and theme in the poetry of Cecília Meireles: a study of **Mar absoluto***. Potomac: Studia Humanitatis, 1983.

Trata-se de um estudo em língua inglesa, sobre a obra *Mar absoluto e outros poemas* (1945). A autora dedica-se a analisar alguns poemas do livro, entre os quais os cinco "Motivos da rosa", em busca dos temas e imagens mais freqüentes na poesia de Cecília Meireles: o mar, a rosa, a fugacidade do tempo, a morte, a eternidade, a natureza, a solidão etc. No final, os poemas selecionados para o estudo comparecem em tradução para o inglês feita pela autora do estudo.

SAMPAIO, Nuno de. O purismo lírico de Cecília Meireles. *O Comércio do Porto*, Porto, 16 ago. 1949.

Texto reproduzido na "Fortuna crítica" que integra a *Obra poética* de Cecília Meireles (1958). Trata-se de um estudo acerca das raízes metafísicas de Cecília Meireles, que liga sua poesia à tradição européia, e não à brasileira, usando como termo de comparação a poesia de Adalgisa Neri. É um dos poucos estudos sobre o chamado "lusitanismo" da Autora que não se baseia no puro atavismo, mas busca essas origens em sua obra.

SENA, Jorge de. Cecília Meireles, ou os puros espíritos. *O Estado de São Paulo*, São Paulo, 20 fev. 1965. Suplemento literário, 9 (418): 4.

Artigo profundo, que relaciona a poesia de Cecília Meireles à das escolas românticas, parnasiana e simbolista. Situa a Poetisa no pós-simbolismo, escola da qual a Autora seria a única representante no Brasil. Há definições da poesia de Cecília que beiram o poético: "Uma criação obstinada de objetos estéticos que são infinitas variações sobre o silêncio". Ilustra o texto uma bela foto da Poetisa nos Estados Unidos, em outubro de 1959.

SIMÕES, João Gaspar. Fonética e poesia ou o *Retrato natural* de Cecília Meireles. Em seu: *Literatura, literatura, literatura...* Lisboa: Portugália, 1964, p. 346-353.

Publicado anteriormente em *Letras e artes* (suplemento literário de *A Manhã*) de 20 de agosto de 1950, e reproduzido também na edição de 1958 da *Obra poética* de Cecília Meireles. Trata-se de um estudo fonético da poesia ceciliana, que demonstra como a Autora se afasta, pouco a pouco, das raízes lusitanas que subjazem à sua obra, desde *Viagem* (1939) até *Retrato natural* (1949). João Gaspar Simões nota que os poemas de *Viagem* podiam ser lidos com acento português sem perder a sonoridade, capacidade que foi se diluindo nos outros livros. Já os poemas que compõem *Retrato natural* só evidenciam sua musicalidade se lidos à brasileira. E, lida assim, a poesia de Cecília revela ainda todo um lado sensual e feminino. É um texto fundamental para o estudo da sonoridade nos versos da Poetisa.

VALLADÃO, Tânia Cristina T. C. *A Canção da flor da infância: Cecília Meireles*. Rio de Janeiro: UFRJ, Faculdade de Letras, 1997. Tese de doutorado, policopiada.

Tânia Cristina Valladão, ao longo dessa tese de doutorado, analisa a produção literária infantil de Cecília Meireles, através de relações entre sua poesia e teoria sobre educação escrita pela Poetisa nos jornais *Diário de Notícias* e *A Manhã*. A Autora tece comparações entre os livros infantis desconhecidos com *Ou isto ou aquilo*, a fim de refletir por que tais livros tornaram-se esquecidos.

VILLAÇA, Antônio Carlos. A eternidade entre os dedos. *Jornal do Brasil*, Rio de Janeiro, 09 nov. 1974.

Texto publicado por ocasião dos dez anos da morte de Cecília Meireles. Antônio Carlos Villaça compõe uma biografia muito interessante da Poetisa, com detalhes omitidos na maioria dos estudos biográficos acerca da Autora. Há apenas uma imprecisão: o pai de Cecília morreu três meses antes de seu nascimento, e não depois. A parte mais extensa do artigo comenta a obra ceciliana, e também nisso é bastante competente. Aponta nos poemas de Cecília uma alternância entre a luz e a sombra, entre a isenção e a fusão. Um livro é abordado de forma especial: o *Romanceiro da Inconfidência* (1953), elogiado pela sua importância poética e histórica, e relacionado à *Invenção de Orfeu* (1952), de Jorge de Lima, como os dois grandes momentos da poesia brasileira.

YUNES, Eliana Lucia M. A infância na poesia de Cecília Meireles. *Revista Letras*, Curitiba (25): 103-120, jul. 1976.

Estudo de *Ou isto ou aquilo* (1964) que, além de examinar os níveis sintático, morfológico e semântico dos poemas, analisa-os segundo os aspectos didático, musical e fonético, detendo-se especialmente no poema- título. Na conclusão, a autora constata que os textos desse livro não são exclusivamente infantis, e que neles persistem noções dos poemas "adultos" de Cecília.

ZAGURY, Eliane. *Cecília Meireles*. Petrópolis: Vozes, 1973 (Poetas modernos do Brasil, 3).

Um dos raros livros exclusivamente acerca de Cecília Meireles e, nesse caso, indispensável. Tudo é muito exato: a notícia biográfica, a iconografia, o estudo crítico, a antologia, o ideário crítico-estético e a bibliografia. No estudo crítico, Eliane Zagury descreve como a poética ceciliana desenha um círculo que se abre e se fecha no tema da mística da morte, passando por uma "participação isenta", pela expressão épico-lírica (no Romanceiro da Inconfidência, especialmente) e pela poesia de contemplação. Trata-se de um livro coerente e apaixonado.

"...ando navega la melancolía" — CM. 1933

Parte I

CECILIA MEIRELLES

Espectros

Editores - Leite Ribeiro & Maurillo
3, Rua Santo Antonio, 3 — Rio de Janeiro
— 1919 —

Espectros. Rio de Janeiro: Editores Leite Ribeiro & Maurillo, 1919. 34 p.

Na página anterior:
capa da primeira edição de *Espectros*.

Espectros
(1919)

"...Selon nous, le poète n'a plus à s'occuper de ce qu'il a dejá accompli, mais seulement à ce qu'il se propose de faire encore. C'est vers la perfection qu'il rêve, et non vers le succès qu'il constate, que doivent tendre ses progrès.; et, pour notre compte personnel, quand une fois nous avons donné notre livre à l'impression, nous n'en prennons pas plus souci que les arbres printaniers, que nous voyons de notre fenêtre, ne s'inquiètent de leurs feuilles mortes du dernier automne."
   F. Coppée
   "Avertissement" ao "Cahier Rouge"

Prefácio
Alfredo Gomes

Nesta vida e neste mundo, viajores somos todos os que intelectualmente buscamos traçar rota segura.

Perlustramos regiões, trilhamos estradas intermináveis, desde princípio seduzidos pelo aspecto da natureza que as veste em derredor, e enganados pelas cambiantes ilusões de que a fantasia ingênua povoa na juventude todos os nossos pensares.

Ora, a cada passo, nos deslumbram os esplêndidos cenários da política ou o faiscante tremeluzir das riquezas atálicas; ora nos arrastam irresistivelmente os aplausos vibrantes que circundam os triunfos oratórios ou os estemas de louros que os envolvem; ora o sonho de glória reveste as formas trágicas dos campos de batalha; ora ainda a vaidade da própria beleza nos inebria ou a superioridade do talento nos torna desdenhosos, arrogantes e nos incita aos maiores abusos.

Entretanto, com o escoar da areia na ampulheta do tempo, é quase certo que tantas esperanças se malogram, falham e breve desaparecem no azul diluído do horizonte sonhado.

Aqui, é o atavismo a causa determinante da susceptibilidade mórbida que invade o ânimo de alguns e os faz tímidos; ali, a protérvia natural impele outros a loucos e desvairados atos que os condenam à perseguição alheia e sujeitam à repulsa social.

Bastas vezes, na luta pela existência, o acaso, o fatal acaso, que nos revolta levar em conta, se imiscui em todas as empresas e lança ao seio dos mais bem dotados o germe corrosivo do desânimo e da morte moral. Mas muito mais freqüentes e espontâneos surgem diante de uns e outros, sob os pés dos caminheiros mais decididos e indefesos, as urzes, os abrolhos que se geram da indiferença geral, do egoísmo alheio e da inveja, da terrível inveja, que se mascara nas trevas, brandindo, oculta e segura, a intriga, o dolo, a traição.

E essa é a vida, esse é o meio que se nos depara quase sempre.

Felizmente, porém, ocorre, ainda que raramente, o oposto — a monção que alenta e vivifica aos que encetam a viagem. Aos olhos pesquisadores dos que já não são moços, dos que já transcorreram grande parte desta existência sublunar, que sabem da vida as ínvias e escusas veredas, onde se agitam tipos monstruosos, oferecem-se, de quando em quando, como visões do Além, figuras suaves, nobilíssimas, as quais, como intangíveis, deslizam sem que as polua o bafo pestilento dos que lhes passam ao lado.

Parece que, dotadas de qualidades raras e peregrinas, obrigam a serpente da perversão humana a baixar o colo anegrado, a não babujar a terrível peçonha, a sumir-se nos antros de que se evadem para malefício dos mortais.

Esses entes privilegiados não gritam — murmuram; não correm — perpassam alheios aos males. Envoltos em radioso halo, vão mansamente protegidos pela própria essência, de natureza etérea, que lhes segreda ao ouvido cousas doces e ternas em coro de sussurros lisonjeiros, soprando e incutindo-lhes na alma esse misterioso dom da poesia, que perfuma tudo quanto tocam ou bafejam.

São poucos, são raros esses eleitos: flutuam docemente à tona das vagas ululantes da multidão que brada, vocifera, blasfema, tripudia e insulta, mas respeita neles o que é grácil, o que é belo, o que é sublime.

Entre essas figuras de eleição — Cecília Meireles.
....

Foi por ocasião de certa agitação tumultuária na Escola Normal deste Distrito, em ocorrência em que de todo parecia ter-se eclipsado naquela casa de ensino a noção de disciplina, ali tradicional e única em tempo em que já a anarquia atual estendera a cizânia a todos os estabelecimentos similares — foi então que, pela vez primeira, a meus ouvidos, ecoou o nome de Cecília Meireles.

No bulcão de desagrados, lutas e intrigas que se desencadearam então, envolta na serena luz que sempre dimana de uma alma pura, aureolava-lhe a fronte um nimbo atraente e simpático, misto de amor e de solidariedade moral, que a pusera ao lado de suas colegas perseguidas injustamente.

A doce firmeza com que soube desviar com seu sereno depoimento as insinuações malévolas, mercê das quais, num inquérito administrativo, se visava mascarar a verdade e condenar uma aluna, revelou instantaneamente naquela alma de escol os sentimentos nobres que logo após haviam de apontá-la singularmente distinta entre seus colegas de ambos os sexos. Com efeito, Cecília Meireles não se sobrelevava a todos só pelo talento e aplicação ao estudo: criara pouco a pouco em torno de si, graças à sua modéstia e despretensão, crescente e seleta roda de condiscípulos, seus admiradores e amigos, de sorte que nem uma voz se erguia dissonante ou sequer divergente no coro de elogios que diariamente lhe eram prodigalizados por mestres e colegas.

Ainda quando cursava o 4º ano do curso da Escola Normal, reconheciam todos na futura mestra dotes raros: entre eles, o coração já superiormente formado, a inteligência clara e lúcida, a intuição notável com que sabia expor pensamentos próprios e singulares até em assuntos pedagógicos, atraiçoando-se-lhe assim o espírito já facetado, de brilho raramente observado por mim e por todos os docentes, através de tantas gerações de alunos que se vêm doutrinando no aprendizado do magistério.

Cecília Meireles é realmente curioso modelo para quem queira auscultar atentamente e inferir seguro o valor psicológico da mulher brasileira, nas espinhosas funções que se referem e ligam aos altos problemas sociais modernos.

Ao mesmo tempo que na futura professora se acusavam vivos e evidentes os dotes de emérita docente que havia de conquistar dentro de curto prazo de tirocínio, borbulhava no imo da alma da jovem esse quê indefinível e divino, a que se dá o nome de *inspiração poética*, antes verdadeira aspiração ao belo intangível, que viceja nas regiões sublimes do ideal, desce à terra como arcano sondável e no seio de algumas criaturas se estiola às vezes à míngua de impossível tradução, enquanto acende o peito e dilata a imaginação de outras.

Filigrana de que se desprendem colorações ardentes, ritmos cantantes, harmonias e harpejos surpreendentes, é bem de ver que no cérebro e no coração de Cecília Meireles não podia esse Dom celeste deperecer e delir-se: sua alma veludosa era da essência rara das de Santa Teresa e de Mme. Desbordes-Valmore; das de Harriet Beecher Stowe e de Sóror Violante do Céu: das de Maria de França e de Mariana Alcoforado.

E assim, quando a aluna-mestra ia cingir à fronte o laurel de professora normalista, era já, no consenso e com o sufrágio de todos os colegas, a natural intérprete dos sentimentos dos que se diplomavam com ela, na cerimônia solene da futura colação de grau aos alunos de sua turma.

Se foi eloqüente essa espontânea homenagem, se de muito valor foi para o magistério fluminense a aquisição de mais um precioso elemento doutrinante; de não somenos, antes até, de mais precioso cunho social foi a revelação pública de mais um temperamento literário puríssimo a aviventar a personalidade da novel docente, já então na posse de estro acrisolado e quase perfeito, encarnação seleta de mais uma alma de musa em figura mortal, de inspirada poetisa em ascensão luminosa aos páramos indizíveis onde já fulguram as deliciosas concepções da mente helênica — ao Pindo, ao Hélicon.

Até aqui a pessoa: agora a obra.

O volumito que Cecília Meireles resolveu lançar a lume sob o patrocínio, ou, melhor, com a apresentação desvaliosa de tão desautorizado mestre, como sou, descortina aos olhos mais desatentos quanto se pode esperar em recente futuro de tão promissor talento poético. São primícias que têm o sabor de frutos sazonados. Na forma, no colorido, no perfume acurado e delicioso que ostentam, esses primeiros estos da alma juvenil fazem lembrar certos botões florais que em opulência e viço equivalem a flores já desabrochadas sob os ardores vivificantes do sol em pleno zênite tropical.

Apenas dezessete sonetos encerra o opúsculo; mas que sonetos! Inspiração superior, objetivismo sóbrio e sugestivo, estilo escorreito e exato, o mais próprio a traduzir brilhantemente a idéia; métrica aprimorada, moderna e (di-lo-ei sem rebuço) quase impecável — tudo ressalta, em viva cor, desse exíguo número de poemetos, cuja concepção cativa o espírito e o coração do leitor — suavemente, sem o mínimo abalo, sem um reparo quanto à propriedade das imagens, dos termos, da pureza do sentir, do vigor das tintas.

Com certeza nenhum dos sonetos do volume excede ao que tem por epígrafe — *Brâmane*, nos traços vivos e profundos com que se desenha a tradicional e hirta figura do faquir indiano:

"......Sem ter no pétreo corpo um arrepio,
Nu, braços no ar, de joelhos, fartamente
Esparsa a barba ao peito, na silente
Mata, o Brâmane sonha. Pelo estio,

Ao sol que os céus abrasa e o chão calcina,
Impassível, a sílaba divina
Murmura..."

A prender delgadamente diversos sonetos, surpreende-se um liame tênue, sutil, que os unifica, subordinando-os a um fim elevado — a dignificação de grandes personalidades femininas — Judite, Joana d'Arc, Maria Antonieta. Entre esses pode ser tido como modelar o intitulado — *Joana d'Arc*:

"*Firme na sela do ginete arfante,
Da coorte na vanguarda, ei-la às hostis
Trincheiras que galopa, delirante,
Fronte serena e coração feliz...*

...

*Rica de sonhos, crença e mocidade,
A donzela de Orléans, no seu tresvário
De mística, na indômita carreira*

*Sorri... Nenhum tremor a alma lhe invade!
E, entanto, o olhar audaz e visionário
Já tem clarões sinistros de fogueira!...*"

Belíssima chave de ouro!
Obedecem a corrente paralela, ao culto dos grandes tipos humanos, alguns outros heróis dos sonetos da novel poetisa. Passam e repassam sempre diante de nossa imaginação ardente, como num fatídico e grandioso cosmorama — essas figuras

eternas, símbolos de alta valia, embora maculadas por grandes faltas ou vítimas de impiedoso atavismo: são criaturas profundamente humanas; acusam as feições, os instintos, os desvarios típicos da humanidade. Tais Sansão e Dalila; tais a egiptana e sedutora rainha e o rendido general romano: a beleza e a traição de um lado, o amor irresistível e cego, de outro.

O estro feliz da poetisa soube magnificamente enquadrar em seus sonetos essas figuras, gravando-as como em águaforte. Vemos assim num dos sonetos pintar-se a Cleópatra dos sonhos antigos em sua desnudada e opulenta beleza e, em desfalecido êxtase,

"Deslumbrado, ante o leito, ébrio, se ajoelha
Marco Antônio, sem forças, nem vontade."

Mesmamente se avista, através dos lindos versos de Cecília Meireles, o grande e monstruoso Nero, o inconsciente artista que dedilha a musical lira e

"............coroado
De mirto, de verbenas e de rosas,
Espreita Roma a arder, rubra e deserta..."

Como sucede com toda alma juvenil e generosa, enastra-lhe a concepção poética o sentimento místico, docemente religioso, que dimana das Santas Escrituras e acalenta as almas sonhadoras numa aspiração perene para o supremo ideal. Essa expansão íntima (se me é permitido assim expressar-me), esse desafogo consolador da timidez feminina diante dos afetos cruamente humanos, arranca à meiga filha das Musas belíssimos versos e empresta-lhe à pena as mais finas cambiantes de que pode dispor a paleta poética, ao debuxar os tipos de Jesus, de João Batista, dos Reis Magos.

Mas... ponto final a esta estirada prefação.

Desculpe o leitor as demasias desta apresentação: nela encontrará o desejo vivo de corresponder o melhor possível à confiança generosa com que a grata discípula quis distinguir o mestre desprovido de mérito para tão alta missão.

Todavia, se a crítica não escalpelou desapiedadamente este ou aquele ponto da obrinha delicada e valiosa de Cecília Meireles, não atribua essa falta à pura benevolência do prefaciador. Este teria recusado a honra de conduzir à presença do público a jovem sacerdotisa das Musas, se não houvesse a firme convicção de que, lido o opúsculo, será o leitor quem mais palmas e mais ruidosas baterá, sagrando a Autora como um dos maiores cultores do Ideal literário, hoje vítima de tanto desamor, neste século de mercantilismo absorvente, mormente, ai!, em nossa querida e adorada Pátria.

Espectros

Nas noites tempestuosas, sobretudo
Quando lá fora o vendaval estronda
E do pélago iroso à voz hedionda
Os céus respondem e estremece tudo,

Do alfarrábio, que esta alma ávida sonda,
Erguendo o olhar, exausto a tanto estudo,
Vejo ante mim, pelo aposento mudo,
Passarem lentos, em morosa ronda,

Da lâmpada à inconstante claridade
(Que ao vento ora esmorece ora se aviva,
Em largas sombras e esplendor de sóis),

Silenciosos fantasmas de outra idade,
À sugestão da noite rediviva
— Deuses, demônios, monstros, reis e heróis.

Defronte da janela em que trabalho.
Nas horas quietas, em que tudo dorme,
Sobranceira e viril, como um carvalho,
Alevanta-se espessa árvore enorme.

O zéfiro um momento encrespa um galho
À sua barba: e, ou seja que a transforme
O vento ou meu olhar, a árvore enorme,
Erguida ante a janela em que trabalho,

Toma a feição de uma cabeça rude,
Sonolenta e selvática oscilando
Numa estranha, fantástica atitude.

E, posta a contemplá-la, esta alma cuida
Ver sob o azul do céu, diáfano e brando,
A fronte erguer, leonina, o último druida.

Brâmane

Plena mata. Silêncio. Nem um pio
De ave ou bulir de folha. Unicamente
Ao longe, em suspiroso murmúrio,
Do Ganges rola a fúlgida serpente.

Sem ter no pétreo corpo um arrepio,
Nu, braços no ar, de joelhos, fartamente,
Esparsa a barba ao peito, na silente
Mata, o Brâmane sonha. Pelo estio,

Ao sol, que os céus abrasa e o chão calcina,
Impassível, a sílaba divina
Murmura... E a cólera hibernal do vento

Não ousa à barba estremecer um fio
Do esquelético hindu, rígido e frio,
Que contempla, extasiado, o firmamento.

A Belém!

— A Belém! A Belém! — E pela estrada
Vão, silenciosamente, os caminhantes,
Sob a inefável, diáfana e abençoada
Luz dos trêmulos astros cintilantes.

Nem um murmúrio quebra a noite. Nada
Se ouve. E os magos, noctívagos viandantes,
Tem, dos céus à sidérea luz prateada,
Claridades argênteas nos semblantes.

— A Belém! A Belém! — E seguem pelos
Ermos caminhos, graves e calados,
No dorso corcovado dos camelos,

Que sem rumor avançam devagar
— Mirta, incenso e oiro em cofres sobraçados,
Os reis Gaspar, Melchior e Baltasar.

Neroniano

Roma incendeia-se. Em lufadas passa
O fumo. Estala o fogo. E ouve-se a bulha
Longínqua dos que fogem à desgraça,
Às ruínas de que o incêndio Roma entulha.

E, enquanto dentre as nuvens de fumaça
Espessa, cada efêmera faúlha

Do fogo se desprende e gira e esvoaça
E atinge aos céus, qual rutilante agulha,

No cesáreo terraço debruçado,
Nero, insensato, ao peito as sonorosas
Cordas da lira, satisfeito, aperta.

E — através da esmeralda vil — coroado
De mirto, de verbenas e de rosas,
Espreita Roma a arder, rubra e deserta...

Ecce homo!

Cingem-lhe a fonte pálida e serena
Espinhos. Tem na face o laivo imundo
De escarros de judeus. No olhar profundo
Bailam trêmulas lágrimas de pena

E dó, pelas misérias deste mundo.
Pilatos, vendo-O assim, à turba acena:
— Ecce homo! — lhe diz. Mas a atra cena
Ao povo não comove, furibundo.

Do sangue de Jesus tem voraz sede,
Tem-lhe da carne fome, a plebe ignara!
E sobre o homem se lança — como cães —

Que de peixes a Pedro enchera a rede,
Nas bodas a água em vinho transformara,
Multiplicara, no deserto, os pães!...

Antônio e Cleópatra

As escravas etíopes, lentamente,
Os longos leques movem. Seminua,
Pálida a augusta fronte, que tressua,
Cerra os olhos Cleópatra, indiferente.

Sorve em êxtase o aroma, que flutua
Nas espiras do fumo, pelo ambiente;
Dos rins tomba-lhe o manto negligente;
Lembra as esfinges, na atitude sua.

Queima-lhe a pedraria o palpitante
Seio. Tremem-lhe pérolas à orelha...
E, fitando-lhe o pálido semblante,

Esplêndido de régia majestade,
Deslumbrado, ante o leito, ébrio, se ajoelha
Marco Antônio, sem forças, nem vontade.

Herodíada

Manaém volta do ergástulo. Ofegante,
Traz de Iokanan, na rude mão pendente,
A pálida cabeça, gotejante
De sangue, que num prato reluzente

Estende a Salomé. Depois, perante
Vitélio, Antipas, Aulo, toda a gente

Passa o prato em silêncio. E, noite adiante,
Findo o festim, Fanuel, no atro silente,

À luz do facho trêmulo, que fuma,
Em grande e silenciosa dor absorto,
Vê, nos olhos proféticos de João,

De manso perpassarem, uma a uma,
As marginais paisagens do Mar Morto,
Por onde escorre, plácido, o Jordão.

Judite

De Holofernes o exército assedia
Betúlia. É noite. Dorme o acampamento.
Sob a tenda, que às vezes arrepia
Uma lufada rábida do vento,

Que uiva e geme em funérea litania,
Na sombra, a um canto, dorme temulento
O assírio general. Judite espia;
Entra na tenda... pára, que um violento

Tremor lhe tolhe o passo. Arfante o seio,
Holofernes contempla... espreita... escuta...
E, vencendo de súbito o receio,

Vendo-o a dormir — sem que a mais nada atenda,
Ágil, toma-lhe o alfange; resoluta,

Degola-o...
E deixa a tenda.

Sansão e Dalila

...E sobre os joelhos pérfidos da amante,
Sansão, depois de tantos feitos lasso,
Profundamente dorme, tão confiante,
Que ainda a estreita, sorrindo, em longo abraço.

Aquele hercúleo e rijo corpo de aço,
Terror dos filisteus, prostrara-se ante
Dalila! E, contemplando no regaço,
Adormecido, o lânguido semblante,

Que ainda conserva os mentirosos traços
Dos beijos que o seu rubro lábio ardente
Depusera, inebriante e infido, pelos

Demorados espasmos nos seus braços,
Vai sossegada e silenciosamente
A traidora cortando-lhe os cabelos...

Joana d'Arc

Firme na sela do ginete arfante,
Da coorte na vanguarda, ei-la às hostis

Espectros

Trincheiras que galopa, delirante,
Fronte serena e coração feliz.

Sob os anéis metálicos do guante,
Os dedos adivinham-se viris,
Que sustêm o estandarte palpitante,
Onde esplende a dourada flor-de-lis.

Rica de sonhos, crença e mocidade,
A donzela de Orléans, no seu tresvário,
De mística, na indômita carreira

Sorri. Nenhum tremor a alma lhe invade!
E, entanto, o olhar audaz e visionário
Já tem clarões sinistros de fogueira!...

Maria Antonieta

Roda a carreta vagarosa. E nela,
Mãos atadas às costas, a rainha,
Após reveses tantos ainda bela,
Para o suplício estúpido caminha.

No porte majestoso não revela
Senão desdém. Que a mágoa, que a definha,
O seu orgulho cauteloso vela.
E a boca aristocrática e escarninha

Sorri à multidão, que, aglomerada
Na praça, freme, ansiosa de vingança,
Enquanto, vislumbrando a guilhotina,

A austríaca relembra, emocionada,
A hora gloriosa em que chegara à França,
Nos seus tempos felizes de delfina...

Noite de Coimbra

Oh noite encantadora! Além desliza,
Todo banhado de um palor de opala,
O Mondego do sonho, que se embala
Ao caricioso suspirar da brisa.

Noite morna de amor: — tudo se cala.
Argêntea, a lua, pálida e indecisa,
Não se sabe se anseia ou se agoniza,
Tão langue e fria pelo azul desmaia.

... E no jardim do paço adormecido,
Onde namoram rouxinóis as flores,
Em que o luar põe brancuras de alabastro,

E onde uma fonte escorre, num gemido
De alguém a relembrar mortos amores,
D. Pedro beija a boca a Inês de Castro.

Dos jardins suspensos

Num languor de volúpia, o sol declina
Para as bandas de Tiro. E do contorno
Do horizonte, uma nuvem purpurina,
Que sobe, envolve o céu, diáfano e morno.

Os pássaros, aos ninhos em retorno,
Traçam no ocaso uma sinuosa e fina
Risca, fugindo... Amítis olha em torno
De si... alonga o olhar... Enfim, domina

O Eufrates a sorver, langue, o favônio
Rescendente a áloes, sândalo e resina,
Na lascívia do gozo babilônio;

E ouve, a rugirem pelas águas quietas,
Num sussurro confuso de surdina,
Maldições indignadas de profetas...

Átila

É um frêmito espontâneo. O vento cessa
A carreira, espantado. Um calafrio
De horror percorre a terra. E o próprio rio
O grande Reno as águas retrocessa,

Num ímpeto de susto. Arfante, opressa,
Prostra-se a natureza. Em fugidio
Vôo, as aves se vão... — Já no ar sombrio,
Que a poeira em turbilhões negreja e espessa,

Reboa, surda, a bulha do tropel...
E, à frente da horda bárbara, que, em grita
Selvagem, céus e terra impreca e ameaça,

Arquejante no dorso do corcel,
— Caudilho atroz da atrocidade cita —
Átila, impávido e ofegante, passa!

Evocação

(Lendo Beaumarchais)

Noite fresca e serena. Aberta a gelosia
Do florido balcão, numa penumbra leve,
Dorme a câmara avoenga. O vulto a um canto amplia
O velho cravo mudo. O luar põe tons de neve

No embutido do assoalho, em que a sombra descreve,
Larga e aconchegadora, a poltrona macia,
Onde sonha, esquecida, uma guitarra breve
O seu sonho eternal de amor e melodia.

Há um perfume no ambiente — um perfume de outrora,
Muito vago, a lembrar todo um passado morto...
... E é quando no silêncio um largo acorde chora,

Espectros

e sente-se fremir, numa estranha dolência,
sob o esplêndido céu, calmo, profundo, absorto,
a alma de Querubim, na ansiosa adolescência...

Sortilégio

Profunda, a noite dorme. E no antro, que avermelha
A fogueira infernal, incendido o semblante,
Chispas no olhar oblíquo, ígneos tons na guedelha,
A velha bruxa horrenda, a persignar-se, diante

Do vasto fogaréu, resmungando, se ajoelha.
E, enquanto goela aberta, o sapo à crepitante
Lenha segue um voejar de rútila centelha,
Crava o olhar a coruja, afiado e penetrante,

Num livro de sinais cabalísticos, mago,
Entre ervas secas, sobre a trípode. E a ondulante
Fumaça, que escurece o fundo antro plutônio,

Assume, a enovelar-se, o contorno amplo e vago
De uma égua de sabá, orgíaca e ofegante,
Em cujos flancos finca esporas o demônio...

Depois de entregue, pelo dr. Alfredo Gomes, o prefácio à autora, juntou esta à coletânea os seguintes cinco sonetos: 1) *Defronte da janela em que trabalho*; 2) *Átila*; 3) *Dos jardins suspensos*; 4) *Evocação*; 5) *Sortilégio*.

O revisor, entretanto, alterou para *17* o número *12* constante do prefácio.

(Nota da autora)

Nunca mais...

e Poema dos Poemas

Cecília Meirelles

Nunca mais... e *Poemas dos poemas*. Rio de Janeiro: Editora
A Grande Livraria Leite Ribeiro, [1923]. 152 p. +
índice. Capa: Correia Dias. O desenho da capa retorna na abertura da
primeira parte (*Nunca mais*), e outro desenho de Correia Dias, baseado
no primeiro, abre a segunda parte (*Poema dos poemas*).

Na página anterior:
capa da primeira edição de *Nunca mais...* e *Poema dos poemas*.

Nunca Mais... e
Poema dos Poemas
(1923)

Nunca mais...

À hora em que os cisnes cantam...

Nem palavras de adeus, nem gestos de abandono.
Nenhuma explicação. Silêncio. Morte. Ausência.
O ópio do luar banhando os meus olhos de sono...
Benevolência. Inconseqüência. Inexistência.

Paz dos que não têm fé, nem carinho, nem dono...
Todo o perdão divino e a divina clemência!
Oiro que cai dos céus pelos frios do outono...
Esmola que faz bem... — nem gestos, nem violência...

Nem palavras. Nem choro. A mudez. Pensativas
abstrações. Vão temor de saber. Lento, lento
volver de olhos, em torno, augurais e espectrais...

Todas as negações. Todas as negativas.
Ódio? Amor? Ele? Tu? Sim? Não? Riso? Lamento?
— Nenhum mais. Ninguém mais. Nada mais. Nunca mais...

Beatitude

Corta-me o espírito de chagas!
Põe-me aflições em toda a vida:
Não me ouvirás queixas nem pragas...

Eu já nasci desiludida,
De alma votada ao sofrimento
E com renúncias de suicida...

Sobre o meu grande desalento,
Tudo, mas tudo, passa breve,
Breve, alto e longe como o vento...

Tudo, mas tudo, passa leve,
Numa sombra muito fugace,
— Sombra de neve sobre neve... —

Não deixando na minha face
Nem mais surpresas nem mais sustos:
— É como, até, se não passasse...

Todos os fins são bons e justos...
Alma desfeita, corpo exausto,
Olho as coisas de olhos augustos...

Dou-lhes nimbos irreais de fausto,
Numa grande benevolência
De quem nasceu para o holocausto!

Empresto ao mundo outra aparência
E às palavras outra pronúncia,
Na suprema benevolência

De quem nasceu para a Renúncia!...

A minha princesa branca

Estendo os olhos aos mares:
Ela anda pelas espumas...

— Serenidades lunares,
Tristezas suaves de brumas...

Ela anda nos céus vazios,
Em brancas noites morosas;
Mira-se na água dos rios,
Dorme na seda das rosas...

Passa em tudo, grave e mansa...
E, do seu gesto profundo,
Solta-se a grande esperança
De coisas fora do mundo...

Por sobre as almas vagueia:
Almas santas... Almas boas...
É um palor de lua cheia,
Na água morta das lagoas...

Quando contemplo as encostas,
De alma ansiosa por vencê-las,
Vejo-a no alto, de mãos postas,
Muda e coroada de estrelas...

E vou, sofrendo degredos,
A dominar os espaços...
Só quero beijar-lhe os dedos
E adormecer-lhe nos braços!

Canção desilusória

Já não se pode mais falar!...
O encantamento está perdido...
Tudo são frases sem sentido
E palavras dispersas no ar...
O encantamento está perdido!...
Já não se pode mais falar...

Já não se pode mais sonhar!...
Em vão se canta ou se deplora!
Todos os sonhos são de outrora...
Vêm de um sonho preliminar...
Em vão se canta ou se deplora...
Já não se pode mais sonhar!...

Já não se pode mais amar!...
Oh! soturna monotonia...
A saudade e a melancolia
São de todo tempo e lugar!
Oh! soturna monotonia!...
Já não se pode mais amar...

Já não se pode mais findar!
Numa interminável miséria,
Depois do opróbrio da matéria,
Surge o castigo do avatar!
Numa interminável miséria...
Já não se pode mais findar!...

Já não se pode mais chorar!
É o Destino... o Alfa-Ômega... a Sorte...
É melhor não pensar na morte,
Ao sentir a vida passar...
É o Destino... o Alfa-Ômega... a Sorte...
E só nos resta renunciar!...

A chuva chove...

A chuva chove mansamente... como um sono
Que tranqüilize, pacifique, resserene...
A chuva chove mansamente... Que abandono!
A chuva é a música de um poema de Verlaine...

E vem-me o sonho de uma véspera solene,
Em certo paço, já sem data e já sem dono...
Véspera triste como a noite, que envenene
A alma, evocando coisas líricas de outono...

...Num velho paço, muito longe, em terra estranha,
Com muita névoa pelos ombros da montanha...
Paço de imensos corredores espectrais,

Onde murmurem velhos órgãos árias mortas,
Enquanto o vento, estrepitando pelas portas,
Revira in-fólios, cancioneiros e missais...

Tumulto

Tempestade. O desgrenhamento
Das ramagens... O choro vão
Da água triste, do longo vento,
Vem morrer-me no coração.

A água triste cai como um sonho,
Sonho velho que se esqueceu...
(Quando virás, ó meu tristonho
Poeta, ó doce troveiro meu!...)
....
E minha alma, sem luz nem tenda,
Passa errante, na noite má,
À procura de quem me entenda
    E de quem me consolará...

Ísis

E diz-me a Desconhecida:
"Mais depressa! Mais depressa!
Que eu te vou levar a vida!...

Finaliza! Recomeça!
Transpõe glórias e pecados!..."
Eu não sei que voz seja essa

Nos meus ouvidos magoados:
Mas guardo a angústia e a certeza
De ter os dias contados...

Rolo, assim, na correnteza
Da sorte que se acelera,
Entre margens de tristeza,

Sem palácios de quimera,
Sem paisagens de ventura,
Sem nada da primavera...

Lá vou, pela noite escura,
Pela noite de segredo,
Como um rio de loucura...

Tudo em volta sente medo...
E eu passo, desiludida,
Porque sei que morro cedo...

Lá me vou, sem despedida...
Às vezes, quem vai regressa...
E diz-me a desconhecida:

"Mais depressa! Mais depressa!..."

Intermezzo

Eu tinha esta alma toda iluminada,
Como as vilas fantásticas das eras
Dos dragões, salamandras e quimeras
De um sonho remotíssimo de fada...

Eu tenho esta alma toda de tristezas
Vestida, e luto e lágrimas e opalas...
— Porque os Degoladores de Princesas
Por mim passaram para degolá-las...

Sob a tua serenidade...

Não me ouvirás... É vão... Tudo se espalha
Pelos ermos de azul... E permaneces
Sobre o vale das súplicas e preces
Com solenes grandezas de muralha...

Minha alma, sem Te ouvir nem ver, trabalha
Tranqüila. Solidão... Desinteresses...
Por que pedir? De tudo que me desses
Nada servira a esta existência falha...

Nada servira, agora... E, noutra vida,
Oh! noutra vida eu sei que terei tudo
Que há na paragem bem-aventurada...

Tudo — porque eu nasci desiludida
E sofri, de olhos mansos, lábio mudo,
Não tendo nada e não pedindo nada...

Cantiga outonal

Outono. As árvores pensando...
Tristezas mórbidas no mar...
O vento passa, brando... brando...
E sinto medo, susto, quando
Escuto o vento assim passar...

Outono. Eu tenho a alma coberta
De folhas mortas, em que o luar
Chora, alta noite, na deserta
Quietude triste da hora incerta
Que cai do tempo, devagar...

Outono. E quando o vento agita,
Agita os galhos negros, no ar,
Minha alma sofre e põe-se aflita,
Na inconsolável, na infinita
Pena de ter de se esfolhar...

À que há de vir no último dia...

Esta chuva que vem, numa triste ternura
De saudade distante!
Solidões pelo céu. Grande paz. Noite escura.
Um rumor sempre igual, de passante a passante...

Um rumor sempre igual de passante, nas ruas!
Ploc... Plac... E somente o Teu passo não vem!

Tardas tanto, meu Deus! Que demoras, as Tuas!
— Águas... Noite... Ninguém...
E eu me ponho a cismar, na dormência deste ermo,
Tantas coisas bizarras!
Se isto aqui fosse azul, dum vago azul enfermo,
E houvesse rosas, rosas brancas, pelas jarras...

Se o meu violino erguesse os andantes sagrados
De Gounod — *largo e dolce* — e, à bênção dessa voz,
Se ao longe eu consolasse os sonhos desgraçados
Dos que vivem tão sós, dos que morrem tão sós!...

Se, à bênção dessa voz de humildade e tormento,
Tudo, tudo que existe,
Pudesse compreender, num desencantamento,
A glória de ser pobre e o gozo de ser triste!...

Rosas brancas... Talvez o Eclesiastes aberto,
Tranqüilamente bom...
Vagas sombras de luar... E o meu peito deserto,
Deserto... E a alma perdida em nevoeiros de som...

....

A chuva desce vagarosa... Continua...
Ploc... Plac... E ninguém... Beatitudes de sono...
E eu sozinha, esperando os Teus passos na rua,
Como o próprio abandono esperando o abandono!...

Oração da noite

Trabalhei, sem revoltas nem cansaços,
No infecundo amargor da solitude:
As dores, — embalei-as nos meus braços,
Como alguém que embalasse a juventude...

Acendi luzes, desdobrando espaços,
Aos olhos sem bondade ou sem virtude;
Consolei mágoas, tédios e fracassos
E fiz, a todos, todo o bem que pude!

Que o sonho deite bênçãos de ramagens
E névoas soltas de distância e ausência
Na minha alma, que nunca foi feliz,

Escondendo-me as tácitas voragens
De males que me deram, sem consciência,
Pelos míseros bens que sempre fiz!...

A elegia do fantasma

"Por que eu te quero tanto, tanto,
Depois de tanto desencanto,
Depois de tanto, tanto pranto?

Oiço-te a voz no lento vento
Que anda comigo, sonolento,
Pela tormenta num tormento...

E, ouvindo o vento, sinto, sinto
A noite como um labirinto
Envolvendo o meu corpo extinto...

Na grande treva que amedronta,
Minha alma tonta, tonta, tonta,
Os sonhos mortos, mortos, conta...

E faz perguntas, faz perguntas...
Quer saber das vidas defuntas
Que antigamente andavam juntas..."

Depois do sol...

Fez-se noite com tal mistério,
Tão sem rumor, tão devagar,
Que o crepúsculo é como um luar
Iluminando um cemitério...

Tudo imóvel... Serenidades...
Que tristeza, nos sonhos meus!
E quanto choro e quanto adeus
Neste mar de infelicidades!

Ó paisagens minhas de antanho...
Velhas, velhas... Nem vivem mais...
— As nuvens passam desiguais,
Com sonolências de rebanho...

Seres e coisas vão-se embora...
E, na auréola triste do luar,
Anda a lua tão devagar
Que parece Nossa Senhora

Pelos silêncios a sonhar...

Dança bárbara

Na alta noite deslumbradora,
Ouve-se a bárbara cadência,
— Uma cadência imorredoura...

Ritmos de mágoa em sonolência...
Larga saudade aniquilante
Do além do sonho e da existência...

Vozes ondeando... Alguém que cante?
— Unicamente o choro morto
De um triste amor muito distante...

E ao luar imoto, ao luar absorto,
Têm sonoros encantamentos
Essas vozes de desconforto...

Dançam... Vibram nos movimentos
Sonhos de gêneses lascivas,
Com vertigens e estonteamentos

De naturezas primitivas...
— Rapsódias congas e hotentotes,
Extraordinárias e excessivas...

À luz fantástica de archotes,
Cresce e decresce o estranho rito,
Em que há virgens e sacerdotes...

E nada existe mais aflito,
Mais singularmente profundo,
Que a repercussão, no infinito,

Desse bailado moribundo...
Selvagem, fúnebre apoteose
Do aquém do mundo ao além do mundo...

Intuições de metempsicose
Na rudeza do fetichismo...
Embriaguez da primeira hipnose,

Mãe do eterno sonambulismo...
Volúpia da clarividência...
Antegozo do misticismo...

Ouve-se a bárbara cadência...
Sons em alternativas de eclipse...
E é tal qual a voz da inconsciência

Interpretando o Apocalipse...

Agitato

Os violinos choram, soturnos,
Dentro da noite morta e triste,
Elegias vãs de *Noturnos*...
E nada existe... nada existe...

Sombras. A câmara apagada...
Sombras... Meu vulto é longe... ausente...
Silêncio... Calma... Sonho... Nada...
Vago, leve, indecisamente...

Noite. Que noite!... Pelas bordas
Das jarras negras, morrem lírios...
Chopin. Falecem pelas cordas
Trêmulas trêmulos martírios...

Andam, no vento, aromas soltos,
Saudades lentas... Alto, passa
O véu do luar nos céus revoltos,
Cheios de signos de desgraça...

Panoramas além...

Não sei que tempo faz, nem se é noite ou se é dia.
Não sinto onde é que estou, nem se estou. Não sei nada.
Nem ódio, nem amor. Tédio? Melancolia
— Existência parada. Existência acabada.

Nem se pode saber do que outrora existia.
A cegueira no olhar. Toda a noite calada
No ouvido. Presa a voz. Gesto vão. Boca fria.
A alma, um deserto branco: — o luar triste na geada...

Silêncio. Eternidade. Infinito. Segredo.
Onde, as almas irmãs? Onde, Deus? Que degredo!
Ninguém... O ermo atrás do ermo: — é a paisagem daqui.

Tudo opaco... E sem luz... E sem treva... O ar absorto...
Tudo em paz... Tudo só... Tudo irreal... Tudo morto...
Por que foi que eu morri? Quando foi que eu morri?

Berceuse para quem morre

Dorme... Dorme... Rolam pelas
Vertentes
Das montanhas as estrelas
Cadentes...

Meu amor, a noite mansa
Dança, dança
No silêncio do Jardim...
Lento, um cipreste balança...
Tu, descansa,
Meu amor, perto de mim...

Dorme, dorme como as rosas
Noturnas,

Quando há trevas perigosas
De furnas...

Meu amor, não se descreve
Esta neve
Que dos céus descendo vem...
É um beijo breve... O mais breve...
O mais leve...
Que se não deu em ninguém...

Dorme... O luar se espalha triste
Na altura...
Quem sabe, é, tudo que existe,
Loucura?

Canção triste

Mais où sont les neiges d'antan?
François Villon

Houve um tempo de oiro e de rosas,
Oiro-sol e rosas-manhã...
Houve um tempo de oiro e de rosas,
Cheio de coisas milagrosas...
"Mais où sont les neiges d'antan?"

Houve um tempo de amor e pranto,
Amor-céu, pranto-Aldebarã...
Houve um tempo de amor e pranto,

Quando o sofrimento era encanto...
"Mais où sont les neiges d'antan?"

Houve um tempo, um tempo de outrora,
Em que a vida não era vã...
Houve um tempo, um tempo de outrora,
Houve um tempo-Nossa Senhora...
"Mais où sont les neiges d'antan?"

Noturno de amor

Vem de manso... de leve... e suave e doce
Como um silêncio extático de prece...
Que a tua vinda seja tal qual fosse
Apenas a saudade que me viesse...

Vem de manso... Na névoa da penumbra,
Faze um gesto litúrgico de bênção!
A alta noite tristíssima deslumbra
Dos meus olhos nostálgicos, que pensam...

Sugere, mas não fales... Porque a frase
É vã, no amor... Mistério... Sonolência...
O esquecimento, quase... A morte, quase...
Intuições... Irrealismo... Inconsciência...

Morre a noite, a um luar triste de romance...
Vem de leve!... E, ao palor da noite extinta,
Que seja só meu sonho que te alcance...
Minha alma, unicamente, que te sinta...

A inominável...

Leve... — Pluma... Surdina... Aroma... Graça...
Qualquer coisa infinita... Amor... Pureza...
Cabelo em sombra, olhar ausente, passa
Como a bruma que vai na aragem presa...

Silenciosa. Imprecisa. Etérea taça
Em que adormece luar... Delicadeza...
Não se diz... Não se exprime... Não se traça...
Fluido... Poesia... Névoa... Flor... Beleza...

Passa... — É um morrer de lírios... Olhos quase
Fechados... Noite... Sono... O gesto é gaze
A estender-se, a alargar-se... — E enquanto vão

Fugindo os passos teus, Visão perdida,
Chovem rosas e estrelas pela vida...
Silêncio! Divindade! Iniciação!

Poema dos Poemas

Oferenda

A Ti,
Ó sol do último céu,
Por quem sofre
Toda a imensa miséria
Da minha treva...

Primeira parte

Poema da fascinação

Vou a Ti
Como quem vai,
Antes e depois da Morte,
Para onde lhe ordena o Destino...
Vou a Ti,
Seguindo a luz dos teus olhos,
Subindo por ela,
Caminhando pelo teu olhar
Como por uma escadaria d'astros...
O teu vulto,
Lá em cima,
É um palácio branco, a atrair-me...
Quando chegarei,
Ó Eleito,
Diante de Ti?
Quando descerrarás
As tuas portas de luz,
Para receberes
Os lírios e as rosas odorantes
Que andei colhendo
Para te ofertar?
Não demores, não tardes,
Ó Eleito,
Que eu vou a Ti
Como quem vai,
Antes e depois da Morte,
Para onde lhe ordena o Destino...

Poema da ansiedade

Quando eu não pensava em Ti,
Os meus pés corriam ligeiros pela relva,
E os meus olhos erravam,
Distraídos e felizes,
Pela paisagem toda...
Quando eu não pensava em Ti,
As minhas noites eram
Como o sono do céu, cheio de luar...
Quando eu não pensava em Ti,
A minha alma era simples e quieta...
A minha alma era uma ave mansa,
De olhos fechados,
Na alta imobilidade de um ramo,
Quando eu não pensava em Ti...
E agora,
Ó Eleito,
O meu passo demora,
Esperando pelos meus olhos,
Que procuram a tua sombra...
As minhas noites são longas, morosas,
Tão tristes,
Porque o meu pensamento
Põe-se a buscar-te,
E eu, sem ele, fico mais só...
Perderam-se os meus olhos
Entre as estrelas,
Entre as estrelas se perderam
As minhas mãos,

Nunca Mais... e Poemas dos Poemas

Nesta ansiedade de te alcançarem...
Eleito, ó Eleito,
Por que foi que eu fiquei assim?
Por que,
Desde o chão do meu corpo
Até o céu da minha alma,
Sou uma fumaça de perfume
Subindo em teu louvor?
....
Quando eu não pensava em Ti,
Os meus olhos erravam,
Distraídos e felizes,
Pela paisagem toda...

Poema da grande alegria

Olhavas-me tanto
E estavas tão perto de mim
Que, no meu êxtase,
Nem sabia qual fosse
Cada um de nós...
Era num lugar tão longe
Que nem parecia neste mundo...
Num lugar sem horizontes,
Onde, sobre águas imóveis,
Havia lótus encantados...
Vinham de mais longe,
De ainda mais longe,

Músicas sereníssimas,
Imateriais como silêncios...
Músicas para se ouvirem com a alma, apenas...
E tudo, em torno,
Eram purificações...
Não sei para onde me levavas:
Mas aqueles caminhos pareciam
Os caminhos eternos
Que vão até o último sol...
E eu me sentia tão leve
Como o pensamento de quem dorme...
Eu me sentia com aquela outra Vida
Que vem depois da vida...
Eleito, ó Eleito,
Eu queria ficar sonhando
Para sempre,
Queria ficar,
Para sempre,
Tão perto de Ti
Que, no meu êxtase,
Nem se pudesse saber
Qual fosse cada um de nós...

Poema da esperança

Lá, onde Tu moras,
Deve ser um país tão luminoso
Que, de olhos extintos,
Se possa ver...

Deve ser um país sem dias e sem noites...
Sem ontens e sem amanhãs...
País maravilhoso da Beleza perfeita,
Que só habitam
Almas extraordinárias
De seres e de coisas...
Lá, onde Tu moras,
Não há mais nada do que se sabe,
Nem do que se é...
Lá, onde Tu moras,
Dize que um dia me acolherás
Como um Bem-Amado à sua Bem-Amada...
Dize que chegarei, um dia,
Ao teu Reino...
— Porque eu estou mortalmente enferma
Da tristeza e da penumbra
Daqui...
Eleito, ó Eleito,
Dize que me deixarás ficar
Lá, onde Tu moras,
Nesse país tão luminoso
Que, de olhos extintos,
Se pode ver...

Poema da dúvida

Nesta sombra em que vivo,
Sonho que me aparecerás,
Numa hora extática...

E ando a esperar-te, noite por noite...
Sonho que te hei de ver,
Todo vestido de oiro,
Com os cabelos carregados de estrelas
E as mãos enfeitadas de luas...
Sonho que descerás a ver-me,
De tanto me ouvires
Cantar e louvar
O teu nome...
Nesta sombra em que vivo,
De te evocar,
É como se já tivesses vindo...
Como se houvesse visto os teus olhos,
Que devem ser a própria alma da luz...
Como se houvesse tocado o teu gesto,
que deve ser o grande ritmo dos mundos...
Como se houvesse adorado o teu coração,
Onde morrem todos os corações que viveram
E de onde nascem todos os corações...
Nesta sombra em que vivo,
Sofro por seres assim irreal,
Assim tão além do que se pode pensar...
Sofro porque nem sei
Quando haverá, nos meus olhos,
Luz com que te veja
E com que te adore...

....

Nesta sombra em que vivo,
Por que me não apareces,
Numa hora extática,
Se sabes que te ando a esperar,
Noite por noite!...

Poema da ternura

Se Tu fosses humano,
As minhas mãos
Viveriam tecendo
Carinhos e sedas,
Para te darem trajes prodigiosos
De lenda...
Se Tu fosses humano,
Os meus olhos andariam acesos,
Noite e dia,
E tão postos em Ti
Que brilharias todo,
Como quem se houvera coroado
Com o sol...
Se Tu fosses humano,
A minha boca seria
Fruto para a tua sede,
Música de amor para o teu sono,
Festa da Consolação
Para a tua tristeza...
Se Tu fosses humano,
Eu seria o teu brinquedo

De criança,
As tuas armas
De guerreiro,
A flauta em que a tua velhice
Louvasse o próximo cerimonial
Da Morte...
Se Tu fosses humano,
Ó Eleito,
Eu seria tudo, na tua vida...
Mas eu não sou nada...
Eu não sou nada mais
Que esta ansiedade impossível de ser...

....

Oh! pensar que, se Tu fosses humano,
As minhas mãos
Viveriam tecendo
Carinhos e sedas,
Para te darem trajes de lenda,
Prodigiosos...

Poema da tristeza

Sou triste porque sonhei
Coisas inalcançáveis,
Que se não devem sonhar...
Choram os meus olhos,
Castigados por se terem erguido

Para lá dos céus que se vêem...
Foram punidas as minhas mãos,
E sangram,
Pelo pecado de quererem tocar
Aquelas flores maravilhosas
Dos teus vergéis...
Morre-me a voz,
De cantar-te,
Ó Eleito,
E que eternidades não tem de sofrer
Esse pobre, esse mísero canto,
Para chegar
Do meu coração ao teu!...
Sou triste porque a minha alma
Não quer mais nada do que tem...
Porque a minha alma
Não pode ter
Nada mais...
Sou triste,
Sou triste,
Sou triste porque sonhei
Coisas inalcançáveis,
Que se não devem sonhar!...

Segunda parte

Novo poema da tristeza

Deixei passar a ronda lenta
De muitas luas,
Mas a minha tristeza não diminuiu...
Longe, longe,
O céu agora é deserto,
Como se houvesse morrido,
Como se houvesse acabado...
Sozinha, no meu luto,
Ergo as mãos,
Cheias de lágrimas,
Em oferenda...
Eleito, ó Eleito,
Não me vês,
Não me ouves,
Não me queres!...
E vais deixar-me ficar assim
Toda a vida...
Oh! tem pena, ao menos,
Das aves,
Que podem vir beber
Nas minhas mãos,
E endoidecer depois,
Pelos ares,
Da tristeza que me endoidece...
Eleito, ó Eleito,
Deixei passar a ronda lenta
De muitas luas,
E a minha tristeza não diminuiu!...

Poema dos desenganos

Antes eu tivesse partido
Para longe de mim...
Antes eu me tivesse refugiado
No antro dos velhos Magos...
— Porque eles me dariam a beber
O sumo da Flor-Sábia,
Da Flor-Mãe,
Que adormece,
Alivia,
Consola...
Antes eu tivesse partido
Para longe de mim...
Mas o antro dos velhos Magos
É tão negro e tão triste...
Tive medo de me perder
Naquela treva,
De onde nunca mais
Poderia ver
Os caminhos sidéreos
Que a Ti conduzem
Meus olhos...
Antes eu tivesse partido
Para longe de mim...
Mas doía-me adormecer,
Pelo medo de te deixar de amar...
No entanto,
Eu sei que tudo é inútil...
Eu sei que tudo é impossível...

Eu sei que tudo é vão,

Tudo,

Tudo que eu sonho e quero...

Eleito, ó Eleito,

Antes tivesse partido

Para longe de mim...

Antes me tivesse refugiado

No antro dos velhos Magos...

Poema da despedida

Eleito, ó Eleito,

Não tornarão mais os meus olhos

A procurar pelos ares

Os lírios dos teus pés...

Nunca mais erguerei os braços,

Como se erguem as asas,

Nesta loucura

De chegar aonde estás...

Eleito, ó Eleito,

Não voltarei a sonhar

Que me apareces,

Que me ouves,

Que me acolhes...

....

Pois não viu a minha alma

Que, assim grande e assim longe,

Eras um Rei para se temer

E não para se amar

Com amor?
Por que, então, é que me atrais?
Por que nos cárceres do teu palácio
Prendeste o meu pensamento,
Se nada queres de mim?...
Eleito, ó Eleito,
Liberta-me, liberta-me!...

Quero deixar-te,
Quero esquecer-te,
Quero perder-me no meu abandono...
Quero dizer-te adeus...
....
Eleito, ó Eleito,
Não tornarão, nunca mais, os meus olhos
A procurar pelos ares
Os lírios dos teus pés...

Poema das súplicas

Fecha os meus pobres olhos,
Que sofrem das vigílias morosas
Passadas à tua espera...
Fecha-os para que descansem,
Para que se desiludam de todo,
Para que se não abram mais...
Serena as minhas mãos dolorosas,
Que as adorações flagelaram,
Nos êxtases

De horas sobrenaturais...
Faze descer
Sobre o meu coração
A paz noturna
Que os luares deitam sobre os mundos...
Eleito, ó Eleito,
Dá-me aquela ignorância d'alma
Que têm os que nunca pensaram
Em Ti...
Eu quero ser igual
À terra negra,
Igual aos rios esquecidos,
Igual ao vento humilde,
Àquele que anda de rastros,
Chorando,
A beijar as folhas
Que o vento das alturas
Matou...
Eleito, ó Eleito,
Eu quero a solitude
E o silêncio!...
Fecha os meus pobres olhos,
Que sofrem das vigílias morosas
Passadas à tua espera...

Poema das lágrimas

Quando eu fiquei só,
No alto da montanha silenciosa,

A noite se imobilizou,
Com todos os seus astros
E todos os seus murmúrios...
Então, deitei-me bem perto
Do coração maternal da terra,
E chorei o meu remorso
De ter querido deixá-la,
Pensando em Ti,
Perdido na glória
Do teu Palácio Branco,
Longínquo,
Imaterial,
Inacessível...
E ao coração maternal da terra
Pedi que me amparasse,
Que me deixasse dormir,
Dentro dele,
O sono sem lembrança
Dos que vão renascer...
Pedi-lhe que fosse,
Outra vez,
Meu berço,
Pois que eu voltara a ser
A sua criança...
Mas a terra se esquecera de mim...
A terra não conhecia mais
A minha voz,
De saudade e arrependimento...
A terra
Ó Eleito, ó Eleito,

Deixou-me ficar chorando,
Como Tu,
Infinitamente impassível...

....

E foi assim,
Quando eu fiquei só,
No alto da montanha silenciosa,
E a noite se imobilizou,
Com todos os seus astros
E todos os seus murmúrios...

Poema do perdão

Eleva,
Ó minha alma,
O teu perdão
A esses remotos céus,
Que te viram sofrer,
Transe a transe,
A tua dor,
Sem que uma estrela tombasse,
Para te vir socorrer...
Baixa,
Ó minha alma,
O teu perdão
Até a alma sombria
Da terra,
Que te viu chorar,
Lágrima por lágrima,

A tua amargura,
Sem te fechar nos braços,
Sem te apertar ao peito,
Sem te guardar dentro dela...
Estende,
Ó minha alma,
O teu perdão
Como um tapete de rosas brancas,
— Estende-o sobre a vida,
E dorme,
E aquieta-te no teu sono
Como num perfume...
....

Eleva,
Ó minha alma,
O teu perdão
A esses remotos céus...

Poema das bênçãos

Bendito seja Aquele
Que eu canto,
E que é o meu Eleito,
— Embora eu tenha de viver,
Sempre,
Sem poder conhecê-Lo,
E sem poder encontrá-Lo...
Bendita seja
A alegria do meu coração,

No tempo de saudade
Em que sonhava que me aparecesse...
Bendita seja
A desventura dos desenganos,
Que abateram na minha alma
Como um tufão sobre jasmins...
Benditas sejam
As minhas súplicas,
Que ninguém ouviu,
E as minhas lágrimas,
Que ninguém enxugou,
Para que eu sentisse até o fim
A minha terrível,
A minha gloriosa,
A minha divina Dor...
Bendito seja
Tudo que eu fui,
Tudo quanto tiver de ser,
Pois que eu sinto os destinos
Descendo
Das mãos d'Aquele que eu canto,
E que é o meu Eleito,
— Embora eu tenha de viver,
Sempre,
Sem poder conhecê-Lo
E sem poder encontrá-Lo...

Terceira parte

Poema da solidão

Já muitos sóis
E muitas luas
Passaram sobre a montanha
De que fiz o meu lar...
Deve ser muito tarde,
Na vida...
Os pássaros daqui,
Os que cantavam quando cheguei,
Já é antiga a sua morte...
E, os que apareceram depois,
Não cantam,
São diferentes dos de outrora...
Caíram, das árvores,
As folhas, muitas vezes,
Mas havia, depois,
Verdes milagres de vida nova...
Penso que as árvores,
Agora,
Vão morrer para sempre,
Que é tudo sem remédio,
Que não há mais ressurreições...
Já muitos sóis
E muitas luas
Passaram, sobre a montanha
De que fiz o meu lar...
Tenho medo de que, em breve,
A escuridão se eternize,

De que nunca mais amanheça,
De que, também, a luz não venha
Nunca mais...
Tenho medo dos meus olhos,
Que podem deixar de vê-la,
— E eu ficaria perdida de mim mesma,
Dentro da noite toda fechada...

....

Já tantos sóis
E tantas luas
Passaram, sobre a montanha
De que fiz o meu lar!...

Poema da saudade

Saudade dos teus olhos diáfanos
Como grandes auréolas serenas...
Dos teus olhos hiperbóreos,
Dos teus olhos como oceanos iluminados,
Dos mundos de bem-aventurança...
Saudade do teu cabelo,
Descendo, numa linha sagrada,
Sob diademas deslumbradores
De astros...
Saudade das tuas mãos indizíveis,
Feitas de luares plenos
E estendendo claridades
A cada gesto...

Saudade do oiro,
Todo puro,
Das tuas roupas de realeza,
Broslando a noite do meu sonho
Como, num meio-dia azul,
A asa desdobrada,
A asa luminosa do sol...
Saudade de Ti,
Que não vieste,
Surgindo, nesse aparato imaginário,
Para o eterno maravilhamento
Da minha alma
Em adoração...
Saudade de mim,
Nas longas horas imóveis
Das vigílias,
Atenta,
A ver se chegavas,
Com os teus olhos diáfanos,
Como grandes auréolas serenas,
Os teus olhos hiperbóreos,
Os teus olhos como oceanos iluminados,
Dos mundos de bem-aventurança...

Poema da dor

Ó minha dor, ó minha dor,
Como nós sofremos!

É hora de fechar os templos...
Quando foi que nós colhemos
As flores,
E trouxemos as lâmpadas,
E acendemos os perfumes?
Quando foi que os nossos olhos
Se ergueram para o céu,
E os nossos braços se abriram
Para os horizontes,
E os nossos lábios cantaram
À Divindade?
Ó minha dor, ó minha dor,
Quando foi que choraram
Os nossos olhos,
E os nossos braços,
Desiludidos,
Caíram,
E, sem coragem, morreram
Os cantos,
Nos nossos lábios?
Quando foi que eu vivi
Daquela vida que dá o amor,
Esperando O que não veio,
Por noites e noites
Que se não sabem?...
....
Ó minha dor, ó minha dor,
Como nós sofremos!
É hora de fechar os templos...

Poema da renúncia

Dar a serenidade dos meus olhos
Aos cegos,
Para verem,
E, aos enfermos,
Dar a minha coragem
De caminhar!
Ser a lágrima dos pobres,
E a sua bênção...
Dar-lhes as minhas mãos,
Para a súplica,
E a minha voz,
Para as adorações...
Ser, para os infelizes,
O manto que se estende,
À hora da tempestade,
Sob o desespero e a alucinação
Da chuva e do vento,
A alguém que passa, perdido...
Gôsto de não querer
Nada mais...
Gôsto da suprema
Renúncia...
Gôsto divino
Da Morte-viva...
Baixar as pálpebras
E dispersar-se...
Deixar de ser!
Deixar de ser!...

....

Dar a serenidade dos meus olhos
Aos cegos,
Para verem,
E, aos enfermos,
Dar a minha coragem
De caminhar!

Poema da humildade

Curvar-me até o chão,
E maternalmente velar
O imóvel dormir inocente
Das pedras...
Curvar-me até o chão,
E beijar as raízes obscuras
Das grandes árvores
Gloriosas...
E falar, às sementes,
Da grandeza de morrer,
Na treva silenciosa
Da terra,
Pelo milagre generoso
De posteriores reproduções...
Curvar-me até o chão,
Até a alma primitiva
Das coisas,
Até a alma primitiva
Dos seres...

Falar a tudo que anda de rastros,
A tudo que principia,
A tudo que desperta...
Curvar-me até o chão...
Descer!...
Chegar até à alma última
Das criaturas!
Descer!...
Curvar-me até o chão...
Mais abaixo do chão...
Muito abaixo do chão...

Poema do regresso

Eleito, ó Eleito!
Era, então, aqui embaixo
Que estavas?
....
Cheguei entre os homens,
Cheguei aos caminhos
De outrora,
Miserável dos miseráveis,
Depois de todas as renúncias...
Cheguei aonde vivem as multidões,
Aonde há velhos, dolorosos,
Chorando coisas perdidas...
Mulheres amaldiçoando...
Senhores e escravos sofrendo...

Gente sem lar,
Carregando, sem destino,
O que é seu...
Famintos, pelas portas...
E as noites cheias de enfermos...
E os dias cheios de cegos,
Conduzidos por crianças tristes
Que cantam...
Cheguei aos caminhos escuros,
Aos caminhos infinitos,
Calcados por joelhos feridos,
Molhados de suores e lágrimas...
Por que sinto, assim,
Transfigurar-me,
Por que sinto,
Como nas vésperas das glórias,
O tumulto emocional
Dos que vencerão?
Que aparecimentos vão
Deslumbrar os meus olhos?
Quem és Tu,
Que me falas com a voz
Dos agonizantes sozinhos?
Quem és Tu,
Que te mostras, a mim,
Vestido de andrajos e doenças?
Quem és Tu, quem és Tu,
Que brilhas todo,
Assim feito pequeno,

Assim tornado em pobre,
Assim passando entre os homens?!...
....
Eleito, Eleito, ó meu Eleito,
Mas, então,
Era aqui embaixo que estavas?

Poema da sabedoria

Tinham-me ensinado que a vida
Era a alegria
De abrir os braços ao sol,
Despertando,
E curvar a fronte,
Saudando a noite
E adormecendo...
Tinham-me ensinado que a vida
Era o castigo remoto
Da dor dos risos que se riem
E das lágrimas
Que se deixam correr...
Tinham-me ensinado que a vida
Era o silêncio e o descanso...
E muitas,
E ainda outras coisas muitas...
Sofri a ascensão dolorosa
De quem vai,
Numa noite negra,

Por entre escarpas...
E, lá, no alto, era o exílio...
....
Sabedoria! Sabedoria!
Só te encontrei nos abismos,
Quando vim descendo
Da altura da solidão...
Depois do renunciamento...
Depois de tudo e de todos...
Depois de mim...
Sabedoria! Sabedoria!
Abençoa-me,
Porque sofri,
Buscando-te!
E, por encontrar-te e querer-te,
Faze-te meu Destino...
Deixa-me viver em Ti!...

BALLADAS PARA EL-REI

CECILIA MEIRELLES
DESENHOS DE CORREIA DIAS
EDIÇÕES LUX — RIO DE JANEIRO

Baladas para el-rei. Rio de Janeiro: Edições Lux, 1925. 130 p.
Capa e desenhos internos de Correia Dias.

Na página anterior:
capa da primeira edição de *Baladas para el-rei.*

Baladas para El-Rei
(1925)

Na grande noite tristonha,
Meu pensamento parado
Tem quietudes de cegonha
Numa beira de telhado.

— Na grande noite tristonha...

Lembram planícies desertas
De uma paisagem do Norte,
As perspectivas abertas
No mundo da minha sorte...

— Lembram planícies desertas...

Ao longe, distâncias ermas...
Em tudo quanto se abarca
Há ligeirezas enfermas
De luas da Dinamarca...

— Ao longe, distâncias ermas...

E sob olhares em pranto
De estrelas alucinadas,
Vais — coroa, cetro e manto,
Ó Rei das minhas baladas!

— E sob olhares em pranto...
....
Na grande noite tristonha,

Meu pensamento parado
Tem quietudes de cegonha
Numa beira de telhado.

— Na grande noite tristonha...

E eu sonho o meu sonho oculto
De ave triste — que não voa,
Detida a ver o teu vulto
De cetro, manto e coroa...

— E eu sonho o meu sonho oculto...

Inicial

Lá na distância, no fugir das perspectivas,
Por que vagueiam, como o sonho sobre o sono,
Aquelas formas de neblinas fugitivas?

Lá na distância, no fugir das perspectivas,
Lá no infinito, lá no extremo... no abandono...

Aquelas sombras, na vagueza da paisagem,
Que tem brancuras de crepúsculos do Norte,
Dão-me a impressão de vir de outrora... de uma viagem...

Aquelas sombras, na vagueza da paisagem,
Dão-me a impressão do que se vê depois da morte...

Baladas para El-Rei

Lá muito longe, muito longe, muito longe,
Anda o fantasma espiritual de um peregrino...
Lembra um rei-mago, lembra um santo, lembra um monge...

Lá muito longe, muito longe, muito longe,
Anda o fantasma espiritual do meu destino...

Anda em silêncio: alma do luar... forma do aroma...
Lembrança morta de uma história reticente
Que nos contaram noutra vida e noutro idioma...

Anda em silêncio: alma do luar... forma do aroma...
Lá na distância... O meu destino... Vagamente...

....

Sentei-me à porta do meu sonho, há muito, nessa
Dúvida triste de um infante pequenino,
A quem fizeram, certa vez, uma promessa...

Que é que me trazes de tão longe? Vem depressa!
Ó meu destino! Ó meu destino! Ó meu destino!...

Para mim mesma

Para os meus olhos, quando chorarem,
Terem belezas mansas de brumas,
Que na penumbra se evaporarem...

Para os meus olhos, quando chorarem,
Terem doçuras de auras e plumas...

E as noites mudas de desencanto
Se constelarem, se iluminarem
Com os astros mortos que vêm no pranto...

As noites mudas de desencanto...
Para os meus olhos, quando chorarem...

Para os meus olhos, quando chorarem,
Terem divinas solicitudes
Pelos que mais os sacrificarem...

Para os meus olhos, quando chorarem,
Verterem flores sobre os paludes...

Para que os olhos dos pecadores
Que os humilharem, que os maltratarem,
Tenham carinhos consoladores.

Se, em qualquer noite de ânsias e dores,
Os olhos tristes dos pecadores
Para os meus olhos se levantarem...

Do caminhante que há de vir...

Ele virá tão tarde e tão sozinho,
Tão tarde e tão sozinho, se ele vier,
Que nem a solitude do caminho

O vulto seu perceberá, sequer...
Ele virá tão tarde e tão sozinho!

No meu grande e tristíssimo abandono,
Apagarei a lâmpada do lar,
Para esquecer, na dispersão do sono,

A inútil amargura de esperar...
No meu grande e tristíssimo abandono...

E quando já não recordarem nada
Os olhos meus, com súplicas de fim,
Na indefinida solidão da estrada,

Talvez o caminhante pense em mim...
E quando já não recordarem nada...

Talvez o caminhante bata à porta,
Sem me dizer quem é, nem por que vem...
Para mim, de amargura quase morta,

Será tal qual não viesse mais ninguém...
Talvez o caminhante bata à porta...

E, como as ilusões retardatárias,
Talvez ele entre, sem nenhum rumor,
Falando, em pensamento, coisas várias,

Com simbolismos líricos de amor...
E como as ilusões retardatárias...

Pode ser que eu desperte, na penumbra,
À penumbra mais doce dessa voz...
E como é tarde e nada se vislumbra,

Nós — sem sabermos quem seremos nós,
Ficaremos mais longe, na penumbra...

Dolorosa

Minha Mãezinha, que foste embora
Toda de roxo, com tantas flores
Que parecias Nossa Senhora
Das Dores,
Minha Mãezinha, que foste embora...

Minha Mãezinha, nesta hora triste,
Por que não surges na minha frente,
De olhos fechados, como partiste,
Somente...
Minha Mãezinha, nesta hora triste...

Minha Mãezinha, por que não trazes
A mim, cercada de glórias fúteis,
O teu consolo, que não tem frases
Inúteis...
Minha Mãezinha, por que o não trazes?

Minha Mãezinha, já sofri tanto
Que arrasto uma alma desiludida,

Pela paisagem de desencanto
Da Vida...
Minha Mãezinha, já sofri tanto!

Minha Mãezinha, minha Mãezinha,
Por que nos braços tu não me levas?
Eu talvez tenha de andar sozinha
Nas trevas...
E eu sinto medo, minha Mãezinha!

Sem fim

Era uma vez uma donzela,
Nos bons tempos do rei Guntar...

Era uma vez uma donzela,
Profunda, imensamente bela,
Eque tinha medo de amar...

Era uma vez uma donzela
Que vivia a amestrar falcões...

Era uma vez uma donzela,
Sabendo a vida paralela
A infinitas desilusões...

Era uma vez uma donzela
Que, num sonho revelador

— Era uma vez uma donzela...
E que imensa desgraça, aquela! —
Soube que ia morrer de amor...

Era uma vez uma donzela,
Irmã do moço Giselher...

Era uma vez uma donzela...
Era uma vez, numa novela...
Era uma vez uma mulher...

Era uma vez uma donzela,
Nos bons tempos do rei Guntar...

Era uma vez uma donzela,
Profunda, imensamente bela,
E que tinha medo de amar...

Do meu outono

O outono vai chegar... Neva a névoa do outono...
Perdem-se astros sem luz... Anda em choro a folhagem...
Há desesperos silenciosos de abandono...

O outono vai chegar... Neva a névoa do outono...
E eu sofro a angústia irremediável da paisagem...

O outono vai chegar... O outono vem tão cedo!

Irão morrer flores e estrelas, como as crianças
Tristes e mudas, que impressionam, fazem medo?

O outono vai chegar... Como o outono vem cedo!
E as aves clamam terminais desesperanças...

O outono vai chegar... Têm vozes do passado
As horas loiras, a cantarem vagarosas,
Com ressonâncias de convento abandonado...

Vozes de sonho, vozes lentas, do passado,
Falando coisas nebulosas, nebulosas...

O outono vai chegar, como um poeta descrente,
Que foi traído, muito longe, em terra estranha,
E que fugiu, doido de amor, miseramente...

O outono vai chegar, como um poeta descrente
Que funerais desilusórios acompanha...

O outono vai chegar... Neva a névoa do outono...
Perdem-se astros sem luz... Anda em choro a folhagem...
Há desesperos silenciosos de abandono...

O outono vai chegar... Neva a névoa do outono...
E eu sofro a angústia irremediável da paisagem...

De Nossa Senhora

Nossa Senhora já não ouve
Os amargurados gemidos
Dos que estão mal, dos que estão sós...
Tanto choro e lamentos houve
Que os seus santíssimos ouvidos
Não percebem nenhuma voz...

Nossa Senhora já não ouve...

Nossa Senhora já não sabe
Das coisas tristes deste mundo,
Em que se chora e se descrê...
Nada mais há, nada mais cabe
Nos olhos seus, de luar profundo...
Nossa Senhora já não vê...

Nossa Senhora já não sabe...

Nossa Senhora já não sente
Os corações amortalhados
Nas suas mãos de rosa e luz...
Por muito tempo, muita gente
Desceu-lhe aos braços desolados,
De corpo inerte e de alma em cruz...

Nossa Senhora já não sente...

Nossa Senhora, toda pura,
Não pensa mais no que se passa,
Do amor à morte, em cada ser...
Nossa Senhora, lá na altura,
Em plenos céus, em plena graça,
Já nada mais pode fazer...

Nossa Senhora toda pura...

E em vão se pede, e em vão se implora,
Do deserto amargo da vida,
Um consolo, um carinho seu!
Muito tarde! Impossível hora!
Nossa Senhora está perdida...
Nossa Senhora já morreu...

Não temos mais Nossa Senhora!...

Da flor de oiro

Bárbara flor, ó flor de escândalo,
Sonho revolto de oriental,
Tens sugestões de ópio e de sândalo,

Bárbara flor, ó flor de escândalo,
Entonteces e fazes mal!...

Foste feita de chamas de oiro
Encrespadas a um vento vândalo...
Vens dos orientes... de um tesoiro...

Foste feita de chamas de oiro,
Bárbara flor, ó flor de escândalo!...

Bárbara flor, ó flor de escândalo!...
Tua corola é um aranhol,
Com perfídias de ópio e de sândalo...

Bárbara flor, ó flor de escândalo,
Que em tua alma prendeste o sol!...

Dos pobrezinhos

Nas tardes mornas e sombrias,
De céus pesados, mares ermos,
E horas monótonas e iguais,

Eu penso logo nos enfermos,
Na escuridão de enfermarias
Tristes e mudas de hospitais...

Nas tardes mornas e sombrias...

Como que o tempo não tem pressa...
Como que o tempo se demora...
Vai, por seu gosto, devagar...

E eu sonho que Nossa Senhora,
Longe, ouve uma última promessa,
Para um doentinho se salvar...

Como que o tempo não tem pressa...

As nuvens fogem... Sono... Tédio...
A noite cai sobre a cidade
E a escuridão cai sobre mim...

Sombras de Irmãs de Caridade
De leito em leito dão remédio...
— E tudo é monótono assim...

As nuvens fogem... Sono... Tédio...

E, enquanto, ao longo dos caminhos,
As vozes líricas da infância
Cantam canções de bem-querer,
No esquecimento da distância,
Morrem, chorando, os pobrezinhos,
Com tanto medo de morrer

— Assim tão longe e tão sozinhos!...

Das avozinhas mortas

As avozinhas acordaram
Porque eu chorei, no meu violino,
Um morto amor que elas choraram...

Na meia-noite do destino,
As avozinhas acordaram...

A última arcada era tão triste
Que os meus olhos se emocionaram...
Coisas tão longe do que existe!

E as avozinhas recordaram
Todo um passado ausente e triste...

As avozinhas murmuraram
Frases antigas como lendas...
Frases, decerto, que escutaram

Entre jóias, leques e rendas...
As avozinhas murmuraram...

De alma, porém, desiludida,
Os olhos úmidos fecharam...
E, no ermo sonho da outra vida,

As avozinhas continuaram
A partitura interrompida...

Para El-Rei

Oh! nem de leve me recordes esperanças...
Dize que é sonho... a grande doença... a minha doença...
Pensa que sou dócil e triste como as crianças,

As crianças pobres... Muito triste e dócil... Pensa...
E nem de leve me recordes esperanças...

Baladas para El-Rei

Fica em silêncio... Dispersão... Transporte... Sono...
Deixa que eu te ame como te amo: indefinível,
Indefinível, longamente... No abandono

De quem perdeu toda a coragem do Impossível...
Fica em silêncio... Dispersão... Transporte... Sono...

Por mais que te ame, e que te adore, e que te guarde...
Hei de perder-te, com certeza, e sem remédio,
Hei de perder-te, ou muito cedo ou muito tarde,

Para voltar ao desespero do meu tédio...
Por mais que te ame, e que te adore, e que te guarde...

Não queiras, pois, que eu sofra mais... Deixa-me, apenas,
Lembrando a calma dos teus grandes olhos bentos,
Onde anda a luz das longas vésperas serenas,

Quando se acendem, silenciosos, os conventos,
E as freiras tomam formas brancas de açucenas...
....
Não me recordes esperanças... Eu te adoro!
Fica em silêncio, muito longe ou muito perto...
Não me perguntes em que penso ou por que choro...

Eu sei que os sonhos têm destinos de deserto...
É muito triste... Eu sei que os sonhos... E eu te adoro...

Suavíssima

Os galos cantam, no crepúsculo dormente...
No céu de outono, anda um langor final de pluma
Que se desfaz por entre os dedos, vagamente...

Os galos cantam, no crepúsculo dormente...
Tudo se apaga, e se evapora, e perde, e esfuma...

Fica-se longe, quase morta, como ausente...
Sem ter certeza de ninguém... de coisa alguma...
Tem-se a impressão de estar bem doente, muito doente,

De um mal sem dor, que se não saiba nem resuma...
E os galos cantam, no crepúsculo dormente...

Os galos cantam, no crepúsculo dormente...
A alma das flores, suave e tácita, perfuma
A solitude nebulosa e irreal do ambiente...

Os galos cantam, no crepúsculo dormente...
Tão para lá!... No fim da tarde... Além da bruma...

E silenciosos, como alguém que se acostuma
A caminhar sobre penumbras, mansamente,
Meus sonhos surgem, frágeis, leves como espuma...

Põem-se a tecer frases de amor, uma por uma...
E os galos cantam, no crepúsculo dormente...

Dos dias tristes

Lá vêm, lá vêm os dias lentos,
Dias de sombras taciturnas,
Em que todos os pensamentos
Tomam formas de aves noturnas...

Lá vêm, lá vêm os dias lentos...

Lá vêm os dias de humildade,
Desilusórios e funestos,
Com a fatal inutilidade
Dos olhares, frases e gestos...

Lá vêm os dias de humildade...

Lá vem, lá vem a solitude...
Quase a gente morre de pena,
Vendo que a alma se desilude
Tão perfeitamente serena...

Lá vem, lá vem a solitude...

Lá vêm as horas de cansaço...
Calma de fim... Paz de abandono...
Mal se pode fazer um passo,
Na paisagem morta de sono...

Lá vêm as horas de cansaço...

E unicamente me consola
A evocação do teu carinho,
Doce como a primeira esmola
Feita ao primeiro pobrezinho...

E unicamente me consola...

Dos cravos roxos

Esta noite, quando, lá fora,
Campanários tontos bateram
Doze vezes o apelo da hora,

Na minha jarra, onde a água chora,
Meus dois cravos roxos morreram...

Meus dois cravos roxos morreram!
Meus dois cravos roxos defuntos
São como beijos que sofreram,

Como beijos que enlouqueceram
Porque nunca vibraram juntos...

São como a sombra dolorida
De olhos tristes, que se perderam
Nas extremidades da vida...

Oh! miséria da despedida...
Meus dois cravos roxos morreram...

Baladas para El-Rei

Meus dois cravos roxos morreram!
Meus dois cravos roxos, fanados,
Crepuscularam, faleceram,

Como sonhos que se esqueceram,
Alta noite, de olhos fechados...

....

Eu pensava numa criatura,
Quando os campanários bateram...
Tudo agora se me afigura

Irremediável desventura...
Irremediável desventura!...

Meus dois cravos roxos morreram...

Para a minha morta

Pedrina minha, eu não te vejo há quantos anos!
Há quantos anos que não vens!... E as minhas preces
Não chegam mais a esses lugares sobre-humanos:

Porque eu chorei noites sem fim, para que viesses,
Pedrina minha, e eu não te vejo há quantos anos!...

Pedrina minha, és a mais doce das memórias
Para a minha alma, a vida inteira alma de criança,
Amando sempre o encantamento das histórias

De Barba Azul, de Ali Babá, de um rei de França...
Pedrina minha, és a mais doce das memórias...

Pedrina minha, e os plenilúnios de dezembro?
Nossos Natais... E aquelas rezas que rezavas...
Coisas tão lindas, mas tão longe!... Mal me lembro...

E as lendas mortas de taperas e de escravas...
Pedrina minha, e os plenilúnios de dezembro?...

Pedrina minha, eu fico, às vezes, muito triste...
Penso que tu não me compreendes, não me escutas...
Talvez, depois que nos deixaste e que partiste,

Dês a tudo isto vagas formas diminutas...
Pedrina minha, eu fico, às vezes, muito triste...

Pedrina minha, não faz mal que tu me esqueças...
Eu sofro, sim, mas não faz mal... A minha vida
É tão... Lembrando-a, pode ser que ainda padeças...

Já padeceste muita coisa imerecida,
Pedrina minha, não faz mal que tu me esqueças...

Pedrina minha, dorme, dorme... Em noites lentas,
Tu me embalavas, a cantar... E o sono vinha...
Hoje eu não durmo... É porque mais não me acalentas?

Eu não sei nada... Eu não sei bem, Pedrina minha...
Pedrina minha, dorme, dor... Em noites lentas...

Baladas para El-Rei

Das três princesas

As três Princesas silenciosas
Virão da sombra de outros mundos,
Trazendo aromas, névoas, rosas...

As três Princesas silenciosas
Que dão consolo aos moribundos...

Da alma das noites desoladas
Hão de surgir, mudas, piedosas,
Loiras e lindas como fadas...

Da alma das noites desoladas
As três Princesas silenciosas...

As três Princesas silenciosas
Virão dizer quando termino...
Virão trazer-me astros e rosas...

As três Princesas silenciosas,
As fiandeiras do meu destino...

E as longas, mórbidas tristezas
Das minhas horas dolorosas
Desaparecerão surpresas,

À chegada das três Princesas,
Das três Princesas silenciosas...

Soturna

Olhas o céu, que é a flama azul do olhar de um santo.
Parece, até, que, de tão fluida, a luz é aroma...

E eu, vendo o céu lúcido assim, penso no pranto
De súlfur vivo que escorreu sobre Sodoma...

Olhas os ramos, na opulência e na indolência...
Lembras sazões, pomos, desejos e pecados...

E eu, nesses ramos, sinto a lúgubre cadência
Da pendular oscilação dos enforcados...

Olhas a terra toda em flor... Falas na glória
De messidores, de farturas, de celeiros...

Diante da terra, oiço a canção desilusória
Da ronda triste e sonolenta dos coveiros...

Olhas o mar em que o oiro-azul do céu se estrela:
Não sentes, vendo-o, nem pavores nem presságios...

E eu, pelo mar, vejo os espectros da procela,
E as naus sem norte, os precipícios, e os naufrágios...

Olhas a Vida... E ouves, da terra aos céus, o coro
Propiciatório de alegrias e noivado...

Dos céus à terra, eu sinto as súplicas e o choro
Dos prisioneiros, ofendidos, degradados...

Diante da Morte, unicamente, se alevanta
Minha alma em luz, serena e só, tranqüila e forte...

E, diante dela, o seu louvor sem frases canta...
Que é que tu sentes, meu Irmão, diante da Morte?

Do crisântemo branco

Neste crisântemo em que ponho olhos tristonhos,
Olhos cansados de sofrer e de perdoar,
Neste crisântemo em que ponho olhos tristonhos,

Há sugestões dos infinitos, pobres sonhos
Que a gente faz, num grande enlevo, à beira-mar...

Lento morrer das longas tardes nebulosas...
Morosidades de crepúsculo outonal...
E a gente, dentro dessas tardes nebulosas,

Sentindo o vento desfazer brumas e rosas,
Pensa que está bastante mal... de todo mal...

Cisma no inverno... O áspero frio das espumas...
Nos horizontes, tudo em cinza... tudo além...
Goteja do ar o pranto leve das espumas...

E, sem tristezas nem saudades mais nenhumas,
Vai-se acabando pela sombra, sem ninguém...

Sem mais ninguém... sem mais ninguém... Na perspectiva,
Desaparece a última forma... o último ser...
Sem mais ninguém... sem ninguém mais... Na perspectiva,

Sonha do luar a grande luz meditativa,
Numa expressão de olhar de santo a se esquecer...
....
Este crisântemo em que poiso a alma, cismando,
No pessimismo impressional dos sonhos meus,
Este crisântemo em que poiso a alma, cismando,

É, numa noite de amargura, não sei quando,
A tua mão, cheia de luar, dizendo adeus...

Final

Eu sei de alguém, de um pobre alguém desconhecido,
Que, em certa noite de imortal deslumbramento,
Há de surgir da névoa plácida do olvido,

E há de me ver, depois de tanto sofrimento,
Na paz de quem nunca tivesse padecido...

Eu sei de alguém, de um pobre alguém que não conhece
A minha vida, a minha sorte, o meu destino,
E que nessa noite, num total desinteresse,

Há de fazer chorar por mim, à alma de um sino,
O largo choro funerário de uma prece...

Baladas para El-Rei

Eu sei de alguém que, muito longe ou muito perto,
Me há de trazer como presente o longo cofre,
Que todo de oiro e panos roxos vem coberto,

E onde se esquece o que se goza e o que se sofre,
Depois da inútil caminhada no Deserto...

Eu sei de alguém, de um pobre alguém pálido e grave,
Que nessa noite, numa semi-sonolência,
Talvez, moroso, maquinal, paciente, cave

O meu caminho para fora da existência...
O meu caminho muito acerbo ou muito suave...

E eu sei de alguém que tinha n'alma eremitérios
Para o silêncio dos meus êxtases de monge,
Que talvez sofra, de olhos tristes, lábios sérios,

Pensando em mim, pensando em mim, que estou tão longe,
Nas noites brancas em que há luar nos cemitérios...
....
Oh! todos vós, ó meus irmãos, que, tarde ou cedo,
Piedosamente haveis de vir em meu socorro,
Para que finde este tristíssimo Degredo,

Que a vossa morte seja a Morte de que morro:
Morte sem mal, Morte sem dor, Morte sem medo!...

Oferenda

Teus olhos tristes, d'Agnus Dei,
São minha glória e minha bênção,
Depois de tudo que passei...

Teus olhos, só, me recompensam
Do pranto inútil que chorei...

Vinha vestida de pesares,
Quando em meu sonho te encontrei...
De luz de auroras e de luares,

Deram-me trajes tutelares
Teus olhos tristes, d'Agnus Dei...

Teus olhos tristes, d'Agnus Dei,
Na minha símplice humildade,
Reinos ergueram, de que és rei...

E em tuas mãos, ó Majestade,
Alma e destino coloquei...

Ao teu domínio me abandono...
Ditas-me a fé... Traças-me a lei...
E eu sou feliz, porque és meu dono,

E olham-me, do alto do teu trono,
Teus olhos tristes, d'Agnus Dei...
....

Teus olhos tristes, d'Agnus Dei,
São minha glória e minha bênção,
Depois de tudo que passei...

Teus olhos, só, me recompensam
Do pranto inútil que chorei...

Fiquem teus olhos, toda a vida,
Fiquem teus olhos, ó meu Rei,
Com a sua luz em mim perdida...

Sobre a minha alma, toda a vida,
Teus olhos tristes, d'Agnus Dei!...

Cânticos

poesias
inéditas

Cecília Meireles

Editora Moderna

Cânticos. São Paulo: Editora Moderna, 1981. 27 poemas;
o primeiro é não-numerado, os demais o são, em algarismos romanos,
de I a XXVI. As páginas não são numeradas; as esquerdas contêm
o fac-símile do manuscrito, e as páginas direitas apresentam a
transcrição tipográfica do texto. A datação do manuscrito (1927)
adveio de informação dos familiares da escritora.

Na página anterior:
capa da primeira edição de *Cânticos*.

Cânticos
(1927)

Oferenda

*Teu nome é
liberdade.*

Dize:
O vento do meu espírito
soprou sobre a vida.
E tudo que era efêmero
se desfez.
E ficaste só tu, que és eterno...

Cântico

I

Não queiras ter Pátria.
Não dividas a Terra.
Não dividas o Céu.
Não arranques pedaços do mar.
Não queiras ter.
Nasce bem alto,
Que as coisas todas serão tuas.
Que alcançarás todos os horizontes.
Que o teu olhar, estando em toda parte,
Te ponha em tudo,
Como Deus.

II

Não sejas o de hoje.
Não suspires por ontens...
Não queiras ser o de amanhã.
Faze-te sem limites no tempo.

Vê a tua vida em todas as origens.
Em todas as existências.
Em todas as mortes.
E sabe que serás assim para sempre.
Não queiras marcar a tua passagem.
Ela prossegue:
É a passagem que se continua.
É a tua eternidade...
É a eternidade.
És tu.

III

Não digas onde acaba o dia.
Onde começa a noite.
Não fales palavras vãs.
As palavras do mundo.
Não digas onde começa a Terra,
Onde termina o céu.
Não digas até onde és tu.
Não digas desde onde é Deus.
Não fales palavras vãs.
Desfaze-te da vaidade triste de falar.
Pensa, completamente silencioso.
Até a glória de ficar silencioso,
Sem pensar.

IV

Adormece o teu corpo com a música da vida.
Encanta-te.

Esquece-te.
Tem por volúpia a dispersão.
Não queiras ser tu.
Quere ser a alma infinita de tudo.
Troca o teu curto sonho humano
Pelo sonho imortal.
O único.
Vence a miséria de ter medo.
Troca-te pelo Desconhecido.
Não vês, então, que ele é maior?
Não vês que ele não tem fim?
Não vês que ele és tu mesmo?
Tu que andas esquecido de ti?

V

Esse teu corpo é um fardo.
É uma grande montanha abafando-te.
Não te deixando sentir o vento livre
Do Infinito.
Quebra o teu corpo em cavernas
Para dentro de ti rugir
A força livre do ar.
Destrói mais essa prisão de pedra.
Faze-te recesso.
Âmbito.
Espaço.
Amplia-te.
Sê o grande sopro
Que circula...

Cânticos

VI

Tu tens um medo:
Acabar.
Não vês que acabas todo o dia.
Que morres no amor.
Na tristeza.
Na dúvida.
No desejo.
Que te renovas todo o dia.
No amor.
Na tristeza.
Na dúvida.
No desejo.
Que és sempre outro.
Que és sempre o mesmo.
Que morrerás por idades imensas.
Até não teres medo de morrer.

E então serás eterno.

VII

Não ames como os homens amam.
Não ames com amor.
Ama sem amor.
Ama sem querer.
Ama sem sentir.
Ama como se fosses outro.
Como se fosses amar.

Sem esperar.
Por não esperar.
Tão separado do que ama, em ti,
Que não te inquiete
Se o amor leva à felicidade,
Se leva à morte,
Se leva a algum destino.
Se te leva.
E se vai, ele mesmo...

VIII

Não digas: "o mundo é belo".
Quando foi que viste o mundo?
Não digas: "o amor é triste".
Que é que tu conheces do amor?
Não digas: "a vida é rápida".
Como foi que mediste a vida?
Não digas: "eu sofro".
Que é que dentro de ti és tu?
Que foi que te ensinaram
Que era *sofrer*?

IX

Os teus ouvidos estão enganados.
E os teus olhos.
E as tuas mãos.
E a tua boca anda mentindo
Enganada pelos teus sentidos.

Faze silêncio no teu corpo.
E escuta-te.
Há uma verdade silenciosa dentro de ti.
A verdade sem palavras.
Que procuras inutilmente,
Há tanto tempo,
Pelo teu corpo, que enlouqueceu.

X

Este é o caminho de todos que virão.
Para te louvarem.
Para não te verem.
Para te cobrirem de maldição.
Os teus braços são muito curtos.
E é larguíssimo este caminho.
Com eles não poderás impedir
Que passem os que terão de passar,
Nem que fiques de pé,
Na mais alta montanha,
Com os teus braços em cruz.

XI

Vê formarem-se sobre todas as águas
Todas as nuvens.
Os ventos virão de todos os nortes.
Os dilúvios cairão sobre os mundos.
Tu não morrerás.
Não há nuvens que te escureçam.

Não há ventos que te desfaçam.
Não há águas que te afoguem.
Tu és a própria nuvem.
O próprio vento.
A própria chuva sem fim...

XII

Não fales as palavras dos homens.
Palavras com vida humana.
Que nascem, que crescem, que morrem.
Faze a tua palavra perfeita.
Dize somente coisas eternas.
Vive em todos os tempos
Pela tua voz.
Sê o que o ouvido nunca esquece.
Repete-te para sempre.
Em todos os corações.
Em todos os mundos.

XIII

Renova-te.
Renasce em ti mesmo.
Multiplica os teus olhos, para verem mais.
Multiplica os teus braços para semeares tudo.
Destrói os olhos que tiverem visto.
Cria outros, para as visões novas.
Destrói os braços que tiverem semeado,
Para se esquecerem de colher.

Sê sempre o mesmo.
Sempre outro.
Mas sempre alto.
Sempre longe.
E dentro de tudo.

XIV

Eles te virão oferecer o ouro da Terra.
E tu dirás que não.
A beleza.
E tu dirás que não.
O amor.
E tu dirás que não, para sempre.
Eles te oferecerão o ouro d'além da Terra.
E tu dirás sempre o mesmo.
Porque tens o segredo de tudo.
E sabes que o único bem é o teu.

XV

Não queiras ser.
Não ambiciones.
Não marques limites ao teu caminho.
A Eternidade é muito longa.
E dentro dela tu te moves, eterno.
Sê o que vem e o que vai.
Sem forma.
Sem termo.
Como uma grande luz difusa.
Filha de nenhum sol.

XVI

Tu ouvirás esta linguagem,
Simples,
Serena,
Difícil.
Terás um encanto triste.
Como os que vão morrer,
Sabendo o dia...
Mas intimamente
Quererás esta morte,
Sentindo-a maior que a vida.

XVII

Perguntarão pela tua alma.
A alma que é ternura,
Bondade,
Tristeza,
Amor.
Mas tu mostrarás a curva do teu vôo
Livre, por entre os mundos...
E eles compreenderão que a alma pesa.
Que é um segundo corpo,
E mais amargo,
Porque não se pode mostrar,
Porque ninguém pode ver...

XVIII

Quando os homens na terra sofrerem
Sofrimento do corpo,
Sofrimento da alma,
Tu não sofrerás.
Quando os olhos chorarem
E as mãos se quebrarem de angústia
E a voz se acabar no rogo e na ameaça,
Quando os homens viverem,
Tu não viverás.
Quando os homens morrerem na vida,
Quando os homens nascerem na morte,
Na vida e na morte nunca mais
Nunca mais tu não morrerás.

XIX

Não tem mais lar o que mora em tudo.
Não há mais dádivas
Para o que não tem mãos.
Não há mundos nem caminhos
Para o que é maior que os caminhos
E os mundos.
Não há mais nada além de ti.
Porque te dispersaste...
Circulas em todas as vidas
Pairas sobre todas as coisas
E todos te sentem.
Sentem-te como a si mesmos
E não sabem falar de ti.

XX

Não digas que és dono.
Sempre que disseres
Roubas-te a ti mesmo.
Tu, que és senhor de tudo...
Deixa os escravos rugirem,
Querendo.
Inutiliza o gesto possuidor das mãos.
Sê a árvore que floresce,
Que frutifica
E se dispersa no chão.
Deixa os famintos despojarem-te.
Nos teus ramos serenos
Há florações eternas
E todas as bocas se fartarão.

XXI

O teu começo vem de muito longe.
O teu fim termina no teu começo.
Contempla-te em redor.
Compara.
Tudo é o mesmo.
Tudo é sem mudança.
Só as cores e as linhas mudaram.
Que importa as cores, para o Senhor da Luz?
Dentro das cores a luz é a mesma.
Que importa as linhas, para o Senhor do Ritmo?
Dentro das linhas o ritmo é igual.

Os outros vêem com os olhos ensombrados.
Que o mundo perturbou,
Com as novas formas.
Com as novas tintas.
Tu verás com os teus olhos.
Em Sabedoria.
E verás muito além.

XXII

Não busques para lá.
O que é, és tu.
Está em ti.
Em tudo.
A gota esteve na nuvem.
Na seiva.
No sangue.
Na terra.
E no rio que se abriu no mar.
E no mar que se coalhou em mundo.
Tu tiveste um destino assim.
Faze-te à imagem do mar.
Dá-te à sede das praias.
Dá-te à boca azul do céu.
Mas foge de novo à terra.
Mas não toques nas estrelas.
Volve de novo a ti.
Retoma-te.

XXIII

Não faças de ti
Um sonho a realizar.
Vai.
Sem caminho marcado.
Tu és o de todos os caminhos.
Sê apenas uma presença.
Invisível presença silenciosa.
Todas as coisas esperam a luz,
Sem dizerem que a esperam.
Sem saberem que existe.
Todas as coisas esperarão por ti,
Sem te falarem.
Sem lhes falares.

XXIV

Não digas: Este que me deu corpo é meu Pai.
Esta que me deu corpo é minha Mãe.
Muito mais teu Pai e tua Mãe são os que te fizeram
Em espírito.
E esses foram sem número.
Sem nome.
De todos os tempos.
Deixaram o rastro pelos caminhos de hoje.
Todos os que já viveram.
E andam fazendo-te dia a dia
Os de hoje, os de amanhã.
E os homens, e as coisas todas silenciosas.

A tua extensão prolonga-se em todos os sentidos.
O teu mundo não tem pólos.
E tu és o próprio mundo.

XXV

Sê o que renuncia
Altamente:
Sem tristeza da tua renúncia!
Sem orgulho da tua renúncia!
Abre a tua alma nas tuas mãos
E abre as tuas mãos sobre o infinito.
E não deixes ficar de ti
Nem esse último gesto!

XXVI

O que tu viste amargo,
Doloroso,
Difícil,
O que tu viste breve,
O que tu viste inútil
Foi o que viram os teus olhos humanos,
Esquecidos...
Enganados...
No momento da tua renúncia
Estende sobre a vida
Os teus olhos
E tu verás o que vias:
Mas tu verás melhor...

CECÍLIA MEIRELES
E
JOSUÉ DE CASTRO

Desenhos de
João Fahrion

A FESTA
DAS LETRAS

Editora Nova Fronteira

A festa das letras. Porto Alegre: Livraria do Globo, 1937. 54 páginas não-numeradas. Co-autoria: Josué de Castro. Desenhos de João Fahrion.

Na página anterior:
capa da primeira edição de *A festa das letras*.

A Festa das Letras

Co-autor: Josué de Castro

(1937)

O tipo de alimentação de cada indivíduo é o resultado de hábitos que, uma vez adquiridos, dificilmente se modificam na idade adulta. Pouca influência têm os conselhos científicos dados no meio da vida — por mais sugestivos que sejam: são tentativas tardias, porque a resistência do hábito inconsciente é bem mais forte do que a lógica da ciência e que a própria força de vontade a serviço dessa lógica.

Come-se aquilo de que se aprendeu a gostar, e não o que se devia comer, por mais recomendável para a saúde. Come-se, geralmente, ou para matar a fome, ou pelo simples prazer de comer. Esquece-se que comer não basta, que é preciso ficar-se alimentado. E a alimentação é coisa muito mais complicada do que se pensa. Um desses problemas é o da educação — de que depende a formação dos hábitos.

Ora, se os bons hábitos da alimentação devem ser formados na infância, ninguém mais necessitado de uma disciplina dessa natureza que a criança brasileira, submetida, comumente, a um regime precário e impróprio, quer dizer, um regime a que faltam certos elementos indispensáveis ao equilíbrio nutritivo, ou onde esses elementos se encontram em proporções inadequadas.

Esses defeitos, verificados na alimentação infantil, em casa e na escola, são tanto mais para lamentar quando precisamente nessa idade é que o organismo exige maior fornecimento de matéria e energia para o seu pleno desenvolvimento.

As estatísticas, e as observações dos especialistas têm demonstrado que esses defeitos de alimentação mantêm as crianças brasileiras num permanente estado de desnutrição, predispondo-as a um grande número de doenças e sendo ainda os responsáveis pela elevada percentagem da mortalidade infantil no nosso meio.

Os livros da Série Alimentação, que com este volume se inicia, têm por objetivo criar e cultivar os bons hábitos alimentares na criança, em suas várias fases de desenvolvimento. Neste primeiro volume, procurou-se apenas apresentar à criança os elementos essenciais, imprescindíveis a uma alimentação completa e harmônica, estimulando-lhe a simpatia por certos elementos insubstituíveis, com os quais ela não se encontra, em geral, familiarizada, ou pelos quais, em virtude de hábitos dominantes, não se acentua, como era de desejar, a sua preferência. Exatamente esses elementos que, como o leite, os legumes frescos e as frutas, por exemplo, por seu valor nutritivo absoluto tornam recomendável qualquer tipo de alimentação.

De acordo com esse critério, foram excluídos os alimentos de valor secundário, cuja ausência, num regime alimentar equilibrado em seu conjunto, não acarreta maiores prejuízos.

Tal razão científica dissipa a estranheza que pudesse causar, no leitor desprevenido, a falta de determinados alimentos que predominam nos regimes habituais.

Uma propaganda dessa natureza, junto à criança, exige, para dar bons resultados, ser feita de maneira acessível, aproveitando o interesse infantil nas suas várias modalidades. Evitando quanto possível a monotonia das recomendações didáticas, a antipatia dos conselhos e a austeridade dos princípios científicos, procurou-se dar a este livro uma feição sugestiva e suave, com esse espírito recreativo que anima a infância, tão rica de imaginação e de ritmo.

A festa das letras procura ser um pretexto agradável para fazer chegar às crianças, revestidos de certo encantamento, esses primeiros preceitos de higiene alimentar, indispensáveis à sua vida.

Os autores

Ah! Ah! — pois o **A**, com a sua cartolinha bicuda,
parece o chefe do batalhão.
Pára na frente de todas as letras
e grita: **A**... **A**... **A**... **A**... Atenção!

Atenção! — que digo: Acorda, menino,
vamos ser **A**legre, vamos ser **A**tivo,
eu te dou o **A**r pra respiração,
e te dou a **Á**gua, eu te dou as **Á**rvores
e todas as belas
frutas **A**marelas,
trago-te **A**petite e **A**limentação!

Venho dançando na frente do **A**lmoço,
carregando **A**lface tão fina e tão fresca
que todos me pedem: "Quero uma porção!"

Ai, **A**i, como não?

E os raminhos de **A**ipo que estão deste lado?
E estas folhinhas verdes de **A**grião?

Quem é que ainda não sabia quem eu fosse?
— Sou o **A** do **A**rroz-doce!

Quem provou gostou, nunca mais me deixa:
— Sou o **A** da **A**meixa!

Não me puxe assim! Veja lá, não me mate!
— Sou o **A** de **A**bacate!

Eu já volto já,
trazendo Araçá!

Eu já volto aqui:
vou buscar Abacaxi!

Bem, — diz o **B** — **B**em **B**om, muito **B**em, muito **B**om!
Você é o **A**? — Pois eu sou o **B**!
Você vai na frente? — Eu vou com você!

Sou o **B** da **B**oca-limpa, sou o **B** do **B**anho-frio,
Sou o **B** **B**rincalhão:
trago **B**ife com **B**ertalha,
para um **B**atalhão!

Nada me interrompe, nada me atrapalha:
Bem **B**om, muito **B**em, muito **B**om!
Meu **B**rinquedo não se acaba,
que ainda tenho **B**atatinha,
que ainda tenho **B**eterraba!

Quem é que me quer?
Quem me quer aqui?

Sou o **B** da **B**oca-limpa, sou o **B** do **B**anho-frio,
Sou o **B** do **B**acuri!

Sou o **B**, sou o **B** que não tem igual:
B de **B**anana, **B**ananeira, **B**ananal...
O **B** que tem sempre — ontem, hoje e amanhã —
a **B**anana-maçã!
que tem um tesouro
de **B**anana-prata
e **B**anana-ouro!

Muito **B**em, muito **B**om, muito **B**om, muito **B**em!
Riqueza que eu tenho, não a tem ninguém
Olarilolé!
É **B**anana-d'água, ó neném,
e de São-Tomé!

Como não? Como não?
Cá estou eu, minha gente!
Sou o **C** das **C**ambalhotas,
Sou o **C** **C**ontente,
venha **C**omigo quem quiser **C**rescer!
— Que eu sou o dono do **C**reme branquinho e amarelo,
que eu sou o **C** das lindas **C**oisas **C**oloridas,
C do **C**esto-das-verduras e **C** das **C**ascas-das-frutas,
Cozinheiro de todas as boas **C**omidas!

Cai de **C**á, **C**ai de lá!
Carregado como eu
quem é que está?

Sou o C da Carne, sou o C da Couve,
ai, ai, Camarada!
Sou o C da Cebola Crua,
Sou o C da Cara Corada!

Cora-a e recolore-a
Quem Come Cenoura
Quem Come Chicória!

Cai de Cá, Cai de lá,
Carregado assim
Ninguém está!

Tome Caju, tome Coco,
e Castanha-do-Pará!
Tome Carambola, tome Cambucá!
Tome Cana doce
E Cajá!

Como não? Como não?
Ora vamos Comer,
ora vamos Crescer,
Coração!

Direito, Direito,
É o D que diz assim,
Direito, Direito,
se gosta de mim.

A Festa das Letras

Devagar com o Dente!
Não corra tanto, não!
Se mastiga mal
faz má Digestão!...

Direito, Devagar,
Devagar, Direito!
Para ter saúde,
é preciso jeito!

Dente sempre limpo,
Dente sempre são,
Dente forte, Dente Duro,
pra boa mastigação!...

Devagar, Direito,
Direito, Devagar!
Acabou-se o dia?
Lave os Dentes e vá-se Deitar!

Olhe o D, olhe o D, olhe o D da Dor!
Olhe o D das Drogas
e o D de Doutor!

"Olhe a Dor-de-cabeça!
Olhe a Dor-de-barriga!

— Ai! Ai! Ai! — Coitado!
(Tantos ais! Tantos ais!)

Ou comeu errado,
ou comeu Depressa,
ou comeu Demais!"

É? Não É? Pois É,
— É? Não É? Pois É,
— eu faço Exercício, deitado e de pé!

— É? Não É? Pois É:
todo o mundo fica pasmo
com este E do Entusiasmo!

E de Escola
e de Estudante,
que Entende
e que aprende!

E — que Estuda bem!
E — que faz Exame!
E — que tira 100!

— É? Não É? Pois É!
E — da Educação!
E — que não Engole à toa
E — que Escolhe, E — Exigente —
para não ficar doente
com alguma indigestão!

A Festa das Letras

Mas que E Engraçado!
E — de Estômago-bom — menino Excelente
E — de Estômago-mau — menino Enjoado!

E — do prato de Espinafre!
Eta! — maravilha!

E — de boquinha Encarnada!
E — de Ervilha verde!
E — da verde Ervilha!

Faz Favor de me dizer:
onde viu
maior Formosura
que a da Folha verde
e a da Fruta madura?

— É do Figo, é do Fígado,
é do Fígado, é do Figo!
Se você tem Fome,
— Feche os olhos e abra a boca! —
Venha aqui comigo!

Venha para a Festa
que o F vai dar
com as Folhas da horta
e as Frutas do pomar!

Ó menina da Face vermelha,
onde viu
maior Formosura
que a da sua pele de Fruta madura?

Ó menina da Face vermelha,
veja como a abelha
se agita
por não ter certeza
se essa cor tão bonita
é da sua Face
— ou da Framboesa!

Gaita de lata, Guizo de latão!
Como o G da perna Grossa
ninguém corre, não!

Ele vem num Galope, ele vem, ele vem,
ele vem num Galope, com a perna que tem!

É o G Garboso, de Gestos bonitos,
sua perna Grossa é também elástica,
porque dança e pula
porque faz Ginástica!

É o G que diz — Grande!
É o G que diz — Gentil!

A Festa das Letras

Gaita de lata, Guizo de latão!
Como o G da perna Grossa
ninguém Gira, não!
— Pois é o G da Graça!
— Pois é o G do Gosto!
Fininho de corpo,
vermelho de rosto.

Gaita de lata, Guizo de latão!
Como o G da Gema-de-ovo
não há outro, não!

É o G de Goiaba,
é o G de Goiabada,
este G, minha Gente,
da Gengiva encarnada!

No calor do verão,
lá vem ele, a Galope,
com as mãos carregadas
de refrescos e saladas,
e outras coisas Geladas!...

Lá vem ele, lá vem!
Ele vem num Galope com a perna que tem!

— Quem me chama?
Sou o G do Genipapo*, sou o G da Grumixama,

---

* Grafia atual — jenipapo

sou o **G** da **G**roselha e da **G**uabiraba!
Mais depressa, **G**ente,
senão tudo acaba!

Gaita de lata, **G**uizo de latão,
como o **G** da **G**oiabada
não há outro, não!

Hurra, **H**urra, **H**urra — que chegou o **H**!
Pois vamos cantar um **H**ino,
tra-la-ri-lará!

Este **H**, esta letra importante,
de **H**ércules, de **H**omem,
de **H**onesto e de **H**erói,
Este **H**
diz também coisas **H**umildes
mas que a vida não dispensa:
Herva*, **H**orta, **H**ora, **H**igiene,

tral-la-ri-la-rá!

— **H**ércules — força que luta e que vence,
— **H**omem **H**onesto — que pensa e trabalha,
Esse é o **H**erói que sai sempre com **H**onra

---

* Grafia atual — erva.

A Festa das Letras

tra-la-ri-lará!
de qualquer batalha!

— Hurra, Hurra, Hurra, — que chegou o H!
Pois cantemos um Hino!
Tra-la-rá!

— Herva* — é a do campo, com ares tão puros,
— Hora — é a de comer com exatidão.
— Horta — é onde palpitam folhas, raízes, frutos!

Hurra, Hurra, Hurra,
tra-la-ri-la-rão!

150

Ih! Ih! Ih! — diz o I — como eu sou Infeliz!
Escrevi Indigestão — pronto! — ninguém me quis!
Escrevi Ignorante — me disseram: "Vá-se embora!"
Já daqui pra fora! Já daqui pra fora!

Pois é isso que eu digo:
Correram comigo!
Mas que culpa eu tenho de ser mesmo assim?
Sou um I Infeliz — não gostaram de mim!

Mas agora não torno a dizer coisa Igual:
hei de perguntar assim, perguntar tal qual:
— Como vai seu Intestino?
Diga lá, de repente!
Se me disserem: "Vai bem, obrigado",

então eu respondo:
"Que pessoa Inteligente!"

Sim, senhor, todo o mundo vai ficar contente!
Pois acabou-se o **I** da **I**ndigestão
com quem é **I**nteligente
eu não faço nada não.

Já vem o **J**, e vem lembrando a cada um
se ainda está em **J**ejum.

Já vem o **J**, vem o **J**,
o que diz — **J**anela — aberta
para a luz e o ar!

Já vem o **J**, a letra **J**usta
que não se apressa nem se atrasa,
a letra certa do **J**antar.

Já vem o **J**, **J**ovem **J**ovial,
Jogando **J**ambo e **J**abuticaba,
Jabuticaba, **J**ambo, **J**amelão.

Só não pode **J**ogar esta fruta imensa
que não cabe na mão:

Jaca-dura, **J**aca-mole, **J**aca-doce que é,
com uma casca enrugada que nem **J**acaré.

A Festa das Letras

La-la-ri,-la-lá
Levantar depressa,
que o dia começa,
La-la-ri-la-lá,
Lavar-se Ligeiro,
companheiro,
porque a letra L também já vai Lá.

La-la-rí-la-lá,
La-la-rá — Laranja!
Li-li-ri,-li-lí
Li-li-ri — Limão!
Laranja no copo, de manhã cedinho,
Laranja no prato, em cada refeição!
Sempre na fruteira — a Laranja e a Lima,
Sempre na cozinha — Li-li-ri — Limão!

L — dos Legumes,
L — da Limpeza,
em todo Lugar,
bem juntinhos vão!

E o L de Leite? — Vem no copo e vem no prato,
no purê, na sobremesa,
entra em toda refeição!
O L do Leite, que é refresco e que é bebida
— que faz a gente crescida —
e que é sopa e que é comida,
creme, queijo, requeijão?!

La-la-ri-la-lá,
inverno ou verão,
Legumes e Leite juntos dançarão,
e a Laranja e a Lima,
e a Lima e o Limão!

La-la-rá-la-rá,
La-la-rá-la-rão!

M, **M**, **M**, de onde vem você?
— Eu venho do Mato, todo o Mundo vê!

— **M**, **M**, **M**, você que procura?
— Menino que goste de fruta Madura!

— **M**, **M**, **M**, que é que você traz?
— Mangas, Mangabas e Maracujás!

— **M**, **M**, **M**, que Mais você tem?
— Mamões, Melancias e Melões, também!

— **M**, **M**, **M**, você de onde chega?
— Chego da Montanha trazendo Manteiga!

— Vá chamar o **M** — Menino,
Vá lavar o **M** — da Mão,
Vá botar no **M** — da Mesa
Esses **M M** que aí estão!

A Festa das Letras

Garfinho brilhante,
toalha de renda!
Olha o **M**, **M**, **M**,
olha o **M** da **M**erenda!

Faquinha brilhante,
louça da tigela!
Mãozinha cheirando
a **M**anteiga amarela!

— **M**, **M**, da **M**ontanha, e do **M**úsculo e do **M**ato,
acabou-se a **M**erenda, não há nada no prato!

— Pois eu hei de mandar sempre coisas iguais,
e que coma, o **M**enino,
Muito **M**ais! **M**uito **M**ais!...

Ninguém coma de menos
Nem trabalhe demais!
Tenha **N**ervos serenos!
Seja simples como o **N**
das coisas **N**aturais!

Sou o **N** que diz: **N**ão!
— Sou o **N** que diz:
Não descuide da **N**utrição
para ter saúde,

para viver muito,
para ser feliz!

Sou o **N** — de **N**ata,
quem me quer provar?

N — de **N**abo e **N**abiça,
quem gosta de mim?

Sou o **N** — de **N**oz,
quem me quer quebrar?

Sou o **N** — da **N**oite,
que aos bebês diz assim:

Nana, **N**ana, **N**ana,
que o **N** já vem,
Vem **N**inar o **N**inho
em que dorme o **N**eném!

Ora, **O**ra, **O**ra,
quem chegou agora?

Abra bem os **O**lhos,
veja quem chegou!

Foi o **O** de **O**lho-vivo
e da cara redonda:

por mais que se esconda
todo o mundo o achou!

— Por **O**nde anda o **O**
mas por **O**nde? por **O**nde?
Bem que está **O**uvindo,
mas não nos responde!

À procura dele anda todo o povo!
— Escondeu-se no **O**vo!

— Mas que é feito dele que nunca se mostra?
— Entrou numa **O**stra!

— Este **O** impossível **O**nde é que se mete?
— Dentro da **O**melete!

— Vamos comer **O**stras, **O**meletes, **O**vos,
Vamos descobrir este **O** que se esconde!
Este **O** redondinho que rola e que foge,
que se está chamando e que não responde!

Primeiro, — pergunta o **P** — me diga o seu **P**eso!
Porque é **P**reciso você se **P**esar!
E depois venha comigo,
que eu sou o **P** de **P**assear!

Sou o **P** que **P**aga tudo,
sou o **P** que **P**ede os **P**reços,
sou o **P**, sou o **P**, que tenho **P**omar!
Sou o **P** do **P**rato e da **P**anelinha!

Sou o **P** da **P**inha,
e sou o **P** de **P**ular!

Pois vamos **P**ulando, mas não me deixe!
Vamos **P**rocurar,
Pra você,
Palmito e **P**eixe,
Pepino e **P**urê!

Tome **P**êra e **P**itanga,
tome **P**êssego e **P**ão!

Mas não se esqueça de dizer seu **P**eso:

quantos quilos são?

Quebre e requebre
e torne a requebrar!
Quitibum! **Q**uitibum!

Quantos **Q**uilos tem você?
Tenha os **Q**uilos certos:
Nem mais um, nem menos um!

Quebre e requebre
e torne a requebrar,
tudo Que Quiser
o Q lhe vai dar!

Sou o Q de Quintal — tome todas as frutas!
Sou o Q da Quitanda — leve o Que Quiser!
Sou o Q de Queijo mole, sou o Q de Queijo duro,
Queijo fresco e salgado,
Queijo branco e amarelo,
e redondo e Quadrado,

— coma de um Qualquer!
Quitibum! Quitibum!

Quebre e requebre,
e, se já requebrou,
diga o Quitute
de que mais gostou!

"Eu fui à Quitanda,
trouxe legume e verdura,
fui ao fundo do Quintal,
e comi fruta madura.
Veio o Q e me deu Queijo
de todas as Qualidades,
ora viva a fartura
com as suas variedades!"

Pois se está contente,
Querido,
ponha-se a dançar!
Se está com frio, tome **Q**ualquer coisa **Q**uente,
não fique assim **Q**uieto!

Quebre e requebre
e torne a requebrar!

Roda o **R**, que **R**oda na **R**oda,
Rosto **R**echonchudo,
Risonho **R**apaz!

— Este **R**, que **R**oda na **R**oda,
Respondei: "Que é que traz?"

Este **R** que **R**oda na **R**oda
Responde que é o **R** da **R**espiração,
dos legumes **R**oxos,
das frutas **R**edondas,
que ele **R**ecomenda em cada **R**efeição!

Este **R** que **R**oda na **R**oda
é **R**apaz brincalhão!
Diz que entrou por um **R**epolho,
foi sair num **R**abanete
e encontrou um **R**equeijão!

A Festa das Letras

Este R que Roda na Roda
Roda como um pião!
Tem Raminhos de fruta pintados na Roupa
e uma Romã vermelha em cada mão!
Roda que Roda com o R Risonho,
Roda que Roda, todos Rodarão!

S alve!
Que o S da Saúde
faz a Sua Saudação!
Tem o Sol amarelo no peito,
no lugar do coração!

E ele diz:
Este Sol com seu ouro enriquece o meu corpo:
riqueza de Saúde — que não tem igual!
Sol dourado que vem pela janela aberta,
e se estende na praia branquinha,
e que brinca no claro quintal!

Salta o palhaço do S:
faz o Salto-mortal!
Não tem medo de nada,
nada lhe faz mal!

Pois é o S do Sumo das frutas,
S das comidas Simples,
das Saladas Sortidas,

com legumes Sedutores,
enfeitados de Salsa,
com pouquinho Sal!

Porque é o S do Sangue luminoso,
o S de alma Sadia,
o S de corpo São,

Salve! Salve! Salve!
Que o S da Saúde
dá outro Salto,
e faz outra Saudação!

T á-ta-rá-ta-tá,
Ta-ta-rá-ta-tchim!
O palhaço do T
Trepa no Trampolim!

Ta-ta-rá-ta-tá,
Olha o T como bate,
como bate, bate, bate
no seu Tamborim!

Esse T da Travessura,
que é o T do Trambolhão,
se dá Tombo lá de cima,
quebra a Testa no chão!

A Festa das Letras

Ta-ta-rá-ta-tchim!
Lá do Trampolim,
o T diz assim:

"É de Tomate, de Tomate e Tomatada,
pra fazer cara vermelha,
pra fazer boca encarnada
que nem Telha!
É de Tomate, é de Tomate, é de Tomate!"
— E o T bate e bate —
Todo de escarlate!

E ainda diz assim:

"Minha gente, olhe para mim,
que eu sou T Trabalhador!
Quando Tenho um Tostão,
compro coisa de valor!
É de Tigela, é de Terrina,
é de Terrina, é de Tigela,
é de Tomate encarnado
e Tangerina amarela!"

Ta-ta-rá-ta-tchim!
bate no Tamborim,
pula no Trampolim
o palhaço do T,
de cara de carmim!

Ui, Ui, — diz o U —
eu não sou palhaço, não!

Sou Urso, sou Urso,
de pires na mão!
Quem não pode, não dá nada!
Quem puder, dê Um tostão!

Só Um! Só Um! Só Um! Só Um!
De Um em Um — se vai,
De Um em Um — se vem,
de Um em Um se chega a dez,
de Um em Um se chega a cem!...

Um tostão para o Urso não negue ninguém!

Uh! Uh! Uh! o Urso,
arrastando os passos,
diz que vai comprar
— imaginem o quê! —
Uvas! Uvas! Uvas!
pra dar aos palhaços!

Vira, Vira, que os outros se Vão!
Vem o V dando Volta
com o seu Violão!

A Festa das Letras

Mas que o **V**elho divertido,
com uma **V**agem no chapéu!
diz que **V**em do fim do mundo
e que **V**ai pro fim do céu,
que é muito **V**elho, e que não tem **V**intém,
mas que **V**ira na **V**alsa como ninguém!

Mas que **V**elho engraçado!
Tão risonho e **V**ermelho!
Do fundo do bolso tirou um espelho
e começa a cantar:

"Eu sou **V**elho **V**alente,
meu espelho é o da **V**erdade,
acredite, minha gente,
quem **V**iver como eu **V**ivi
chega à minha idade!"

E começa a dançar:

"Comi **V**erde de **V**erdura
e todas as cores
de fruta madura!
(Eu só digo a **V**erdade,
a **V**erdade do espelho)
Nunca tive dor nas costas
nem dor no joelho!

A **V**aca me deu seu leite,
o boi me deu sua **V**ida;

gente que se esquece disso
é bem mal-agradecida!"

Mas que Velho divertido,
este Velho do V!

"Comi tão direito
e tão Variado
— ora Veja Você, —
que Vivi toda esta Vida
sem estar nunca adoentado;
e assim, Velho como sou,
quando saio de carreira
corro que nem um Veado!"

Vira, Vira, que V já se Vai!
Mas que Velho engraçado,
com uma Vagem no chapéu!
Ele Vira e revira
e não cai!
Vai sentar no Violão e Voar para o céu!

Xô-xô-xô, xô-xô!
Este X não faz nada!
Mas que X preguiçoso,
só de perna cruzada!

A Festa das Letras

Todos trabalharam,
você nada fez!
Xô-xô-xô, xô-xô,
vamos pro Xadrez!

— Deixe que eu descruze as pernas,
deixe que eu descruze os braços,
que eu me vá levantando,
e vá dando uns passos...

Lá no meu quintal,
tenho uma latada
de **Xuxus*** novinhos
toda carregada!

É tudo que tenho,
tudo que me resta!
E eu estava com vergonha
de trazer só isso
pra tão linda festa!

Não me prenda, não,
porque eu nada fiz!
Que culpa tem de ser pobre
o palhaço do **X**?

---

* Grafia atual — chuchu.

Zás-trás!
É assim que faz
o **Z** de bengala torta.
Zás!
Acabou-se a festa
e ele fecha a porta.

Depois da porta fechada,
chama **Z**eca e **Z**abelita
e diz para cada um:
Mas que festa tão bonita.
Inda se ouve o **Z**um-**Z**um!
Uns tocavam tralalá,
e outros, quitibum!

Que palhaços engraçados!
Nunca houve iguais;
Aquilo que eles cantavam
não se esquece mais!

E o **Z** dança em **Z**iguezague
e arremeda assim:

"Olha o **L** do Leite! Olha o **F** da Fruta.
Olha o **V** da Verdura!

Ai! quem gosta de mim?
Olha o **A** do Almoço,
mais o **J** do Jantar!

A Festa das Letras

Olha o **M** da **M**erenda,
e o **H** da **H**ora-certa
todos a dançar!

Olha o **B** do **B**anho-frio
e o **R** da **R**espiração!
Com o **S** da **S**aúde
que pulos que dão!"

E arremeda e arremeda
e torna a arremedar!
Zeca e **Z**abelita,
de tanto se rirem,
chegam quase a arrebentar!

E o **Z** diz ainda:

"**Z**eca e **Z**abelita",
não se **Z**anguem, não,
mas eu quero ver ainda,
mas eu quero ver de novo
essa festa tão bonita,
tão linda, tão linda,
de **A**limentação!"

Vai saindo o povo
e agora
os palhaços vão-se embora.
Zás-trás!
O **Z**, no seu **Z**iguezague,
vai também atrás.

Morena, Pena de Amor
(1939)

Morena, pena de amor. Darcy Damasceno data de 1939 esta *Morena, pena de amor*. O fato é que até o *Romanceiro da Inconfidência* (1953) Cecília Meireles sempre anunciava o iminente lançamento deste livro, projeto, afinal, nunca concretizado em vida da autora. Assim, a primeira edição da obra encontra-se no volume 6 das *Poesias completas* organizadas por Darcy. Rio de Janeiro: Editora Civilização Brasileira, 1973, p.1-39.

Dedicatória

Vai-se a vida,
resta a canção.
Não foi uma canção perdida.
Ficaste no meu coração.

....

Queria só um sorriso.
Mas deram-me um beijo.
Perdi metade do juízo
e fui dar ao Paraíso.
São Pedro, vendo-me a cara,
dizia: "Mas que pequena!
Com uma estrela tão clara
numa boca tão morena!"

(Qual seria esse tesouro?
Seria o teu beijo?
Seria o sorriso?
Ou apenas o ouro
do meu dente siso?)

....

Morena, Pena de Amor

1

Me chamam Morena
por ser minha cor.
Mas meu nome é Pena,
Pena de Amor.

2

Eu nasci num dia sete,
o meu signo é o Escorpião.
Tudo arremete
contra o meu coração.

Há quem interprete
como sendo coisas
de outra encarnação...

3

O meu dia — terça-feira.
O meu santo — São Florêncio.
Minha alma — luz prisioneira
numa rosa de silêncio.

4

Olhos verdes, olhos verdes,
sem esperança.

E nada para prenderdes,
trançado das minhas tranças!

5

Não perguntes nada,
não perguntes, não.
Tenho uma espada,
enferrujada,
atravessada
no coração.

Como está quebrada,
não se põe a mão.

6

Clara no escutar,
morena no responder.
Morena para te amar,
clara para te perder.

Morena, Pena de Amor

7

Por nascer morena,
não tenho desgosto:
mas o amor me acena
e me vira o rosto.

8

Eu sou a folha arrancada
do ramo da laranjeira,
que anda sempre machucada
para verem que ainda cheira.

Já sou folha morta.
A mim que me importa
que ninguém me queira?

9

Quem nasceu mesmo moreno,
moreno de vocação,
gosta de mar e sereno,
de estrela e de violão.

Poderá gostar de alguém.
Porém
nunca deixa a solidão.

10

Por ser morena, não danço
com gente de outros matizes.
Gosto mais do meu descanso:
tenho medo que me pises.

11

Árvore da folha bela,
árvore da fruta doce,
ai, quem fosse igual a ela!
Igual a ela quem fosse!

12

(Não me digas nada,
que te quero amar.
Tua boca foi formada
de rosa, vinho e luar.)

13

Gente que andar pela vida
precisa andar distraída
(e as coisas distraem tanto!).

Morena, Pena de Amor

Mas eu, que fiquei parada,
como não encontro nada
para distrair-me — canto.

14

(Não me digas nada,
amor,
se algum dia amada
eu for.)

15

Os meus morenos suspiros
por morenos campos vão,
dentro de morenos rios,
por morena solidão.

Ai, morena sorte
da vida terrena,
ai, morte morena,
ai, terrena morte...

16

Quem fora pastor de outrora,
e tocara avena,

para ver como chora
de amor quem é morena!

(Não me digas nada,
que te adoro.
Minha boca está calada,
mas no meu silêncio choro.)

17

Cismo, cismo, cismo
em quanto te quero:
de um lado, certo algarismo:
de outro, cada dia um zero.

Assim gosta
quem é morena:
entre o amor e a pena.

18

Lua de prata,
estrelas serenas,
onde mora o anjo que mata
de amor as morenas?

19

Por todos os lados,
o mar me rodeia;
me deixa recados
escritos na areia.

Das águas sou filha:
nasci de um beijo de espuma
em redor de alguma
silenciosa ilha.

Maravilha, maravilha
da espuma em pedra serena:
a água nos meus olhos brilha,
da pedra é que sou morena.

20

(Não me digas nada:
deixa-me cantar.
Aprendi minha toada
no fundo do mar.)

21

Quando uma morena chora,
Deus abre a sua janela,

e, sendo Deus, se enamora,
e, sendo Deus, fica triste
de não estar mais perto dela.

(Não me digas nada
de fazer chorar,
que é noite estrelada...

Não me digas nada,
porque é madrugada
no mar...)

22

Finas pestanas
teus olhos têm.
Se tu me enganas,
dize-me com quem!

23

A tristeza desta vida
é não se poder falar.
Que a palavra dita e ouvida
é somente ar sobre o ar...

Morena, Pena de Amor

(Não me digas nada,
que te amo.
Quando estou calada,
te chamo.)

24

De manhã, solto o cabelo
contra o espelho azul do mar.
De joelhos, uma sereia
na areia me vem pentear.

De tarde, deixo os vestidos
perdidos no verde mar.
E, de joelhos nas areias,
sereias os vêm lavar.

De noite, os meus grandes sonhos
ponho-os sobre o negro mar.
Ficam sereias cantando
para quando eu acordar.

(Meus sonhos têm asas
e saem do mar,
vão correndo casas
a te procurar.)

25

Quem passou na minha vida?
Foi o vento furacão.
Era inteira e está partida,
era sol — vejo-a no chão...

26

Choro de pena,
choro de alegria,
me chamam Morena.
Sou Melancolia.

27

Logo no mês de janeiro,
apertei a tua mão.
Vou passar o ano inteiro
nessa mesma posição.

Se queres, te prendo.
Se queres, te solto...
E se queres me arrependo,
e se queres ainda volto...

Morena, Pena de Amor

(Não rias,
porque é verdade,
tu parecias
a felicidade.)

28

Por que Deus teve desejo
de inventar também o dia?
Se só de noite te vejo,
não sei por que o inventaria...

Estranha invenção de Deus!
Desnecessária invenção.
O mundo
era mundo
só com os olhos teus
e a minha canção.

29

Ai, não te espantes
de me veres rindo,
porque o amor, antes
de acabar, é lindo...

30

Todos dizem que têm penas,
mas nem sempre cantam bem.
Para sofrer — só morenas.
Para cantar — mais ninguém.

31

(Não me digas nada,
olha a madrugada
inventando flores.

Morena remorenada,
sorrio-te ao ser deixada,
chorarei quando te fores.)

32

Chamei Deus — e estava ausente,
ou se fez desentendido.
Não há nada que atormente
como um chamado perdido.

33

Olhos morenos,
por que me olhais?
Vós vedes de menos,
eu vejo de mais...

34

Eu estou sonhando contigo,
tu estás sonhando com ela,
e ela com o teu amigo,
e ele comigo ou com ela...

Tudo sonha e oscila
nas ondas do mundo:
em cima, a lua tranqüila,
tranqüila, a morte, no fundo.

35

Clara de olhar,
morena de rosto,
não encontro, para amar,
ninguém do meu gosto...

36

(Não digas nada,
que te quero tanto.
Quanto mais calada
mais canto.)

37

O bem da morena sorte
é um bem que parece mal:
sustenta o coração forte
só com lágrima de sal.

Mas não fiques triste,
que não vale a pena.
Acaba tudo o que existe:
não o amor de uma morena.

38

Minha vida
dolorida
te procura.
Por que escondes
tuas fontes
de água pura?

Morena, Pena de Amor

Com loucura,
te procura
minha vida.
Por que a escondes
nesses longes
e me deixas tão perdida?

39

Morena de qualidade,
morena de condição,
invento a felicidade
dizendo sempre a verdade
mas dentro de uma canção.

40

De dia, te andei buscando,
de noite, a buscar-te andei.
De tanto andar procurando,
perdi-me e não te encontrei.

41

Para espanto
das mulheres
tu me queres,
e eu te canto.

(Quem quiser que colha
— mas só eu sei da semente
desses malmequeres
cuja última folha
diz: ETERNAMENTE.)

42

(Não me digas nada:
só no teu sorriso
me dás a alvorada
e o paraíso.)

43

Por longo tempo de amor,
te dou esta lágrima.
Estrela da tarde, orvalho de flor,
uma lágrima.
De sonho? De mágoa? Seja do que for,
uma lágrima.

Lágrima de olhos morenos
não tem rival:
os pingos são mais pequenos,
mas são de um fogo fatal.

Morena, *Pena de Amor*

44

Sei que toda a vizinhança
do meu amor desconfia
só pelos olhos que lança
à minha alegria.

45

"O tempo arranca os ponteiros
do relógio do teu quarto.
Somos tão seus prisioneiros
que fico até quando parto."

Moreno que assim cantava
era moreno de lei.
Da morena que o escutava
nada direi.

46

Deus que te traz e te leva
deve saber o que faz,
e por que em mim te conserva
enquanto te leva e traz.

47

Descansa, peito sereno,
que disto ninguém duvida:
quem teve um amor moreno
teve amor por toda a vida...

48

Semeei plantas de amores,
nasceram ódios de espinho.
Não foi da mão nem das flores,
foi condição do caminho.

49

Nesta vida é mesmo assim,
e assim mesmo é que convém;
ninguém acredita em mim
nem eu tampouco em ninguém...

Mas antes acreditasse,
desde que existem teus olhos
e tua face!

Morena, Pena de Amor

50

Eu venho de desterrados;
ai, meu bem,
para onde devem olhar

meus instáveis olhos nados,
ai, meu bem,
de lua, de vento e mar?
(Para onde ou para quem?)

Toda perdida em areias,
ai, meu bem,
em gaivotas, em luar,
morro de trazer nas veias,
ai, meu bem,
esta vontade de andar...
(Para onde ou para quem?)

51

A onda que se levanta
do meu peito para o teu
chora mesmo quando canta,
pois vem de um mar que sofreu.

É o mar da morena gente,
de exaltado coração,

que encara a morte de frente,
cantando qualquer canção.

Que morre sorrindo
num lugar qualquer,
que acha tudo lindo,
porém nada quer...

52

Se me quisesses deveras,
morenamente querida,
saberias que eras
toda a minha vida.

Mas eu sou morena, remorenada,
e tanto te remorenarei
que posso acabar amada,
pelo amor com que te amei,

ai! amada por minha pena,
penada por meu amor.
(Assim acaba toda morena,
seja qual for...)

Morena, Pena de Amor

53

Sei de um capitão pirata,
que é dono de um verde mar,
que tem seu barco de prata,
mas deixou de navegar.

Que se enamorou da terra,
que se entregou à prisão,
e entre quatro muros erra,
murmurando uma canção.

Ai capitão dos morenos,
ai moreno capitão...
Todo o mar tem muito menos
ondas que o seu coração...

54

Já foi isto, mais aquilo,
e mais isto e aquilo mais.
Hoje tudo está tranqüilo,
quando vens. (Não quando vais.)

(Mas não digas nada.
Para que dizer?
Gente morena, coitada,
sabe esperar com prazer...)

55

Lua, lua marinheira,
num céu de peixinhos brancos,
vem ser minha companheira
no país dos saltimbancos.

Durmo em areias abertas,
numa baía redonda
— se não me despertas,
me transformo em onda!

56

Tomara mesmo que exista
purgatório, céu e inferno,
e a gente morena assista
a branca no fogo eterno!
e por ela seja vista,
nos jardins da santidade,
entre anjos de lábio terno,
tomar em vasos de jade,
de esmeralda e de ametista,
sorvete de Eternidade...

Divertidamente
penso nessa história.
ai! todos no fogo ardente,
nós dois no reino da glória.

Morena, Pena de Amor

57

A gente morena é pouca,
muito pouca, e anda perdida!
Toda ela — ou nasceu louca
ou ficou enlouquecida.

Não perguntes o motivo
de tanto enlouquecimento.
Coisas como esta em que vivo
com o meu pensamento...

58

Ando tão agradecida
que até meu lábio está mudo,
como flor maravilhada...

Não é porque eu saiba tudo:
porém, apenas, apenas,
porque — ó Vida, Vida, Vida, —
como todas as morenas,
não preciso saber nada...

59

Um moreno de alta classe
não precisa harpa nem lira,
e sua alma nem suspira
por mais que a Beleza passe...

Dorme abraçado com a lua,
desperta cantando a Vênus,
sai dançando pela rua,
feliz por ser dos morenos.

Do lado esquerdo do peito,
o coração da alegria.
Do lado direito,
a flor da morenaria...

60

Esperei-te, não vieste.
Eu — cheguei sem me esperares.
Tenho gente que o ateste,
se o negares...

(Não me digas nada,
e não fiques triste:
juro que no alto da escada
duas vezes me sorriste.)

Morena, Pena de Amor

Decerto, naturalmente,
foi por distração.
Mas é da morena gente
ficar louca de repente
e fazer uma canção...

61

A mão que tímida pousa
no teu cabelo moreno
vem tonta de muita cousa
do humano mundo terreno.

Da vida terrena
vem o seu temor.

(Que o meu nome é Pena,
Pena de Amor.)

62

Bateram na noite escura,
fui abrir com precaução.
Perguntei: "Quem me procura?"
Disseram-me: "A Solidão."

Entrou-me pela vidraça
um vulto de escuridão.
Perguntei: "Mas quem me abraça?"
Disseram-me: "A Solidão."

Viverei com alegria
e sem outra condição
que a da companhia
desta Solidão...

63

Eram trovões nos espaços,
era chuva no jardim,
era a noite nos teus braços,
era o luar perto de mim.

64

O mal que no mundo existe
não me envenena:
meu costume de ser triste
vem mesmo de ser morena.

(Não me digas nada
por eu ser assim:
é vida recomeçada
tua ternura por mim.)

Morena, Pena de Amor

65

Sete sinais no pescoço
não é qualquer um que tem.
Sei de uma moça e de um moço,
e não sei de mais ninguém.

Venha a polícia e persiga
quem tiver sete sinais,
que esse é que me obriga
a não dormir mais!

66

A solidão das morenas
e assim deste teor:
— um amor, apenas,
— nada, além do amor.

(Enlanguescimento
de amar e pensar:
pássaro cinzento
bebendo luar;

seda no vento...

folha no mar...)

67

Fado negro, negro fado,
com seu corpo constelado
voa de um lado para outro lado,

pousa no monte,
corta o horizonte,
vem bater na minha fronte.

Põe-me uma estrela de um lado
do seu corpo constelado.

Voa da fronte,
corta o horizonte,
pousa no monte.

E, do outro, põe-me a negrura
da plumagem sua, escura.

Fado negro! Negro fado!...

68

O bem da gente morena
é não ter medo da morte.
A vida é sempre pequena,
tanto se aumente ou se corte...

Morena, Pena de Amor

Vê se me escutas onde estiveres,
que a minha voz é baixinha,
e, entre a das outras mulheres,
quase não se escuta a minha.

Vê se me escutas, que eu falo pouco
que sou da morena gente,
e o meu sonho andava rouco
de cantar inutilmente...

69

Estrelas em assembléia
fazem toda a noite apostas
sobre o que gosto e o que gostas
e o gosto que mais resiste.
Jogam em mim — boa idéia!
e em ti — mas que idéia triste!

70

Cruzaste a noite chuvosa
de maneira muito rara:
viu-se um rio cor-de-rosa
e dentro uma estrela clara.

71

Têm sempre as vidas morenas
uma inscrição que as resuma.

Ponho,
no meu sonho,

duas palavras apenas
de seis letras cada uma.

Assombra o leitor
tão moreno estilo.

Duas
palavras tuas:

uma rima com *amor*,
outra, com *sigilo*.

72

Ai, se Deus fosse moreno,
moreno da minha cor,
punha talvez mais veneno
neste veneno do amor.

Morena, Pena de Amor

73

Quero subir pelos ares,
por Marte, Saturno e Vênus,
visitar esses lugares,
ver se encontro anjos morenos.

74

Buda, Jesus, Maomé,
tudo foi gente morena:
gente que viveu de fé,
gente que morreu de pena.

75

Se Deus quisesse ser gente
e ter uma cor também,
seria, naturalmente,
moreno como ninguém.

76

Amar por uns dois meses,
acontece às vezes.
Mas amar por toda a vida
não é coisa acontecida,

salvo entre gente morena,
gente de morena cor,
que morre de pena e amor
por viver de amor e pena.

77

Quem veja cara morena,
não se pode esquecer disto:
— se é mulher, da Madalena,
— se é homem, de Jesus Cristo.

78

Ai doce terra morena,
ai doce Morenaria!
De dia, trabalho e pena,
de noite, sonho e alegria.

79

Por aqui ninguém caminha
sem ser moreno. Ninguém.
Deste lado, a rua é minha,
e do outro lado também.

80

Quem sorriu para o ar sereno
como para a onda inimiga,
desejo que alguém me diga
se não foi povo moreno.

(Não digas nada, que um dia
te conduzirei
à Morenaria,
para seres rei!)

81

Quanto mais ando ocupada,
mais alto o canto suspendo.
Por isso, quem não está vendo,
pensa que não faço nada.

(Mas é sempre assim,
que se vai fazer?
Quem nasceu para ser ruim
fica ruim até morrer...)

82

Sangue dos corpos morenos
é verso de ouro e de prata.
Pulsa com métrica exata,
nunca de mais nem de menos,
malgrado a mão que o maltrata,
malgrado quaisquer venenos...

83

O que há de belo no mundo
moreno é de condição:
— mar e céu — bosque profundo —
— teus olhos — meu coração.

(Remotos lugares
do meu pensamento,
sem céus e sem mares,
sem bosque, sem vento...)

84

Existe mar, noite escura,
estrela da madrugada.
Existe uma criatura.
Não me lembro de mais nada.

Morena, Pena de Amor

85

Dos desesperos a norma
costuma ser sempre esta:
toda outra raça protesta,
a morena se conforma.

86

São Jorge, santo querido,
empreste-me o seu cavalo.
Anda um moreno fugido,
tenho pressa de encontrá-lo.

Esse moreno fugido
canta a seguinte canção:
"Meu amorzinho querido,
coisinha do coração!"

87

Não sei o que quero ao certo:
queria estar muito longe,
ter-te muito perto.

88

Subo por uma montanha,
desço por um ribeirão.
Tudo para ver se apanha
tua sombra a minha mão.

Mas que sombra fugitiva,
que a tanto andar me condena!
A sombra sempre cativa
porque também é morena...

89

Deitei-me com alegria,
amanheci com tristeza,
não sei o que sonharia!

90

Saí mui morenamente,
de ronda, em morenação.
Encontrei na minha frente
pessoa de outra nação.

Morena, Pena de Amor

Disse-lhe que estes lugares
do povo moreno são,
com seus campos e seus mares,
pintados de solidão.

Perguntei: "Para chegares,
quem te arranjou permissão?"
Fez-me um sorriso e um aceno.
Levei-o para a prisão.

Ou fica sendo moreno,
ou mudo de opinião.

91

As morenas mais esquivas
levam flores pelo peito.
De um lado, só sempre-vivas.
Do outro, tudo amor-perfeito.

92

Mar tamanho, mar tamanho,
água tão abandonada.
Não me queixo nem estranho,
embora desesperada.

93

Coração que desfalece
sem demonstração de pena,
é uma coisa que acontece
somente à raça morena.

94

Por ser morena de raça,
eu canto a morenidade.
Quando alguém moreno passa,
morre mesmo a claridade.

Pássaro tem penas,
canteiro tem flor.
Depois que viu as morenas,
a lua mudou de cor.

95

Sou mais alta que esse morro,
mais vasta que aquele mar.
Há muito que me percorro
sem me poder encontrar.

Morena, Pena de Amor

96

O céu tem suas morenas
onde vejo passear,
com estrelas às centenas,
as luas do teu olhar.

97

Juro por Santa Maria
e pelo Crucificado
que já vi ser meio-dia
à meia-noite, a seu lado.

98

Juro por Santa Maria
e pelo Crucificado
que não há noite nem dia
quando ficas ao meu lado.

99

Meu amor e minha pena
vivem juntos no meu peito.
Para uma sorte morena
isso é um convívio perfeito...

100

Ai, deixa as coisas defuntas
bem defuntas, de mãos postas.
Que a gente morena
é gente serena,
que não faz perguntas
e não dá respostas.

101

Cruzaste a Morenaria,
mirou-te o povo, e, a meu lado,
a morenagem dizia
que és moreno disfarçado.

Ai, branca açucena,
ai, pálida rosa,
a pele de uma morena
é coisa contagiosa.

102

Comprei lentes de diamante
com suportes de ametista.
De tanto olhar-te o semblante,
fiquei sofrendo da vista...

Morena, Pena de Amor

103

Quem ri desde que desperta,
chorando até que se deita,
tem raça morena certa,
da mais certa e mais perfeita.

Cantando lavaram
meus claros vestidos,
com prantos corridos
os purificaram...

104

A chuva que a noite molha
veio ver-me até aqui.
Disse que tudo desfolha,
— menos meu amor por ti...
Já no amanhecer do dia,
veio o vento, seu irmão.
Perguntei-lhe se o faria,
respondeu que também não.

Veio o sol e veio a lua,
e tudo falava assim:
"Não há nada que destrua
as coisas que não têm fim."

105

Minha tristeza é só comigo,
não tem causa nem causador.
É uma tristeza sem perigo,
quase te digo:
sem dor.

(Pequena rosa
crepuscular.
Será coisa preciosa,
se o teu rosto me deixar...)

106

Criatura do sorriso,
escuta a minha canção.
Não canto por ser preciso,
não canto por distração.
Canto porque assim deslizo
perto do teu coração.

107

Chamei Deus bem docemente,
porém não me respondeu.
Bem se vê que o Onipotente
não é moreno como eu...

Morena, Pena de Amor

108

A todos os deuses rezo
uma reza sempre assim:
ponham longe o que desprezo,
e, o que amo, perto de mim!

109

Criatura do sorriso,
ouve a minha cantilena!
Não é voz do Paraíso,
mas suspiro de morena...

Ai, longo suspiro
sem dor nem desgosto,
miro-me e remiro,
só vejo o teu rosto.

110

Caminho do pensamento,
caminho de tantas voltas,
que me tomas no alto vento
e em precipícios me soltas...

111

O que te digo está dito
desde toda a eternidade
— pois mesmo assim acredito
que é uma grande novidade.

Quem passa por perto pára,
quem está longe chega perto.
E todo o mundo declara
o amor recém-descoberto.

É de amor e pena
a minha canção.
Invenção morena,
morena invenção.

112

Ó sorte amorenecida,
que me agarras pela mão,
que me levas de partida
por mares de escuridão,

sorte dolorida,
por onde é que vais?
Perdi minha vida,
que desejas mais?

Morena, Pena de Amor

113

Quando dizes que me queres,
até suspendo o meu canto.
O que envaidece as mulheres,
a mim fulmina de espanto.

Nós, as morenas,
somos assim,
coisas pequenas
que não têm fim...

114

Morador da solidão,
que importa o que vai e vem,
se tu com o teu coração
estás bem?

O resto é pura ilusão.
(Tu mesmo não és ninguém...)

115

Há muitas mãos neste mundo
para abraço e despedida.
Entre tantas, não confundo
duas que há na minha vida.

Mão que se retira
seu vestígio deixa.

Gente morena suspira.
Porém, morre e não se queixa...

116

Morena gente que rema,
gente morena que lavra,
gente que faz um poema
com a mais pequena palavra,

morenos de sol, de lua,
morenos de campo e mar,
gente que chora e que sua,
mas não pára de cantar,

essa é a minha gente,
no mundo sem fim.
Tudo que ela sente
é sentido em mim.

117

Quero ver-te à luz do dia,
para saber se é verdade
o que a noite me dizia
com tanta seguridade...

Morena, Pena de Amor

118

Houve guerras. Fui vencê-las.
Cheguei de mãos mutiladas.
Tudo culpa das estrelas...
Sempre houve estrelas culpadas.

119

A minha melancolia
é assim como já viste:
quanto mais tenho alegria,
mais se sente que estou triste.

120

O tempo que foi passado
tinha de passar — passou.
Mas o amor mal empregado,
ah! por que mal se empregou?

121

Há três espécies de gente
de que Deus não se esqueceu:
uma, os loucos, outra, as crianças,

e a terceira, finalmente,
a dos morenos como eu...

Aos loucos deu várias vidas,
às crianças, adormeceu.
E a mim deu sempre esperanças
sobre esperanças perdidas,
sem dizer por que as perdeu...

Há coisas de criança e louco
no moreno lábio meu:
sorriso de deslembrança,
sonho do meu pouco-a-pouco...
Destino que Deus me deu...

122

Lâmpada acesa
no velho jardim,
há, na tua luz, tristeza?
Ou a tristeza vem de mim?

Pela areia silenciosa
cai uma flor.
Assim, na noite, se desfolha a rosa
e o amor.

Morena, Pena de Amor

123

Entre nuvens e águas vibra
meu corpo, em velas e mastros.
Meu pé no mar se equilibra,
meu lábio procura os astros.

Ai, a dor de ser morena
é tarde reconhecer
que talvez valesse a pena
viver!

124

Máscara que me puseram
muito inferior ao meu rosto.
Mais perigoso andar com ela
do que se o trouxera exposto.

125

Jardim de flores adversas
fez minha existência ingrata:
— nenhum espinho me fere;
qualquer espinho me mata.

126

Meus olhos são duas folhas
de um misterioso galho,
cheias de luz, quando me olhas,
e, senão, cheias de orvalho.

127

Meu marfim amorenado,
doce rosa de ventura,
quero ficar ao teu lado,
perdida na noite escura.

O mar largo é o nosso leito,
o luar, nosso lençol.
Quero meu sono em teu peito
até vir a luz do sol.

(Deixa que sempre te peça
a mesma coisa pedida.
A noite passa depressa.
Como a noite, passa a vida...)

Morena, Pena de Amor

128

Quem diz mágoa diz espinho,
quem diz espinho diz rosa.
Sempre há feras no caminho
da morena mais formosa.

Quem diz mágoa diz espinho,
quem diz espinho diz mágoa.
Por motivos de carinho,
trago os olhos rasos d'água.

129

Dizem-me Morena
porque é minha cor.
Mas meu nome é Pena.
Pena de Amor.

EDIÇÕES «OCIDENTE»

CECÍLIA MEIRELES

VIAGEM

POESIA

1929—1937

1.º Prémio de Poesia da Academia Brasileira
de Letras em 1938

EDITORIAL IMPÉRIO, LDA.
151 ~ Rua do Salitre ~ 153
Telefone 4 8276 ~ LISBOA

Viagem. Lisboa: Editorial Império, 1939. 199 p. Livro vencedor do
1º Prêmio de Poesia da Academia Brasileira de Letras em 1938.

Na página anterior:
capa da primeira edição de *Viagem*.

Viagem
(1939)

A meus amigos portugueses

Epigrama nº 1

Pousa sobre esses espetáculos infatigáveis
uma sonora ou silenciosa canção:
flor do espírito, desinteressada e efêmera.

Por ela, os homens te conhecerão:
por ela, os tempos versáteis saberão
que o mundo ficou mais belo, ainda que inutilmente,
quando por ele andou teu coração.

Motivo

Eu canto porque o instante existe
e a minha vida está completa.
Não sou alegre nem sou triste:
sou poeta.

Irmão das coisas fugidias,
não sinto gozo nem tormento.
Atravesso noites e dias
no vento.

Se desmorono ou se edifico,
se permaneço ou me desfaço
— não sei, não sei. Não sei se fico
ou passo.

Sei que canto. E a canção é tudo.
Tem sangue eterno a asa ritmada.

Viagem

E um dia sei que estarei mudo:
— mais nada.

Noite

Úmido gosto de terra,
cheiro de pedra lavada,
— tempo inseguro do tempo! —
sombra do flanco da serra,
nua e fria, sem mais nada.

Brilho de areias pisadas,
sabor de folhas mordidas,
— lábio da voz sem ventura! —
suspiro das madrugadas
sem coisas acontecidas.

A noite abria a frescura
dos campos todos molhados,
— sozinha, com o seu perfume! —
preparando a flor mais pura
com ares de todos os lados.

Bem que a vida estava quieta.
Mas passava o pensamento...
— de onde vinha aquela música?
E era uma nuvem repleta,
entre as estrelas e o vento.

Anunciação

Toca essa música de seda, frouxa e trêmula
que apenas embala a noite e balança as estrelas noutro mar.

Do fundo da escuridão nascem vagos navios de ouro,
com as mãos de esquecidos corpos quase desmanchados no vento.

E o vento bate nas cordas, e estremecem as velas opacas,
e a água derrete um brilho fino, que em si mesmo logo se perde.

Toca essa música de seda, entre areias e nuvens e espumas.

Os remos pararão no meio da onda, entre os peixes suspensos;
e as cordas partidas andarão pelos ares dançando à toa.

Cessará essa música de sombra, que apenas indica valores de ar.
Não haverá mais nossa vida, talvez não haja nem o pó que fomos.

E a memória de tudo desmanchará suas dunas desertas,
e em navios novos homens eternos navegarão.

Discurso

E aqui estou, cantando.

Um poeta é sempre irmão do vento e da água:
deixa seu ritmo por onde passa.

Venho de longe e vou para longe:
mas procurei pelo chão os sinais do meu caminho
e não vi nada, porque as ervas cresceram e as serpentes andaram.

Também procurei no céu a indicação de uma trajetória,
mas houve sempre muitas nuvens.
E suicidaram-se os operários de Babel.

Pois aqui estou, cantando.

Se eu nem sei onde estou,
como posso esperar que algum ouvido me escute?

Ah! se eu nem sei quem sou,
como posso esperar que venha alguém gostar de mim?

Excursão

Estou vendo aquele caminho
cheiroso da madrugada:
pelos muros, escorriam
flores moles da orvalhada;
na cor do céu, muito fina,
via-se a noite acabada.

Estou sentindo aqueles passos
rente dos meus e do muro.
As palavras que escutava
eram pássaros no escuro...

Pássaros de voz tão clara,
voz de desenho tão puro!
Estou pensando na folhagem
que a chuva deixou polida:
nas pedras, ainda marcadas
de uma sombra umedecida...
Estou pensando o que pensava
nesse tempo a minha vida.

Estou diante daquela porta
que não sei mais se ainda existe...
Estou longe e fora das horas
sem saber em que consiste
nem o que vai nem o que volta...
sem estar alegre nem triste,

sem desejar mais palavras
nem mais sonhos, nem mais vultos,
olhando dentro das almas
os longos rumos ocultos,
os largos itinerários
de fantasmas insepultos...

— itinerários antigos,
que nem Deus nunca mais leva.
Silêncio grande e sozinho,
todo amassado com treva,
onde os nossos olhos giram
quando o ar da morte se eleva.

Viagem

Retrato

Eu não tinha este rosto de hoje,
assim calmo, assim triste, assim magro,
nem estes olhos tão vazios,
nem o lábio amargo.

Eu não tinha estas mãos sem força,
tão paradas e frias e mortas;
eu não tinha este coração
que nem se mostra.

Eu não dei por esta mudança,
tão simples, tão certa, tão fácil:
— Em que espelho ficou perdida
a minha face?

Música

Noite perdida,
não te lamento:
embarco a vida

no pensamento,
busco a alvorada
do sonho isento,

puro e sem nada,
— rosa encarnada,
intacta, ao vento.

Noite perdida,
noite encontrada,
morta, vivida,

e ressuscitada...
(Asa da lua
quase parada,

mostra-me a sua
sombra escondida,
que continua

a minha vida
num chão profundo!
— raiz prendida

a um outro mundo.)
Rosa encarnada
do sonho isento,

muda alvorada
que o pensamento
deixa confiada

Viagem

ao tempo lento...
Minha partida,
minha chegada,

é tudo vento...

Ai da alvorada!
Noite perdida,
noite encontrada...

Epigrama n° 2

És precária e veloz, Felicidade.
Custas a vir, e, quando vens, não te demoras.
Foste tu que ensinaste aos homens que havia tempo,
e, para te medir, se inventaram as horas.

Felicidade, és coisa estranha e dolorosa.
Fizeste para sempre a vida ficar triste:
porque um dia se vê que as horas todas passam,
e um tempo, despovoado e profundo, persiste.

Serenata

Repara na canção tardia
que nitidamente se eleva,
num arrulho de fonte fria.

O orvalho treme sobre a treva
e o sonho da noite procura
a voz que o vento abraça e leva.

Repara na canção tardia
que oferece a um mundo desfeito
sua flor de melancolia.

É tão triste, mas tão perfeito,
o movimento em que murmura,
como o do coração no peito.

Repara na canção tardia
que por sobre o teu nome, apenas,
desenha a sua melodia.

E nessas letras tão pequenas
o universo inteiro perdura.
E o tempo suspira na altura

por eternidades serenas.

A última cantiga

Num dia que não se adivinha,
meus olhos assim estarão:
e há de dizer-se: "Era a expressão
que ela ultimamente tinha."

Sem que se mova a minha mão
nem se incline a minha cabeça
nem a minha boca estremeça
— toda serei recordação.

Meus pensamentos sem tristeza
de novo se debruçarão
entre o acabado coração
e o horizonte da língua presa.

Tu, que foste a minha paixão,
virás a mim, pelo meu gosto,
e de muito além do meu rosto
meus olhos te percorrerão.

Nem por distante ou distraído
escaparás à invocação
que, de amor e de mansidão,
te eleva o meu sonho perdido.

Mas não verás tua existência
nesse mundo sem sol nem chão,
por onde se derramarão
os mares da minha incoerência.

Ainda que sendo tarde e em vão,
perguntarei por que motivo
tudo quanto eu quis de mais vivo
tinha por cima escrito: "N ã o".

E ondas seguidas de saudade,
sempre na tua direção,
caminharão, caminharão,
sem nenhuma finalidade.

Conveniência

Convém que o sonho tenha margens de nuvens rápidas
e os pássaros não se expliquem, e os velhos andem pelo sol,
e os amantes chorem, beijando-se, por algum infanticídio.

Convém tudo isso, e muito mais, e muito mais...
E por esse motivo aqui vou, como os papéis abertos
que caem das janelas dos sobrados, tontamente...

Depois das ruas, e dos trens, e dos navios,
encontrarei casualmente a sala que afinal buscava,
e o meu retrato, na parede, olhará para os olhos que levo.

E encolherei meu corpo nalguma cama dura e fria.
(Os grilos da infância estarão cantando dentro da erva...)
E eu pensarei: "Que bom! nem é preciso respirar!..."

Canção

Pus o meu sonho num navio
e o navio em cima do mar;

— depois, abri o mar com as mãos,
para o meu sonho naufragar.

Minhas mãos ainda estão molhadas
do azul das ondas entreabertas,
e a cor que escorre dos meus dedos
colore as areias desertas.

O vento vem vindo de longe,
a noite se curva de frio;
debaixo da água vai morrendo
meu sonho, dentro de um navio...

Chorarei quanto for preciso,
para fazer com que o mar cresça,
e o meu navio chegue ao fundo
e o meu sonho desapareça.

Depois, tudo estará perfeito:
praia lisa, águas ordenadas,
meus olhos secos como pedras
e as minhas duas mãos quebradas.

Perspectiva

Tua passagem se fez por distâncias antigas.
O silêncio dos desertos pesava-lhe nas asas
e, juntamente com ele, o volume das montanhas e do mar.

Tua velocidade desloca mundos e almas.
Por isso, quando passaste, caiu sobre mim tua violência
e desde então alguma coisa se aboliu.

Guardo uma sensação de drama sombrio, com vozes de ondas
[lamentando-me,
e a multidão das estrelas avermelhadas fugindo com o céu para
[longe de mim.

Os dias que vêm são feitos de vento plácido e apagam tudo.
Dispersam a sombra dos gestos sobre os cenários.
Levam dos lábios cada palavra que desponta.
Gastam o contorno da minha síntese.
Acumulam ausência em minha vida...

Oh! um pouco de neve matando, docemente, folha a folha...

Mas a seiva lá dentro continua, sufocada,
nutrindo de sonho a morte.

Canção

Nunca eu tivera querido
dizer palavra tão louca:
bateu-me o vento na boca,
e depois no teu ouvido.
Levou somente a palavra,
deixou ficar o sentido.

Viagem

O sentido está guardado
no rosto com que te miro,
neste perdido suspiro
que te segue alucinado,
no meu sorriso suspenso
como um beijo malogrado.

Nunca ninguém viu ninguém
que o amor pusesse tão triste.
Essa tristeza não viste,
e eu sei que ela se vê bem...
Só se aquele mesmo vento
fechou teus olhos, também...

Solidão

Imensas noites de inverno,
com frias montanhas mudas,
é o mar negro, mais eterno,
mais terrível, mais profundo.

Este rugido das águas
é uma tristeza sem forma:
sobe rochas, desce fráguas,
vem para o mundo e retorna...

E a névoa desmancha os astros,
e o vento gira as areias:

nem pelo chão ficam rastros
nem, pelo silêncio, estrelas.

A noite fecha seus lábios
— terra e céu — guardado nome.
E os seus longos sonhos sábios
geram a vida dos homens.

Geram os olhos incertos,
por onde descem os rios
que andam nos campos abertos
da claridade do dia.

Aceitação

É mais fácil pousar o ouvido nas nuvens
e sentir passar as estrelas
do que prendê-lo à terra e alcançar o rumor dos teus passos.

É mais fácil, também, debruçar os olhos no oceano
e assistir, lá no fundo, ao nascimento mudo das formas,
que desejar que apareças, criando com teu simples gesto
o sinal de uma eterna esperança.

Não me interessam mais nem as estrelas, nem as formas do mar,
nem tu.

Desenrolei de dentro do tempo a minha canção:
não tenho inveja às cigarras: também vou morrer de cantar.

Epigrama nº 3

Mutilados jardins e primaveras abolidas
abriram seus miraculosos ramos
no cristal em que pousa a minha mão.

(Prodigioso perfume!)

Recompuseram-se tempos, formas, cores, vidas...

Ah! mundo vegetal, nós, humanos, choramos
só da incerteza da ressurreição.

Murmúrio

Traze-me um pouco das sombras serenas
que as nuvens transportam por cima do dia!
Um pouco de sombra, apenas
— vê que nem te peço alegria.

Traze-me um pouco da alvura dos luares
que a noite sustenta no seu coração!
A alvura, apenas, dos ares:
— vê que nem te peço ilusão.

Traze-me um pouco da tua lembrança,
aroma perdido, saudade da flor!
— Vê que nem te digo — esperança!
— Vê que nem sequer sonho — amor!

Canção

No desequilíbrio dos mares,
as proas giravam sozinhas...
Numa das naves que afundaram
é que tu certamente vinhas.

Eu te esperei todos os séculos,
sem desespero e sem desgosto,
e morri de infinitas mortes
guardando sempre o mesmo rosto.

Quando as ondas te carregaram,
meus olhos, entre águas e areias,
cegaram, como os das estátuas,
a tudo quanto existe alheias.

Minhas mãos pararam sobre o ar
e endureceram junto ao vento,
e perderam a cor que tinham
e a lembrança do movimento.

E o sorriso que eu te levava
desprendeu-se e caiu de mim:
e só talvez ele ainda viva
dentro dessas águas sem fim.

Gargalhada

Homem vulgar! Homem de coração mesquinho!
E te quero ensinar a arte sublime de rir.
Dobra essa orelha grosseira, e escuta
o ritmo e o som da minha gargalhada:

Ah! Ah! Ah! Ah!
Ah! Ah! Ah! Ah!

Não vês?
É preciso jogar por escadas de mármore baixelas de ouro.
Rebentar colares, partir espelhos, quebrar cristais,
vergar a lâmina das espadas e despedaçar estátuas,
destruir as lâmpadas, abater cúpulas,
e atirar para longe os pandeiros e as liras...

O riso magnífico é um trecho dessa música desvairada.

Mas é preciso ter baixelas de ouro,
compreendes?
— e colares, e espelhos, e espadas e estátuas.
E as lâmpadas, Deus do céu!
E os pandeiros ágeis e as liras sonoras e trêmulas...

Escuta bem:

Ah! Ah! Ah! Ah!
Ah! Ah! Ah! Ah!

Só de três lugares nasceu até hoje esta música heróica:
do céu que venta,
do mar que dança,
e de mim.

Fim

Ó tempos de incerta esperança
que assim vos desacreditastes!
Cresceram nuvens sobre a lua
e o vento passou pelas hastes.

Vinde ver meu jardim sem flores
no presente nem no futuro,
e a mão das águas procurando
um rumo pelo solo escuro!

Vinde ouvir a história da vida
no sopro da noite deserta.
Caíram as sombras das vozes
dentro da última estrela aberta.

Ai! tudo isto é a letra do horóscopo...
E só tu, Estátua, resistes!
— Mas, embora nunca te quebres,
terás sempre os olhos mais tristes.

Viagem

Criança

Cabecinha boa de menino triste,
de menino triste que sofre sozinho,
que sozinho sofre — e resiste.

Cabecinha boa de menino ausente,
que de sofrer tanto se fez pensativo,
e não sabe mais o que sente...

Cabecinha boa de menino mudo
que não teve nada, que não pediu nada,
pelo medo de perder tudo.

Cabecinha boa de menino santo
que do alto se inclina sobre a água do mundo
para mirar seu desencanto.

Para ver passar numa onda lenta e fria
a estrela perdida da felicidade
que soube que não possuiria.

Desamparo

Digo-te que podes ficar de olhos fechados sobre o meu peito,
porque uma ondulação maternal de onda eterna
te levará na exata direção do mundo humano.

Mas no equilíbrio do silêncio,
no tempo sem cor e sem número,
pergunta a mim mesmo o lábio do meu pensamento:

quem é que me leva a mim,
que peito nutre a duração desta presença,
que música embala a minha música que te embala,
a que oceano se prende e desprende
a onda da minha vida, em que estás como rosa ou barco...?

Fio

No fio da respiração,
rola a minha vida monótona,
rola o peso do meu coração.

Tu não vês o jogo perdendo-se
como as palavras de uma canção.

Passas longe, entre nuvens rápidas,
com tantas estrelas na mão...

— Para que serve o fio trêmulo
em que rola o meu coração?

Inverno

Choveu tanto sobre o teu peito
que as flores não podem estar vivas
e os passos perderam a força
de buscar estradas antigas.

Em muita noite houve esperanças
abrindo as asas sobre as ondas.
Mas o vento era tão terrível!
Mas as águas eram tão longas!

Pode ser que o sol se levante
sobre as tuas mãos sem vontade
e encontres as coisas perdidas
na sombra em que as abandonaste.

Mas quem virá com as mãos brilhantes
trazendo o teu beijo e o teu nome,
para que saibas que és tu mesmo,
e reconheças o teu sonho?

A primavera foi tão clara
que se viram novas estrelas,
e soaram no cristal dos mares
lábios azuis de outras sereias.

Vieram, por ti, músicas límpidas,
trançando sons de ouro e de seda.
Mas teus ouvidos noutro mundo
desalteravam sua sede.

Cresceram prados ondulantes
e o céu desenhou novos sonhos,
e houve muitas alegorias
navegando entre Deus e os homens.

Mas tu estavas de olhos fechados
prendendo o tempo em teu sorriso.
E em tua vida a primavera
não pôde achar nenhum motivo...

Epigrama n° 4

O choro vem perto dos olhos
para que a dor transborde e caia.
O choro vem quase chorando
como a onda que toca na praia.

Descem dos céus ordens augustas
e o mar chama a onda para o centro.
O choro foge sem vestígios,
mas levando náufragos dentro.

Orfandade

A menina de preto ficou morando atrás do tempo,
sentada no banco, debaixo da árvore,
recebendo todo o céu nos grandes olhos admirados.

Alguém passou de manso, com grandes nuvens no vestido,
e parou diante dela, e ela, sem que ninguém falasse,
murmurou: "A MAMÃE MORREU."

Já ninguém passa mais, e ela não fala mais, também.
O olhar caiu dos seus olhos, e está no chão, com as outras pedras,
escutando na terra aquele dia que não dorme
com as três palavras que ficaram por ali.

Alva

Deixei meus olhos sozinhos
nos degraus da sua porta.
Minha boca anda cantando,
mas todo o mundo está vendo
que a minha vida está morta.

Seu rosto nasceu das ondas
e em sua boca há uma estrela.
Minha mão viveu mil vidas
para uma noite encontrá-la
e noutra noite perdê-la.

Caminhei tantos caminhos,
tanto tempo e não sabia
como era fácil a morte
pela seta do silêncio
no sangue de uma alegria.

Seus olhos andam cobertos
de cores da primavera.
Pelos muros de seu peito,
durante inúteis vigílias,
desenhei meus sonhos de hera.

Desenho, apenas, do tempo,
cada dia mais profundo,
roteiro do pensamento,
saudade das esperanças
quando se acabar o mundo...

Cantiguinha

Meus olhos eram mesmo água,
— te juro —
mexendo um brilho vidrado,
verde-claro, verde-escuro.

Fiz barquinhos de brinquedo,
— te juro —
fui botando todos eles
naquele rio tão puro.

....

Veio vindo a ventania,
   — te juro —

Viagem

as águas mudam seu brilho,
quando o tempo anda inseguro.

Quando as águas escurecem,
— te juro —
todos os barcos se perdem,
entre o passado e o futuro.

São dois rios os meus olhos,
— te juro —
noite e dia correm, correm,
mas não acho o que procuro.

Terra

Deusa dos olhos volúveis
pousada na mão das ondas:
em teu colo de penumbras,
abri meus olhos atônitos.
Surgi do meio dos túmulos,
para aprender o meu nome.

Mamei teus peitos de pedra
constelados de prenúncios.
Enredei-me por florestas,
entre cânticos e musgos.
Soltei meus olhos no elétrico
mar azul, cheio de músicas.

Desci na sombra das ruas,
como pelas tuas veias:
meu passo — a noite nos muros —
casas fechadas — palmeiras —
cheiro de chácaras úmidas —
sono da existência efêmera.

O vento das praias largas
mergulhou no teu perfume
a cinza das minhas mágoas.
E tudo caiu de súbito,
junto com o corpo dos náufragos,
para os invisíveis mundos.

Vi tantos rostos ocultos
de tantas figuras pálidas!
Por longas noites inúmeras,
em minha assombrada cara
houve grandes rios mudos
como os desenhos dos mapas.

Tinhas os pés sobre flores,
e as mãos presas, de tão puras.
Em vão, suspiros e fomes
cruzavam teus olhos múltiplos,
despedaçando-se anônimos,
diante da tua altitude.

Fui mudando minha angústia
numa força heróica de asa.
Para construir cada músculo,
houve universos de lágrimas.
Devo-te o modelo justo:
sonho, dor, vitória e graça.

No rio dos teus encantos,
banhei minhas amarguras.
Purifiquei meus enganos,
minhas paixões, minhas dúvidas.
Despi-me do meu desânimo —
fui como ninguém foi nunca.

254 Deusa dos olhos volúveis,
rosto de espelho tão frágil,
coração de tempo fundo
— por dentro das tuas máscaras,
meus olhos, sérios e lúcidos,
viram a beleza amarga.

E esse foi o meu estudo
para o ofício de ter alma;
para entender os soluços,
depois que a vida se cala.
— Quando o que era muito é único
e, por ser único, é tácito.

Êxtase

Deixa-te estar embalado no mar noturno
onde se apaga e acende a salvação.

Deixa-te estar na exalação do sonho sem forma:
em redor do horizonte, vigiam meus braços abertos,
e por cima do céu estão pregados meus olhos, guardando-te.

Deixa-te balançar entre a vida e a morte, sem nenhuma saudade.
Deslizam os planetas, na abundância do tempo que cai.
Nós somos um tênue pólen dos mundos...

Deixa-te estar neste embalo de água gerando círculos.

Nem é preciso dormir, para a imaginação desmanchar-se em
[figuras ambíguas.

Nem é preciso fazer nada, para se estar na alma de tudo.

Nem é preciso querer mais, que vem de nós um beijo eterno
e afoga a boca da vontade e os seus pedidos...

Som

Alma divina,
por onde me andas?
Noite sozinha,
lágrimas, tantas!

Que sopro imenso,
alma divina,
em esquecimento
desmancha a vida!

Deixa-me ainda
pensar que voltas,
alma divina,
coisa remota!

Tudo era tudo
quando eras minha,
e eu era tua,
alma divina!

Guitarra

Punhal de prata já eras,
punhal de prata!
Nem foste tu que fizeste
a minha mão insensata.

Vi-te brilhar entre as pedras,
punhal de prata!
— no cabo, flores abertas,
no gume, a medida exata,

a exata, a medida certa,
punhal de prata,

para atravessar-me o peito
com uma letra e uma data.

A maior pena que eu tenho,
punhal de prata,
não é de me ver morrendo,
mas de saber quem me mata.

Distância

Quando o sol ia acabando
e as águas mal se moviam,
tudo que era meu chorava
da mesma melancolia.
Outras lágrimas nasceram
com o nascimento do dia:
só de noite esteve seco
meu rosto sem alegria.
(Talvez o sol que acabara
e as águas que se perdiam
transportassem minha sombra
para a sua companhia...)
Oh!
mas nem no sol nem nas águas
os teus olhos a veriam...
— que andam longe, irmãos da lua,
muito clara e muito fria...

Epigrama nº 5

Gosto da gota d'água que se equilibra
na folha rasa, tremendo ao vento.

Todo o universo, no oceano do ar, secreto vibra:
e ela resiste, no isolamento.

Seu cristal simples reprime a forma, no instante incerto:
pronto a cair, pronto a ficar — límpido e exato.

E a folha é um pequeno deserto
para a imensidade do ato.

Campo

Campo da minha saudade:
vai crescendo, vai subindo,
de tanto jazer sem nada.

Desvelo mudo e contínuo
que vai revestindo os montes
e estendendo outros caminhos.

Mergulhada em suas frondes,
a tristeza é uma esperança
bebendo a vazia sombra.

Águas que vão caminhando
dispersam nos mares fundos
mel de beijo e sal de pranto.

Levam tudo, levam tudo
agasalhado em seus braços.

Campo imenso — com o meu vulto...

E ao longe cantam os pássaros.

Rimance

Onde é que dói na minha vida,
para que eu me sinta tão mal?
Quem foi que me deixou ferida
de ferimento tão mortal?

Eu parei diante da paisagem:
e levava uma flor na mão.
Eu parei diante da paisagem
procurando um nome de imagem
para dar à minha canção.

Nunca existiu sonho tão puro
como o da minha timidez.
Nunca existiu sonho tão puro,
nem também destino tão duro
como o que para mim se fez.

Estou caída num vale aberto,
entre serras que não têm fim.
Estou caída num vale aberto:
nunca ninguém passará perto,
nem terá notícias de mim.

Eu sinto que não tarda a morte,
e só há por mim esta flor;
eu sinto que não tarda a morte
e não sei como é que suporte
tanta solidão sem pavor.

E sofro mais ouvindo um rio
que ao longe canta pelo chão,
que deve ser límpido e frio,
mas sem dó nem recordação,
como a voz cujo murmúrio
morrerá com o meu coração...

Renúncia

Rama das minhas árvores mais altas,
deixa ir a flor! que o tempo, ao desprendê-la,
roda-a no molde de noites e de albas
onde gira e suspira cada estrela.

Deixa ir a flor! deixa-a ser asa, espaço,
ritmo, desenho, música absoluta,

dando e recuperando o corpo esparso
que, indo e vindo, se observa, e ordena, e escuta...

Falo-te, por saber o que é perder-se.
Conheço o coração da primavera,
e o dom secreto do seu sangue verde,
que num breve perfume existe e espera.

Verti para infinitos desamparos
tudo que tive no meu pensamento.
Era a flor dos instantes mais amargos.
Por onde anda? No abismo. Dada ao vento...

Pausa

Agora é como depois de um enterro.
Deixa-me neste leito, do tamanho do meu corpo,
junto à parede lisa, de onde brota um sono vazio.

A noite desmancha o pobre jogo das variedades.
Pousa a linha do horizonte entre as minhas pestanas,
e mergulha silêncio na última veia da esperança.

Deixa tocar esse grilo invisível,
— mercúrio tremendo na palma da sombra —
deixa-o tocar a sua música, suficiente
para cortar todo arabesco da memória...

Viagem

Vinho

A taça foi brilhante e rara,
mas o vinho de que bebi,
com os meus olhos postos em ti,
era de total amargura.

Desde essa hora antiga e preclara,
insensivelmente desci,
e em meu pensamento senti
o desgosto de ser criatura.

Eu sou de essência etérea e clara:
no entanto, desde que te vi,
como que desapareci...
Rondo triste, à minha procura.

A taça foi brilhante e rara:
mas, com certeza, enlouqueci.
E desse vinho que bebi
se originou minha loucura.

Valsa

Fez tanto luar que eu pensei nos teus olhos antigos
e nas tuas antigas palavras.
O vento trouxe de longe tantos lugares em que estivemos,
que tornei a viver contigo enquanto o vento passava.

Houve uma noite que cintilou sobre o teu rosto
e modelou tua voz entre as algas.
Eu moro, desde então, nas pedras frias que o céu protege
e estudo apenas o ar e as águas.

Coitado de quem pôs sua esperança
nas praias fora do mundo...
— Os ares fogem, viram-se as águas,
mesmo as pedras, com o tempo, mudam.

Grilo

Máquina de ouro a rodar na sombra,
serra de cristal a serrar estrelas...

Caem pedaços de sono, entre os silêncios,
em grandes flores, mornas e dóceis,
com o peso e a cor de vagas borboletas.

Rostos de espuma, nomes de cinza
— a vida sobe nos caules da noite, pouco a pouco.

Máquina de ouro tremendo no ar de vidro frio,
cortando o broto das palavras rente à boca...

Desmanchando nos dedos arquiteturas que iam parando,
e livros de imagens que o vento compunha, ilogicamente.

Viagem

Ah! que é dos ramos de estrelas finamente desprendidas
pela sonora lâmina que estás vibrando sempre, sempre?

Que é das noites extensas, de ares mansos de alegria,
sem ruas, sem habitantes, sem solidão, sem pensamento?

Que é das mãos esperando o amanhecer definitivo
e caídas também na torrente do tempo?

Descrição

Há uma água clara que cai sobre pedras escuras
e que, só pelo som, deixa ver como é fria.

Há uma noite por onde passam grandes estrelas puras.
Há um pensamento esperando que se forme uma alegria.

Há um gesto acorrentado e uma voz sem coragem,
e um amor que não sabe onde é que anda o seu dia.

E a água cai, refletindo estrelas, céu, folhagem...
Cai para sempre!

E duas mãos nela mergulham com tristeza,
deixando um esplendor sobre a sua passagem.

(Porque existe um esplendor e uma inútil beleza
nessas mãos que desenham dentro da água sua viagem
para fora da natureza,

onde não chegará nunca esta água imprecisa,
que nasce e desliza, que nasce e desliza...)

Epigrama n° 6

Nestas pedras caiu, certa noite, uma lágrima.
O vento que a secou deve estar voando noutros países,
o luar que a estremeceu tem olhos brancos de cegueira
— esteve sobre ela, mas não viu seu esplendor.

Só com a morte do tempo os pensamentos que a choraram
verão, junto do universo, como foram infelizes,
que uma lágrima foi, naquela noite, a vida inteira,
— tudo quanto era *dar* — a tudo que era *opor*.

Atitude

Minha esperança perdeu seu nome...
Fechei meu sonho, para chamá-la.
A tristeza transfigurou-me
como o luar que entra numa sala.

O último passo do destino
parara sem forma funesta,
e a noite oscilará como um dourado sino
derramando flores de festa.

Meus olhos estarão sobre espelhos, pensando
nos caminhos que existem dentro das coisas transparentes.
E um campo de estrelas irá brotando
atrás das lembranças ardentes.

Corpo no mar

Água densa do sonho, quem navega?
Contra as auroras, contra as baías,
barca imóvel, estrela cega.

Bate o vento na vela e não a arqueia.
— Não foi por mim!
Partiram-se as cordas, rodaram os mastros,
os remos entraram por dentro da areia...

Os remos torceram-se, e trançaram raízes.
— Inútil forçá-los — alastram-se, fogem
na sombra secreta de eternos países...

Mudou-se a vela em nuvem clara!
Choraram meus olhos, minhas mãos correram...
— Alto e longe! — Não foi por mim...

E apenas pára
um corpo na barca vazia,
à mercê das metamorfoses,
olhos vertendo melancolia...

O vento sopra no coração.

Adeus a todos os meridianos!
Deito-me como num caixão.

Ah! sobrevive o mar no meu ouvido...
"Marinheiro! Marinheiro!"

(Ilhas... Pássaros... Portos... — nesse ruído.
— O mar!... O mar!... O mar inteiro!...)

Mas é tempo perdido!

Luar

Face do muro tão plana,
como sabugueiro florido.

O luar parece que abana
as ramagens na parede.

A noite toda é um zumbido
e um florir de vaga-lumes.

A boca morre de sede
junto à frescura dos galhos.

Andam nascendo os perfumes
na seda crespa dos cravos.

Viagem

Brota o sono dos canteiros
como o cristal dos orvalhos.

Diálogo

Minhas palavras são a metade de um diálogo obscuro
continuando através de séculos impossíveis.

Agora compreendo o sentido e a ressonância
que também trazes de tão longe em tua voz.

Nossas perguntas e respostas se reconhecem
como os olhos dentro dos espelhos. Olhos que choraram.

Conversamos dos dois extremos da noite,
como de praias opostas. Mas com uma voz que não se importa...

E um mar de estrelas se balança entre o meu pensamento e o teu.
Mas um mar sem viagens.

Estrela

Quem viu aquele que se inclinou sobre palavras trêmulas,
de relevo partido e de contorno perturbado,
querendo achar lá dentro o rosto que dirige os sonhos,
para ver se era o seu que lhe tivessem arrancado?

Quem foi que o viu passar com seus ímãs insones,
buscando o pólo que girava sempre no vento?
— Seus olhos iam nos pés, destruindo todas as raízes líricas,
e em suas mãos sangrava o pensamento.

E era o seu rosto, sim, que estava entre versos andróginos,
preso em círculos de ar, sobre um instante de festa!
Boca fechada sob flores venenosas,
e uma estrela de cinza na testa.

Bem que ele quis chamar pelo seu nome em voz muito alta
— mas o desejo não foi além do seu pescoço.
E ficou diante de sua cabeça, estruturando-se
como o frio dentro de um poço.

E não pôde contar a ninguém seu fim quimérico.
A ninguém. Pois a língua que fora sua estava morta,
e ele era um prisioneiro entre paredes transparentes,
entre paredes transparentes, mas sem porta.

Disto ele soube. O que nunca entendeu, porém, e o que lhe amarra
o coração com ardentes cordas de desgosto
é aquela estrela de cinza — aquela estrela grande e plácida —
derramando sombra em seu rosto.

Desventura

Tu és como o rosto das rosas:
diferente em cada pétala.

Viagem

Onde estava o teu perfume? Ninguém soube.
Teu lábio sorriu para todos os ventos
e o mundo inteiro ficou feliz.

Eu, só eu, encontrei a gota de orvalho que te alimentava,
como um segredo que cai do sonho.

Depois, abri as mãos, — e perdeu-se.

Agora, creio que vou morrer.

Noturno

Volto a cabeça para a montanha
e abandono os pés para o mar.
— Coitado de quem está sozinho
e inventa sonhos com que sonhar!

Minhas tranças descem pela casa abaixo,
entram nas paredes, vão te procurar.
Envolvem teu corpo, beijam-te os ouvidos.
— Querido, querido, devias voltar.

Meus braços caminham pelas ruas quietas:
— caminho de rios, fluidez de luar... —
levam minhas mãos por todo o teu corpo:
— Querido, querido, devias voltar.

Partem os meus olhos, parte a minha boca,
na noite deserta, ninguém vê passar,
pedaço a pedaço, minha vida inteira,
nem na tua casa me escutam chegar.

Meu quarto vazio só pensa que durmo...

Coitado de quem está sozinho
e assiste ao seu próprio sonhar!

Noções

Entre mim e mim, há vastidões bastantes
para a navegação dos meus desejos afligidos.

Descem pela água minhas naves revestidas de espelhos.
Cada lâmina arrisca um olhar, e investiga o elemento que a
[atinge.

Mas, nesta aventura do sonho exposto à correnteza,
só recolho o gosto infinito das respostas que não se encontram.

Virei-me sobre a minha própria existência, e contemplei-a.
Minha virtude era esta errância por mares contraditórios,
e este abandono para além da felicidade e da beleza.

Ó meu Deus, isto é a minha alma:
qualquer coisa que flutua sobre este corpo efêmero e precário,
como o vento largo do oceano sobre a areia passiva e inúmera...

Viagem

Epigrama nº 7

A tua raça de aventura
quis ter a terra, o céu, o mar.

Na minha, há uma delícia obscura
em não querer, em não ganhar...

A tua raça quer partir,
guerrear, sofrer, vencer, voltar.

A minha, não quer ir nem vir.
A minha raça quer *passar*.

Realejo

Minha vida bela,
minha vida bela,
nada mais adianta
se não há janela
para a voz que canta...

Preparei um verso
com a melhor medida:
rosto do universo,
boca da minha vida.

Ah! mas nada adianta,
olhos de luar,

quando se planta
hera no mar,

nem quando se inventa
um colar sem fio,
ou se experimenta
abraçar um rio...

Alucinação
da cabeça tonta!

Tudo se desmonta
em cores e vento
e velocidade.
Tudo: coração,
olhos de luar,
noites de saudade.

Aprendi comigo.
Por isso, te digo,
minha vida bela,
nada mais adianta,
se não há janela
para a voz que canta...

Fadiga

Estou cansada, tão cansada,
estou tão cansada! Que fiz eu?

Estive embalando, noite e dia,
um coração que não dormia
desde que o seu amor morreu.

Eu lhe dizia: "Deixa a morte
levar teu amor! Não faz mal.
É mais belo esse heroísmo triste
de amar uma coisa que existe
só para morrer, afinal!...

Deixa a morte... Não chores... dorme!"
Noite e dia eu cantava assim.
Mas o coração não falava:
chorava baixinho, chorava,
mesmo como dentro de mim.

Era um coração de incertezas,
feito para não ser feliz;
querendo sempre mais que a vida
— sem termo, limite, medida,
como poucas vezes se quis.

O tempo era ríspido e amargo.
Vinha um negro vento do mar.
Tudo gritava, noite e dia
— e nunca ninguém ouviria
aquele coração chorar.

Uma noite, dentro da sombra,
dentro do choro, a sua voz

disse uma coisa inesperada,
que logo correu, derramada
num silêncio fino e veloz.

"Meu amor não morreu: perdeu-se.
Ele existe. Eu não o quero mais."
O choro foi levando o resto.
Eu nem pude fazer um gesto,
e achei as horas desiguais.

E achei que o vento era mais forte,
que o frio causava aflição;
quis cantar, mas não foi preciso.
E o ar estava muito indeciso
para dar vida a uma canção.

A sorte virara no tempo
como um navio sobre o mar.
O choro parou pela treva.
E agora não sei quem me leva
daqui para qualquer lugar,

onde eu não escute mais nada,
onde eu não saiba de ninguém,
onde deite a minha fadiga
e onde murmure uma cantiga
para ver se durmo, também.

Horóscopo

Deviam ser Vênus
e Júpiter, sim,
que ao menos, ao menos,
olhassem por mim,
gerando caminhos
claros e serenos
por onde passar
quem vinha nutrida
de secretos vinhos,
perdida, perdida,
de amor e pensar.

Saturno, porém,
Saturno, o sombrio,
se precipitou.

Não sabe ninguém
que rio, que rio
de luto circunda
a terra profunda
que piso e que sou;

que noite reveste
o mundo em que passo
e os mundos que penso...

Que longo, alto, imenso,
calado cipreste

sobe, ramo a ramo,
entre o meu abraço
e o abraço que amo!

Ressurreição

Não cantes, não cantes, porque vêm de longe os náufragos,
vêm os presos, os tortos, os monges, os oradores, os suicidas.
Vêm as portas, de novo, e o frio das pedras, das escadas,
e, numa roupa preta, aquelas duas mãos antigas.

E uma vela de móvel chama fumosa. E os livros. E os escritos.
Não cantes. A praça cheia torna-se escura e subterrânea.
E meu nome se escuta a si mesmo, triste e falso.

Não cantes, não. Porque era a música da tua
voz que se ouvia. Sou morta recente, ainda com lágrimas.
Alguém cuspiu por distração sobre as minhas pestanas.
Por isso vi que era tão tarde.

E deixei nos meus pés ficar o sol e andarem moscas.
E dos meus dentes escorrer uma lenta saliva.
Não cantes, pois trancei o meu cabelo, agora,
e estou diante do espelho, e sei melhor que ando fugida.

Viagem

Serenata

Permite que feche os meus olhos,
pois é muito longe e tão tarde!
Pensei que era apenas demora,
e cantando pus-me a esperar-te.

Permite que agora emudeça:
que me conforme em ser sozinha.
Há uma doce luz no silêncio
e a dor é de origem divina.

Permite que volte o meu rosto
para um céu maior que este mundo,
e aprenda a ser dócil no sonho
como as estrelas no seu rumo.

Praia

Nuvem, caravela branca
no ar azul do meio-dia:
— quem te viu como eu te via?

Rolaram trovões escuros
pela vertente dos montes.
Tremeram súbitas fontes.

Depois, ficou tudo triste
como o nome dos defuntos:
mar e céu morreram juntos.

Vinha o vento do mar alto
e levantava as areias,
sem ver como estavam cheias

de tanta coisa esquecida,
pisada por tantos passos,
quebrada em tantos pedaços!

Por onde ficou teu corpo,
— ilusão de claridade —
quando se fez tempestade?

Nuvem, caravela branca,
nunca mais há meio-dia?

(Já nem sei como te via!)

Sereia

Linda é a mulher e o seu canto,
ambos guardados no luar.
Seus olhos doces de pranto
— quem os pudera enxugar
devagarinho com a boca,

Viagem

ai!
com a boca, devagarinho...

Na sua voz transparente
giram sonhos de cristal.
Nem ar nem onda corrente
possuem suspiro igual,
nem os búzios nem as violas,
ai!
nem as violas nem os búzios...

Tudo pudesse a beleza,
e, de encoberto país,
viria alguém, com certeza,
para fazê-la feliz,
contemplando-lhe alma e corpo,
ai!
alma e corpo contemplando-lhe...

Mas o mundo está dormindo
em travesseiros de luar.
A mulher do canto lindo
ajuda o mundo a sonhar,
com o canto que a vai matando,
ai!
E morrerá de cantar.

Encontro

Desde o tempo sem número em que as origens se elaboram,
se estendem para mim os teus braços eternos,
que um estatuário de caminhos invisíveis
construiu com a cor e o frio e o som morto de mármores,
para que em teu abraço haja imóveis invernos.

Tu bem sabes que sou uma chama da terra,
que ardentes raízes nutrem meu crescer sem termo;
adestrei-me com o vento, e a minha festa é a tempestade,
e a minha imagem, como jogo e pensamento,
abre em flor o silêncio, para enfeitar alturas e ermo.

Os teus braços que vêm com essa brancura incalculável
que de tão ser sem cor nem se compreende como existe
— são os braços finais em que cedem os corpos,
e a alma cai sem mais nada, exausta de seu próprio nome,
com uma improvável forma, um vão destino e um peso triste.

Pois eu, que sinto bem esses teus braços paralelos,
na atitude sem dor que é o rumo e o ritmo dessa viagem,
digo que não cairei com uma fadiga permitida,
que não apagarei este desenho puro e ardente
com que, de fogo e sangue, foi traçada a minha imagem.

Eu ficarei em ti, mísera, inútil, mas rebelde,
última estrela só, do campo infiel aos céus escassos.
E tu mesma acharás pasmos de lagos e de areias,

diante da forma exígua, sustentada só de sonho,
mantendo chama e flor no gelo dos teus braços.

Epigrama n.º 8

Encostei-me a ti, sabendo bem que eras somente onda.
Sabendo bem que eras nuvem, depus a minha vida em ti.

Como sabia bem tudo isso, e dei-me ao teu destino frágil,
fiquei sem poder chorar, quando caí.

Cantiga

Ai! A manhã primorosa
do pensamento...
Minha vida é uma pobre rosa
ao vento.

Passam arroios de cores
sobre a paisagem.
Mas tu eras a flor das flores,
imagem!

Vinde ver asas e ramos,
na luz sonora!
Ninguém sabe para onde vamos
agora.

Os jardins têm vida e morte,
noite e dia...
Quem conhecesse a sua sorte
morria.

E é nisto que se resume
o sofrimento:
cai a flor — e deixa o perfume
no vento!

Cavalgada

Meu sangue corre como um rio
num grande galope,
num ritmo bravio,
para onde acena a tua mão.

Pelas suas ondas revoltas,
seguem desesperadamente
todas as minhas estrelas soltas,
com a máxima cintilação.

Ouve, no tumulto sombrio,
passar a torrente fantástica!
E, na luta da luz com as trevas,
todos os sonhos que me levas,
dize, ao menos, para onde vão!

Medida da significação

I

Procurei-me nesta água da minha memória
que povoa todas as distâncias da vida
e, onde, como nos campos, se podia semear, talvez,
tanta imagem capaz de ficar florindo...

Procurei minha forma entre os aspectos das ondas,
para sentir, na noite, o aroma da minha duração.

Compreendo que, da fronte aos pés, sou de ausência absoluta:
desapareci como aquele — no entanto, árduo — ritmo
que, sobre fingidos caminhos,
sustentou a minha passagem desejosa.

Acabei-me como a luz fugitiva
que queimou sua própria atitude
segundo a tendência do meu pensamento transformável...

Desde agora, saberei que sou sem rastros.
Esta água da minha memória reúne os sulcos feridos:
as sombras efêmeras afogam-se na conjunção das ondas.

E aquilo que restaria eternamente
é tão da cor destas águas,
é tão do tamanho do tempo,

é tão edificado de silêncios
que, refletido aqui,
permanece inefável.

II

Voz obstinada, por que insiste chamando
por um nome que não corresponde mais a mim?

Não é do meu propósito que fiques ao longe sozinha.
Nem tu sabes que espécie de saudade abrolha na noite
e como o silêncio tenta mover-se inutilmente,
quando diriges teus ímãs sonoros,
sondando direções!

Não é do meu propósito, ó voz obstinada,
mas da minha condição.

As aparências dispersaram-se de mim,
como pássaros:
que sol se pode fixar nesta existência,
para te definir a minha aproximação?

Minhas dimensões se aboliram nos limites visíveis:
como podes saber onde me circunscrevo,
e de que modo me pode o teu desejo atingir?

Eu mesma deixei de entender a minha substância;
tenho apenas o sentimento dos mistérios que em mim se
[equilibram.

Como podes chamar por mim como às coisas concretas,
e assegurar-me que sou tua Necessidade e teu Bem?

III

Para experiência do teu contentamento,
crio formas que vistam meus pensamentos irreveláveis,
e modelo fisionomias com que te possa aparecer.

Pisarei minha solidão com renúncia e alegria
e, por entre caminhos assombrados,
resoluta virei até onde te encontres,
cortando as sombras que crescem como florestas.

Eu mesma me sentirei alucinada e esquisita,
com esse alento das nebulosas sinistras
que se desenvolvem nas febres.

Não saberei precisamente quando me verás,
nem se compreenderei a linguagem que falas,
e os nomes que têm as tuas realidades
e o tempo dos outros acontecimentos...

Mas o que, desde agora, sinto e sei com firmeza
é que tua voz continuará chamando por mim, obstinada,
embora eu não possa estar mais perto nem mais viva,
e se tenha acabado o caminho que existe entre nós,
e eu não possa prosseguir mais...

IV

A água da minha memória devora todos os reflexos.
Desfizeram-se, por isso, todas as minhas presenças
e sempre se continuarão a desfazer.

É inútil o meu esforço de conservar-me;
todos os dias sou meu completo desmoronamento:
e assisto à decadência de tudo,
nestes espelhos sem reprodução.

Voz obstinada que estás ao longe chamando-me,
conduze-te a mim, para compreenderes minha ausência.
Traze de longe os teus atributos de amargura e de sonho,
pra veres o que deles resta
depois que chegarem a estes ermos domínios
onde figuras e horas se decompõem.

Não precisaremos falar mais nem sentir:
seremos só de afinidades: morrerão as alegorias.

E saberás distinguir as coisas que parecem desoladas,
olhando para esta água interminável e muda,
que não floriu, que não palpitou, que não produziu,
de tanto ser puramente imortal...

Viagem

Grilo

Estrelinha de lata,
assovio de vidro,
no escuro do quarto do menino doente.

A febre alarga
os pulsos hirtos;
mas dentro dos olhos há um sol contente.

Pássaro de prata
sacudindo guizos
no sonho mágico do menino moribundo.

Gota amarga
dos olhos frios,
rolando, rolando no peito do mundo...

Acontecimento

Aqui estou, junto à tempestade,
chorando como uma criança
que viu que não eram verdade
o seu sonho e a sua esperança.

A chuva bate-me no rosto
e em meus cabelos sopra o vento.
Vão-se desfazendo em desgosto
as formas do meu pensamento.

Chorarei toda a noite, enquanto
perpassa o tumulto nos ares,
para não me veres em pranto,
nem saberes, nem perguntares:

"Que foi feito do teu sorriso,
que era tão claro e tão perfeito?"
E o meu pobre olhar indeciso
não te repetir: "Que foi feito...?"

Epigrama nº 9

O vento voa,
a noite toda se atordoa,
a folha cai.

Haverá mesmo algum pensamento
sobre essa noite? sobre esse vento?
sobre essa folha que se vai?

Província

Cidadezinha perdida
no inverno denso de bruma,
que é dos teus morros de sombra,
do teu mar de branda espuma,

das tuas árvores frias
subindo das ruas mortas?
Que é das palmas que bateram
na noite das tuas portas?

Pela janela baixinha,
viam-se os círios acesos,
e as flores se desfolhavam
perto dos soluços presos.

Pela curva dos caminhos,
cheirava a capim e a orvalho
e muito longe as harmônicas
riam, depois do trabalho.

Que é feito da tua praça,
onde a morena sorria
com tanta noite nos olhos
e, na boca, tanto dia?

Que é feito daquelas caras
escondendo o seu segredo?
Dos corredores escuros
com paredes só de medo?

Que é feito da minha vida
abandonada na tua,
do instante de pensamento
deixado nalguma rua?

Do perfume que me deste,
que nutriu minha existência,
e hoje é um tempo de saudade,
sobre a minha própria ausência?

Cantar

Cantar de beira de rio:
água que bate na pedra,
pedra que não dá resposta.

Noite que vem por acaso,
trazendo nos lábios negros
o sonho de que se gosta.

Pensamento do caminho
pensando o rosto da flor
que pode vir, mas não vem.

Passam luas — muito longe,
estrelas — muito impossíveis,
nuvens sem nada, também.

Cantar de beira de rio:
o mundo coube nos olhos,
todo cheio, mas vazio.

A água subiu pelo campo,
mas o campo era tão triste...
Ai!
Cantar de beira de rio.

Destino

Pastora de nuvens, fui posta a serviço
por uma campina tão desamparada
que não principia nem também termina,
e onde nunca é noite e nunca madrugada.

(Pastores da terra, vós tendes sossego,
que olhais para o sol e encontrais direção.
Sabeis quando é tarde, sabeis quando é cedo.
Eu, não.)

Pastora de nuvens, por muito que espere,
não há quem me explique meu vário rebanho.
Perdida atrás dele na planície aérea,
não sei se o conduzo, não sei se o acompanho.

(Pastores da terra, que saltais abismos,
nunca entendereis a minha condição.
Pensais que há firmezas, pensais que há limites.
Eu, não.)

Pastora de nuvens, cada luz colore
meu canto e meu gado de tintas diversas.
Por todos os lados o vento revolve
os velos instáveis das reses dispersas.

(Pastores da terra, de certeiros olhos,
como é tão serena a vossa ocupação!
Tendes sempre o indício da sombra que foge...
Eu, não.)

Pastora de nuvens, não paro nem durmo
neste móvel prado, sem noite e sem dia.
Estrelas e luas que jorram, deslumbram
o gado inconstante que se me extravia.

(Pastores da terra, debaixo das folhas
que entornam frescura num plácido chão,
sabeis onde pousam ternuras e sonos.
Eu, não.)

Pastora de nuvens, esqueceu-me o rosto
do dono das reses, do dono do prado.
E às vezes parece que dizem meu nome,
que me andam seguindo, não sei por que lado.

(Pastores da terra, que vedes pessoas
sem serem apenas de imaginação,
podeis encontrar-vos, falar tanta coisa!
Eu, não.)

Viagem

Pastora de nuvens, com a face deserta,
sigo atrás de formas com feitios falsos,
queimando vigílias na planície eterna
que gira debaixo dos meus pés descalços.

(Pastores da terra, tereis um salário,
e andará por bailes vosso coração.
Dormireis um dia como pedras suaves.
	Eu, não.)

Quadras

Na canção que vai ficando
já não vai ficando nada:
é menos do que o perfume
de uma rosa desfolhada.

*

Os remos batem nas águas:
têm de ferir, para andar.
As águas vão consentindo —
esse é o destino do mar.

*

Passarinho ambicioso
fez nas nuvens o seu ninho.

Quando as nuvens forem chuva,
pobre de ti, passarinho.

*

O vento do mês de agosto
leva as folhas pelo chão;
só não toca no teu rosto
que está no meu coração.

*

Os ramos passam de leve
na face da noite azul.
É assim que os ninhos aprendem
que a vida tem norte e sul.

*

A cantiga que eu cantava,
por ser cantada, morreu.
Nunca hei de dizer o nome
daquilo que há de ser meu.

*

Ao lado da minha casa
morre o sol e nasce o vento.
O vento me traz teu nome,
leva o sol meu pensamento.

Noturno

Suspiro do vento,
lágrima do mar,
este tormento
ainda pode acabar?

De dia e de noite,
meu sonho combate:
vêm sombras, vão sombras,
não há quem o mate!

Suspiro do vento,
lágrima do mar,
as armas que invento
são aromas no ar!

Mandai-me soldados
de estirpe mais forte,
com todas as armas
que levam à morte!

Suspiro do vento,
lágrima do mar,
meu pensamento
não sabe matar!

Mandai-me esse arcanjo
de verde cavalo,
que desça a este campo
a desbaratá-lo!

Suspiro do vento,
lágrima do mar,
que leve esse arcanjo meu longo tormento,
e também a mim, para o acompanhar!

Origem

O tempo gerou meu sonho na mesma roda de alfareiro
que modelou Sírius e a estrela Polar.
A luz ainda não nasceu, e a forma ainda não está pronta:
mas a sorte do enigma já se sente respirar.

Não há norte nem sul: e só os ventos sem nome
giram com o nascimento — para o fazerem mais veloz.
E a música geral, que circula nas veias da sombra,
prepara o mistério alado da sua voz.

Meu sonho quer apenas o tamanho da minha alma
— exato, luminoso e simples como um anel.
De tudo quanto existe, cinge somente o que não morre,
porque o céu que o inventou cantava sempre eternidade
rodando a sua argila fiel.

Feitiçaria

Não tinha havido pássaro nem flores
o ano inteiro.
Nem guerras, nem aulas, nem missas, nem viagens
e nem barca e nem marinheiro.

Viagem

Nem indústria ou comércio, nem jornal nem rádio,
o ano inteiro!
Nem cartas nem modas. Tudo quanto havia
era o feitiço de um feiticeiro
que toldava o mundo e a melancolia.

Chegaram agora pássaros e flores,
e de novo guerras, aulas, missas, viagens,
e marinheiros com remos e barcas
vêm saindo lá do horizonte.

Brotam de novo antigas imagens
das coleções de fotografias...
— moços com roupas de Caronte
e meninas iguais às Parcas.

Por isso é que se tem saudade
do tempo da feitiçaria.

Marcha

As ordens da madrugada
romperam por sobre os montes:
nosso caminho se alarga
sem campos verdes nem fontes.
Apenas o sol redondo
e alguma esmola de vento
quebraram as formas do sono
com a idéia do movimento.

Vamos a passo e de longe;
entre nós dois anda o mundo,
com alguns vivos pela tona,
com alguns mortos pelo fundo.
As aves trazem mentiras
de países sem sofrimento.
Por mais que alargue as pupilas,
mais minha dúvida aumento.

Também não pretendo nada
senão ir andando à toa,
como um número que se arma
e em seguida se esboroa
— e cair no mesmo poço
de inércia e de esquecimento,
onde o fim do tempo soma
pedras, águas, pensamento.

Gosto da minha palavra
pelo sabor que lhe deste:
mesmo quando é linda, amarga
como qualquer fruto agreste.
Mesmo assim amarga, é tudo
que tenho, entre o sol e o vento:
meu vestido, minha música,
meu sonho e meu alimento.

Quando penso no teu rosto,
fecho os olhos de saudade;

tenho visto muita coisa,
menos a felicidade.
Soltam-se os meus dedos tristes
dos sonhos claros que invento.
Nem aquilo que imagino
já me dá contentamento.

Como tudo sempre acaba,
oxalá seja bem cedo!
A esperança que falava
tem lábios brancos de medo.
O horizonte corta a vida
isento de tudo, isento...
Não há lágrima nem grito:
apenas consentimento.

Epigrama nº 10

A minha vida se resume,
desconhecida e transitória,
em contornar teu pensamento,

sem levar dessa trajetória
nem esse prêmio de perfume
que as flores concedem ao vento.

Onda

Quem falou de primavera
sem ter visto o teu sorriso,
falou sem saber o que era.

....

Pus o meu lábio indeciso
na concha verde e espumosa
modelada ao vento liso:

tinha frescuras de rosa,
aroma de viagem clara
e um som de prata gloriosa.

Mas desfez-se em coisa rara:
pérolas de sal tão finas
— nem a areia as igualara!

Tenho no meu lábio as ruínas
de arquiteturas de espuma
com paredes cristalinas...

Voltei aos campos de bruma,
onde as árvores perdidas
não prometem sombra alguma.

Viagem

As coisas acontecidas,
mesmo longe, ficam perto
para sempre e em muitas vidas:

mas quem falou de deserto
sem nunca ver os meus olhos...
— falou, mas não estava certo.

Herança

Eu vim de infinitos caminhos,
e os meus sonhos choveram lúcido pranto
pelo chão.

Quando é que frutifica, nos caminhos infinitos,
essa vida, que era tão viva, tão fecunda,
porque vinha de um coração?

E os que vierem depois, pelos caminhos infinitos
do pranto que caiu dos meus olhos passados,
que experiência, ou consolo, ou prêmio alcançarão?

História

Eu fui a de mãos ardentes
que, triste de ser nascida,
foi subindo altas vertentes
para a vida.

E perguntava, à subida:
"Ó mãos, por que sois ardentes?"

Água fina que descia,
flor em pedras debruçada,
nada ouvia ou respondia...
Nada, nada.

E eu ia desenganada,
sorrindo, porque o sabia.

E, afinal, no céu, presentes
todas as estrelas puras,
pouso as mesmas mãos ardentes
nas alturas
— sem perguntas, sem procuras,
ricas por indiferentes.

Medo, orgulho, desencanto
prenderam os movimentos
dessas mãos que, amando tanto,
sobre os ventos
desfizeram seus intentos,
vencendo um tácito pranto.

Ai! por mais que se ande, é certo:
— não se encontra o bem perfeito.
Vai nascendo só deserto
pelo peito.

Viagem

E entre o desejado e o aceito
dorme um horizonte encoberto.

Com esta boca sem pedidos,
e esperanças tão ausentes,
e esta névoa nos ouvidos
complacentes
— ó mãos, por que sois ardentes? —

Tudo são sonhos dormidos
ou dormentes!

Assovio

Ninguém abra a sua porta
para ver que aconteceu:
saímos de braço dado,
a noite escura mais eu.

Ela não sabe o meu rumo,
eu não lhe pergunto o seu:
não posso perder mais nada,
se o que houve já se perdeu.

Vou pelo braço da noite,
levando tudo que é meu:
— a dor que os homens me deram,
e a canção que Deus me deu.

Personagem

Teu nome é quase indiferente
e nem teu rosto já me inquieta.
A arte de amar é exatamente
a de ser poeta.

Para pensar em ti, me basta
o próprio amor que por ti sinto:
és a idéia, serena e casta,
nutrida do enigma do instinto.

O lugar da tua presença
é um deserto, entre variedades:
mas nesse deserto é que pensa
o olhar de todas as saudades.

Meus sonhos viajam rumos tristes
e, no seu profundo universo,
tu, sem forma e sem nome, existes,
silencioso, obscuro, disperso.

Todas as máscaras da vida
se debruçam para o meu rosto,
na alta noite desprotegida
em que experimento o meu gosto.

Todas as mãos vindas ao mundo
desfalecem sobre o meu peito,

e escuto o suspiro profundo
de um horizonte insatisfeito.

Oh! que se apague a boca, o riso,
o olhar desses vultos precários,
pelo improvável paraíso
dos encontros imaginários!

Que ninguém e que nada exista,
de quanto a sombra em mim descansa:
— eu procuro o que não se avista,
dentre os fantasmas da esperança!

Teu corpo, e teu rosto, e teu nome,
teu coração, tua existência,
tudo — o espaço evita e consome:
e eu só conheço a tua ausência.

Eu só conheço o que não vejo.
E, nesse abismo do meu sonho,
alheia a todo outro desejo,
me decomponho e recomponho...

Estirpe

Os mendigos maiores não dizem mais, nem fazem nada.
Sabem que é inútil e exaustivo. Deixam-se estar. Deixam-se estar.
Deixam-se estar ao sol e à chuva, com o mesmo ar de completa coragem,
longe do corpo que fica em qualquer lugar.

Entretêm-se a estender a vida pelo pensamento.
Se alguém falar, sua voz foge como um pássaro que cai.
E é de tal modo imprevista, desnecessária e surpreendente
que, para a ouvirem bem, talvez gemessem algum ai.

Oh! não gemiam, não... Os mendigos maiores são todos estóicos.
Puseram sua miséria junto aos jardins do mundo feliz,
mas não querem que, do outro lado, tenham notícia da estranha sorte
que anda por eles como um rio num país.

Os mendigos maiores vivem fora da vida: fizeram-se excluídos.
Abriram sonos e silêncios e espaços nus, em redor de si.
Têm seu reino vazio, de altas estrelas que não cobiçam.
Seu olhar não olha mais, e sua boca não chama nem ri.

E seu corpo não sofre nem goza. E sua mão não toma nem pede.
E seu coração é uma coisa que, se existiu, já esqueceu.
Ah! os mendigos maiores são um povo que se vai convertendo
[em pedra.
Esse povo é que é o meu.

Tentativa

Andei pelo mundo no meio dos homens:
uns compravam jóias, uns compravam pão.
Não houve mercado nem mercadoria
que seduzisse a minha vaga mão.

Calado, Calado, me diga, Calado,
por onde se encontra minha sedução.

Alguns sorririam, muitos soluçaram,
uns, porque tiveram, outros porque não.
Calado, Calado, eu, que não quis nada,
por que ando com pena do meu coração?

Se não vou ser santa, Calado, Calado,
os sonhos de todos por que não me dão?

Calado, Calado, perderam meus dias?
ou gastei-os todos, só por distração?
Não sou dos que levam: sou coisa levada...
E nem sei daqueles que me levarão...

Calado, me diga se devo ir-me embora,
para que outro mundo e em que embarcação!

Cantiga

Bem-te-vi que estás cantando
nos ramos da madrugada,
por muito que tenhas visto,
juro que não viste nada.

Não viste as ondas que vinham
tão desmanchadas na areia,
quase vida, quase morte,
quase corpo de sereia...

E as nuvens que vão andando
com marcha e atitude de homem,
com a mesma atitude e marcha
tanto chegam como somem.

Não viste as letras que apostam
formar idéias com o vento...
E as mãos da noite quebrando
os talos do pensamento.

Passarinho tolo, tolo,
de olhinhos arregalados...
Bem-te-vi, que nunca viste
como os meus olhos fechados...

Epigrama n° 11

A ventania misteriosa
passou na árvore cor-de-rosa,
e sacudiu-a com um véu,
um largo véu, na sua mão.

Foram-se os pássaros para o céu.
Mas as flores ficaram no chão.

Passeio

Quem me leva adormecida
por dentro do campo fresco,

Viagem

quando as estrelas e os grilos
palpitam ao mesmo tempo?

O céu dorme na montanha,
o mar flutua em si mesmo,
o tempo que vai passando
filtra a sombra nas areias.

Quem me leva adormecida
sobre o perfume das plantas,
quando, no fundo dos rios,
a água é nova a cada instante?

Não há palavras nem rostos:
eu mesma não me estou vendo.
Alguém me tirou do corpo,
fez-me nome, unicamente,

nome, para que as perguntas
me chamem, com vozes tristes,
e eu não me esqueça de tudo
se houver um dia seguinte.

O céu roda para oeste:
as pontes vão para as águas.
O vento é um silêncio inquieto
com perspectivas de barcos.

Quem me leva adormecida
pelas dunas, pelas nuvens,

com este som inesquecível
do pensamento no escuro?

Cantiga

Nós somos como perfume
da flor que não tinha vindo:
esperança do silêncio,
quando o mundo está dormindo.

Pareceu que houve o perfume...
E a flor, sem vir, se acabou.
Oh! abelha imaginativa!
o que o desejo inventou...

A menina enferma

I

A menina enferma tem no seu quarto formas inúmeras
que inventam espantalhos para seus olhos sem ilusão.

Bonecos que enchem as grandes horas de pesadelos,
que lhe roubam os olhos, que lhe partem a garganta,
que arrebatam tesouros da sua mão.

Um dia, ela descobriu sozinha que era duas!
a que sofre depressa, no ritmo intenso e atroz da noite

e a que olha o sofrimento do alto do sono, do alto de tudo,
balançada num céu de estrelas invisíveis,

sem contato nenhum com o chão.

II

A mão da menina enferma refratou-se também na água pura
como, outras vezes, sua voz, nesses rios do céu.

Partiu-se a mão contemplativa dentro d'água:
mas não houve mesmo amargura, mas quase delícia,
no seu pulso quebrado e exato.

E ela contempla a onda mansa:
e tudo isso é uma simples lembrança?
é uma alheia notícia?
ou algum velho retrato?

III

A menina enferma passeia no jardim brilhante,
de plantas úmidas, de flores frescas, de água cantante,
com pássaros sobre a folhagem.

A menina enferma apanha o sol nas mãos magrinhas:
seus olhos longos têm um desenho de andorinhas
num rosto sereno de imagem.

A menina enferma chegou perto do dia tão mansa
e tão simples como uma lágrima sobre a esperança.
E acaba de descobrir que as nuvens também têm movimento.

Olha-as como de muito mais longe. E com um sorriso de saudade
põe nesses barcos brancos seus sentimentos de eternidade
e parte pelo claro vento.

Desenho

Fino corpo, que passeias
na minha imaginação
como o vento nas areias,

serás o Rei Salomão?

Há um perfume de madeira
e uma confusa noção
de óleo e nardo, a noite inteira,

na minha imaginação.

Estendem-se no meu leito
púrpura e marfins... Estão
safiras pelo meu peito,

cedros pela minha mão...

Viagem

Torres, piscinas, palmeiras,
de pura imaginação,
parecem tão verdadeiras...

Serás o Rei Salomão?

Ondas de mel e de leite
se derramam pelo chão,
no silencioso deleite

da sombra e da solidão.

Navega nas minhas veias,
em vagarosa invenção,
um vinho de luas-cheias —

Por isso, em meu corpo vão
brotando, em mornos canteiros,
incenso, mirra, e a canção

de uns pássaros prisioneiros...

Serás o Rei Salomão?

Na noite quase perfeita
da minha imaginação,
que é da tua mão direita?...

Timidez

Basta-me um pequeno gesto,
feito de longe e de leve,
para que venhas comigo
e eu para sempre te leve...

— mas só esse eu não farei.

Uma palavra caída
das montanhas dos instantes
desmancha todos os mares
e une as terras mais distantes...

— palavra que não direi.

Para que tu me adivinhes,
entre os ventos taciturnos,
apago meus pensamentos,
ponho vestidos noturnos

— que amargamente inventei.

E, enquanto não me descobres,
os mundos vão navegando
nos ares certos do tempo,
até não se sabe quando...

— e um dia me acabarei.

Taverna

Bem sei que, olhando pra minha cara,
pra minha boca, triste e incoerente,
pros gestos vagos de sombra incerta
que hoje sou eu,
minha loucura se faz tão clara,
minha desgraça tão evidente,
minha alma toda tão descoberta,
que pensam: "Este, não bebeu..."

Passei a noite, passei o dia
de cotovelos firmes na mesa,
de olhos sobre o vinho perdidos,
a testa pulsando na mão:
e muros de melancolia
subiam pela sala acesa,
inutilizando os gemidos,
mas quebrando-me o coração.

Deixei o copo no mesmo nível:
bebida imóvel, espelho atento,
onde — só eu — vi desabrochares,
rosto amargo de amor!
Vim da taverna ébrio de impossível,
pisando sonhos, beijando o vento,
falando às pedras, agarrando os ares...
— Oh! deixem-me ir para onde eu for!...

Pergunta

Estes meus tristes pensamentos
vieram de estrelas desfolhadas
pela boca brusca dos ventos?

Nasceram das encruzilhadas,
onde os espíritos defuntos
põem no presente horas passadas?

Originaram-se de assuntos
pelo raciocínio dispersos,
e depois na saudade juntos?

Subiram de mundos submersos
em mares, túmulos ou almas,
em música, em mármore, em versos?

Cairiam das noites calmas,
dos caminhos dos luares lisos,
em que o sono abre mansas palmas?

Provêm de fatos indecisos,
acontecidos entre brumas,
na era de extintos paraísos?

Ou de algum cenário de espumas,
onde as almas deslizam frias,
sem aspirações mais nenhumas?

Viagem

Ou de ardentes e inúteis dias,
com figuras alucinadas
por desejos e covardias?...

Foram as estátuas paradas
em roda da água do jardim...?
Foram as luzes apagadas?

Ou serão feitos só de mim,
estes meus tristes pensamentos
que bóiam como peixes lentos

num rio de tédio sem fim?

Epigrama nº 12

A engrenagem trincou pobre e pequeno inseto.
E a hora certa bateu, grande e exata, em seguida.

Mas o toque daquele alto e imenso relógio
dependia daquela exígua e obscura vida?

Ou percebeu sequer, enquanto o som vibrava,
que ela ficava ali, calada mas partida?

Vento

Passaram os ventos de agosto, levando tudo.
As árvores humilhadas bateram, bateram com os ramos no chão.
Voaram telhados, voaram andaimes, voaram coisas imensas:
os ninhos que os homens não viram nos galhos,
e uma esperança que ninguém viu, num coração.

Passaram os ventos de agosto, terríveis, por dentro da noite.
Em todos os sonos pisou, quebrando-os, o seu tropel.
Mas, sobre a paisagem cansada da aventura excessiva —
           [sem forma e sem eco —
o sol encontrou as crianças procurando outra vez o vento
para soltarem papagaios de papel.

Miséria

Hoje é tarde para os desejos,
e nem me interessa mais nada...
Cheguei muito depois do tempo
em que se pôde ouvir dizer: "Oh! minha amada..."

O mar imóvel dos teus olhos
pode estar bem perto, e defronte,
mas nem navegam as horas
nem se cuida mais de horizonte.

Durmo com a noite nos meus braços,
sofrendo pelo mundo inteiro.

Viagem

O suspiro que em mim resvala
bem pode ser, a cada instante, o derradeiro.

Morrer é uma coisa tão fácil
que todas as manhãs me admiro
de ter o sono conservado
fidelidade ao meu suspiro.

E pergunto: "Quem é que manda
mais do que eu sobre a minha vida?
Neste mar de só desencanto,
que sereia murmura uma canção desconhecida?

E em meus ouvidos indiferentes,
alheios a qualquer vontade,
que rostos vão reconhecendo
os passeios da eternidade?

Perto do meu corpo estendido,
náufrago inerte de sombras e ares,
quem chegará, desmanchando secretos níveis?
Serás tu? — para me levares..."

(Vejo a lágrima que escorre
por cima da minha pena.
Ai! a pergunta é sempre enorme,
e a resposta, tão pequena...)

Metamorfose

Súbito pássaro
dentro dos muros,
caído,

pálido barco
na onda serena
chegado.

Noite sem braços!
Cálido sangue
corrido.

E imensamente
o navegante
mudado.

Seus olhos densos
apenas sabem
ter sido.

Seu lábio leva
um outro nome
mandado.

Súbito pássaro
por altas nuvens
bebido.

Pálido barco
nas flores quietas
quebrado.

Nunca, jamais
e para sempre
perdido

o eco do corpo
no próprio vento
pregado.

Despedida

Vais ficando longe de mim
como o sono, nas alvoradas;
mas há estrelas sobressaltadas
resplandecendo além do fim.

Bebo essas luzes com tristeza,
porque sinto bem que elas são
o último vinho e o último pão
de uma definitiva mesa.

E olho para a fuga do mar,
e para a ascensão das montanhas,
e vejo como te acompanhas
— para me desacompanhar.

As luzes do amanhecimento
acharão toda a terra igual.
— Tudo foi sobrenatural,
sem peso de contentamento,

sem noções do mal nem do bem
— jogo de pura geometria,
que eu pensei que se jogaria,
mas não se joga com ninguém.

Epigrama nº 13

Passaram os reis coroados de ouro,
e os heróis coroados de louro:
passaram por estes caminhos.

Depois, vieram os santos e os bardos.
Os santos, cobertos de espinhos.
Os poetas, cingidos de cardos.

CECILIA MEIRELES

VAGA MÚSICA

PONGETTI

Vaga música. [Rio de Janeiro]: Pongetti, 1942. 199 p. Da edição foram tirados
200 exemplares em papel Pergamine, fora de comércio.

Na página anterior:
capa da primeira edição de *Vaga música*.

Vaga Música
(1942)

Ritmo

O ritmo em que gemo
doçuras e mágoas
é um dourado remo
por douradas águas.

Tudo, quando passo,
olha-me e suspira.
— Será meu compasso
que tanto os admira?

Epitáfio da navegadora

A Gastón Figueira

Se te perguntarem quem era
essa que às areias e gelos
quis ensinar a primavera;

e que perdeu seus olhos pelos
mares sem deuses desta vida,
sabendo que, de assim perdê-los,

ficaria também perdida;
e que em algas e espumas presa
deixou sua alma agradecida;

essa que sofreu de beleza
e nunca desejou mais nada;
que nunca teve uma surpresa

em sua face iluminada,
dize: "Eu não pude conhecê-la,
sua história está mal contada,

mas seu nome, de barca e estrela,
foi: SERENA DESESPERADA".

O Rei do Mar

Muitas velas. Muitos remos.
Âncora é outro falar...
Tempo que navegaremos
não se pode calcular.
Vimos as Plêiades. Vemos
agora a estrela Polar.
Muitas velas. Muitos remos.
Curta vida. Longo mar.

Por água brava ou serena
deixamos nosso cantar,
vendo a voz como é pequena
sobre o comprimento do ar.
Se alguém ouvir, temos pena:
só cantamos para o mar...

Vaga Música

Nem tormenta nem tormento
nos poderia parar.
(Muitas velas. Muitos remos.
Âncora é outro falar...)
Andamos entre água e vento
procurando o Rei do Mar.

Mar em redor

Meus ouvidos estão como as conchas sonoras:
música perdida no meu pensamento,
na espuma da vida, na areia das horas...

Esqueceste a sombra do vento.
Por isso, ficaste e partiste,
e há finos deltas de felicidade
abrindo os braços num oceano triste.

Soltei meus anéis nos aléns da saudade.
Entre algas e peixes vou flutuando a noite inteira.
Almas de todos os afogados
chamam para diversos lados
esta singular companheira.

Pequena canção da onda

Os peixes de prata ficaram perdidos,
com as velas e os remos, no meio do mar.

A areia chamava, de longe, de longe,
ouvia-se a areia chamar e chorar!

A areia tem rosto de música
e o resto é tudo luar!

Por ventos contrários, em noite sem luzes,
do meio do oceano deixei-me rolar!
Meu corpo sonhava com a areia, com a areia,
desprendi-me do mundo do mar!

Mas o vento deu na areia.
A areia é de desmanchar.
Morro por seguir meu sonho,
longe do reino do mar!

Canção da menina antiga

A Diogo de Macedo

Esta é a dos cabelos louros
e da roupinha encarnada,
que eu via alimentar pombos,
sentadinha numa escada.

Seus cabelos foram negros,
seus vestidos de outras cores,
e alimentou, noutros tempos,
a corvos devoradores.

Vaga Música

Seu crânio estará vazio,
seus ossos sem vestimenta,
— e a terra haverá sabido
o que ela ainda alimenta.

Talvez Deus veja em seus sonhos
— ou talvez não veja nada —
que essa é a dos cabelos louros
e da roupinha encarnada,

que do alto degrau do dia
às covas da noite, escuras,
desperdiçou sua vida
pelas outras criaturas...

Regresso

A L.F. Xammar

(Campo perdido.
Músicas suspirando,
ai! sem meu ouvido!)

Bois esperam, mirando:
corpo cheio de céu, luas
nos olhos recordativos.

Rodas, charruas,
sol, abelhas...

Colar de prata dos rios
sobre gargantas vermelhas.

(Eu andava batalhando
— ai! como andei batalhando! —
com mortos e vivos,
campo!)

Levai-me a esses longes verdes,
cavalos do vento!
Pois o tempo está chorando
por não ver colhido
meu contentamento!

Epigrama

A serviço da Vida fui,
a serviço da Vida vim;

só meu sofrimento me instrui,
quando me recordo de mim.

(Mas toda mágoa se dilui:
permanece a Vida sem fim.)

Vaga Música

Agosto

Sopra, vento, sopra, vento,
ai, vento do mês de agosto,
passa por sobre meu rosto
e sobre o meu pensamento.
Vai levando meu desgosto!

Lança destes altos montes
às frias covas do oceano
meu sonho sem horizontes,
claro, puro e sobre-humano.

Sem saudade mais nenhuma
te ofereço meus segredos,
para serem flor de espuma
que a praia mova em seus dedos,
quando se vestir de bruma...

Mova entre a lua inconstante
e a inconstantíssima areia,
que todo o mundo assim creia
meu sonho morto e distante,

morto, distante, acabado,
ó vento do céu profundo!
que tudo é bom, no passado,
que nos fez sofrer, no mundo,
ao ter de ser suportado...

Música

Do lado de oeste,
do lado do mar,
há rosas silvestres
para respirar,
e o chão se reveste
de musgos de luar.

Do lado de oeste,
do lado do mar,
há um suave cipreste
para me embalar.
Pássaros celestes
me virão cantar.

Coração sem mestre,
sonho sem lugar,
quem há que me empreste
barco de embarcar?

Do lado de oeste,
do lado do mar,
descerei com Vésper
até me encantar.
Quero estar inerte,
sob a chuva e o luar.

Vaga Música

Tu, que me fizeste,
me virás buscar,
do lado de oeste,
do lado do mar?

Canção excêntrica

Ando à procura de espaço
para o desenho da vida.
Em números me embaraço
e perco sempre a medida.
Se penso encontrar saída,
em vez de abrir um compasso,
projeto-me num abraço
e gero uma despedida.

Se volto sobre o meu passo,
é já distância perdida.

Meu coração, coisa de aço,
começa a achar um cansaço
esta procura de espaço
para o desenho da vida.
Já por exausta e descrida
não me animo a um breve traço:
— saudosa do que não faço
— do que faço, arrependida.

Canção quase inquieta

De um lado, a eterna estrela,
e do outro, a vaga incerta,

meu pé dançando pela
extremidade da espuma,
e meu cabelo por uma
planície de luz deserta.

Sempre assim:
de um lado, estandartes do vento...
— do outro, sepulcros fechados.
E eu me partindo, dentro de mim,
para estar no mesmo momento
de ambos os lados.

Se existe a tua Figura,
se és o Sentido do Mundo,
deixo-me, fujo por ti,
nunca mais quero ser minha!
(Mas neste espelho, no fundo
desta fria luz marinha,
como dois baços peixes,
nadam meus olhos à minha procura...
Ando contigo — e sozinha.
Vivo longe — e acham-me aqui...)

Fazedor da minha vida,
não me deixes!

Vaga Música

Entende a minha canção!
Tem pena do meu murmúrio,
reúne-me em tua mão!

Que eu sou gota de mercúrio,
dividida,
desmanchada pelo chão...

Vigília do Senhor Morto

Teu rosto passava, teu nome corria
por esses lugares do sol e da lua.
Como se contava a tua biografia!

E eu, pela esperança de poder ser tua,
como vim de longe, teimando com a terra,
deixando suspiros para cada rua!

Guerreiro cortado de injúrias de guerra
não trouxe consigo nenhuma ferida
como esta que tenho e que já se não cerra.

Por tanta subida, por tanta descida,
aqui dou contigo, no teu morto leito,
eu, que vim por ti salvando a minha vida!

Fria sombra, apenas, teu rosto perfeito.
Covas de cegueira, teus olhos, apenas.
Muro de silêncio teu tombado peito.

Sangue que tiveste, por perdidas cenas
derramou-se, longe, e é pó do pó sem glória,
preso no destino das coisas terrenas.

Por que serei triste com a minha memória,
diante do teu corpo sem auréolas? Triste
pela minha viagem? pela tua história?

Este é o Senhor Morto — e este, somente, existe.

Noite de vigília, sem mais esperança,
alguma coisa em mim o assiste
que não se vai, que não se cansa.

Viagem

No perfume dos meus dedos,
há um gosto de sofrimento,
como o sangue dos segredos
no gume do pensamento.

Por onde é que vou?

Fechei as portas sozinha.
Custaram tanto a rodar!
Se chamasse, ninguém vinha.
Para que se há de chamar?

Que caminho estranho!

Vaga Música

Eras coisa tão sem forma,
tão sem tempo, tão sem nada...
— arco-íris do meu dilúvio! —
que nem podias ser vista
nem quase mesmo pensada.

Ninguém mais caminha?

A noite bebeu-te as cores
para pintar as estrelas.
Desde então, que é dos meus olhos?
Voaram de mim para as nuvens,
com redes para prendê-las.

Quem te alcançará?

Dentro da noite mais densa,
navegarei sem rumores,
seguindo por onde fores
como um sonho que se pensa.

Por onde é que vou?

Epigrama do espelho infiel

A João de Castro Osório

Entre o desenho do meu rosto
e o seu reflexo,
meu sonho agoniza, perplexo.

Ah! pobres linhas do meu rosto,
desmanchadas do lado oposto,
e sem nexo!

E a lágrima do seu desgosto
sumida no espelho convexo!

Exílio

Das tuas águas tão verdes
nunca mais me esquecerei.
Meus lábios mortos de sede
para as ondas inclinei.
Romperam-se em teus rochedos:
só bebi do que chorei.

Perderam-se os meus suspiros
desanimados, no vento.
Recordo tanto o martírio
em que andou meu pensamento!
E meus sonhos ainda giram
como naquele momento.

Os marinheiros cantavam.
Ai, noite do mar nascida!
Estrelas de luz instável
saíam da água perdida.
Pousavam como assustadas
em redor da minha vida.

Vaga Música

Dos teus horizontes quietos
nunca mais me esquecerei.
Por longe que ande, estou perto.
Toda em ti me encontrarei.
Foste o campo mais funesto
por onde me dissipei.

Remos de sonho passavam
por minha melancolia.
Como um náufrago entre os salvos,
meu coração se volvia.
— Mas nem sombra de palavras
houve em minha boca fria.

Não rogava. Não chorava.
Unicamente morria.

Canção do caminho

Por aqui vou sem programa,
sem rumo,
sem nenhum itinerário.
O destino de quem ama
é vário,
como o trajeto do fumo.

Minha canção vai comigo.
Vai doce.
Tão sereno é seu compasso

que penso em ti, meu amigo.
— Se fosse,
em vez da canção, teu braço!
Ah! mas logo ali adiante
— tão perto! —
acaba-se a terra bela.
Para este pequeno instante,
decerto,
é melhor ir só com ela.

(Isto são coisas que digo,
que invento,
para achar a vida boa...
A canção que vai comigo
é a forma de esquecimento
do sonho sonhado à toa...)

O ressuscitante

A Ester de Cáceres

Meus pés, minhas mãos,
meu rosto, meu flanco
— fogo de papoulas!
E hoje, lírio branco!

Pela minha boca,
por minhas olheiras

— arroios partidos!
E hoje, albas inteiras!

Eu era o guardado
de sinistras covas!
E hoje visto nuvens,
cândidas e novas!

Vi apodrecendo,
com dor, sem lamento,
meu corpo, meu sonho
e meu pensamento!

E hoje, sou levado
por entre as caídas
coisas — transparente!

(Aroma sem nardo!
Fuga sem violência!)

E de cada lado
choram doloridas
mãos de antiga gente.

Recordação

Agora, o cheiro áspero das flores
leva-me os olhos por dentro de suas pétalas.

Eram assim teus cabelos;
tuas pestanas eram assim, finas e curvas.

As pedras limosas, por onde a tarde ia aderindo,
tinham a mesma exalação de água secreta,
de talos molhados, de pólen,
de sepulcro e de ressurreição.

E as borboletas sem voz
dançavam assim veludosamente.

Restitui-te na minha memória, por dentro das flores!
Deixa virem teus olhos, como besouros de ônix,
tua boca de malmequer orvalhado,
e aquelas tuas mãos dos inconsoláveis mistérios,
com suas estrelas e cruzes,
e muitas coisas tão estranhamente escritas
nas suas nervuras nítidas de folha
— e incompreensíveis, incompreensíveis.

Inscrição na areia

O meu amor não tem
importância nenhuma.
Não tem o peso nem
de uma rosa de espuma!

Desfolha-se por quem?
Para quem se perfuma?

Vaga Música

O meu amor não tem
importância nenhuma.

Canções do mundo acabado

1

Meus olhos andam sem sono,
somente por te avistarem
de uma tão grande distância.

De altos mastros ainda rondo
tua lembrança nos ares.
O resto é sem importância.

Certamente, não há nada
de ti, sobre este horizonte,
desde que ficaste ausente.

Mas é isso o que me mata:
sentir que estás não sei onde,
mas sempre na minha frente.

2

Não acredites em tudo
que disser a minha boca
sempre que te fale ou cante.

Quando não parece, é muito,
quando é muito, é muito pouco,
e depois nunca é bastante...

Foste o mundo sem ternura
em cujas praias morreram
meus desejos de ser tua.

A água salgada me escuta
e mistura nas areias
meu pranto e o pranto da lua.

Penso no que me dizias,
e como falavas, e como te rias...
Tua voz mora no mar.

A mim não fizeste rir
e nunca viste chorar.

(Porque o tempo sempre foi
longo para me esqueceres
e curto para te amar.)

Canção quase melancólica

Parei as águas do meu sonho
para teu rosto se mirar.
Mas só a sombra dos meus olhos
ficou por cima, a procurar...

Vaga Música

Os pássaros da madrugada
não têm coragem de cantar,
vendo o meu sonho interminável
e a esperança do meu olhar.

Procurei-te em vão pela terra,
perto do céu, por sobre o mar.
Se não chegas nem pelo sonho,
por que insisto em te imaginar?

Quando vierem fechar meus olhos,
talvez não se deixem fechar.
Talvez pensem que o tempo volta,
e que vens, se o tempo voltar...

A doce canção

A Christina Christie

Pus-me a cantar minha pena
com uma palavra tão doce,
de maneira tão serena,
que até Deus pensou que fosse
felicidade — e não pena.

Anjos de lira dourada
debruçaram-se da altura.
Não houve, no chão, criatura
de que eu não fosse invejada,
pela minha voz tão pura.

Acordei a quem dormia,
fiz suspirarem defuntos.
Um arco-íris de alegria
da minha boca se erguia
pondo o sonho e a vida juntos.

O mistério do meu canto
Deus não soube, tu não viste.
Prodígio imenso do pranto:
— todos perdidos de encanto,
só eu morrendo de triste!

Por assim tão docemente
meu mal transformar em verso,
oxalá Deus não o aumente,
para trazer o Universo
de pólo a pólo contente!

A mulher e a tarde

O denso lago e a terra de ouro:
até hoje penso nessa luz vermelha
envolvendo a tarde de um lado e de outro.

E nas verdes ramas, com chuvas guardadas,
e em nuvens beijando os azuis e os roxos.

Vaga Música

Até hoje penso nas rosas de areia,
nos ventos de vidro, nos ventos de prata,
cheios de um perfume quase doloroso.

Perguntava a sombra: "Que há pelo teu rosto?"
"Que há pelos teus olhos?" — a água perguntava.

E eu pisando a estrada, e eu pisando a estrada,
vendo o lago denso, vendo a terra de ouro,
com pingos de chuva numa luz vermelha...

E eu não respondendo nada.
Sonho muito, falo pouco.
Tudo são risos de louco
e estrelas da madrugada...

Canção de alta noite

Alta noite, lua quieta,
muros frios, praia rasa.

Andar, andar, que um poeta
não necessita de casa.

Acaba-se a última porta.
O resto é o chão do abandono.

Um poeta, na noite morta,
não necessita de sono.

Andar... Perder o seu passo
na noite, também perdida.

Um poeta, à mercê do espaço,
nem necessita de vida.

Andar... — enquanto consente
Deus que seja a noite andada.

Porque o poeta, indiferente,
anda por andar — somente.
Não necessita de nada.

Partida

Do trigo semeado, da fonte bebida,
do sono dormido, vou sendo levada...

Os outros não sentem que estou de partida,
sem mapa, sem guia — com data marcada.

No estrondo das guerras, que valem meus pulsos?
No mundo em desordem, meu corpo que adianta?
A quem fazem falta, nos campos convulsos,
meus olhos que pensam, meu lábio que canta?

Por dentro das pedras, das nuvens, dos mares,
cruzando com as águias, os mortos, os peixes,
vou sendo levada para outros lugares,

Vaga Música

ó mundo sem deuses, sem sonhos, sem lares!
embora me prendas, para que me deixes!

Embalo da canção

Que a voz adormeça,
que canta a canção!
Nem o céu floresça
nem floresça o chão.

(Só — minha cabeça,
só — meu coração.
Solidão.)

Que não alvoreça
nova ocasião!
Que o tempo se esqueça
de recordação!

(Nem minha cabeça
nem meu coração.
Solidão!)

Em voz baixa

Sempre que me vou embora
é com silêncio maior.

As solidões deste mundo
conheço-as todas de cor.

Desse-me a sorte um cavalo,
ou um barco em cima do mar!
Relincho ou marulho — alguma
coisa que me acompanhar!

Mas não. Sempre mais comigo
vou levando os passos meus,
até me perder de todo
no indeterminado Deus.

Canção suspirada

Por que desejar libertar-me,
se é tão bom não ver o teu rosto,
se ando em meu sonho como, num rio,
alguém que é feliz e está morto?

Por que pensar em qualquer coisa,
se tudo está sobre a minha alma:
vento, flores, águas, estrelas,
e músicas de noite e albas?

Nos céus em sombra há fontes mansas
que em silêncio e esquecida bebo.
Flui o destino em minha boca
e a eternidade entre os meus dedos...

Vaga Música

Por que fazer o menor gesto,
se nada sei, se nada sofro,
se estou perdida em mim, tão perdida
como o som da voz no seu sopro?

Lembrança rural

Chão verde e mole. Cheiros de selva. Babas de lodo.
A encosta barrenta aceita o frio, toda nua.
Carros de bois, falas ao vento, braços, foices.
Os passarinhos bebem do céu pingos de chuva.

Casebres caindo, na erma tarde. Nem existem
na história do mundo. Sentam-se à porta as mães descalças.
É tão profundo, o campo, que ninguém chega a ver que é triste.
A roupa da noite esconde tudo, quando passa...

Flores molhadas. Última abelha. Nuvens gordas.
Vestidos vermelhos, muito longe, dançam nas cercas.
Cigarra escondida, ensaiando na sombra rumores de bronze.
Debaixo da ponte, a água suspira, presa...

Vontade de ficar neste sossego toda a vida:
bom para ver de frente os olhos turvos das palavras,
para andar à toa, falando sozinha,
enquanto as formigas caminham nas árvores...

Descrição

Amanheceu pela terra
um vento de estranha sombra,
que a tudo declarou guerra.

Paredes ficaram tortas,
animais enlouqueceram
e as plantas caíram mortas.

O pálido mar tão branco
levantava e desfazia
um verde-lívido flanco.

E pelo céu, tresmalhadas,
iam nuvens sem destino,
em fantásticas brigadas.

Dos linhos claros da areia
fez o vento retorcidas,
rotas, miseráveis teias.

Que sopro de ondas estranhas!
Que sopro nos cemitérios
pelos campos e montanhas!

Que sopro forte e profundo!
Que sopro de acabamento!
Que sopro de fim de mundo!

Vaga Música

Da varanda do colégio,
do pátio do sanatório,
miravam tal sortilégio

olhos quietos de meninos,
com esperanças humanas
e com terrores divinos.

A tardinha serenada
foi dormindo, foi dormindo,
despedaçada e calada.

Só numa ruiva amendoeira
uma cigarra de bronze,
por brio de cantadeira,

girava em esquecimento
à sanha enorme do vento,
forjando o seu movimento
num grave cântico lento...

Velho estilo

Corpo mártir, conheço o teu mérito obscuro:
tu soubeste ficar imóvel como o firmamento,
para deixar passar as estrelas do espírito,
ardendo no seu fogo e voando no seu vento...

Corpo mártir que és dor, que és transe, que és silêncio,
e onde, obediente, vai batendo o coração,
sei que foste esquecido, e, quando um dia te acabares,
não é por ti que os olhos chorarão.

Ninguém viu que tu foste o solo e o oceano dócil
que sustentou jardins e embalou tanta viagem,
que distribuiu o amor, e mostrou a beleza,
dando e buscando sempre a sua própria imagem.

Um dia tu serás símbolo, idéia, sonho,
tudo o que agora apenas eu compreendo que és:
porque um dia virá que, nesta marcha do infinito,
alguém se lembrará que o mais alto dos cânticos
pousou, na terra, sobre uns pobres pés.

Velho estilo

Coisa que passas, como é teu nome?
De que inconstâncias foste gerada?
Abri meus braços para alcançar-te:
fechei meus braços — não tinha nada!

De ti só resta o que se consome.
Vais para a morte? Vais para a vida?
Tua presença nalguma parte
é já sinal da tua partida.

E eu disse a todos desse teu fado,
para esquecerem teu chamamento,
saberem que eras constituída
da errante essência da água e do vento.

Todos quiseram ter-te, malgrado
prenúncios tantos, tantas ameaças.
Grande, adorada desconhecida,
como é teu nome, coisa que passas?

Pisando terras e firmamento,
com um ar de exausta gente dormida,
abandonaram termos tranqüilos,
portas abertas, áreas de vida.

E eu, que anunciei o acontecimento,
fui atrás deles, com insegurança,
dizendo que ia por dissuadi-los,
mas tendo a sua mesma esperança.

No ardente nível desta experiência,
sem rogo, lágrima nem protesto,
tudo se apaga, preso em sigilos:
mas no desenho do último gesto,

há mãos de amor para a tua ausência.
E esse é o vestígio que não se some:
resto de todos, teu próprio resto.
— Coisa que passas, como é teu nome?

Canção mínima

No mistério do Sem-Fim,
equilibra-se um planeta.

E, no planeta, um jardim,
e, no jardim, um canteiro;
no canteiro, uma violeta,
e, sobre ela, o dia inteiro,

entre o planeta e o Sem-Fim,
a asa de uma borboleta.

A vizinha canta

De que onda sai tua voz,
que ainda vem úmida e trêmula
— corpo de cristal
— coração de estrela...?

Tua voz, planta marinha,
árvore crespa e orvalhada:
— ramos transparentes,
— folhas de prata?...

E de onde vai resvalando
um puro, límpido orvalho:
— durável resina,
— dolorida lágrima...?

Vaga Música

Pequena canção

A J.A. Hernández

Pássaro da lua,
que queres cantar,
nessa terra tua,
sem flor e sem mar?

Nem osso de ouvido
pela terra tua.
Teu canto é perdido,
pássaro da lua...

Pássaro da lua,
por que estás aqui?
Nem a canção tua
precisa de ti!

Cançãozinha de ninar

O mar o convalescente mira.
— Que pena, que pena no seu mirar! —
Como quem namora, suspira,
e quem tem medo de se enamorar.

Água, que pareces um ramo de flores,
o nome dos humanos amores
mora na espuma do mar...

O céu o convalescente mira.
— Que pena, que pena no seu mirar! —
Como quem vai morrer, suspira,
e quem tem medo de ressuscitar.

Nuvem, que pareces um ramo de flores,
o nome dos humanos amores
mora no hálito do ar...

Embalo

Adormeço em ti minha vida,
— flor de sombra e de solidão —
da terra aos céus oferecida
para alguma constelação.

Não pergunto mais o motivo,
não pergunto mais a razão
de viver no mundo em que vivo,
pelas coisas que morrerão.

Adormeço em ti minha vida,
imóvel, na noite, e sem voz.
A lua, em meu peito perdida,
vê que tudo em mim somos nós.

Nós! — E no entanto eu sei que estão
brotando pela noite lisa
as lágrimas de uma canção
pelo que não se realiza...

Vaga Música

Ponte

Frágil ponte:
arco-íris, teia
de aranha, gaze
de água, espuma,
nuvem, luar.
Quase nada:
quase
a morte.

Por ela passeia,
passeia,
sem esperança nenhuma,
meu desejo de te amar.

Céu que miro?
— alta neblina.
Longo horizonte
— mas só de mar.

E esta ponte
que se arqueia
como um suspiro
— tênue renda cristalina —
será possível que transporte
a algum lugar?

Por ela passeia,
passeia
meu desejo de te amar.

Em franjas de areia,
chegada do fundo
lânguido do mundo,
às vezes, uma sereia
vem cantar.
E em seu canto te nomeia.

Por isso, a ponte se alteia,
e para longe se lança,
nessa frágil teia
— invisível, fina
renda cristalina
que a morte balança,
torna a balançar...

(Por ela passeia
meu desejo de te amar.)

Visitante

Quem desce ao adormecimento
que me envolve e em que me perco,
feito um vento abrindo um cerco
de penumbras, num jardim,
e toca o meu pensamento

Vaga Música

com uma lâmina de aurora,
e escreve-me, indo-se embora:
"Vive! e lembra-te de mim"?

Quem, do mar do esquecimento,
busca areias de lembrança,
mas tão sem força e esperança
que outra vez volve ao seu fim,
mira seu rosto, um momento,
à luz do meu sonho triste,
compreende que não existe,
e pergunta: "Por que vim?"

Gaita de lata

Se o amor ainda medrasse,
aqui ficava contigo,
pois gosto da tua face,

desse teu riso de fonte,
e do teu olhar antigo
de estrela sem horizonte.

Como, porém, já não medra,
cada um com a sorte sua!

(Não nascem lírios de lua
pelos corações de pedra...)

Despedida

Adeus,
que é tempo de marear!

Por que procuram pelos olhos meus
rastros de choro,
direções de olhar?

Quem fala em praias de cristal e de ouro,
abrindo estrelas nos aléns do mar?
Quem pensa num desembarcadouro?
— É hora, apenas, de marear.

Quem chama o sol? Mas quem procura o vento?
e âncora? e bússola? e rumo e lugar?
Quem levanta do esquecimento
esses fantasmas de perguntar?

Lenço de adeuses já perdi... Por onde?
— na terra, andando, e só de tanto andar...
Não faz mal. Que ninguém responde
a um lenço movido no ar...

Perdi meu lenço e meu passaporte
— senhas inúteis de ir e chegar.
Quem lembra a fala da ausência
num mundo sem correspondência?

Vaga Música

Viajante da sorte na barca da sorte,
sem vida nem morte...

Adeus,
que é tempo de marear!

Tardio canto

Canta o meu nome agreste,
cheio de espinhos
o nome que me deste,
quando andei nos teus caminhos.

Canta esse nome amargo,
hoje perdido,
no tempo largo,
sem mais nenhum sentido.

Como esperei teu canto,
noites e dias!
Necessitava tanto!
Tu não podias...

Ouço o teu grito ardente,
cigarra do deserto!
Mas já não sou mais gente...
Não ando mais tão perto...

Cantiga do véu fatal

Por causa do teu chapéu,
por causa do teu vestido,
vais matando teu marido.

Quem dirá que por um véu
se arma tamanho alarido
de ficar homem perdido!

Que se levanta um escarcéu,
por esse fino tecido
de alças de silêncio urdido!

Por causa do teu chapéu,
por causa do teu vestido,
vai morrendo teu marido!

Morre com cara de réu,
pensando em cada pedido
que tem de ser atendido.

Com isso, irá ter ao céu.
E tu, de rosto garrido,
haverás véu bem comprido!

Esse vai ser o troféu
de tanto ai, tanto gemido,
tanto tempo arrependido.

Vaga Música

Porque, por esse chapéu,
porque, por esse vestido,
já está morto o teu marido.

Só não está num mausoléu:
vai por teu braço, transido,
mal-comido e mal-roupido.

E tu, de pluma e de véu,
de lábio bem colorido,
de anel e colar brunido,

brilhando no teu chapéu,
cintilando em teu vestido,
pelo braço ressequido
do companheiro morrido!

Pergunta

Se amanhã perder o meu corpo,
será possível que ainda venha,
e que ao pé de ti me detenha
como um levíssimo sopro?

E essa minha humilde presença
te despertará como um grito?
E pensarás no pálido, hirto
fantasma que ainda em ti pensa?

Ou teu sono será tão doce
que o meu arrependido espectro,
sofrendo por chegar tão perto,
volte no vento que o trouxe?

Teu rosto é um jardim, na sombra.
Teu sonho, flor sob a lua.
Por aquela que foi tua,
que orvalho em teus olhos tomba?

Serenata ao menino do hospital

Menino, não morras,
porque a lua cheia
vai-se levantando do mar.
São de prata e de ouro
as águas e a areia.
Não morras agora,
vem ver o luar!

Menino, não morras:
na dormente mata,
uma flor vai desabrochar.
É azul? É roxa?
É de ouro? É de prata?
Não morras agora!
Vem ver o luar.

Menino, não morras:
verdes vaga-lumes
correm, num brilhante colar.
São de prata e de ouro
todos os perfumes.
Não morras agora!
Vem ver o luar.

Menino, não morras:
ouve a serenata
que sussurra nas cordas do ar...
São cordas de sonho,
são de ouro e de prata.
Não morras agora!
Vem ver o luar.

Menino, não morras:
sobre o céu deserto,
há uma estrela imensa a brilhar.
É de prata e de ouro!
Como está tão perto!
Não morras agora
— que a estrela da aurora
veio ver teu rosto
banhado de luar!

Aluna

Conservo-te o meu sorriso
para, quando me encontrares,
veres que ainda tenho uns ares
de aluna do paraíso...

Leva sempre a minha imagem
a submissa rebeldia
dos que estudam todo o dia
sem chegar à aprendizagem...

— e, de salas interiores,
por altíssimas janelas,
descobrem coisas mais belas,
rindo-se dos professores...

Gastarei meu tempo inteiro
nessa brincadeira triste;
mas na escola não existe
mais do que pena e tinteiro!

E toda a humana docência
para inventar-me um ofício
ou morre sem exercício
ou se perde na experiência...

Vaga Música

Pequena flor

Como pequena flor que recebeu uma chuva enorme
e se esforça por sustentar o oscilante cristal das gotas
na seda frágil, e preservar o perfume que aí dorme,

e vê passarem as leves borboletas livremente,
e ouve cantarem os pássaros acordados sem angústia,
e o sol claro do dia as claras estátuas beijando sente,

e espera que se desprenda o excessivo, úmido orvalho
pousado, trêmulo, e sabe que talvez o vento
a libertasse, porém a desprenderia do galho,

e nesse temor e esperança aguarda o mistério transida
— assim repleto de acasos e todo coberto de lágrimas
há um coração nas lânguidas tardes que envolvem a vida.

Memória

A José Osório

Minha família anda longe,
com trajos de circunstância:
uns converteram-se em flores,
outros em pedra, água, líquen;
alguns, de tanta distância,
nem têm vestígios que indiquem
uma certa orientação.

Minha família anda longe,
— na Terra, na Lua, em Marte —
uns dançando pelos ares,
outros perdidos no chão.

Tão longe, a minha família!
Tão dividida em pedaços!
Um pedaço em cada parte...
Pelas esquinas do tempo,
brincam meus irmãos antigos:
uns anjos, outros palhaços...
Seus vultos de labareda
rompem-se como retratos
feitos em papel de seda.
Vejo lábios, vejo braços
— por um momento persigo-os;
de repente, os mais exatos
perdem sua exatidão.
Se falo, nada responde.
Depois, tudo vira vento,
e nem o meu pensamento
pode compreender por onde
passaram nem onde estão.

Minha família anda longe.
Mas eu sei reconhecê-la:
um cílio dentro do oceano,
um pulso sobre uma estrela,
uma ruga no caminho
caída como pulseira,

Vaga Música

um joelho em cima da espuma,
um movimento sozinho
aparecido na poeira...
Mas tudo vai sem nenhuma
noção de destino humano,
de humana recordação.

Minha família anda longe.
Reflete-se em minha vida,
mas não acontece nada:
por mais que eu esteja lembrada,
ela se faz de esquecida:
não há comunicação!
Uns são nuvem, outros, lesma...
Vejo as asas, sinto os passos
de meus anjos e palhaços,
numa ambígua trajetória
de que sou o espelho e a história.
Murmuro para mim mesma:
"É tudo imaginação!"

Mas sei que tudo é memória...

Mau sonho

Sou Nabucodonosor
que sonhou e se esqueceu!

Oh! venha, seja quem for,
dizer que sonho era o meu!

Venha! que me morro, por
um sonho que se perdeu!

(Veio o moço Baltasar,
mostrou-me a sua visão:
uma testa de ouro, no ar,
uns pés de barro, no chão.
E ferro — do calcanhar
à altura do coração!)

Bendito seja o Senhor,
que o esquecimento me deu!

Que era mau sonho, este, meu,
de Nabucodonosor!

Retrato falante

Não há quem não se espante, quando
mostro o retrato desta sala,
que o dia inteiro está mirando,
e à meia-noite em ponto fala.

Cada um tem sua raridade:
selo, flor, dente de elefante.

Vaga Música

Uns têm até felicidade!
Eu tenho o retrato falante.

Minha vida foi sempre cheia
de visitas inesperadas,
a quem eu me conservo alheia,
mas com as horas desperdiçadas.

Chegam, descrevem aventuras,
sonhos, mágoas, absurdas cenas.
Coisas de hoje, antigas, futuras...
(A maioria mente, apenas.)

E eu, fatigada e distraída,
digo sim, digo não — diversas
respostas de gente perdida
no labirinto das conversas.

Ouço, esqueço, livro-me — trato
de recompor o meu deserto.
Mas, à meia-noite, o retrato
tem um discurso pronto e certo.

Vejo então por que estranho mundo
andei, ferida e indiferente,
pois tudo fica no sem-fundo
dos seus olhos de eternamente.

Repete palavras esquivas,
sublinha, pergunta, responde,

e apresenta, claras e vivas,
as intenções que o mundo esconde.

Na outra noite me disse: "A morte
leva a gente. Mas os retratos
são de natureza mais forte,
além de serem mais exatos.

Quem tiver tentado destruí-los,
por mais que os reduza a pedaços,
encontra os seus olhos tranqüilos
mesmo rotos, sobre os seus passos.

Depois que estejas morta, um dia,
tu, que és só desprezo e ternura,
saberás que ainda te vigia
meu olhar, nesta sala escura.

Em cada meia-noite em ponto,
direi o que viste e o que ouviste.
Que eu — mais que tu — conheço e aponto
quem e o quê te deixou tão triste."

Canção nas águas

Acostumei minhas mãos
a brincarem na água clara:
por que ficarei contente?

Vaga Música

A onda passa docemente:
seus desenhos — todos vãos.
Nada pára.

Acostumei minhas mãos
a brincarem na água turva:
e por que ficarei triste?
Curva, e sombra, sombra e curva,
cor e movimento — vãos.
Nada existe.

Gastei meus olhos mirando vidas
com saudade.
Minhas mãos por águas perdidas
foram pura inutilidade.

Ida e volta em Portugal

Olival de prata,
veludosos pinhos,
clara madrugada,
dourados caminhos,
lembrai-vos da graça
com que os meus vizinhos,
numa cavalgada,
com frutas e vinhos,
lenços de escarlata,
cestas e burrinhos,
foram pela estrada,

assustando os moinhos
com suas risadas,
pondo em fuga cabras,
ventos, passarinhos...

Ai, como cantavam!
Ai, como se riam!

Seus corpos — roseiras.
Seus olhos — diamantes.

Ora vamos ao campo colher amoras
e amores!
A amar, amadores amantes!

Olival de prata,
veludosos pinhos,
pura Vésper clara,
silentes caminhos,
lembrai-vos da pausa
com que os meus vizinhos
vieram pela estrada.
Morria nos moinhos
o giro das asas.
Ventos, passarinhos,
árvores e cabras,
tudo estacionava.
As flores faltavam.
Sobravam espinhos.

Vaga Música

Ai, como choravam!
Ai, como gemiam

Seus corpos — granito.
Seus olhos — cisternas.

Este é o campo sem fim de onde não retornam
ternuras!
Entornai-vos, ondas eternas!

Solilóquio do novo Otelo

Tudo vai e vem.
Sou como todas as coisas:
e durmo e acordo na tua cabeça,
com o andar do dia e da noite,
o abrir e o fechar das portas.

Tudo é monótono, tudo é para ser esquecido.
Quero ficar em ti, único.

No tumulto dos acontecimentos,
pensarás: "Ele, porém, é imóvel".
"Ele, ele é diferente" — pensarás, no meio das repetições.

Tudo rodará e cairá,
pelas vertentes desse teu imaginar,
que sobe sempre.

Pois eu quero estar parado e sem nenhuma alteração,
sem te responder nem chamar, sem te dar nem pedir.
Sem relação com as outras coisas.

Eu, puramente eu.
E assim talvez te inquietes.
Talvez fiques mais próxima,
e indagues, e te comovas, e até sofras,
e te esqueças de todo o resto
e te gastes por mim.

Caia o sono dos teus olhos,
junto com lágrimas,
e a cor que os iluminava,
com a chama incauta da tua alegria.

Caia o riso da tua boca,
misturado às palavras que os outros ouviriam.
E o brilho dos teus cabelos se apague,
com o pensamento que sempre te aureolou.

Tudo assim!

Que até teu coração se desprenda
— rosa cortada! —
e caia em mim, para sempre.

Que importa ficar no fundo do inferno,
perdido, perdido, perdido,
se teu coração arder comigo
e se acabar com o meu fim?

Vaga Música

2

Para as estrelas altíssimas,
olho da sombra, melancolicamente,
enquanto ela dorme,
pálida e quieta,
toda paralela:
as pálpebras, os braços, os pés.

Um cílio não lhe estremece.
No límpido til da sua narina
nem se sente o embalo do ar que alimenta o sonho.

E debaixo de seus olhos estão países
de habitantes fluidos,
que mudam de rosto e voam!
E ela mesma comparece entre eles!
E falam-se, reconhecem-se, entendem-se!

Tão longe!
Nem as estrelas chegam a esses lugares instáveis,
de onda e nuvem, por onde as palavras e os fantasmas
misturam seus olhos, caminhando por dentro de si!

Sua sombra, seu rastro,
mesmo sem querer,
por aí ficam também, perdidos.
Expostos.

Porventura estarei também algumas vezes
nesses vagos aléns
que a esperam, chamam e levam?
Outros olhos meus a acompanharão, sem que me lembre,
por entre os ares que a abraçam,
que a envolvem, que a bebem?

Oh! porque eu sei que ela é bebida por um remoto lábio
inalcançável,
esta que dorme aqui, pálida e paralela,
esta que jaz, fina e doce,
como um vestido de seda caído.

Se eu gritar seu nome,
se bater no seu peito, liso e frágil,
então, num suspiro vagaroso,
regressará de onde estava.
Levantará as pálpebras, para dizer que chegou.
E — como quem vem à janela —
para perguntar o que lhe querem. Por quê?

E eu mirarei com mágoa seus olhos claros, recém-chegados.
E alguma coisa estará faltando nela,
que nunca, nunca se há de recuperar.

E, ao longe, sentirei, transtornados,
inconsoláveis como eu,
tontos de sua solidão,
os ares que se afeiçoavam à sua figura,
subitamente devolvida ao meu poder.

Vaga Música

A dona contrariada

Ela estava ali sentada,
do lado que faz sol-posto,
com a cabeça curvada,
um véu de sombra no rosto.
Suas mãos indo e voltando
por sobre a tapeçaria,
paravam de vez em quando:
e, então, se acabava o dia.

Seu vestido era de linho,
cor da lua nas areias.
Em seus lábios cor de vinho
dormia a voz das sereias.
Ela bordava, cantando.
E a sua canção dizia
a história que ia ficando
por sobre a tapeçaria.

Veio um pássaro da altura
e a sombra pousou no pano,
como no mar da ventura
a vela do desengano.
Ela parou de cantar,
desfez a sombra com a mão,
depois, seguiu a bordar
na tela a sua canção.

Vieram os ventos do oceano,
roubadores de navios,
e desmancharam-lhe o pano,
remexendo-lhe nos fios.
Ela pôs as mãos por cima,
tudo compôs outra vez:
a canção pousou na rima,
e o bordado assim se fez.

Vieram as nuvens turvá-la.
Recomeçou de cantar.
No timbre da sua fala
havia um rumor de mar.
O sol dormia no fundo:
fez-se a voz, ele acordou.
Subiu para o alto do mundo.
E ela, cantando, bordou.

Modinha

Tuas palavras antigas
deixei-as todas, deixei-as,
junto com as minhas cantigas,
desenhadas nas areias.

Tantos sóis e tantas luas
brilharam sobre essas linhas,
das cantigas — que eram tuas —
das palavras — que eram minhas!

Vaga Música

O mar, de língua sonora,
sabe o presente e o passado.
Canta o que é meu, vai-se embora:
que o resto é pouco e apagado.

Canção a caminho do céu

Foram montanhas? foram mares?
foram os números...? — não sei.
Por muitas coisas singulares,
não te encontrei.

E te esperava, e te chamava,
e entre os caminhos me perdi.
Foi nuvem negra? maré brava?
E era por ti!

As mãos que trago, as mãos são estas.
Elas sozinhas te dirão
se vem de mortes ou de festas
meu coração.

Tal como sou, não te convido
a ires para onde eu for.

Tudo que tenho é haver sofrido
pelo meu sonho, alto e perdido
— e o encantamento arrependido
do meu amor.

Epigrama

Narciso, foste caluniado pelos homens,
por teres deixado cair, uma tarde, na água incolor,
a desfeita grinalda vermelha do teu sorriso.

Narciso, eu sei que não sorrias para o teu vulto, dentro da onda:
sorrias para a onda, apenas, que enlouquecera, e que sonhava
gerar no ritmo do seu corpo, ermo e indeciso,

a estátua de cristal que, sobre a tarde, a contemplava,
florindo-a para sempre, com o seu efêmero sorriso...

Idílio

Como eu preciso de campo,
de folhas, brisas, vertentes,
encosto-me a ti, que és árvore,
de onde vão caindo flores
sobre os meus olhos dormentes.

Encosto-me a ti, que és margem
de uma areia de silêncios
que acompanha pelo tempo
verdes rios transparentes:
tua sombra, nos meus braços,
tua frescura, em meus dentes.

Vaga Música

Nasce a lua nos meus olhos,
passa pela minha vida...
— e, tudo que era, resvala
para calmos ocidentes.

Caminhos de ar vão levando
pura e nua essa que andava
com as roupas mais diferentes.

Olham pássaros, das nuvens,
entre a luz dos mundos firmes
e a das estrelas cadentes.
E o orvalho da sua música
vai recobrindo o meu rosto
com um tremor que eu conhecia
nos meus olhos já levados,
idos, perdidos, ausentes...

(Leve máscara de pérolas
na minha face não sentes?)

Soledad

Antes que o sol se vá
— como pássaro perdido,
também te direi adeus,
Soledad.

Terra morrendo de fome,
pedras secas, folhas bravas,
ai, quem te pôs esse nome,

Soledad!
sabia o que são palavras.

Antes que o sol se vá
— como um sonho de agonia,
cairás dos olhos meus,
Soledad!

Indiazinha tão sentada
na cinza do chão deserta,
ai, Soledad!
que pensas? Não penses nada,
que a vida é toda secreta.

Como estrela nestas cinzas,
antes que o sol se vá,
nem depois, não virá Deus,
Soledad?

Pois só ele explicaria
a quem teu destino serve,
sem mágoa nem alegria,
ai, Soledad!
para um coração tão breve...

Ai, Soledad, Soledad,
ai, *rebozo* negro, adeus!
ai, antes que o sol se vá...

Soledad, México — 1940

Canção do carreiro

Dia claro,
vento sereno,
roda, meu carro,
que o mundo é pequeno.

Quem veio para esta vida,
tem de ir sempre de aventura:
uma vez para a alegria,
três vezes para a amargura.

Dia claro,
vento marinho,
roda, meu carro,
que é curto o caminho.

Riquezas levo comigo.
Impossível escondê-las:
beijei meu corpo nos rios,
dormi coberto de estrelas.

Dia claro,
vento do monte,
roda, meu carro,
que é perto o horizonte.

Na verdade, o chão tem pedras,
mas o tempo vence tudo.

Com águas e vento, quebra-as
em areias de veludo...

Dia claro,
vento parado,
roda, meu carro,
para qualquer lado.

Riquezas comigo levo.
Impossível encobri-las:
troquei conversas com o eco
e amei nuvens intranqüilas.

Dia claro,
de onde e de quando?
Roda, meu carro,
pois vamos rodando...

Interlúdio

As palavras estão muito ditas
e o mundo muito pensado.
Fico ao teu lado.

Não me digas que há futuro
nem passado.
Deixa o presente — claro muro
sem coisas escritas.

Deixa o presente. Não fales.
Não me expliques o presente,
pois é tudo demasiado.

Em águas de eternamente,
o cometa dos meus males
afunda, desarvorado.

Fico ao teu lado.

Domingo de feira

Nesse caminho de Alcobaça,
nos arredores do Mosteiro,
eu sei que o mercado da praça
dura quase o domingo inteiro.

Na bojuda louça vidrada,
cada vulto é um desenho novo.
E há alforjes nos degraus da escada,
onde palra, mercando, o povo.

Homens vindos de longe, graves
mais que D. Nuno Álvares Pereira,
e mulheres com modos de aves,
andam e gritam pela feira.

Um perfume agreste se alastra,
de ácido mel. E figos e uvas

cintilam em cada canastra,
úmidos de orvalhos e chuvas.

Moscas investigam o abismo
das orelhas hirtas dos burros.
Há vozes de um solene heroísmo.
E também mui solenes murros.

Cada gesto é uma Aljubarrota,
um Brasil — no braço que alterca.
....
....
"Figos, figos de capa rota!
Dez réis o quarteirão! Quem merca?"

Lenço preto amarrado ao queixo,
uma velha geme, outra berra.
Em suas duras mãos de seixo,
flui o sumo doce da terra.

Meias roxas, verdes, vermelhas
vão e vêm para cada lado.
O burro sacode as orelhas.
Parece um desenho animado.

Num lugar qualquer desse cromo,
uma velha limpa os objetos
de barro com tal gosto, como
se lavasse os seus próprios netos.

Vaga Música

Mexican List and Tourists

A Virgínia e Bessie

Oh! "El Charro" com seus *sarapes*,
com seus *sarapes* de listas!
Jardins com ternuras árabes
para os senhores turistas...
(*Tacos.*)

Pela fresca das seis horas,
as mesas estão floridas.
Pelos canteiros, abóboras.
Pelas mesas, mãos unidas.
(*Tacos y tortillas.*)

Isto é uma estranha comida,
e não te digo que comas...
Ouve a canção da voz úmida:
"*Gavilanes y palomas...*"
(*Tacos, tortillas y enchiladas.*)

Esta jovem de turbante,
e o seu noivo, sem casaco,
falam-se, riem-se, curvam-se,
mastigando um amor e um *taco*.
(*Tacos, tortillas, enchiladas y tamales.*)

E o cantor dobra a cantiga,
com voz de cana rachada,

de boa cana romântica,
toda de amor desmanchada...
(*Tacos, tortillas, enchiladas, tamales y chili con carne.*)

Canção, pimenta, abacate,
flores, crepúsculo — tudo
é inútil, ó poema, acaba-te!
Este mundo é surdo-mudo...
(*Tacos, tortillas, enchiladas, tamales, chili con carne y peanuts.*)

Surdo-mudo, sim, senhores,
que estes noivos casarão,
e, estimem-se, amem-se, adorem-se,
vai ser em vão:
cada um tem sua moda...
— ele irá mascando goma,
ela tricotando lã... —
Nenhum sabe o que é *paloma*
nem tampouco *gavilán*...

Ai, *tacos, tamales y frijoles* fritos!
Ai, ai, café, *peppermint* e canções de "El Charro"!
Abóboras sonhando nos canteiros tão bonitos,
e *tortillas* quentes no prato de barro!

Ai, que os turistas, com seus dedos esquisitos,
riscam fósforos nos pés, e acendem o cigarro!

"El Charro", de Austin — 1940

Vaga Música

Canção da tarde no campo

Caminho do campo verde,
estrada depois de estrada.
Cercas de flores, palmeiras,
serra azul, água calada.

Eu ando sozinha
no meio do vale.
Mas a tarde é minha.

Meus pés vão pisando a terra
que é a imagem da minha vida:
tão vazia, mas tão bela,
tão certa, mas tão perdida!

Eu ando sozinha
por cima de pedras.
Mas a flor é minha.

Os meus passos no caminho
são como os passos da lua:
vou chegando, vais fugindo,
minha alma é a sombra da tua.

Eu ando sozinha
por dentro de bosques.
Mas a fonte é minha.

De tanto olhar para longe,
não vejo o que passa perto.
Subo monte, desço monte,
meu peito é puro deserto.

Eu ando sozinha,
ao longo da noite.
Mas a estrela é minha.

Madrigal da sombra

Sombra que passas, eu sei que és sombra,
eu sei que és sombra, sombra que falas.
Não deixas passo em nenhuma alfombra
das altas, graves, eternas salas.

Mas os que choram de sala em sala,
mirando espelhos, mirando alfombras,
choram teus passos e tua fala,
e o seu destino de amar as sombras...

Passam anjos

Passam anjos com espadas de silêncio
por entre nós,
devastando o jardim suspenso
que podia ter sido a minha voz.

Vaga Música

Passam anjos por cima de muralhas
sem dimensão.
Mas por que das estrelas não falas
à triste planície do meu coração?

Passam anjos desenrolando tempo,
tempo sem fim.
Tempo de seres tu para sempre
e não seres mais nada para mim.

— Ó anjos de duras espadas frias,
que fizestes das alegrias
tão raras de desabrochar?

— Ó anjos de frias espadas duras,
que sal, que sombra e que lonjuras,
sem terra, sem noite e sem mar!

Campos verdes

Sobre o campo verde,
ondas de prata.

Andava-se, andava-se...
Sobre o verde campo,
sempre outras águas.

Sobre o campo verde,
paciente barco.

Errava-se, errava-se...
Sobre o verde campo,
sempre outro espaço.

Sobre o campo verde,
todas as cartas.

Armava-se, armava-se...
Sobre o verde campo,
sempre o ás de espadas.

Sobre o campo verde,
qualquer palavra.

Olhava-se, olhava-se...
Ai! sobre o verde campo,
mais nada.

Para uma cigarra

Cigarra de ouro, fogo que arde,
queimando, na imensa tarde,
meu nome, sussurrante flor.

(Estudei amor.)

Cigarra de ouro, por que me chamas,
se, quando eu for,
bem sei que foges por entre as ramas?

(Estudei amor.)

Cigarra de ouro, eu nem levanto
meus olhos para teu canto.

(Estudei amor.)

Encomenda

Desejo uma fotografia
como esta — o senhor vê? — como esta:
em que para sempre me ria
com um vestido de eterna festa.

Como tenho a testa sombria,
derrame luz na minha testa.
Deixe esta ruga, que me empresta
um certo ar de sabedoria.

Não meta fundos de floresta
nem de arbitrária fantasia...
Não... Neste espaço que ainda resta,
ponha uma cadeira vazia.

Confissão

A Afonso Duarte

Na quermesse da miséria,
fiz tudo o que não devia:
se os outros se riam, ficava séria;
se ficavam sérios, me ria.

(Talvez o mundo nascesse certo;
mas depois ficou errado.
Nem longe nem perto
se encontra o culpado!)

De tanto querer ser boa,
misturei o céu com a terra,
e por uma coisa à toa
levei meus anjos à guerra.

Aos mudos de nascimento
fui perguntar minha sorte.
E dei minha vida, momento a momento,
por coisas da morte.

Pus caleidoscópios de estrelas
entre cegos de ambas as vistas.
Geometrias imprevistas,
quem se inclinou para vê-las?

Vaga Música

(Talvez o mundo nascesse certo;
mas evadiu-se o culpado.
Deixo meu coração — aberto —
à porta do céu — fechado.)

Naufrágio antigo

A Margarete Kuhn

Inglesinha de olhos tênues,
corpo e vestido desfeitos
em águas solenes;

inglesinha do veleiro,
com tranças de metro e meio
embaraçando os peixes.

Medusas róseas nos dedos,
algas pela cabeça,
azuis e verdes.

Desceu muitos degraus de seda
e atravessou muitas paredes
de vidro fresco.

Embalada em seus cabelos,
navegava frios reinos
de personagens lentos:

por paisagens de anêmonas,
caudas negras,
nadadeiras trêmulas.

Mirava a lua seus dentes,
seus olhos — de oceano cheios,
seus lábios — hirtos de sede.

Muito tempo, muito tempo...
Medusas róseas nos dedos,
pelo peito, estrelas,
brancas e vermelhas.

Em praias de triste areia,
o vento, sem o veleiro,
chorava de pena.

Inglesinha de olhos tênues,
ao longe suspensa
em líquidas teias!

Vestidos sem consistência:
medusas róseas no ventre,
algas pelos joelhos,
azuis e verdes.

Landes ermas
vão sofrendo e morrendo
porque a perderam.

Vaga Música

Pelas águas transparentes,
suspiros que foram vê-la
ficaram prisioneiros.

E as lágrimas que correram
extraviaram-se, na rede
da espuma crespa.

Inglesinha de olhos tênues
volteia, volteia
no mar, em silêncio.

Moluscos fosforescentes
cobiçam os arabescos
de suas orelhas.

Peixes de olhos densos
bebem suas veias
azuis e violetas.

Embalada em seus cabelos,
noutros mundos entra,
sempre mais imensos.

Por entre anêmonas,
nadadeiras trêmulas,
súbitos espelhos.

A cor dos planetas
pinta seu rosto de cera
e banha seus pensamentos.

(Porque ela ainda pensa:
algas pelo ventre,
azuis e verdes,
medusas pelos artelhos.

E ainda sente.
Sente e pensa e vai serena,
embalada em seus cabelos.)

Inglesinha de olhos tênues,
com tranças de metro e meio,
cor de lua nascente.

Branca ampulheta
foi vertendo, vertendo
séculos inteiros.

Desmanchou-lhe o seio,
desfolhou-lhe os dedos
e as madeixas,

medusas, estrelas,
róseas e vermelhas,
e algas verdes,

Vaga Música

e a voz do vento
que na areia
sofrera.

E a existência
e a queixa

de quem teve
pena,
antigamente.

Explicação

A Alberto de Serpa

O pensamento é triste; o amor, insuficiente;
e eu quero sempre mais do que vem nos milagres.
Deixo que a terra me sustente:
guardo o resto para mais tarde.

Deus não fala comigo — e eu sei que me conhece.
A antigos ventos dei as lágrimas que tinha.
A estrela sobe, a estrela desce...
— espero a minha própria vinda.

(Navego pela memória
sem margens.

Alguém conta a minha história
e alguém mata os personagens.)

Romancinho
A Maria Dulce

Disseram que ele não vinha:
mas assim mesmo o esperei.
Veio o rei, veio a rainha
— não veio o filho do rei!

Pelo vale mais profundo,
sozinha, alta noite, andei.
Dentre as pedras, dentre os lodos,
lírios brancos arranquei.
Fui buscar os lírios todos
— últimos lírios do mundo! —
pra dar ao filho do rei.

Ouvi tremerem os campos.
Correndo, aos campos tornei.
Entre azulados relampos,
descia do céu à terra
coche sobrenatural,
com sete cavalos brancos,
arreios de ouro e veludo,
cascos de prata brunida,
campainhas de cristal
— luz da noite! Alma da vida!
toda a crina entretecida
de turquesa e de coral.

Vaga Música

O suor, na curva dos flancos,
a escuma, no ouro dos freios,
eram só de aljôfar miúdo.

Ia a bodas? Ia à guerra?
Nenhum cocheiro se via.
Tão depressa, aonde iria?

Sete cavalos, na frente,
cintilando em seus arreios:
em cada orelha, uma rosa,
em cada rosa, uma lua,
em cada lua, um diamante
talhado em quarto crescente,
talhado em quarto minguante...

E atrás, no coche de prata,
com cortinas de escarlata,
sentado, o filho do rei.

Para avistar-lhe o semblante,
ganhar a mirada sua,
deslumbrada e pressurosa,
toda me precipitei.

Passaram sobre o meu peito
quatro rodas de marfim.
Não vi o filho do rei,
tão bonito, tão perfeito,
que não era para mim...

(Ia a bodas? Ia à guerra?)

Quatro rodas encarnadas,
recentemente pintadas,
correm no mundo sem fim...

Sete cavalos luzentes,
do mais luzente cetim,
com aljôfar pelos flancos,
vão atravessando a terra,
mastigando lírios brancos
com seus dentes de rubim...

Rosto perdido

Deixaram meu rosto
fora do meu corpo.
Meu rosto perdido
num longe lugar!
Encheram seus olhos
orvalhos da noite.
Sua boca transborda de luar!

Chamei-o, chamei-o,
muitas vezes, e ele
— não quis responder?
— não pôde falar?
Disse que era tarde,

Vaga Música

que me vinha embora.
Oh! o meu rosto não torna a voltar!

Meu rosto descansa
— entre duas flores?
— entre duas ondas?
— no campo? ou no mar?
Vêm nuvens por cima?
Pássaros ou vento?
Vêm as setas da estrela Polar?

Tão pálido e quieto!
— Está vivo ou está morto?
Flutua sem peso
como a luz sobre o ar.
Não sabe mais nada
senão paraísos!
Pensa e beija a paisagem do olhar.

Elegia

Perto da tua sepultura,
trazida pelo humilde sonho
que fez a minha desventura,
mal minhas mãos na terra ponho,
logo estranhamente as retiro.
Neste limiar de indiferença,
não posso abrir a tênue rosa

do mais espiritual suspiro.
Jazes com a estranha, a muda, a imensa
Amada eterna e tenebrosa
pelas tuas mãos escolhida
para teu convívio absoluto.
Por isso me retraio, certa
de que é pura felicidade
a terra densa que te aperta.
E por entre as pedras serenas
desliza o meu tímido luto,
com uma quieta lágrima, apenas
— esse humano, doce atributo.

Reinvenção

A vida só é possível
reinventada.

Anda o sol pelas campinas
e passeia a mão dourada
pelas águas, pelas folhas...
Ah! tudo bolhas
que vêm de fundas piscinas
de ilusionismo... — mais nada.

Mas a vida, a vida, a vida,
a vida só é possível
reinventada.

Vem a lua, vem, retira
as algemas dos meus braços.
Projeto-me por espaços
cheios da tua Figura.
Tudo mentira! Mentira
da lua, na noite escura.

Não te encontro, não te alcanço...
Só — no tempo equilibrada,
desprendo-me do balanço
que além do tempo me leva.
Só — na treva,
fico: recebida e dada.

Porque a vida, a vida, a vida,
a vida só é possível
reinventada.

Canção do deserto

A Enrique Peña

Minha ternura nas pedras
vegeta.

Caravanas de formigas
tomam sempre outro caminho.
E a areia — cega.

Noite e dia, noite e dia
— como se estivesse à espera.

O sol consome as cigarras,
a lua pelas escadas
se quebra.

Minha ternura? — nas pedras.

Para o último céu perdido,
meu desejo sem auxílio
se eleva.

Mas os passos deste mundo
pisam tudo, tudo, tudo...
Morte certa.

Morte por todos os passos...
(Só com a sola dos sapatos
os homens tocam a terra!)

Minha ternura? — nas pedras.
Nas pedras.

Lua adversa

Tenho fases, como a lua.
Fases de andar escondida,

fases de vir para a rua...
Perdição da minha vida!
Perdição da vida minha!
Tenho fases de ser tua,
tenho outras de ser sozinha.

Fases que vão e que vêm,
no secreto calendário
que um astrólogo arbitrário
inventou para meu uso.

E roda a melancolia
seu interminável fuso!

Não me encontro com ninguém
(tenho fases, como a lua...).
No dia de alguém ser meu
não é dia de eu ser sua...
E, quando chega esse dia,
o outro desapareceu...

Canção para remar

A Isabel do Prado

Doce peso
desta sonolência,
leve cadência
de amor e desprezo.

Lua mansa,
pedaço perdido
do anel partido
de alguma esperança.

Grande estrela
toda desfolhada
na água parada
para recebê-la.

Noite fria,
sem desejo humano.
Brisa no oceano
da melancolia.

Rosto sério
das ondas do mundo.
Bóiam no fundo
ramos de mistério.

(Doce peso
desta sonolência...
Leve cadência
de amor e desprezo...)

Chorinho

Chorinho de clarineta,
de clarineta de prata,
na úmida noite de lua.

Vaga Música

Desce o rio de água preta.
E a perdida serenata
na água trêmula flutua.

Palavra desnecessária:
um leve sopro revela
tudo que é medo e ternura.

Pela noite solitária,
uma criatura apela
para outra criatura.

Não há nada que submeta
o que Deus nos arrebata
segundo a vontade sua...

Ai, choro de clarineta!
Ai, clarineta de prata!
Ai, noite úmida de lua...

Monólogo

Para onde vão minhas palavras,
se já não me escutas?
Para onde iriam, quando me escutavas?
E quando me escutaste? — Nunca.

Perdido, perdido. Ai, tudo foi perdido!
Eu e tu perdemos tudo.

Suplicávamos o infinito.
Só nos deram o mundo.

De um lado das águas, de um lado da morte,
tua sede brilhou nas águas escuras.
E hoje, que barca te socorre?
Que deus te abraça? Com que deus lutas?

Eu, nas sombras. Eu, pelas sombras,
com as minhas perguntas.
Para quê? Para quê? Rodas tontas,
em campos de areias longas
e de nuvens muitas.

Fantasma

Para onde vais, assim calado,
de olhos hirtos, quieto e deitado,
as mãos imóveis de cada lado?

Tua longa barca desliza
por não sei que onda, límpida e lisa,
sem leme, sem vela, sem brisa...

Passas por mim na órbita imensa
de uma secreta indiferença,
que qualquer pergunta dispensa.

Desapareces do lado oposto,
e, então, com súbito desgosto,
vejo que o teu rosto é o meu rosto,

e que vais levando contigo,
pelo silencioso perigo
dessa tua navegação,

minha voz na tua garganta,
e tanta cinza, tanta, tanta,
de mim, sobre o teu coração!

Panorama

Em cima, é a lua,
no meio, é a nuvem,
embaixo, é o mar.
Sem asa nenhuma,
sem vela nenhuma,
para me salvar.

Ao longe, são noites,
de perto, são noites,
quem se há de chamar?
Já dormiram todos,
não acordam outros...
Água. Vento. Luar.

O trilho da terra
para onde é que leva,
luz do meu olhar?
Que abismos aéreos
de reinos aéreos
para visitar!

Na beira do mundo,
do sono do mundo
me quero livrar.
E em cima — é a lua,
no meio — é a nuvem,
e embaixo — é o mar!

Da Bela Adormecida

(Há névoa)
Um beijo seria uma borboleta afogada em mármore.
Uma voz seria raiz perfurando cegueiras.
As paredes unificaram feitios e cores (Há névoa)
e mesmo as janelas abertas estão fechadas com arminhos
e as soleiras revestidas de musgos, liquens, pelúcias brancas.

E fundiram-se as montanhas (Há névoa), dissolveram-se no ar
[os mortos astros.
As areias povoaram-se de avestruzes, ursos brancos, beduínos,
imóveis, sentados, esperando.

Vaga Música

(Há névoa) Entre água e céu invisíveis,
suspendem-se os navios, desfigurados em ouro difuso.
E as árvores encanecem, numa inesperada velhice.
Se uma flor cair, não poderá dizer "Boa noite!" a nenhuma outra,
porque, de ramo a ramo, eram distâncias invencíveis.

É assim como entre nós. Figura sem rosto, caminhante do mundo.
(Há névoa.)
Minhas palavras são folhas soltas no ar espesso,
indo e vindo à toa, olhando apenas para si mesmas.

No peso do ar fatigante, remam as minhas mãos e despedaçam-se.
É sempre longe, mais longe. É sempre e cada vez mais longe.
Oh! se existisse um limite!
(Há névoa.)

Filtra-se por meus olhos a cinza da noite silenciosa.
Caminha pelo meu sangue com o passo pegajoso da sua vida acre.
Pousa em meu coração. Descansa. Adere à minha vida guardada...
(Há névoa.)

E no entanto, em minha memória, ainda existe uma espécie de música!

2

Deve ser o meu rosto, que se reflete por todos os lados.
E, então, a doçura da noite, com seu plácido nível de aquário,
entra em perturbação, e as coisas submersas temem perder-se.

Assustarão por acaso os meus braços? Não — porque embora paralelos
e imóveis, e com essa emoção das estátuas quebradas,
erguem as mãos em flor, pousam os pulsos no meu peito
como sobre um menino morto.

(Tudo mais é tranqüilo assim:
cada recordação acorda suaves ritmos;
e a carne sonha ser pluma, e o sangue flui dormente de felicidade,
misturando ternuras de luar, transparências de água,
metamorfoses de terra em aroma.)

É certo que se desprendem fantasmas: hirtos santos, parentes tristes,
homens desconhecidos, mulheres de longe, que esperam ser amadas,
e outros ainda, que não são gente — e contemplam segundo a sua
[condição.

Mas quem ouve esse deslizar entre muros serenos?
Quem sente essa respiração mais fina e essa presença mais tênue
que a impalpável luz das estrelas?

Ah! só meu rosto, dentro da noite, produz, decerto, espanto imenso.
Ele, apenas, de olhos abertos, de ermo lábio,
criança apoiada nas nuvens, erguida em pontas de pés, preparando o
salto dos tempos.

Todos esperariam que perguntasse; mas não pergunta.
(Responder também não responde.)
Então, a noite se faz imensamente triste, e há um desespero sobre a vida.

E não se sente mais o mundo, e a sombra ondula em formas instáveis,
onda partida com o vento, enlouquecendo e atraindo...

Vaga Música

Espera-se, talvez, sobre o meu rosto um riso imenso.
Soltai os pássaros inúmeros, agitados e tontos,
dentro de impérios recém-abertos!

Mas, no romper das asas, falta céu, de repente.
E tudo pára.

Itinerário

Primeiro, foram os verdes
e águas e pedras da tarde,
e meus sonhos de perder-te
e meus sonhos de encontrar-te...

Mas depois houve caminhos
pelas florestas lunares,
e, mortos em meus ouvidos,
mares brancos de palavras.

Achei lugares serenos
e aromas de fonte extinta.
Raízes fora do tempo,
com flores vivas ainda.

E eram flores encarnadas,
por cima das folhas verdes.
(Entre os espinhos de prata,
só meus sonhos de perder-te...)

Canção dos três barcos

Meu avô me deu três barcos:
um de rosas e cravos,
um de céus estrelados,
um de náufragos, náufragos...

ai, de náufragos!

Embarcara no primeiro,
dera em altos rochedos,
dera em mares de gelo,
e partira-se ao meio...

ai, no meio!

No segundo me embarcara,
e nem sombra de praia,
e nem corpo e nem alma,
e nem vida e nem nada...

ai, nem nada!

Embarcara no terceiro,
e que vela e que remo!
e que estrela e que vento!
e que porto sereno!

ai, sereno!

Vaga Música

Meu avô me deu três barcos:
um de sonhos quebrados,
um de sonhos amargos,
e o de náufragos, náufragos!

ai, de náufragos!

Eco

Alta noite, o pobre animal aparece no morro, em silêncio.
O capim se inclina entre os errantes vaga-lumes;
pequenas asas de perfume saem de coisas invisíveis:
no chão, branco de lua, ele prega e desprega as patas, com
[sombra.

Prega, desprega e pára.
Deve ser água, o que brilha como estrela, na terra plácida.
Serão jóias perdidas, que a lua apanha em sua mão?
Ah!... não é isso...

E alta noite, pelo morro em silêncio, desce o pobre animal sozinho.

Em cima, vai ficando o céu. Tão grande. Claro. Liso.
Ao longe, desponta o mar, depois das areias espessas.
As casas fechadas esfriam, esfriam as folhas das árvores.
As pedras estão como muitos mortos: ao lado um do outro,
[mas estranhos.
E ele pára, e vira a cabeça. E mira com seus olhos de homem.
Não é nada disso, porém...

Alta noite, diante do oceano, senta-se o animal, em silêncio.
Balançam-se as ondas negras. As cores do farol se alternam.
Não existe horizonte. A água se acaba em tênue espuma.

Não é isso! Não é isso!
Não é a água perdida, a lua andante, a areia exposta...
E o animal se levanta e ergue a cabeça, e late... late...

E o eco responde.

Sua orelha estremece. Seu coração se derrama na noite.
Ah! para aquele lado apressa o passo, em busca do eco.

Imagem

Meu coração tombou na vida
tal qual uma estrela ferida
pela flecha de um caçador.

Meu coração, feito de chama,
em lugar de sangue, derrama
um longo rio de esplendor.

Os caminhos do mundo, agora,
ficam semeados de aurora,
não sei o que germinarão.

Não sei que dias singulares
cobrirão as terras e os mares,
nascidos do meu coração.

Cantiguinha

Brota esta lágrima e cai.
Vem de mim, mas não é minha.
Percebe-se que caminha,
sem que se saiba aonde vai.

Parece angústia espremida
de meu negro coração
— pelos meus olhos fugida
e quebrada em minha mão.

Mas é rio, mais profundo,
sem nascimento e sem fim,
que, atravessando este mundo,
passou por dentro de mim.

Roda de junho

A M.H. Vieira da Silva

Senhor São João,
me venha ajudar,
que as minhas mazelas
eu quero deixar,
e os reinos da terra
perder sem pesar!

No fogo do chão,
no fogo do ar,
queimei meus pecados
para lhe agradar!

O seu carneirinho
prometo enfeitar
com rosas de prata,
jasmins de luar,
servir-lhe de joelhos
bem doce manjar!

Em águas de rio,
em águas de mar,
Senhor São João,
me venha banhar!

A noite da festa
não deixe passar!
Não durma, Santinho,
no céu nem no altar!
Quem está padecendo
não pode esperar!

Rimance

Por que me destes um corpo,
se estava tão descansada,

Vaga Música

nisso que é talvez o Todo,
mas parece tanto o Nada?

Desde então andei perdida,
pois meu corpo não bastava
— meu corpo não me servia
senão para ser escrava...

De longe vinham guerreiros,
de longe vinham soldados.
Eu, com muitos ferimentos
e os meus dois braços atados...

Uma lágrima floria
no meio da sanha brava.
Era a voz da minha vida
que de longe vos chamava.

Que chamava e que dizia:
"Levai-me destas estradas,
que ando perdida e sozinha,
com as mãos inutilizadas!

Deixai-me estar onde quero,
no vosso doce regaço,
com o vosso coração perto
do meu, no mesmo compasso,

enquanto andam as estrelas
na curva dos seus bailados,

e ao longe nuvens e ventos
galopam, enamorados,

e o mar e a terra sombrios
sofrem no silente espaço,
porque os humanos suspiros
não vêm ao vosso regaço!"

Estas coisas vos dizia.
Estas coisas vos rogava.
Mas neste corpo prendida
minha alma continuava...

Deus dança

Seus curvos pés em movimento
eram luas crescentes de ouro
sobre nuvens correndo ao vento.

Como nos jogos malabares,
ele atirava o seu tesouro
e apanhava-o com as mãos nos ares...

Era o seu tesouro de estrelas,
de planetas, de mundos, de almas...
Ele atirava-o rindo pelas

Vaga Música

imensidões sem horizonte:
tinha todo o espaço nas palmas
e o zodíaco em torno à fronte.

Eu o vi dançando, ardente e mudo,
a dança cósmica do Encanto.

Unicamente abismos — tudo

quanto no seu cenário existe!
Que vale o que valia tanto?
Eu o vi dançando e fiquei triste...

Despedida

Por mim, e por vós, e por mais aquilo
que está onde as outras coisas nunca estão,
deixo o mar bravo e o céu tranqüilo:
quero solidão.

Meu caminho é sem marcos nem paisagens.
E como o conheces? — me perguntarão.
— Por não ter palavras, por não ter imagens.
Nenhum inimigo e nenhum irmão.

Que procuras? — Tudo. Que desejas? — Nada.
Viajo sozinha com o meu coração.
Não ando perdida, mas desencontrada.
Levo o meu rumo na minha mão.

A memória voou da minha fronte.
Voou meu amor, minha imaginação...
Talvez eu morra antes do horizonte.
Memória, amor e o resto onde estarão?

Deixo aqui meu corpo, entre o sol e a terra.
(Beijo-te, corpo meu, todo desilusão!
Estandarte triste de uma estranha guerra...)

Quero solidão.

Trabalhos da terra

A Gabriela Mistral

Lavradeira de ternuras,
trago o peito atormentado
pelas eternas securas
de tanto campo lavrado.

Não foi sol por demasia,
água pouca, nem mau vento;
foi mesmo da terra fria,
pobre de acontecimento.

Considerando os outonos,
mais valera ter dormido
— que, nos sonhos dos meus sonos,
tenho plantado e colhido.

Vaga Música

Para lavrar minha mágoa,
deram-me lande mais rica:
vem-me aos olhos nuvem d'água,
logo a canção frutifica.

Meu tempo mal empregado
foi canção da vida inteira,
sabida por Deus, o arado
e o peito da lavradeira.

Amém

Hoje acabou-se-me a palavra,
e nenhuma lágrima vem.
Ai, se a vida se me acabara
também!

A profusão do mundo, imensa,
tem tudo, tudo — e nada tem.
Onde repousar a cabeça?
No além?

Fala-se com os homens, com os santos
consigo, com Deus... E ninguém
entende o que se está contando
e a quem...

Mas terra e sol, luas e estrelas
giram de tal maneira bem

que a alma desanima de queixas.
Amém.

Narrativa

Andei buscando esse dia
pelos humildes caminhos
onde se escondem as coisas
que trazem felicidade:
os amuletos dos grilos
e os trevos de quatro folhas...
Só achei flor de saudade.

O arroio levava o tempo.
Ia meu sonho atrás da água.
No chão dormiam abertas
minhas duas mãos sem nada.
Se me chamavam de longe,
se me chamavam de perto,
era perdida a chamada...

Viajei pelas estrelas,
dentro da rosa-dos-ventos.
Trouxe prata em meus cabelos,
pólen da noite sombria...
Mirei no meu coração,
vi os outros, vi meu sonho,
encontrei o que queria.

Vaga Música

Já não mais desejo andanças;
tenho meu campo sereno,
com aquela felicidade
que em toda parte buscava.
O tempo fez-me paciente.
A lua, triste mas doce.
O mar, profunda, erma e brava.

Alucinação

Perguntei quem era.
Mas não respondia.
Sumiam-se as falas.
Cruzava por muros
de sombra e desgosto,
por salas e salas
de melancolia.

Perguntei: "Quem és?"
Mas não respondia.
De nuvens, de espuma,
de espuma, de areia,
me achava enrolada,
da cabeça aos pés.
Pelos corredores
sem luz e sem porta,
sem porta e sem termo,
não se via nada.

Mas, sobre as paredes,
numa frágil teia,
dormiam rumores,
de suspiro enfermo
por pessoa morta.
Perguntei quem era.
Mas não respondia.
E havia uma espera,
como, embaixo d'água,
no alargar das redes...
Suspirei: loucura!
E rochas de mágoa
estalavam fendas
por todos os lados,
dentro do meu peito.
E um pássaro enorme,
fugido de lendas,
com os olhos parados,
levava, levava
meu sonho sem fala
para a sepultura,
como, para um leito,
um corpo que dorme.
Que suor ardente
de sangue e de lava
nos liquens e orvalhos!
Patas e centelhas
e rosas vermelhas
subindo nos galhos,

para a fria lua
no quarto crescente...
E, sobre meus passos,
teus olhos abertos,
inúteis e certos,
extintos e vivos,
e dentro da sua
larga claridade
o destino exposto:
— nos trigos comidos,
— na dor inocente,
— nos sonhos dormidos,
fundos, primitivos,
para eternamente...
E danças dançadas
dentro de cisternas,
sobre águas fechadas.
Vento de veludo
extinguindo as pernas
e o rumor de tudo...
Dos olhos caía
meu esquecimento
com o toque do vento.
Falavam. Porém
tão longe, tão brando,
quem era? em que dia?
Tudo isso passando
para outros impérios,
sem nada e ninguém.

Se havia um sorriso,
quem é que sorria?
Aquilo distante
era o paraíso?
Espiral de escadas...
Roda de navios...
Hélices cansadas...
E um correr de rios
levando consigo
noites, madrugadas,
ninhos, flores, crianças,
homens e mulheres
estreitadamente...
E as minhas lembranças
de novo perdidas,
e o meu sonho antigo
outra vez errante,
morto e decomposto...
Perguntei: "Que queres?"
Mas não respondia.
E, pela torrente,
seguia, seguia,
com todas as vidas,
o esquema do Rosto.
Verônica fria
de Deus ou de gente?

A amiga deixada

Antiga
cantiga
da amiga
deixada.

Musgo da piscina,
de uma água tão fina,
sobre a qual se inclina
a lua exilada.

Antiga
cantiga
da amiga
chamada.

Chegara tão perto!
Mas tinha, decerto,
seu rosto encoberto...
Cantava — mais nada.

Antiga
cantiga
da amiga
chegada.

Pérola caída
na praia da vida:

primeiro, perdida
e depois — quebrada.

Antiga
cantiga
da amiga
calada.

Partiu como vinha,
leve, alta, sozinha
— giro de andorinha
na mão da alvorada.

Antiga
cantiga
da amiga
deixada.

A mulher e o seu menino

A Fernanda de Castro

Mulher de pedra,
que é do menino
que houve em teu doce
braço divino,
— nesse teu braço
que ainda está preso,
plácido e curvo,

à eterna idéia
de um vago peso?

"Vento do tempo
me estremeceu:
ele era pedra
da minha pedra,
mas nunca soube
se era bem meu.

Vento do tempo
passou por mim:
foi-se o menino,
deixou-me assim.
Foi sem palavras.
Tão pequenino,
que ia falar?
Talvez soubesse
para onde é que ia...
Eu não conheço
senão meu peito:
há outro lugar?

Têm vindo coisas:
não sei que são.
Coisas que cantam,
coisas que brilham.
Mas ele, não.
E era tão feito
só de ficar

que, embora longe,
sinto-o comigo:
meu braço é sempre
sua cadeira,
todo o meu corpo
seu espaldar."

Mulher de pedra,
que é do menino?

"Vento do tempo
quebrou meu seio
para o arrancar.
A mim, deixou-me.
A ele, levou-o.
(Há algum lugar?)

Desde o Princípio,
comigo vinha.
Meu Nascimento
nele nasceu.
Foi-se — por onde? —
tudo que eu tinha.

Ele era pedra
da minha pedra,
porém é certo
que nunca soube
se era bem meu..."

Vaga Música

Oráculo

A Carlos Queiroz

Quieta coruja do bosque negro,
onde o azul-índigo e o verde-gaio?
Nos teus rios? No monte grego?
Ou na fenícia praia?

Agora, tarde. Mas, ontem, cedo.
Sonho: Citera. Rumo: Tessália.
Árvore exausta. Cansado remo.
Clássica luz de maio.

Ah! fuga antiga! Nas águas crespas,
oscilam juntos Políbio e Laio.
Sempre serpentes bebendo estrelas.
E um vento que desmaia.

Dança Eufrosina por cinzas tênues.
E a transparente sombra de Tália
move na areia seus vãos desenhos.
— Só nas nuvens Aglaia!

CECILIA MEIRELES

MAR
absoluto
e outros poemas

EDIÇÃO DA
LIVRARIA DO GLOBO
PÔRTO ALEGRE

Mar absoluto e outros poemas. Porto Alegre: Edição da Livraria do Globo, 1945. 248 p. Desta edição foram tirados 150 exemplares fora do comércio, rubricados pela autora. Desenho da capa de M.H. Vieira da Silva.

Na página anterior:
capa da primeira edição de *Mar absoluto e outros poemas*.

Mar Absoluto e Outros Poemas
(1945)

Mar absoluto

Mar absoluto

Foi desde sempre o mar.
E multidões passadas me empurravam
como a barco esquecido.

Agora recordo que falavam
da revolta dos ventos,
de linhos, de cordas, de ferros,
de sereias dadas à costa.

E o rosto de meus avós estava caído
pelos mares do Oriente, com seus corais e pérolas,
e pelos mares do Norte, duros de gelo.

Então, é comigo que falam,
sou eu que devo ir.
Porque não há mais ninguém,
não, não haverá mais ninguém,
tão decidido a amar e a obedecer a seus mortos.

E tenho de procurar meus tios remotos afogados.
Tenho de levar-lhes redes de rezas,
campos convertidos em velas,
barcas sobrenaturais
com peixes mensageiros
e santos náuticos.

E fico tonta,
acordada de repente nas praias tumultuosas.

E apressam-me, e não me deixam sequer mirar a rosa-dos-ventos.
"Para adiante! Pelo mar largo!
Livrando o corpo da lição frágil da areia!
Ao mar! — Disciplina humana para a empresa da vida!"

Meu sangue entende-se com essas vozes poderosas.
A solidez da terra, monótona,
parece-nos fraca ilusão.
Queremos a ilusão grande do mar,
multiplicada em suas malhas de perigo.

Queremos a sua solidão robusta,
uma solidão para todos os lados,
uma ausência humana que se opõe ao mesquinho formigar
[do mundo,
e faz o tempo inteiriço, livre das lutas de cada dia.

O alento heróico do mar tem seu pólo secreto,
que os homens sentem, seduzidos e medrosos.

O mar é só mar, desprovido de apegos,
matando-se e recuperando-se,
correndo como um touro azul por sua própria sombra,
e arremetendo com bravura contra ninguém,
e sendo depois a pura sombra de si mesmo,
por si mesmo vencido. É o seu grande exercício.

Não precisa do destino fixo da terra,
ele que, ao mesmo tempo,
é o dançarino e a sua dança.

Mar Absoluto e Outros Poemas

Tem um reino de metamorfose, para experiência:
seu corpo é o seu próprio jogo,
e sua eternidade lúdica
não apenas gratuita: mas perfeita.

Baralha seus altos contrastes:
cavalo épico, anêmona suave,
entrega-se todo, despreza tudo,
sustenta no seu prodigioso ritmo
jardins, estrelas, caudas, antenas, olhos,
mas é desfolhado, cego, nu, dono apenas de si,
da sua terminante grandeza despojada.

Não se esquece que é água, ao desdobrar suas visões:
água de todas as possibilidades,
mas sem fraqueza nenhuma.

E assim como água fala-me.
Atira-me búzios, como lembrança de sua voz,
e estrelas eriçadas, como convite ao meu destino.

Não me chama para que siga por cima dele,
nem por dentro de si:
mas para que me converta nele mesmo. É o seu máximo dom.

Não me quer arrastar como meus tios outrora,
nem lentamente conduzida,
como meus avós, de serenos olhos certeiros.

Aceita-me apenas convertida em sua natureza:
plástica, fluida, disponível,
igual a ele, em constante solilóquio,
sem exigências de princípio e fim,
desprendida de terra e céu.

E eu, que viera cautelosa,
por procurar gente passada,
suspeito que me enganei,
que há outras ordens, que não foram bem ouvidas;
que uma outra boca falava: não somente a de antigos mortos,
e o mar a que me mandam não é apenas este mar.

Não é apenas este mar que reboa nas minhas vidraças,
mas outro, que se parece com ele
como se parecem os vultos dos sonhos dormidos.
E entre água e estrela estudo a solidão.

E recordo minha herança de cordas e âncoras,
e encontro tudo sobre-humano.
E este mar visível levanta para mim
uma face espantosa.

E retrai-se, ao dizer-me o que preciso.
E é logo uma pequena concha fervilhante,
nódoa líquida e instável,
célula azul sumindo-se
no reino de um outro mar:
ah! do Mar Absoluto.

Noturno

Brumoso navio
o que me carrega
por um mar abstrato.
Que insigne alvedrio
prende à idéia cega
teu vago retrato?

A distante viagem
adormece a espuma
breve da palavra:
— máquina de aragem
que percorre a bruma
e o deserto lavra.

Ceras de mistério
selam cada poro
da vida entregada.
Em teu mar, no império
de exílio onde moro,
tudo é igual a nada.

Capitão que conte
quem és, porque existes,
deve ter havido.
Eu? — bebo o horizonte...
Estrelas mais tristes.
Coração perdido.

Sonolentas velas
hoje dobraremos:
— e a nossa cabeça.
Talvez dentro delas
ou nos duros remos
teu NOME apareça.

Contemplação

Não acuso. Nem perdôo.
Nada sei. De nada.
Contemplo.

Quando os homens apareceram,
eu não estava presente.
Eu não estava presente,
quando a terra se desprendeu do sol.
Eu não estava presente,
quando o sol apareceu no céu.
E, antes de haver o céu,
EU NÃO ESTAVA PRESENTE.

Como hei de acusar ou perdoar?
Nada sei.
Contemplo.

Parece que às vezes me falam.
Mas também não tenho certeza.

Quem me deseja ouvir, nestas paragens
onde todos somos estrangeiros?

Também não sei com segurança, muitas vezes,
da oferta que vai comigo, e em quê resulta,
pois o mundo é mágico!
Tocou-se o Lírio, e apareceu um Cavalo Selvagem.
E um anel no dedo pode fazer desabar da lua um temporal.
Já vês que me enterneço e me assusto,
entre as secretas maravilhas.
E não posso medir todos os ângulos do meu gesto.

Noites e noites, estudei devotamente
nossos mitos, e sua geometria.

Por mais que me procure, antes de tudo ser feito,
eu era amor. Só isso encontro.
Caminho, navego, vôo
— sempre amor.
Rio desviado, seta exilada, onda soprada ao contrário
— mas sempre o mesmo resultado: direção e êxtase.

À beira dos teus olhos,
por acaso detendo-me,
que acontecimentos serão produzidos
em mim e em ti?

Não há resposta.
Sabem-se os nascimentos
quando já foram sofridos.

Tão pouco somos — e tanto causamos,
com tão longos ecos!
Nossas viagens têm cargas ocultas, de desconhecidos vínculos.
Entre o desejo de itinerário, uma lei que nos leva
age invisível e abriga
mais que o itinerário e o desejo.

Que te direi, se me interrogas?
As nuvens falam?
Não. As nuvens tocam-se, passam, desmancham-se.
Às vezes, pensa-se que demoram, parece que estão paradas...
— Confundiram-se.
E até se julga que dentro delas andam estrelas e planetas.
Oh, aparência... Pode talvez andar um tonto pássaro perdido.
Voz sem pouso, no tempo surdo.

Não acuso nem perdôo.
Que faremos, errantes entre as invenções dos deuses?

Eu não estava presente, quando formaram
a voz tão frágil dos pássaros.

Quando as nuvens começaram a existir,
qual de nós estava presente?

Prazo de vida

No meio do mundo faz frio,
faz frio no meio do mundo,
muito frio.

Mandei armar o meu navio.
Volveremos ao mar profundo,
meu navio!

No meio das águas faz frio.
Faz frio no meio das águas,
muito frio.

Marinheiro serei sombrio,
por minha provisão de mágoas.
Tão sombrio!

No meio da vida faz frio,
faz frio no meio da vida.
Muito frio.

O universo ficou vazio,
porque a mão do amor foi partida
no vazio.

Auto-retrato

Se me contemplo,
tantas me vejo,
que não entendo
quem sou, no tempo
do pensamento.

Vou desprendendo
elos que tenho,
alças, enredos...
E é tudo imenso...

Formas, desenho
que tive, e esqueço!
Falas, desejo
e movimento
— a que tremendo,
vago segredo
ides, sem medo?!

Sombras conheço:
não lhes ordeno.
Como precedo
meu sonho inteiro,
e após me perco,
sem mais governo?!

Nem me lamento
nem esmoreço:
no meu silêncio
há esforço e gênio
e suave exemplo
de mais silêncio.

Não permaneço.
Cada momento

é meu e alheio.
Meu sangue deixo,
breve e surpreso,
em cada veio
semeado e isento.
Meu campo, afeito
à mão do vento,
é alto e sereno:
amor. desprezo.

Assim compreendo
o meu perfeito
acabamento.

Múltipla, venço
este tormento
do mundo eterno
que em mim carrego:
e, una, contemplo
o jogo inquieto
em que padeço.

E recupero
o meu alento
e assim vou sendo.

Ah, como dentro
de um prisioneiro
há espaço e jeito

para esse apego
a um deus supremo,
e o acerbo intento
do seu concerto
com a morte, o erro...

(Voltas do tempo
— sabido e aceito —
do seu desterro...)

Vigilância

A estrela que nasceu trouxe um presságio triste;
inclinou-se o meu rosto e chorou minha fronte:
que é dos barcos do meu horizonte?

Se eu dormir, aonde irão esses errantes barcos,
dentro dos quais o destino carrega
almas de angústia demorada e cega?

E como adormecer nesta Ilha em sobressalto,
se o perigo do mar no meu sangue se agita,
e eu sou, por quem navega, a eternamente aflita?

E que deus me dará força tão poderosa
para assim resistir toda a vida desperta
e com os deuses conter a tempestade certa?

A estrela que nasceu tinha tanta beleza
que voluntariamente a elegeu minha sorte.
Mas a beleza é o outro perfil do sofrimento,
e só merece a vida o que é senhor da morte.

Madrugada no campo

Com que doçura esta brisa penteia
a verde seda fina do arrozal —
Nem cílios, nem pluma, nem lume de lânguida
lua, nem o suspiro do cristal.

Com que doçura a transparente aurora
tece na fina seda do arrozal
aéreos desenhos de orvalho! Nem lágrimas,
nem pérola, nem íris de cristal...

Com que doçura as borboletas brancas
prendem os fios verdes do arrozal
com seus leves laços! Nem dedos, nem pétalas,
nem frio aroma de anis em cristal.

Com que doçura o pássaro imprevisto
de longe tomba no verde arrozal!
— Caído céu, flor azul, estrela última:
súbito sussurro e eco de cristal.

Compromisso

Transportam meus ombros secular compromisso.
Vigílias do olhar não me pertencem;
trabalho dos meus braços
é sobrenatural obrigação.

Perguntam pelo mundo
olhos de antepassados;
querem, em mim, suas mãos
o inconseguido.
Ritmos de construção
enrijeceram minha juventude,
e atrasam-me na morte.
Vive! — clamam os que se foram,
ou cedo ou irrealizados.
Vive por nós! — murmuram suplicantes.

Vivo por homens e mulheres
de outras idades, de outros lugares, com outras falas.
Por infantes e velhinhos trêmulos.
Gente do mar e da terra,
suada, salgada, hirsuta.
Gente da névoa, apenas murmurada.

É como se ali na parede
estivessem a rede e os remos,
o mapa,
e lá fora crescessem uva e trigo,

e à porta se chegasse uma ovelha,
que me estivesse mirando em luar,
e perguntando-se, também.

Esperai! Sossegai!

Esta sou eu — a inúmera.
Que tem de ser pagã como as árvores
e, como um druida, mística.
Com a vocação do mar, e com seus símbolos.
Com o entendimento tácito,
instintivo,
das raízes, das nuvens,
dos bichos e dos arroios caminheiros.

Andam arados, longe, em minh'alma.

Andam os grandes navios obstinados.

Sou minha assembléia,
noite e dia, lucidamente.

Conduzo meu povo
e a ele me entrego.
E assim nos correspondemos.

Faro do planeta e do firmamento,
bússola enamorada da eternidade,
um sentimento lancinante de horizontes,

um poder de abraçar, de envolver
as coisas sofredoras,
e levá-las nos ombros, como os anos e as cruzes.

E somos um bando sonâmbulo
passeando com felicidade
por lugares sem sol nem lua.

Sugestão

Sede assim — qualquer coisa
serena, isenta, fiel.

Flor que se cumpre,
sem pergunta.

Onda que se esforça,
por exercício desinteressado.

Lua que envolve igualmente
os noivos abraçados
e os soldados já frios.

Também como este ar da noite:
sussurrante de silêncios,
cheio de nascimentos e pétalas.

Igual à pedra detida,
sustentando seu demorado destino.

E à nuvem, leve e bela,
vivendo de nunca chegar a ser.

À cigarra, queimando-se em música,
ao camelo que mastiga sua longa solidão,
ao pássaro que procura o fim do mundo,
ao boi que vai com inocência para a morte.

Sede assim qualquer coisa
serena, isenta, fiel.

Não como o resto dos homens.

Museu

Espadas frias, nítidas espadas,
duras viseiras já sem perspectiva,
cetro sem mãos, coroa já não viva
de cabeças em sangue naufragadas;
anéis de demorada narrativa,
leques sem falas, trompas sem caçadas,
pêndulos de horas não mais escutadas,
espelhos de memória fugitiva;
ouro e prata, turquesas e granadas,
        que é da presença passageira e esquiva
        das heranças dos poetas, malogradas:
        a estrela, o passarinho, a sensitiva,
        a água que nunca volta, as bem-amadas,
        a saudade de Deus, vaga e inativa...?

Minha sombra

Tranqüila sombra
que me acompanhas,
em pedras rojas,
no ar te levantas,
acompanhando
meus movimentos,
pisada e escrava
por tanto tempo!

Vejo-te e choro
da companhia:
que nem sou tua
nem tu és minha.

E me pertences
e te pertenço,
mais do que à vida
e ao pensamento.

Sombra por sombra
toda abraçada,
levo-te como
anjo da guarda.
Tens tudo quanto
me quero e penso:
— frágil, exata.
(Amor. Silêncio.)

Ao despedir-me
do mundo humano
sei que te extingues
sem voz nem pranto,
no mesmo dia.

Preito como esse
tu, só, me rendes,
sombra que tinha!

Imensa pena,
que assim te deixe,
— ó companheira —
sem companhia!...

Irrealidade

Como num sonho
aqui me vedes:
água escorrendo
por estas redes
de noite e dia.

A minha fala
parece mesmo
vir do meu lábio
e anda na sala
suspensa em asas
de alegoria.

Sou tão visível
que não se estranha
o meu sorriso.
E com tamanha
clareza pensa
que não preciso
dizer que vive
minha presença.

E estou de longe,
compadecida.
Minha vigília
é anfiteatro
que toda a vida
cerca, de frente.
Não há passado
nem há futuro.
Tudo que abarco
se faz presente.

Se me perguntam
pessoas, datas,
pequenas coisas
gratas e ingratas,
cifras e marcos
de quando e de onde
— a minha fala
tão bem responde
que todos crêem
que estou na sala.

E ao meu sorriso
vós me sorris...
Correspondência
do paraíso
da nossa ausência
desconhecida
e tão feliz!

Romantismo

Quem tivesse um amor, nesta noite de lua,
para pensar um belo pensamento
e pousá-lo no vento!

Quem tivesse um amor — longe, certo e impossível —
para se ver chorando, e gostar de chorar,
e adormecer de lágrimas e luar!

Quem tivesse um amor, e, entre o mar e as estrelas,
partisse por nuvens, dormente e acordado,
levitando apenas, pelo amor levado...

Quem tivesse um amor, sem dúvida nem mácula,
sem antes nem depois: verdade e alegria...
Ah! quem tivesse... (Mas, quem teve? quem teria?)

Pastorzinho mexicano

Pastorzinho mexicano:
entre o duro agave e o cordeiro terno,
sentou-se em descanso.

Entre o duro agave e o cordeiro terno,
pastorzinho mexicano,
tudo é verde campo:
para o agudo espinho, para o frouxo velo
e para o silêncio do que estás pensando.

Pastorzinho mexicano
de sonho coberto!
Teus olhos têm o mesmo espanto
dos de teu rebanho.

Anda a serra no céu e no campo
deslizando seu corpo de ferro.
Vai andando e carregando
— olha como tão bem carrega!
as três crias de seu flanco:
duro agave,
cordeiro terno,
pastorzinho mexicano.

1º motivo da rosa

Vejo-te em seda e nácar,
e tão de orvalho trêmula,
que penso ver, efêmera,
toda a Beleza em lágrimas
por ser bela e ser frágil.

Meus olhos te ofereço:
espelho para a face
que terás, no meu verso,
quando, depois que passes,
jamais ninguém te esqueça.

Então, de seda e nácar,
toda de orvalho trêmula,
serás eterna. E efêmero
o rosto meu, nas lágrimas
do teu orvalho... E frágil.

Convite melancólico

Vinde todos, e contemplai-nos:
que somos os da terra fatigados,
de cabelos hirsutos
e de joelhos sem força,
com palavras, paisagens, figuras humanas
pregadas para sempre em nossa memória.

Já nem queremos nada,
tanto estamos desgostosos:
nem água nem ouro nem beijo.
Para nunca mais — o horizonte e a sua flor!

Podeis vir, que já se extinguiram as revelações.
Nada vos custa o espetáculo.
Rasgou-se o traçado em que nos gastamos em sonho,
e a arquitetura que trazíamos
voa de novo, em números celestes.

Vinde e contemplai-nos, que entardece.
Nossas sombras caminham para o reino da Sombra.
Nunca mais sabereis como foram nossos olhos:
vinde vê-los para (se isto ainda se repetir)
vossos filhos reconhecerem prontamente
os modos e o destino dos que apenas amaram,
e passaram,
amarrados,

eles, que tinham vindo
mostrar apenas um divino dinamismo!

Desejo de regresso

Deixai-me nascer de novo,
nunca mais em terra estranha,
mas no meio do meu povo,

com meu céu, minha montanha,
meu mar e minha família.

E que na minha memória
fique esta vida bem viva,
para contar minha história
de mendiga e de cativa
e meus suspiros de exílio.

Porque há doçura e beleza
na amargura atravessada,
e eu quero a memória acesa
depois da angústia apagada.
Com que afeição me remiro!

Marinheiro de regresso
com seu barco posto a fundo,
às vezes quase me esqueço
que foi verdade este mundo.
(Ou talvez fosse mentira...)

Distância

Quem sou eu, a que está nesta varanda,
em frente deste mar, sob as estrelas,
vendo vultos andarem?

Sabem, acaso, os vultos, quem vão sendo?
Sentem o céu, as águas, quando passam?
Ou não vêem, ou não lembram?

Como alguém deste mundo para a lua
dirige os olhos, meditando coisas
e assim no vago mira,

— para este mundo vão meus pensamentos,
tão estrangeiros, tão desapegados,
como se esta varanda fosse a lua.

Este é o lenço

Este é o lenço de Marília,
pelas suas mãos lavrado,
nem a ouro nem a prata,
somente a ponto cruzado.
Este é o lenço de Marília
para o Amado.

Em cada ponta, um raminho,
preso num laço encarnado;
no meio, um cesto de flores,
por dois pombos transportado.
Não flores de amor-perfeito,
mas de malogrado!

Este é o lenço de Marília:
bem vereis que está manchado:
será do tempo perdido?
será do tempo passado?
Pela ferrugem das horas?
ou por molhado
em águas de algum arroio
singularmente salgado?

Finos azuis e vermelhos
do largo lenço quadrado
— quem pintou nuvens tão negras
neste pano delicado,
sem dó de flores e de asas
nem do seu recado?

Este é o lenço de Marília,
por vento de amor mandado.
Para viver de suspiros
foi pela sorte fadado:
breves suspiros de amante
— longos, de degredado!

Este é o lenço de Marília:
nele vereis retratado
o destino dos amores
por um lenço atravessado:
que o lenço para os adeuses
e o pranto foi inventado.

Olhai os ramos de flores
de cada lado!
E os tristes pombos, no meio,
com o seu cestinho parado
sobre o tempo, sobre as nuvens
do mau fado!

Onde está Marília, a bela?
E Dirceu, com a lira e o gado?

As altas montanhas duras,
letra a letra, têm contado
sua história aos ternos rios,
que em ouro a têm soletrado...

E as fontes de longe miram
as janelas do sobrado.

Este é o lenço de Marília
para o Amado.

Eis o que resta dos sonhos:
um lenço deixado.

Pombos e flores, presentes.
Mas o resto, arrebatado.

Caiu a folha das árvores,
muita chuva tem gastado

pedras onde houvera lágrimas.
Tudo está mudado.

Este é o lenço de Marília
como foi bordado.
Só nuvens, só muitas nuvens
vêm pousando, têm pousado
entre os desenhos tão finos
de azul e encarnado.
Conta já século e meio
de guardado.

Que amores como este lenço
têm durado,
se este mesmo está durando
mais que o amor representado?

Canção

Ouvi cantar de tristeza,
porém não me comoveu.
Para o que todos deploram,
que coragem Deus me deu!

Ouvi cantar de alegria.
No meu caminho parei.
Meu coração fez-se noite.
Fechei os olhos. Chorei.

Dizem que cantam amores.
Não quero ouvir mais cantar.
Quero silêncios de estrelas,
voz sem promessas do mar.

Caramujo do mar

Caramujo do mar, caramujo,
nas areias seco e sujo...

"Fui rosa das ondas, da lua e da aurora,
e aqui estou nas areias, cujo
pó vai gastando meu dourado flanco,
sem azuis e espumas, agora.

Vai secando o sol meu coração branco,
meu coração d'água, divino, divino,
onde a origem do mundo mora.

Vou ficando ao vento todo cristalino,
quanto mais me perco, me transformo e fujo
do intranqüilo mundo de outrora.

Minha essência plástica e pura
docilmente se transfigura
e vai sendo vida sonora.

Morto-vivo, em silêncio rujo;
da praia rasa, absorvo a altura,

e celebro as ondas, as luas, a aurora...
as águas que dançam, a espuma que chora..."

Caramujo do mar, caramujo,
nas areias seco e sujo...

Mulher adormecida

Moro no ventre da noite:
sou a jamais nascida.
E a cada instante aguardo vida.

As estrelas, mais o negrume
são minhas faixas tutelares,
e as areias e o sal dos mares.

Ser tão completa e estar tão longe!
Sem nome e sem família cresço,
e sem rosto me reconheço.

Profunda é a noite onde moro.
Dá no que tanto se procura.
Mas intransitável, e escura.

Estarei um tempo divino
como árvore em quieta semente,
dobrada na noite, e dormente.

Até que de algum lado venha
a anunciação do meu segredo
desentranhar-me deste enredo,

arrancar-me à vagueza imensa,
consolar-me deste abandono,
mudar-me a posição do sono.

Ah, causador dos meus olhos,
que paisagem cria ou pensa
para mim, a noite densa?

Suspiro

Não tenho nada com as pessoas,
tenho só contigo, meu Deus.

— Pássaro que pelo ar deslizas,
que pensamentos são os teus?

Minha estrela vai perseguida
e por entre círculos corre.

— Ó pássaro que vais morrendo,
saberás que também se morre?

A que dorme vai caminhando,
a outra, desperta e imóvel jaz.

Mar Absoluto e Outros Poemas

— Aonde te disseram que voasses?
Segue teu rumo e canta em paz.

Prelúdio

Que tempo seria,
ó sangue, ó flor,
em que se amaria
de amor!

Pérolas de espuma,
de espuma e sal.
Nunca mais nenhuma
igual.

Era mar e lua:
minha voz, mar.
Mas a tua... a tua
— luar!

Coroa divina
que a própria luz
nunca mais tão fina
produz.

Que tempo seria,
ó sangue, ó flor,
em que se amaria
de amor!

Lamento da noiva do soldado

Como posso ficar nesta casa perdida,
neste mundo da noite,
sem ti?

Ontem falava a tua boca à minha boca...
E agora que farei,
sem saber mais de ti?

Pensavam que eu vivesse por meu corpo e minh'alma!
Todos os olhos são de cegos... Eu vivia
unicamente de ti!

Teus olhos, que me viram, como podem ser fechados?
Aonde foste, que não me chamas, não me pedes,
como serei agora, sem ti?

Cai neve nos teus pés, no teu peito, no teu
coração... Longe e solitário... Neve, neve...
E eu fervo em lágrimas, aqui!

Instrumento

A cana agreste ou a harpa de ouro
permitem que alguém as acorde
com brando pulso ou leve sopro.

Têm memória de águas e vento
e — além dos mundos desvairados —
do silêncio, o etéreo silêncio!

Seus poderes de eternidade
tornam imenso e inesquecível
o som mais transitório e suave.

Chega-te concentrado e cauto,
que o universo inteiro te escuta!
Frase inútil, suspiro falso

vibram tão poderosamente
que a mão pára, o lábio umedece,
com medo do seu próprio engano.

E o eco sem perdões o repete
para um ouvinte sobre-humano.

Epigrama

Pelo arco-íris tenho andado.
Mas de longe, e sem vertigens.
E assim pude abraçar nuvens,
para amá-las e perdê-las.

Foi meu professor um pássaro,
dono de arco-íris e nuvens,

que dizia adeus com as asas,
em direção às estrelas.

Por baixo dos largos fícus

Por baixo dos largos fícus
plantados à beira-mar,
em redor dos bancos frios
onde se deita o luar,
vão passando os varredores,
calados, a vassourar.

Diríeis que andam sonhando,
se assim os vísseis passar,
por seu calmo rosto branco,
sua boca sem falar
— e por varrerem as flores
murchas, de verem amar.

E por varrerem os nomes
desenhados par a par,
no vão desejo dos homens,
na areia vã, de pisar...
— por varrerem os amores
que houve naquele lugar.

Visto de baixo, o arvoredo
é renda verde de luar,

desmanchada ao vento crespo
que à noite regressa ao mar.

Vão passando os varredores;
vão passando e vão varrendo
a terra, a lembrança, o tempo.

E, de momento em momento,
varrem seu próprio passar...

Os presentes dos mortos

Os presentes dos mortos
arrastam-se ternamente
no encalço dos vivos.

Usam um silêncio diferente,
pousam de um modo peculiar.

Como também morreram um pouco,
têm uma feição pálida e ausente.
Comanda-os de longe esquiva estrela.

Como, porém, não morreram de todo,
aproximam-se com branduras de fantasma,
e a cada instante se detêm,
medrosos, por se encontrarem na nossa frente.

Somos tão bruscos, tão agressivos!
É tão sensível aos delicados modos da morte
a condição do áspero ser vivente!

2º motivo da rosa

A Mário de Andrade

Por mais que te celebre, não me escutas,
embora em forma e nácar te assemelhes
à concha soante, à musical orelha
que grava o mar nas íntimas volutas.

Deponho-te em cristal, defronte a espelhos,
sem eco de cisternas ou de grutas...
Ausências e cegueiras absolutas
ofereces às vespas e às abelhas,

e a quem te adora, ó surda e silenciosa,
e cega e bela e interminável rosa,
que em tempo e aroma e verso te transmutas!

Sem terra nem estrelas brilhas, presa
a meu sonho, insensível à beleza
que és e não sabes, porque não me escutas...

Suave morta

À suave morta, que dizem os figurinos abertos
e seu espelho e seu perfume e seus anéis?

(Olhos fechados. Narina imóvel.)

Que podem dizer os poetas? E agora os santos que lhe importam?
E os amigos? Por onde os rostos verdadeiros, e os infiéis?

(Olhos fechados. Memória dormida.)

Aqueles que inutilmente amou estão longe ou perto?
Não sabe, não se lembra, não se interessa, já não tem
necessidade de querer, de ser querida: no seu mundo
ela é tudo, ela é todas, multiplicada do ninguém.

(Olhos fechados. Coração quieto.)

A suave morta é areia onde asa nenhuma bate sombra.
Areia cega às nuvens e às estrelas. Tão perdida...
Digam-lhe o que quiserem. Chorem. Amem-na. É agora ausente
por completo, como aprendeu, dia a dia, na vida.

(Olhos fechados: e instruída.)

O tempo no jardim

Nestes jardins — há vinte anos — andaram os nossos
[muitos passos,
e aqueles que então éramos se contemplaram nestes lagos.

Se algum de nós avistasse o que seríamos com o tempo,
todos nós choraríamos, de mútua pena e susto imenso.

E assim nos separamos, suspirando dias futuros,
e nenhum se atrevia a desvelar seus próprios mundos.

E agora que separados vivemos o que foi vivido,
com doce amor choramos quem fomos nesse tempo antigo.

Diana

A Manuel Bandeira

Ah, o tempo inteiro
perseguindo, de bosque em bosque,
rastros desfigurados!

As flores tocam-lhe
com blocos de aço a carne rápida.
E a chuva enche-lhe os olhos.

Manejava o arco
de tal maneira suave e exata
que era belo ser vítima.

Voltava à noite,
vazia a aljava, e pensativa,
com sua sombra, apenas.

Nenhuma caça
valera a seta nem o gesto
de caçadora triste.

Nenhuma seta,
nenhum gesto valera o grito
reproduzido no eco.

Beira-mar

Sou moradora das areias,
de altas espumas: os navios
passam pelas minhas janelas
como o sangue nas minhas veias,
como os peixinhos nos rios...

Não têm velas e têm velas;
e o mar tem e não tem sereias;
e eu navego e estou parada,
vejo mundos e estou cega,
porque isto é mal de família,
ser de areia, de água, de ilha...
E até sem barco navega
quem para o mar foi fadada.

Deus te proteja, Cecília,
que tudo é mar — e mais nada.

Evelyn

Não te acabarás, Evelyn.

As rochas que te viram são negras, entre espumas finas;
sobre elas giram lisas gaivotas delicadas,
e ao longe as águas verdes revolvem seus jardins de vidro.

Não te acabarás, Evelyn.

Guardei o vento que tocava
 a harpa dos teus cabelos verticais,
e teus olhos estão aqui, e são conchas brancas,
docemente fechados, como se vê nas estátuas.

Guardei teu lábio de coral róseo
e teus dedos de coral branco.
E estás para sempre, como naquele dia,
comendo, vagarosa, fibras elásticas de crustáceos,
mirando a tarde e o silêncio
e a espuma que te orvalhava os pés.

Não te acabarás, Evelyn.

Eu te farei aparecer entre as escarpas,
sereia serena,

e os que não te viram procurarão por ti
que eras tão bela e nem falaste.

Evelyn! — disseram-me,
apontando-te entre as barcas.

E eras igual a meu destino:

Evelyn — entre a água e o céu.
Evelyn — entre a água e a terra.
Evelyn — sozinha —
entre os homens e Deus.

490 Xadrez

Leva-me o tempo para frente,
certo de sua direção.
Pausado passo indiferente!

(Peão.)

Que ímpeto me vem, de repente,
e se esforça por contrariá-lo?
Ó nervosa crina, asa ardente!

(Cavalo.)

Talvez meu poder aumente,
e o tempo invicto alcance e toque...
Como, porém, mudar-lhe a ação?

(Roque.)

Leva-me o tempo para a frente,
dizendo passo a passo: "És minha!"
E acrescentando, por piedade:

"Rainha!"

E apenas digo, debilmente,
como quem sonha e se persuade:
"Tua, apenas tua, serei...

Rei!"

Doce cantar

Tão liso está meu coração,
tão lisos, meus pensamentos,
que as lágrimas rolarão,
e os contentamentos.

Folhas verdes e encarnadas
tão lisas nunca serão,
nem orvalhadas.

Nunca serão as espadas
lisas como o meu coração,
mas grossas e enferrujadas.

E aos meus lisos pensamentos
nunca se compararão
nem luzes nem ventos.
Que as imagens e os momentos
rugas sempre são.

Poema a Antonio Machado

Contigo, Antonio, Antonio Machado,
contigo quisera passear,
por manhã de serra, por noite de rio,
por nascer de luar.

Palavras calmas que fosses dizendo
seriam folhas movidas no ar.
Tu eras a árvore, a árvore, Antonio,
com sua alma preliminar.

Palavras tristes que não me dissesses,
sentidas ao vento, por outro lugar,
os deuses dos campos as recolheriam,
para as transformar.

Tu eras a árvore andando na terra,
com raízes vivas, pássaros a cantar.

Contigo, contigo, Antonio Machado
fora bom passear.

Por montes e vales ir andando, andando,
e, entre caçadores que vão a caçar,
ouvir teus lebréus perseguindo a lua,
corça verde, no ar.

Realização da vida

Não me peças que cante,
pois ando longe,
pois ando agora
muito esquecida.

Vou mirando no bosque
 o arroio claro
e a provisória
flor escondida.

E procuro minha alma
e o corpo, mesmo,
e a voz outrora
em mim sentida.

E me vejo somente
 pequena sombra
sem tempo e nome,
nisto perdida

— nisto que se buscara
pelas estrelas,
com febre e lágrimas,
e que era a vida.

Desapego

A vida vai depressa e devagar.
Mas a todo momento
penso que posso acabar.

Porque o bem da vida seria ter
mesmo no sofrimento
gosto de prazer.

Já nem tenho vontade de falar
senão com árvores, vento,
estrelas, e águas do mar.

E isso pela certeza de saber
que nem ouvem meu lamento
nem me podem responder.

Baile vertical

Deslizamos tão fluidos, vagamente,
neste chão vertical!

Nossos braços não lutam, na torrente,
porque este é um baile sobrenatural.

Caem todos os nossos dons humanos
— palavras, pensamentos... — Vão,
mais depressa que nós, aos derradeiros planos
onde, afinal, se deixa mesmo o coração.

Mas é tão grande a festa!... Há tanta pressa,
tamanha confusão, tal vertigem pelo ar,
que ninguém mais pergunta onde começa,
e parece impossível terminar.

Balada do soldado Batista

Era das águas, vinha das águas:
trazia sua sorte escrita
na palma das mãos, o soldado Batista.

Nos primeiros dias de sangue,
uma velhinha chorava aflita
soletrando o seu nome na lista.

Era das águas, vinha das águas.
Um velhinho disse: "Permita
Deus que acabe a guerra!" Na crista

dos mares já dançava o navio,
e o moço, por ser fatalista,
sorri para a onda que o solicita.

Era das águas, vinha das águas:
fora batizado Batista.
A velhinha chora. O velhinho medita.

Não vem carta? Onde está, que não manda uma letra?
Que demora tão esquisita!
Perto do amor. Longe da vista.

Era das águas, vinha das águas.
O primeiro torpedo atinge e precipita
o primeiro navio: o do soldado Batista.

O velhinho reflete: "Oxalá não tenha
ido para longe... para a África: e assista
horrores..." E a velhinha responde, contrita:

"Era das águas, vinha das águas,
que Deus o proteja, e a Virgem bendita,
e seu padrinho, São João Batista!..."

Ambos se afligem. (Quem sabe, nas águas...?)
Mas não dizem nada. Nenhum acredita
e receia também que o outro não resista...

Era das águas, vinha das águas.
Fora-se nas águas, na data prevista
pela curva da vida, em ambas as mãos inscrita.

Nas cadeiras de vime, os velhinhos sentados
perguntam a quem chega: "Quanto dista
a África do Brasil? Que distância infinita!"

Era das águas, vinha das águas, foi-se nas águas...
Os jornais já trazem, o rádio já grita:
só eles não sabem! — Morreu no mar o soldado Batista.

Só eles não sabem! Não saberão por muito tempo...
O amor preserva. O amor ressuscita.

Enquanto não souberem, sonharão que ainda exista

em algum lugar seu filho, o soldado Batista.

Vimos a lua

Vimos a lua nascer, na tarde clara.

Orvalhavam diamantes, as tranças aéreas das ondas
e as janelas abriram-se para florestas cheias de cigarras.

Vimos também a nuvem nascer no fim do oeste.
Ninguém lhe dava importância.
Parece uma pena solta — diziam.
Uma flor desfolhada.

Vimos a lua nascer, na tarde clara.
Subia com seu diadema transparente,
vagarosa, suportando tanta glória.

Mas a nuvem pequena corria veloz pelo céu.
Reuniu exércitos de lã parda,
levantou por todos os lados o alvoroto da sombra.

Quando quisemos outra vez luar,
ouvimos a chuva precipitar-se nas vidraças,
e a floresta debater-se com o vento.

Por detrás das nuvens, porém,
sabíamos que durava, gloriosa e intacta, a lua.

Cavalgada

Escuta o galope certeiro dos dias
saltando as roxas barreiras da aurora.

Já passaram azuis e brancos:
cinzentos, negros, dourados passaram.

Nós, entretidos pela terra,
não levantamos quase nunca os olhos.

E eles iam de estrela a estrela,
asas, crinas e caudas agitando.

Todos belos, e alguns sinistros,
com centelhas de sangue pelos cascos.

Se alguém lhes suplicasse: "Parem!"
— não parariam — que invisível látego

ao flanco impôs-lhes ritmo certo.
Se por acaso alguém dissesse: "Voem!

Mais depressa e para mais longe!"
— veria o que é, no céu, a voz humana...

Escuta o galope sem pausa
da cavalgada que vai para oeste.

Não suspires pelo que existe
nesses caminhos do sol e da lua.

Semeia, colhe, perde, canta,
que a cavalgada leva seu destino.

Ferraduras ígneas virão
procurar onde estás, na hora que é tua.

Entre essas patas de aço e nuvem,
estão presos teus campos e teus mares.

Irás ao céu num selim de ouro,
sem saberes quem pôs teu pé no estribo.

Rodarás entre a poeira e Sírius,
com esses ginetes sem voz e sem sono,

até vir o mais poderoso
que esmague a rosa guardada em teu peito.

Depois, continuarão saltando, mas tão longe
que não perturbarão tuas pálpebras soterradas.

Retrato obscuro

Vêem-se passar seus dois pés,
serenos e certos.
Mas, como as pedras admiradas
e o pó jacente
e as mínimas vidas contritas,
sabe-se que há uma espécie de ninho em redor deles,
que lhes retira o peso, e governa,
governa seu destino e o dos demais.

Assim é ela.

Entre pássaros e flores,
é preciso procurar aprender suas mãos:
inclinam-se, giram, passam,
pertencem a outros enredos,
têm ofícios longe da terra.

Perguntam-me por ela.
Tão triste, responder!

Ela chega, toca-me, deixa-me.
Eu nem olho para ela.
Doce e amargo é pensá-la,
e estar à sua disposição, tacitamente.
Sou o degrau da escada e o fecho em que pousam seus dedos.
Às vezes, seu baço espelho,
e o campo onde um momento desliza seu véu.

Ela vai sempre na frente.
Sozinha. Com um silêncio de bússola e deusa.
Livre de encontros, paradas, limites,
anda leve como as borboletas
e segura como o sol no céu.
E é diante de suas mãos que se sente
esta miséria taciturna,
a obrigação do horizonte,
o curto espaço entre o nascimento e a morte.

Choro porque ela está por estar — assim perto e entre nós,
e comigo — sem mim.
Sua presença animando e enganando minha forma,
não me deixando ver até onde sou ela,
e desde onde a outra que a acompanha,
sabendo-a e sem a saber.

Vede a cor de seus olhos
como desmaia, desaparece, límpida e liberta,
por firmes e oscilantes horizontes.
Sei, quando ela fala, que é diferente de todos,
e, mesmo quando se parece comigo, fico sem saber se sou eu.

E quando não diz nada, sofro, perguntando o que a detém,
por lugares que apenas sinto,
e não a posso ajudar a amar nem a sofrer,
porque nem sofre nem ama,
e é pura, ausente e próxima.

Quem poderá dizer alguma coisa certa a seu respeito?
Ela mesma pararia, ouvindo-se descrever,
atônita.
Seu rosto inviolável é como o das estrelas,
quando os homens explicam:
"Aquela é Sírius... Aquela, Antares... Aquela..."

E como as estrelas
a levo e me leva — incomunicável,
suspensa na vida,
sem glória e sem melancolia.

Pássaro azul

Tua estirpe habitara alcândoras divinas.
Com pés de prata e anil desceste antigos tempos.
E em minhas mãos pousaste, e o silêncio explicou-se
por tua voz, que era de nunca e era de sempre.

Nomes de estrelas vinham sobre as tuas asas,
e era o teu corpo uma ampulheta pressurosa.
Entre as nuvens procuro o último azul que foste...
Mas, de tanto saber, nada mais se deplora.

Como te penso tanto, e tão longe procuro
tua música além das nuvens, não te esqueças
que posso estar um dia, em lágrima extraviada,
pólen do céu brilhando entre os altos planetas.

Mas não voltes aqui, pois é pesado e triste
o humano clima, para o teu destino aéreo.
Eu mal te posso amar, com o sonho do meu corpo
condenado a este chão e sem gosto terrestre.

3º motivo da rosa

Se Omar chegasse
esta manhã,
como veria a tua face,
Omar Khayyam,
tu, que és de vinho
e de romã,
e, por orvalho e por espinho,
aço de espada e Aldebarã?

Se Omar te visse
esta manhã,
talvez sorvesse com meiguice
teu cheiro de mel e maçã.
Talvez em suas mãos morenas
te tomasse, e dissesse apenas:
"É curta a vida, minha irmã."

Mas por onde anda a sombra antiga
do amargo astrônomo do Irã?

Por isso, deixo esta cantiga
— tempo de mim, asa de abelha —

na tua carne eterna e vã,
rosa vermelha!

Para que vivas, porque és linda,
e contigo respire ainda
Omar Khayyam.

Transição

O amanhecer e o anoitecer
parece deixarem-me intacta.
Mas os meus olhos estão vendo
o que há de mim, de mesma e exata.

Uma tristeza e uma alegria
o meu pensamento entrelaça:
na que estou sendo a cada instante
outra imagem se despedaça.

Este mistério me pertence:
que ninguém de fora repara
nos turvos rostos sucedidos
no tanque da memória clara.

Ninguém distingue a leve sombra
que o autêntico desenho mata.
E para os outros vou ficando
a mesma, continuada e exata.

(Chorai, olhos de mil figuras,
pelas mil figuras passadas,
e pelas mil que vão chegando,
noite e dia... — não consentidas,
mas recebidas e esperadas!)

Romantismo

Seremos ainda românticos
— e entraremos na densa mata,
em busca de flores de prata,
de aéreos, invisíveis cânticos.

Nas pedras, à sombra, sentados,
respiraremos a frescura
dos verdes reinos encantados
das lianas e da fonte pura.

E tão românticos seremos,
de tão magoado romantismo,
que as folhas dos galhos supremos
que se desprenderem no abismo

pousarão na nossa memória
— secas borboletas caídas —
e choraremos sua história,
— resumo de todas as vidas.

Saudade

Na areia do Douro, orvalhada de ouro,
menina Ondina,
era lindo brincar.
Transparentes peixes, translúcidos seixos
entre os nossos dedos vinham desmaiar.

Por negras colinas, trepavam as vinhas,
menina Ondina,
muito longe de nós.
Dentro das figueiras, vozes zombeteiras
armavam espelhos para a nossa voz.

Os barcos rabelos carregavam pelo
rio sossegado seus largos barris.
Ah, na areia clara quem sempre ficara,
menina Ondina,
pastoreando as ondas, pastora feliz!

Doce era a cantiga das manhãs antigas,
menina Ondina!
Pela névoa sem fim,
vinha o carpinteiro, com brancas madeiras
talhar barcas novas, iguais a marfim.

Neblinas tão vastas, areias tão gastas,
menina Ondina!
E no meu coração

caminhos tão longos para a água dos sonhos,
longos como a areia dourada do chão...

E o rio corria, transportando o dia,
menina Ondina,
para o escondido mar.
Levava esquecidas também nossas vidas,
com os peixes, os seixos e as coisas divinas
que morrem sem se acabar...

Interpretação

As palavras aí estão, uma por uma:
porém minh'alma sabe mais.

De muito inverossímil se perfuma
o lábio fatigado de ais.

Falai! que estou distante e distraída,
com meu tédio sem voz.

Falai! meu mundo é feito de outra vida.
Talvez nós não sejamos nós.

O convalescente

O convalescente, diante do espelho,
examina seu branco rosto esmaecido.

Vago lilás, o lábio vermelho.
Marfins... Lírios... E o quarto, um búzio em seu ouvido.

Diante do espelho, o convalescente
mira o peito pálido e frio,
com os ossos paralelamente...
E pensa no antigo feitio

de seus braços, de seu pescoço,
e na direção pressurosa
de seu olhar, que era tão vívido, tão moço,
quando ele todo era mármore e rosa!

E agora é débil, frouxo; e seu passo, que hesita
diante do espelho, sente seu rumo longe e estranho.
Entre os móveis a sua força é tímida. Levita
como um pássaro tonto sobre um ondulante rebanho.

Desenrolam-se terra e céu nessa memória
de homem. O antigo é de hoje, o que vem não faz falta.
Tão perto andou do fim que sua vida é história
sem elos. O resto mal o sobressalta.

E pára, a olhar, a ouvir, de súbito presente,
vindo outra vez, ele tão solto, ele tão ido...
Casas. Pessoas. Fatos... — Este mundo! — O convalescente
regressa triste, como um cadáver arrependido.

Surpresa

Trago os cabelos crespos de vento
e o cheiro das rosas nos meus vestidos.
O céu instala no meu pensamento
os seus altos azuis estremecidos.

Águas borbulhantes, árvores tranqüilas
vão adormentando meus tempos chorados.
E a tarde oferece às minhas pupilas
nuvens de flores por todos os lados.

Ó verdes sombras, claridades verdes,
que esmeraldas sensíveis hei nutrido,
para sobre o meu coração verterdes
mirra de primaveras e de olvidos?

Ó céus, ó terra que de tal maneira
ardente e amarga tenho atravessado,
por que agora pensais com tão fino cuidado
vossa mansa, calada, ferida prisioneira?

Lamento da mãe órfã

Foge por dentro da noite,
reaprende a ter pés e a caminhar,
descruza os dedos, dilata a narina à brisa dos ciprestes,
corre entre a lua e os mármores,
vem ver-me,

entra invisível nesta casa, e a tua boca
de novo à arquitetura das palavras
habitua,
e teus olhos à dimensão e aos costumes dos vivos!

Vem para perto, nem que já estejas desmanchado
em fermentos do chão, desfigurado e decomposto!
Não te envergonhes do teu cheiro subterrâneo,
dos vermes que não podes sacudir de tuas pálpebras,
da umidade que penteia teus finos, frios cabelos,
cariciosos.

Vem como estás, metade gente, metade universo,
com dedos e raízes, ossos e vento, e as tuas veias
a caminho do oceano, inchadas, sentindo a inquietação das marés.

Não venhas para ficar, mas para levar-me, como outrora
também te trouxe,
porque hoje és dono do caminho,
és meu guia, meu guarda, meu pai, meu filho, meu amor!

Conduze-me aonde quiseres, ao que conheces — em teu braço
recebe-me, e caminhemos, forasteiros de mãos dadas,
arrastando pedaços de nossa vida em nossa morte,
aprendendo a linguagem desses lugares, procurando os senhores
e as suas leis,
mirando a paisagem que começa do outro lado de nossos cadáveres,
estudando outra vez nosso princípio, em nosso fim.

Transformações

Sobre o leito frio,
sou folha tombada,
num sereno rio.

Folha sou de um galho
onde uma cigarra,
nutrida de orvalho,

rasgou sua vida
em música — ao vento —
desaparecida...

Sobre o leito frio,
sou folha e pertenço
a um profundo rio.

(Pela noite afora,
vão virando sonho
músicas de outrora...)

Caronte

Caronte, juntos agora remaremos:
eu com a música, tu com os remos.

Meus pais, meus avós, meus irmãos,
já também vieram, pelas tuas mãos.

Mas eu sempre fui a mais marinheira:
trata-me como tua companheira.

Fala-me das coisas que estão por aqui,
das águas, das névoas, dos peixes, de ti.

Que mundo tão suave! que barca tão calma!
Meu corpo não viste: sou alma.

Doce é deixar-se, e ternura o fim
do que se amava. Quem soube de mim?

Dize: a voz dos homens fala-nos, ainda?
Não, que antes do meio sua voz é finda.

Rema com doçura, rema devagar:
não estremeças este plácido lugar.

Pago-te em sonho, pago-te em cantiga,
pago-te em estrela, em amor de amiga.

Dize, a voz dos deuses onde principia,
neste mundo vosso, de perene dia?

Caronte, narra mais tarde, a quem vier,
como a sombra trouxeste aqui de uma mulher

tão só, que te fez seu amigo;
tão doce — ADEUS! — que cantava até contigo!

Madrugada na aldeia

Madrugada na aldeia nervosa,
com as glicínias escorrendo orvalho,
os figos prateados de orvalho,
as uvas multiplicadas em orvalho,
as últimas uvas miraculosas.

O silêncio está sentado pelos corredores,
encostado às paredes grossas,
de sentinela.

E em cada quarto os cobertores peludos envolvem o sono:
poderosos animais benfazejos, encarnados e negros.

Antes que um sol luarento
dissolva as frias vidraças,
e o calor da cozinha perfume a casa
com lembrança das árvores ardendo,

a velhinha do leite de cabra desce as pedras da rua
antiqüíssima, antiqüíssima,
e o pescador oferece aos recém-acordados
os translúcidos peixes,
que ainda se movem, procurando o rio.

Leveza

Leve é o pássaro:
e a sua sombra voante,
mais leve.

E a cascata aérea
de sua garganta,
mais leve.

E o que lembra, ouvindo-se
deslizar seu canto,
mais leve.

E o desejo rápido
desse antigo instante,
mais leve.

E a fuga invisível
do amargo passante,
mais leve.

Futuro

É preciso que exista, enfim, uma hora clara,
depois que os corpos se resignam sob as pedras
como máscaras metidas no chão.

Por entre as raízes, talvez se veja, de olhos fechados,
como nunca se pôde ver, em pleno mundo,
cegos que andamos de iluminação.

Perguntareis: "Mas era aquilo o teu silêncio?"
Perguntareis: "Mas era assim teu coração?"

Ah, seremos apenas imagens inúteis, deitadas no barro,
do mesmo modo solitárias, silenciosas,
com a cabeça encostada à sua própria recordação.

Noturno

Estrela fria
da tua mão.
Tênue cristal,
exígua flor.

Ai! Neva amor.

Lua deserta
do teu olhar.
Puro, glacial
fogo sem cor!

Ai! Neva amor.

Imenso inverno
de coração.

Gelo sem fim
a deslizar...

Pus-me a cantar
na solidão.

Teu frio vem
do céu, de mim,
de ti, de quem?
Não há mais sol,
verão, calor?

Ai! Neva amor.

Inibição

Vou cantar uma cantiga,
vou cantar — e me detenho:
porque sempre alguma coisa
minha voz está prendendo.

Pergunto à secreta Música
por que falha o meu desejo,
por que a voz é proibida
ao gosto do meu intento.

E em perguntar me resigno,
me submeto e me convenço.

Será tardia, a cantiga?
Ou ainda não será tempo...

Blasfêmia

Senhora da Várzea,
Senhora da Serra!
pelos teus santuários,
com cinza na testa,
irei arrastando
os joelhos e a reza:
subindo e descendo
ladeiras de pedra,
sustentando andores,
carregando velas,
para me livrares,
Senhora, da lepra!
Senhora da Várzea,
Senhora da Serra!
terás mais altares,
terás mais capelas,
sinos de mais bronze,
mais flores, mais festas,
mais círios, mais rendas,
e de ouro coberta
brilharás, Senhora,
de fazer inveja
a todas as santas
que há na glória eterna!

Matei minha filha:
mas era tão bela!
Roubei cinco noivas:
mas o amor não cega?
E Deus não perdoa
a quem se confessa?
Ergui seis igrejas:
nenhuma te alegra?
Todas em memória
dessas seis donzelas
que por mim perderam
seu corpo, na terra...
Meus crimes, paguei-os
com brincos, fivelas,
coroas de prata,
e mais que te dera,
para me livrares,
Senhora, da lepra!

Senhora da Várzea,
Senhora da Serra!
pede-me por sonhos:
darei quanto peças
— mais ouro, mais prata,
mais luzes, mais telas.
Maior que os meus crimes
é a minha promessa.

Vejo com os meus olhos
como degenera
a carne que tive.
Por que me desprezas,
Senhora da Várzea?
Do mal que me cerca,
por que não me livras,
Senhora da Serra?
Mão com que matei
hoje se me entreva.
Sinto desmanchada
em cinza funesta
a boca de outrora.
E a língua me emperra
aquela peçonha
de que seis donzelas
receberam morte,
lindas e sinceras.
Senhora da Várzea!
Senhora da Serra!
Paguei meus pecados,
— e não me libertas?
Calcaste dragões,
dominaste feras,
e ao mal que me oprime,
Senhora, me entregas?
Por que não me salvas?
Que ordenas? Que esperas?

Ah, santa insensível,
não sofres, não pecas!
Senhora da Várzea!
Senhora da Serra!
Devolve o ouro e a prata
das minhas ofertas!
Que o vento arrebente
portas e janelas
das tuas igrejas!
E fiquem nas trevas
ou sejam levados
pelas labaredas
altares queimados
e naves desertas!
Caiam no teu peito
mais agudas setas!
Arda em brasa o ramo
que nas mãos carregas!
Nunca mais se arrastem
meus joelhos nas pedras,
nem a minha boca
suspire mais rezas!
Nunca mais andores,
nem círios nem festas!
Dei-te seis igrejas:
que me deste? Lepra!

Senhora da Várzea!
Senhora da Serra!
Grito aos quatro ventos

do céu e da terra.
Conheci seis virgens:
nenhuma severa
como tu, nem fria,
serena e perversa!
Seis virgens matei!
Sou morto por esta!
Dei-lhe sedas e ouro
que às outras não dera!
Soluçar de joelhos
— só diante dela!
Morro impenitente,
fazendo-lhe guerra.
Que o fogo profundo
lamba a minha lepra!
Seja eu todo cinza,
no tempo dispersa,
negra cinza do ódio
que te envolve e nega,
Senhora da Várzea!
Senhora da Serra!
ó virgem das virgens,
sem piedade — e ETERNA!

Carta

Eu, sim. — Mas a estrela da tarde, que subia e descia o céu,
[cansada e esquecida?
Mas os pobres, batendo às portas, sem resultado, pregando
[a noite e o dia com seu punho seco?
Mas as crianças, que gritavam de coração alarmado: "Por que
[ninguém nos responde?"
Mas os caminhos, mas os caminhos vazios, com suas mãos
[estendidas à toa?
Mas o Santo imóvel, deixando as coisas continuarem sem rumo?
E as músicas dentro de caixas, suspirando de asas fechadas?

Ah! — Eu, sim — porque já chorei tudo, e despi meu corpo
[usado e triste,
e as minhas lágrimas o lavaram, e o silêncio da noite o enxugou.
Mas os mortos, que dentro do chão sonhavam com pombos leves
[e flores claras,
mas os que no meio do mar pensavam na mensagem que
[a praia desenrolaria rapidamente até seus dedos...
Mas os que adormeceram, de tão excessiva vigília — e eu
[não sei mais se acordarão...
e os que morreram de tanta espera... — e que não sei se foram
[salvos...

Eu, sim. Mas tudo isso, todos esses olhos postados em ti,
[no alto da vida,
não sei se te olharão como eu,
renascida de mim, e desprovida de vinganças,
no dia em que precisares de perdão.

Desenho

Fui morena e magrinha como qualquer polinésia,
e comia mamão, e mirava a flor da goiaba.
E as lagartixas me espiavam, entre tijolos e as trepadeiras,
e as teias de aranha nas minhas árvores se entrelaçavam.

Isso era num lugar de sol e nuvens brancas,
onde as rolas, à tarde, soluçavam mui saudosas...
O eco, burlão, de pedra em pedra ia saltando,
entre vastas mangueiras que choviam ruivas horas.

Os pavões caminhavam tão naturais por meu caminho,
e os pombos tão felizes se alimentavam pelas escadas,
que era desnecessário crescer, pensar, escrever poemas,
pois a vida completa e bela e terna ali já estava.

Como a chuva caía das grossas nuvens, perfumosa!
E o papagaio como ficava sonolento!
O relógio era festa de ouro; e os gatos enigmáticos
fechavam os olhos, quando queriam caçar o tempo.

Vinham morcegos, à noite, picar os sapotis maduros,
e os grandes cães ladravam como nas noites do Império.
Mariposas, jasmins, tinhorões, vaga-lumes
moravam nos jardins sussurrantes e eternos.

E minha avó cantava e cosia. Cantava
canções de mar e de arvoredo, em língua antiga.

E eu sempre acreditei que havia música em seus dedos
e palavras de amor em minha roupa escritas.

Minha vida começa num vergel colorido,
por onde as noites eram só de luar e estrelas.
Levai-me aonde quiserdes! — aprendi com as primaveras
a deixar-me cortar e a voltar sempre inteira.

4º motivo da rosa

Não te aflijas com a pétala que voa:
também é ser deixar de ser assim.

Rosas verás, só de cinza franzida,
mortas intactas pelo teu jardim.

Eu deixo aroma até nos meus espinhos,
ao longe, o vento vai falando em mim.

E por perder-me é que me vão lembrando,
por desfolhar-me é que não tenho fim.

Obsessão de Diana

A Raquel Bastos

Diana, teu passo esteve
em onda, em nuvem, n'água
— e foi lúcido e leve.

Tão rápido e tão belo
que era espanto senti-lo
e impossível prendê-lo.

Memória e sonho, agora
— a existência visível
da veloz caçadora!

Bastaria querer-te
pelas estrelas nadas
de teu vestígio inerte.

Mas ah! — quem descrevera
tuas mãos e teus olhos!
E teu rumo qual era!...

Estátua

Jardim da tarde divina,
por onde íamos passeando
saudade e melancolia.

Toda a gente me falava.
E nasceu minha alegria
do que não me disse nada.

O azul acabava-se, e era
céu, toda a sua cabeça,
poderosamente bela.

Nos teus olhos sem pupilas
meus próprios versos estavam
como memórias escritas.

E na curva de seu lábio,
o ar, em música transido,
perguntava por seu hálito.

Ah, como a tarde divina
foi velando suas flores,
água, areia, relva fria...

Nítida, redonda lua
prolongou seu corpo imóvel
numa perfeição mais pura.

Fez parecer que sorria
seu rosto para meu rosto:
divindade quase sem vida.

Minha cegueira em seus olhos,
minha voz entre seus lábios,
e minha dor em seus modos.

Minha forma no seu plinto,
livre de assuntos humanos.
De longe. Sorrindo.

Amor-Perfeito

Suas cores são de outrora,
com muito pouca diferença:
o roxo foi-se quase embora,
o amarelo é vaga presença.
E em cada cor que se evapora
vê-se a luz do jardim suspensa.

Tão fina foi a vida sua,
tão fina é a morte em que descansa!
Mais transparente do que a lua,
mais do que as borboletas mansa!
Tanto o seu perfil atenua
que, em peso, é menos que a lembrança.

Veludo de divinos teares,
hoje seda seca e abolida,
preserva os vestígios solares
de que era feita a sua vida:
frágil coração, capilares
de circulação colorida.

Se o levantar entre meus dedos,
pólen de tardes e sorrisos
cairá com tímidos segredos
de tempos certos e imprecisos.
Ó cinco pétalas, ó enredos
de sentimentais paraísos!

Mas da leve gota pousada
no veludo — mole diamante
que foi a resposta da amada,
que foi a pergunta do amante —
dela não se verá mais nada:
perdeu-se no vento inconstante.

Os mortos

Creio que o morto ainda tinha chorado, depois da morte:
enquanto os pensamentos se desagregavam,
depois de o coração se acostumar a ter parado.

Creio que sim, porque uma gota de choro havia entre as pálpebras,
feita de força já tão precária que nem pudera ir mais além,
que não correra, nem correria,
e que também não secava.

E que ninguém teria tido a coragem desumana de enxugar.

Por que foi que o morto chorou?
Que lembranças de sua vida chegaram até ali, reduzido àquilo?

Sua vida não foi boa nem má:
foi como a dos homens comuns,
a dos que não fizeram nenhum destino: aceitaram qualquer...
Dentro dele se debateram todas as coisas,
e de dentro dele todas as coisas saíram repercutindo sua incerteza.

Creio que o morto chorou depois da morte.
Chorou por não ter sido outro.
(É só por isso que se chora.)

Mas sobre seus olhos havia uns outros, mais infelizes,
que estavam vendo, e entendendo, e continuavam sem nada.
Sem esperança de lágrima.
Recuados para um mundo sem vibração.
Tão incapazes de sentir que se via o tempo de sua morte.
Antiga morte já entrada em esquecimento.
Já de lágrimas secas.

E no entanto, ali perto, contemplando o morto recente.
Como se ainda fosse vida.

Maternal, porque o precedeu. Apenas, sem poder sofrer
— de tanto saber e de tanto ter sido.

Pedido

Armem a rede entre as estrelas,
para um descanso secular!
Os conhecidos — esquecê-los.
E os outros, nem imaginar.
Armem a rede!

Chamem o vento, um grande vento,
aéreo leão, para amarrar
sua juba de esquecimento

a esta rede, entre Deus e o mar.
Chamem o vento!

Não falem nunca mais daquela
que oscila, invisível, pelo ar.
Não digam se foi triste ou bela
sua vocação de cantar!
Não falem nela.

Noite no rio

Barqueiro do Douro,
tão largo é teu rio,
tão velho é teu barco,
tão velho e sombrio
teu grave cantar!

Barqueiro do Douro,
a noite vai alta
— por onde perdeste
o braço que falta,
barqueiro do Douro,
que tens de remar!

Barqueiro do Douro,
já não alumia
tão baça candeia,
nesta névoa fria...

A água entra nas tábuas
e escorre a chorar...

Barqueiro do Douro,
aonde chegaremos?
Já não enxergamos
estrelas nem remos,
nem margens, nem sombra
de nenhum lugar...

(Seu remo batia,
sua voz cantava.
Não me respondia.
Remava, remava.

A água parecia
mais negra que a noite,
mais longa que o mar!)

Enterro de Isolina

— Não faz mal que a chuva caia!
Agüentaremos a água nos olhos,
depois, cobriremos a cabeça com a saia!

— Não faz mal que no barro entremos!
Quem tropeçar fica ajoelhado.
De barro fomos e seremos.

— Mas ninguém suje o caixão de Isolina!
Levantem bem, que o caixão é leve
onde vai a virgem menina.

— Não faz mal que nós nos sujemos:
mas levantem os ramos de rosas
e os de dálias e crisantemos!

— Andaremos léguas de estrada,
com léguas de chuva por cima.
Mas que Isolina não fique cansada!

— Esperou tanto pelo seu dia!
Mas teve vestido de seda branca
e manto igual ao da Virgem Maria.

— Tão bonitinha! Preta, preta!
Que vai ser a alma dela, agora?
— Ou beija-flor ou borboleta...

Cantar saudoso

Tangedoras de idades antigas,
pelo tempo andadas,
todo o campo é nado das vossas cantigas.

Das vossas cantigas, todo o mar é nado,
tangedoras idas!
Pura eternidade foi vosso recado.

Vozes deixastes derramadas
em terras pelo tempo andadas,
e ainda são floridas!

Deixastes lágrimas vertidas
nas águas, tangedoras idas!
E ainda são salgadas...

Mulher ao espelho

Hoje, que seja esta ou aquela,
pouco me importa.
Quero apenas parecer bela,
pois, seja qual for, estou morta.

Já fui loura, já fui morena,
já fui Margarida e Beatriz.
Já fui Maria e Madalena.
Só não pude ser como quis.

Que mal faz, esta cor fingida
do meu cabelo, e do meu rosto,
se tudo é tinta: o mundo, a vida,
o contentamento, o desgosto?

Por fora, serei como queira
a moda, que me vai matando.
Que me levem pele e caveira
ao nada, não me importa quando.

Mas quem viu, tão dilacerados,
olhos, braços e sonhos seus,
e morreu pelos seus pecados,
falará com Deus.

Falará, coberta de luzes,
do alto penteado ao rubro artelho.
Porque uns expiram sobre cruzes,
outros, buscando-se no espelho.

Sensitiva

No cedro e na rosa,
o gesto da brisa.
De joelhos, na noite,
colhíamos juntos
a sensitiva.

Teu lábio formava
uma lua fina.
Mas tua figura,
na sombra — a folhagem
muda bebia.

Junto à áspera terra,
tua mão e a minha
se encontraram sob
o pânico súbito
da sensitiva.

Que espasmo de nácar
pela seiva aflita!
Nem rosa nem cedro
souberam da ausência
da sensitiva.

Aonde levaremos
esta dolorida
planta frágil, se
tua mão se apaga
em lírio e cinza?

Se teu rosto esparso
já não se adivinha,
e teu lábio é, agora,
na manhã que chega,
puro enigma?

Voa dos meus olhos
a noite vivida.
Na areia dos sonhos,
somente o desenho
da sensitiva.

Sobriedade

A tarde encontrou-me aqui, entre tentativas perdidas.
Perguntas seculares se levantavam do meu coração:

última planta dos desertos, voz do Enigma...
Ai de mim!

Falei às ondas abundantes: "Dai-me o caminho
embora cercado de pasmo e sombra
por onde foi... — já não por onde veio! — Ulisses!"
Ai de mim!

Pois subiu dentre as águas um vento exíguo,
menos que uma bandeira, que um pássaro, que um lenço...
Passou pelas minhas mãos... Deixou-as... e eu sorri com delícia...
Ai de mim!

Que coisa tênue, a minha vida, que conversa apenas com o mar,
e se contenta com um sopro sem promessa,
que voa sem querer das ondas para as nuvens!

Simbad, o poeta

Eras um homem grande, e pousavas como as estátuas.
— Penso nas tuas mãos robustas, da cor do barro, simples e agrestes,
na tua cabeça triste, e no rosto moreno em que entardeciam
aqueles olhos vagarosos que tiveste.

Lembro-me dos teus passos, indiferentes, andando, andando,
como se todos os caminhos fossem de areia:
um sangue de beduínos, de guerreiros e profetas
vazava rios de aceitação nas tuas veias.

Uma noite, louças floridas ofereceram pistaches, tâmaras...
As luzes faziam de ouro e rubi copos e lábios.
As sombras oprimiam mansos pássaros sobre as músicas.
E tu perto da festa andavas — calmo poeta sábio.

Tua voz, grave rouca, extraviava-se nesse idioma
em que os estrangeiros contam, em terra alheia, suas lembranças...
Não sei se também sorrias. É bem possível que nunca chorasses.
E nunca saberemos teu pensamento onde descansa.

Teu corpo está por aí, deitado na curva da terra.
Com os teus olhos perdidos não sei que estrelas talvez olhas.
Que me fala de ti? Uma fita azul que se vai rompendo
e um cravo, de mil cravos, que cheira a cinza e se desfolha.

Leve sombra és apenas... Que fizeram do teu peito,
das tuas fortes mãos, do teu passo viril que andava, andava...?
Dos teus olhos, onde um silêncio enorme abria as asas
como águias tristes sobrevoando as ondas bravas...?

Ó Simbad, que chegaste de um país de miragens!
o tempo vai consumindo tua flor e tua seda...
E teus amigos, e nossos versos, e nossos túmulos,
como quem torce a água das redes...

Transeunte

Venho de caminhar por estas ruas.
Tristeza e mágoa. Mágoa e tristeza.
Tenho vergonha dos meus sonhos de beleza.

Caminham sombras duas a duas,
felizes só de serem infelizes,
e sem dizerem, boca minha, o que tu dizes...

De não saberem, simples e nuas,
coisas da alma e do pensamento,
e que tudo foi pó e que tudo é do vento...

Felizes com as misérias suas,
como eu não poderia ser com a glória,
porque tenho intuições, porque tenho memória...

Porque abraçada nos braços meus,
porque, obediente à minha solidão,
vivo construindo apenas Deus...

Domingo na praça

Em três altas ondas a fonte desata
na negra bacia
suas longas madeixas de prata.

Entre o lago e as flores, desliza alegria
nas areias quietas:
cantos de ciranda, sapatinhos brancos,
aros velozes de bicicletas.

Depois dos canteiros, dois a dois, sentados,
falando em sonho, sonhando acordados,

os namorados enamorados
dizem loucuras, pelos bancos.

Ah, Deus — e a grande lua antiga,
que volta de viagens, saindo do oceano,
ouve a alegria, ouve a cantiga,
ouve a linguagem de puro engano,
ouve a fonte que desata
na negra bacia
novas madeixas de prata...

As águas não eram estas,
há um ano, há um mês, há um dia...
Nem as crianças, nem as flores,
nem o rosto dos amores...

Onde estão águas e festas
anteriores?

E a imagem da praça, agora,
que será, daqui a um ano,
a um mês, a um dia, a uma hora...?

Aparecimento

Divide-se a noite, para que me apareças
e prolongues tua presença entre sonhos cortados.

Vejo o céu que ao longe caminha.
As montanhas respiram a luz das estrelas,

e, na ausência dos homens,
o caule do tempo sobe com felicidade.

Sobre a noite que resvala,
conservo-te imóvel entre meus olhos e a vida.

Penso todos os pensamentos,
e nenhum me auxilia.

E escuto sem querer as lágrimas
que germinam sozinhas,
e seguem sozinhas um subterrâneo curso.

Ah, meu sorriso morreu, por tristezas antigas.
Como te hei de receber em dia tão posterior?

Lamento do oficial por seu cavalo morto

Nós merecemos a morte,
porque somos humanos
e a guerra é feita pelas nossas mãos,
pela nossa cabeça embrulhada em séculos de sombra,
por nosso sangue estranho e instável, pelas ordens
que trazemos por dentro, e ficam sem explicação.

Criamos o fogo, a velocidade, a nova alquimia,
os cálculos do gesto,
embora sabendo que somos irmãos.
Temos até os átomos por cúmplices, e que pecados
de ciência, pelo mar, pelas nuvens, nos astros!
Que delírio sem Deus, nossa imaginação!

E aqui morreste! Oh, tua morte é a minha, que, enganada,
recebes. Não te queixas. Não pensas. Não sabes. Indigno,
ver parar, pelo meu, teu inofensivo coração.

Animal encantado, — melhor que nós todos! — que tinhas
[tu com este mundo dos homens?

Aprendias a vida, plácida e pura, e entrelaçada
em carne e sonho, que os teus olhos decifravam...
Rei das planícies verdes, com rios trêmulos de relinchos...
Como vieste morrer por um que mata seus irmãos!

Guerra

Tanto é o sangue
que os rios desistem de seu ritmo,
e o oceano delira
e rejeita as espumas vermelhas.

Tanto é o sangue
que até a lua se levanta horrível,
e erra nos lugares serenos,
sonâmbula de auréolas rubras,
com o fogo do inferno em suas madeixas.

Tanta é a morte
que nem os rostos se conhecem, lado a lado,
e os pedaços de corpo estão por ali como tábuas sem uso.

Oh, os dedos com alianças perdidos na lama...
Os olhos que já não pestanejam com a poeira...

As bocas de recados perdidos...
O coração dado aos vermes, dentro dos densos uniformes...

Tanta é a morte
que só as almas formariam colunas,
as almas desprendidas... — e alcançariam as estrelas.

E as máquinas de entranhas abertas,
e os cadáveres ainda armados,
e a terra com suas flores ardendo,
e os rios espavoridos como tigres, com suas máculas,
e este mar desvairado de incêndios e náufragos,
e a lua alucinada de seu testemunho,
e nós e vós, imunes,
chorando, apenas, sobre fotografias
— tudo é um natural armar e desarmar de andaimes
entre tempos vagarosos,
sonhando arquiteturas.

5º motivo da rosa

Antes do teu olhar, não era,
nem será depois — primavera.
Pois vivemos do que perdura,

não do que fomos. Desse acaso
do que foi visto e amado: — o prazo
do Criador na criatura...

Não sou eu, mas sim o perfume
que em ti me conserva e resume
o resto, que as horas consomem.

Mas não chores, que no meu dia
há mais sonho e sabedoria
que nos vagos séculos do homem.

Inscrição

Sou entre flor e nuvem,
estrela e mar.
Por que havemos de ser unicamente humanos,
limitados em chorar?

Não encontro caminhos
fáceis de andar.
Meu rosto vário desorienta as firmes pedras
que não sabem de água e de ar.

E por isso levito.
É bom deixar
um pouco de ternura e encanto indiferente
de herança, em cada lugar.

Rastro de flor e estrela,
nuvem e mar.
Meu destino é mais longe e meu passo mais rápido:
a sombra é que vai devagar.

Viola

Minha cantiga servia
para dizer coisas densas
que apenas eu mesma ouvia.

Foi a palavra quebrada
por muito encontro guerreiro:
ferozes golpes de espada
na tênue virtude alada
de um coração prisioneiro.

Cantar não adianta nada.

Explicar-se não se explica.

Por entre coisas imensas,
torto e ignorado se fica.

Com pensativos vagares,
de fundos poços me abeiro:
chorar é muito mais fácil
e talvez mais verdadeiro.

Natureza morta

Tinha uma carne de malmequeres, fina e translúcida,
com tênues veios de ametista, como o desenho sutil dos rios.
E ainda ficava mais branco, naquela varanda cheia de luar.

Os outros peixes nadavam gloriosos por dentro das ondas,
subiam, baixavam, corriam, brilhavam trêmulos de lua,
sem saberem daquele que não pertencia mais ao mar.

Deitado de perfil, em crespos verdes sossegados,
ia sendo servido, entre vinhos claros de altos copos,
envoltos numa gelada penugem de ar.

Seu olho de pérola baça, olho de gesso, consentia
que lhe fossem levando, pouco a pouco, todo o corpo...
E à luz do céu findava, e ao murmúrio do mar.

Os homens gloriosos

Sentei-me sem perguntas à beira da terra,
e ouvi narrarem-se casualmente os que passavam.
Tenho a garganta amarga e os olhos doloridos:
deixai-me esquecer o tempo,
inclinar nas mãos a testa desencantada,
e de mim mesma desaparecer
— que o clamor dos homens gloriosos
cortou-me o coração de lado a lado.

Pois era um clamor de espadas bravias,
de espadas enlouquecidas e sem relâmpagos,
ah, sem relâmpagos...
pegajosas de lodo e sangue denso.

Como ficaram meus dias, e as flores claras que pensava!
Nuvens brandas, construindo mundos,
como se apagaram de repente!
Ah, o clamor dos homens gloriosos
atravessando ebriamente os mapas!

Antes o murmúrio da dor, esse murmúrio triste e simples
de lágrima interminável, com sua centelha ardente e eterna.

546 Senhor da Vida, leva-me para longe!
Quero retroceder aos aléns de mim mesma!
Converter-me em animal tranqüilo,
em planta incomunicável,
em pedra sem respiração.

Quebra-me no giro dos ventos e das águas!
Reduze-me ao pó que fui!
Reduze a pó minha memória!

Reduze a pó
a memória dos homens, escutada e vivida...

Noite

Tão perto!
Tão longe!
Por onde
é o deserto?
Às vezes,
responde,
de perto,
de longe.
Mas depois
se esconde.
Somos um
ou dois?
Às vezes,
nenhum.
E em seguida,
tantos!
A vida
transborda
por todos
os cantos.
Acorda
com modos
de puro
esplendor.
Procuro
meu rumo:
horizonte
escuro:

um muro
em redor.
Em treva
me sumo.
Para onde
me leva?

Pergunto a Deus se estou viva,
se estou sonhando ou acordada.
Lábio de Deus! — Sensitiva
tocada.

Constância do deserto

Em praias de indiferença
navega o meu coração.
Venho desde a adolescência
na mesma navegação.
— Por que mar de tanta ausência,
e areias brancas de tão
despovoada inconsistência,
de penúria e de aflição?
(Triste saudade que pensa
entre a resposta e a intenção!)
Números de grande urgência
gritam pela exatidão:
mas a areia branca e imensa
toda é desagregação!

Em praias de indiferença
navega meu coração.
Impossível, permanência.
Impossível, direção.
E assim por toda a existência
navegar navegarão
os que têm por toda a ciência
desencanto e devoção.

Cantar guaiado

Também cantarei guaiado
— ai, verde terra! ai, verde mar! —
por haver buscado tanto
e ter tão pouco que amar!

Morrerei sem ter contado
— ai, verde terra! ai, verde mar! —
quantas bagas do meu pranto
ficam no mundo a rolar.

Mas em meu lábio cerrado
— ai, verde terra! ai, verde mar! —
fica o vestígio do canto,
ai!
do grande canto guaiado
para quem o interpretar...

Canção

A Norman Fraser

Vela teu rosto, formosa,
que eu sou um homem do mar.
Que há de fazer de uma rosa
quem vive de navegar?
— se qualquer vento a desfolha,
qualquer sol a faz secar,
se o deus dos mares não olha
por quem se distrai a amar?

Pela grande água perdida,
anda, barca sem amor!
Cada qual tem sua vida:
uns, de deserto, uns, de flor.
Vela teu rosto, formosa,
que eu sou um homem do mar.
Poupa ao teu cetim de rosa
o sal que ajudo a formar...

Evidência

Nunca mais cantaremos
com o antigo vigor:
o entusiasmo era inútil,
e desnecessário, o amor.

Nos rostos que mirávamos,
derreteu nosso olhar
máscaras tão antigas
que se espantavam de acabar.

Nesse mundo que erguíamos,
deixamos presa a nossa mão.
E os companheiros, nestes muros?
Quando os terminam, e onde estão?

Puros e tristes ficamos,
puros e triste e sós.
O coração é vaga nuvem.
E vaga areia, a voz:

Turismo

Leve o doce de chila! — dizia.
E era pálida e suave,
sua boca de nata.
E seu vestido, de linho alvo.

Mirava com olhos de água e opala.

E embrulhava os doces com papel branco,
lentamente, sem ruído.

Nunca vi nada assim:
toda a leiteria era cândida:

esmalte, mármore, porcelana.
E seus braços formavam rios de leite,
e suas unhas, como seixos pequeninos,
brincavam com o barbante, viborazinha de marfim.

Levantou seu rosto que nem camélia.
E sorriu, com uma tênue espuma
nos dentes de cristal.

Eu pensava-a abstrata,
e desmanchava-a em laranjeira florida,
sob um luar absoluto.

Mas disse-me, entre os queijos tenros:
— Faltam cinco centavos.
E esperou, com a palma da mão aberta.

Assim mesmo, sua mão parecia um narciso inclinado.

Trânsito

Tal qual me vês,
há séculos em mim:
números, nomes, o lugar dos mundos
e o poder do sem fim.

Inútil perguntar
por palavras que disse:

histórias vãs de circunstância,
coisas de desespero ou de meiguice.

(Mísera concessão,
no trajeto que faço:
postal de viagem, endereço efêmero,
álibi para a sombra do meu passo...)

Começo mais além:
onde tudo isso acaba, e é solidão.
Onde se abraçam terra e céu, caladamente,
e nada mais precisa explicação.

Miraclara desposada

Mãos de coral dentro da água,
na tinta, entre o sol e o sal,
Miraclara vai lavando
o seu antigo enxoval.

Ai, doce mágoa
ver o futuro passar!
Libélulas de esmeralda
vêem Miraclara lavar.

Mãos de coral dentro da água,
na tina, entre o sal e o sol,
Miraclara torce a nuvem
cintilante do lençol.

O azul que dorme redondo
numa bacia de prata
é do anil do próprio céu
que ali dentro se retrata.

Miraclara, sal e sol,
Miraclara, sol e sal,
canta e lava, lava e canta
com uma dourada garganta,
defronte à minha janela.

E à luz da manhã levanta
a sua colcha amarela
nas destras mãos de coral.

Quem viu colcha igual àquela,
como um grande girassol
num canteiro de cristal!

Em redor de Miraclara
dançam borboletas:
brancas, e encarnadas
com riscas pretas.

Acalanto

Dorme, que eu penso.
Cada qual assim navega
pelo seu mar imenso.

Estarás vendo. Eu estou cega.
Nem te vejo nem a mim.
No teu mar, talvez se chega.
Este, não tem fim.
Dorme, que eu penso.
Que eu penso nesse navio
clarividente em que vais.
Mensagens tristes lhe envio.
Pensamentos... — nada mais.

Canção

Não sou a das águas vista
nem a dos homens amada;
nem a que sonhava o artista
em cujas mãos fui formada.
Talvez em pensar que exista
vá sendo eu mesma enganada.

Quando o tempo em seu abraço
quebra meu corpo, e tem pena,
quanto mais me despedaço,
mais fico inteira e serena.
Por meu dom, divino faço
tudo a que Deus me condena.

Da virtude de estar quieta
componho o meu movimento.

Por indireta e direta,
perturbo estrelas e vento.
Sou a passagem da seta
e a seta — em cada momento.

Não digas aos que encontrares
que fui conhecida tua.
Quando houve nos largos mares
desenho certo de rua?
E de teres visto luares,
que ousarás contar da lua?

Mudo-me breve

Recobro espuma e nuvem
e areia frágil e definitiva.
Dispõem de mim o céu e a terra,
para que minha alma insolúvel
sozinha apenas viva.

Naquelas cores de miragem
d'água e do céu, mais me compreendo.
Anjo instrutor em silêncio me leva:
e elas me fazem
ver que sou e não sou, no que estou sendo.

Fico tão longe como a estrela.
Pergunto se este mundo existe,
e se, depois que se navega,

a algum lugar, enfim, se chega...
— O que será, talvez, mais triste.

Nem barca nem gaivota:
somente sobre-humanas companhias...
Em suas mãos me entrego,
invisíveis e sem resposta.
Calada vigiarei meus dias.

Quanto mais vigiados, mais curtos!
Com que mágoa o horizonte avisto...
aproximado e sem recurso.
Que pena, a vida ser só isto!

Nós e as sombras

E em redor da mesa, nós, viventes,
comíamos, e falávamos, naquela noite estrangeira,
e nossas sombras pelas paredes
moviam-se, aconchegadas como nós,
e gesticulavam, sem voz.

Éramos duplos, éramos tríplices, éramos trêmulos,
à luz dos bicos de acetileno,
pelas paredes seculares, densas, frias,
e vagamente monumentais.
Mais do que as sombras éramos irreais.

Sabíamos que a noite era um jardim de neve e lobos.
E gostávamos de estar vivos, entre vinhos e brasas,
muito longe do mundo,
de todas as presenças vãs,
envoltos em ternura e lãs.

Até hoje pergunto pelo singular destino
das sombras que se moveram juntas, pelas mesmas paredes...
Oh, as sem saudades, sem pedidos, sem respostas...
Tão fluidas! Enlaçando-se e perdendo-se pelo ar...
Sem olhos para chorar...

Anjo da guarda

Solidão que outros miram com desprezo,
silêncio que aos demais aflige tanto,
um pensamento na vigília aceso,

um coração que não deseja nada
— esse é o mundo a que chegas, onde a vida,
só do sonho de ser é sustentada.

Debruço-me, e não vejo de que parte
podes ter vindo, nem por que motivo.
E a coragem perdi de perguntar-te.

Deixo-te isento. Não serás cativo
de quem não te quer ver no cativeiro
de enigmas em que voluntária vivo.

Mas não partes; que, cego e sem memória,
por instinto conheces teu caminho,
e vens e ESTÁS, alheio à tua história.

E és como estrela, em séculos movida,
que num lugar do céu foi colocada
por uma simetria não sabida.

Dia de chuva

As espumas desmanchadas
sobem-me pela janela,
correndo em jogos selvagens
de corça e estrela.

Pastam nuvens no ar cinzento:
bois aéreos, calmos, tristes,
que lavram esquecimento.

Velhos telhados limosos
cobrem palavras, armários,
enfermidades, heroísmos...

Quem passa é como um funâmbulo,
equilibrado na lama,
metendo os pés por abismos...

Dia tão sem claridade!
só se conhece que existes
pelo pulso dos relógios...

Se um morto agora chegasse
àquela porta, e batesse,
com um guarda-chuva escorrendo,
e, com limo pela face,
ali ficasse batendo
— ali ficasse batendo
àquela porta esquecida
sua mão de eternidade...

Tão frenético anda o mar
que não se ouviria o morto
bater à porta e chamar...

E o pobre ali ficaria
como debaixo da terra,
exposto à surdez do dia.

Pastam nuvens no ar cinzento.
Bois aéreos que trabalham
no arado do esquecimento.

Campo

Vem ver o dia crescer entre o chão e o céu,
o aroma dos verdes campos ir sendo orvalho na alta lua.

Os bois deitados olham a frente e o longe, atentamente,
aprendendo alma futura nas harmonias distribuídas.

O mesmo sol das terras antigas lavra nas pedras estrelas claras.
Nem as nuvens se movem. Nem os rios se queixam.
Estão deitados, mirando-se, dos seus opostos lugares,
e amando-se em silêncio, como esposos separados.

Neste descanso imenso, quem te dirá que viveste em tumulto,
e houve um suspiro em teu lábio, ou vaga lágrima em teus dedos?

Morreram as ruas desertas e os seus ávidos habitantes
ficaram soterrados pelas paixões que os consumiam.

A brisa que passa vem pura, isenta, sem lembranças.
Tece carícia e música nos finos fios do arrozal.

Em tua mão quieta, pousarão borboletas silenciosas.
Em teu cabelo flutuarão coroas trêmulas de sombra e sol.

Tão longe, tão mortos, jazem os desesperos humanos!
E os corações perversos não merecem o convívio sereno das plantas.

Mas teus pés andarão por aqui entre flores azuis,
e o seu perfume te envolverá como um largo céu.

O crepúsculo que cobre a memória, o rosto, as árvores,
inclinará teu corpo, docemente, em sua alfombra.

Acima do lodo dos pântanos, verás desabrochar o vôo branco
                                        [das garças.
E, acima do teu sono, o vôo sem tempo das estrelas.

A voz do profeta exilado

A Haydée de Meunier

Cansei-me de anunciar teu nome
às multidões desatinadas;
e, quando desdobrei teu rosto,
responderam-me com pedradas.

Deixei essas praias ferozes
de areias e alucinação.
Fui no meu barco de perigo,
de silêncio e de solidão.

Solucei nas rochas desertas,
equilibrei-me na onda brava.
Curvei de espanto a minha fronte:
e com as águas do mar chorava.

Chorei pelas gentes perdidas
de loucura e orgulho. Depois,
por minhas visões, por meus gestos.
E, finalmente, por nós dois.

Em que outros países, de que estranhos
mundos, alguém espera pela
minha voz, salva de martírios,
condutora da tua Estrela?

Diante dos horizontes próximos,
aflige-se o meu coração.
Não sei se é o tempo da chegada,
ou sempre o da navegação.

Périplo

Minha é a deserta solidão, clara e severa,
onde respiro amanheceres seculares.

Meus navegantes, meus remotos pescadores...
Óleo, sal, redes, altivez de densas brumas...

Ôlho das barcas que sem pálpebra buscaram
entre sereias e medusas sua Estrela.

Graves cabeças modeladas por vento amplo,
rijos destinos, obedientes a onda e céu.

Adivinhar da flutuação: arrojo exato.
(Rápida, a espuma lava as lágrimas da praia...)

Deus-Mar! por ti vimos o Eterno e a Variedade:
a ti pedimos o que deste e o que negaste.

Se um dia foste em nosso lábio prata móvel,
branco alimento — um dia fomos, em teu lábio,

triste despojo, corpo vão, débil tributo...
Porque és assim, para te amarmos e possuirmos,

e em ti deixarmos nossa vida, mudamente,
dada ao que for vontade e lei no teu mistério.

Deus-Mar, tranqüilo, e inquieto, e preso e livre, antigo
e sempre novo — indiferente e suscetível!

Em cada praia deste mundo te celebram
os que te amaram por naufrágios e vitórias,

e religiosos se renderam, convencidos,
à lição tácita dos símbolos marítimos.

Os dias felizes

Os dias felizes

Os dias felizes estão entre as árvores, como os pássaros:
viajam nas nuvens,
correm nas águas,
desmancham-se na areia.

Todas as palavras são inúteis,
desde que se olha para o céu.

A doçura maior da vida
flui na luz do sol,
quando se está em silêncio.

Até os urubus são belos,
no largo círculo dos dias sossegados.

Apenas entristece um pouco
este ovo azul que as crianças apedrejaram:

formigas ávidas devoram
a albumina do pássaro frustrado.

Caminhávamos devagar,
ao longo desses dias felizes,
pensando que a Inteligência
era uma sombra da Beleza.

O jardim

O jardim é verde, encarnado e amarelo.
Nas alamedas de cimento,
movem-se os arabescos do sol
que a folhagem recorta
e o vento abana.

A luz revela orvalhos no fundo das flores,
nas asas tênues das borboletas
— e ensina a cintilar a mais ignorada areia,
perdida nas sombras,
submersa nos limos.

Ensina a cintilar também
os insetos mínimos
— alada areia dos ares, que se eleva
até a ponta dos ciprestes vagarosos.

Pássaros que jorram das altas árvores
caem na relva como pedras frouxas.
As borboletas douradas e as brancas
palpitam com asas de pétala,
entre água e flores.
E as cigarras agarradas aos troncos
ensaiam na sombra suas resinas sonoras.

Essa é a glória do jardim,
com roxos queixumes de rolas,
pios súbitos, gorjeios melancólicos,

vôos de silêncio,
música de chuva e de vento,
débil queda de folhas secas,
murmúrio de gota de água
na umidade verde dos tanques.

Quando um vulto humano se arrisca,
fogem pássaros e borboletas;
e a flor que se abre, e a folha morta,
esperam, igualmente transidas,
que nas areias do caminho
se perca o vestígio de sua passagem.

O vento

O cipreste inclina-se em fina reverência
e as margaridas estremecem, sobressaltadas.

A grande amendoeira consente que balancem
suas largas folhas transparentes ao sol.

Misturam-se uns aos outros, rápidos e frágeis,
os longos fios da relva, lustrosos, lisos cílios verdes.

Frondes rendadas de acácias palpitam inquietamente
com o mesmo tremor das samambaias
debruçadas nos vasos.

Fremem os bambus sem sossego,
num insistente ritmo breve.

O vento é o mesmo:
mas sua resposta é diferente, em cada folha.

Somente a árvore seca fica imóvel,
entre borboletas e pássaros.

Como a escada e as colunas de pedra,
ela pertence agora a outro reino.
Seu movimento secou também, num desenho inerte.
Jaz perfeita, em sua escultura de cinza densa.

O vento que percorre o jardim
pode subir e descer por seus galhos inúmeros:
ela não responderá mais nada,
hirta e surda, naquele verde mundo sussurrante.

Visita da chuva

Estas altas árvores
são umas harpas verdes
com cordas de chuva
que tange o vento.

Vêm os sons mais claros
da amendoeira amarela,

pontuados na palma
das fortes folhas virentes.

Os sons mais frágeis nascem
na fronde da acácia leve,
com frouxos cachos de flores
e folhinhas paralelas.

Os sons mais graves escorrem
das negras mangueiras antigas,
de grossos, torcidos galhos,
franjados de parasitas.

Os sons mais longínquos e vagos
vêm dos finos ciprestes:
chegam e apagam-se, nebulosos,
desenham-se e desaparecem...

Chuva na montanha

Como caíram tantas águas,
nublou-se o horizonte,
nublou-se a floresta,
nublou-se o vale.
E as plantas moveram-se azuis
dentro da onda que as toldava.

Tudo se transformou em cristal fosco:
as jaqueiras cansadas de frutos,

as palmeiras de leque aberto,
e as mangueiras com suas frondes
de arredondadas nuvens negras superpostas.

O arco-íris saltou como serpente multicor
nessa piscina de desenhos delicados.

Surdina

Quem toca piano sob a chuva,
na tarde turva e despovoada?
De que antiga, límpida música
recebo a lembrança apagada?

Minha vida, numa poltrona
jaz, diante da janela aberta.
Vejo árvores, nuvens — e a longa
rota do tempo, descoberta.

Entre os meus olhos descansados
e os meus descansados ouvidos,
alguém colhe com dedos calmos
ramos de som, descoloridos.

A chuva interfere na música.
Tocam tão longe! O turvo dia
mistura piano, árvore, nuvens,
séculos de melancolia...

Noite

"Psiu! Psiu!" — dizem os pássaros de guarda.
Mas os cães ladram, ladram,
a noite inteira, inconsoláveis.
Então, os pássaros adormecem, fatigados e medrosos.

E os insetos repetem baixinho e inutilmente:
"Psiu! Psiu!", na imensa noite estrelada.

(A voz dos cães é um sonho triste,
é o sonho de mortos e vivos,
desesperado,
em voz alta...)

Madrugada

O canto dos galos rodeia a madrugada
de altas torres de música chorosa.

O canto dos galos sobe do mundo
ajudando a separação da noite e do dia.

É melancólico levar a lua para longe do horizonte,
e destruir da noite estrelada as últimas flores.

O canto dos galos incansável sustenta a hora indecisa.

Somente o esplendor da montanha ofusca as vozes que plangiam.
Por quem plangiam essas vozes vagarosas,
no vasto lamento, simultâneas e isoladas?

Pela noite — ainda inclinada para o ocidente em sono?
ou pelo sol — que arranca a terra ao convívio das estrelas?

As formigas

Em redor do leão de pedra,
as beldroegas armam lacinhos
vermelhos, roxos e verdes.
No meio da areia,
um trevo solitário
pesa a prata do orvalho recebido.
As areias finas são de ouro,
e as grossas, como grãos de sal.
Cintila uma lasca de mica,
junto ao cadáver de um cigarro
que a umidade desenrolou.
E o cone torcido de um caramujo pequenino
pousa entre as coisas da terra
o vestígio e o prestígio do mar,
que elas não viram.
Nessa paisagem tranqüila,
umas formigas pretas,
de pernas altas,
atravessam num tonto ziguezague

as areias grossas e finas,
e vêm pesquisar por todos os lados
cada folha de beldroega,
roxa, vermelha e verde.

A menina e a estátua

A menina quer brincar com a estátua da fonte,
que é uma criança nua, em cuja cabeça os passarinhos
pousam, depois do banho,
antes de voarem para longe.

A menina, com muita precaução,
toca o braço da estátua,
e fala com ela essas coisas com outro sentido
que as crianças dizem umas às outras,
ou aos objetos com que conversam,
ou a si mesmas, quando estão sozinhas.

A menina insiste com a estátua,
convida-a a descer do plinto,
passa o dedo pelos seus pés de bronze,
examinando-os e persuadindo-a.

E diante de tal silêncio,
fica séria e preocupada,
mira a estátua de perto,
como a um pequeno deus misterioso,
caminha de costas, mirando-a,

e fica de longe a mirá-la,
por um momento prolongado e respeitoso.

Tapete

No tapete chinês há dois homens sorridentes
que dia e noite dão de comer uma eterna comida
a duas aves gorduchas que comem sem pausa e sem movimento.

Todos vão e vêm por cima deste tapete redondo
com uma ponte longínqua sobre um céu amarelo.

Todos pisam estes dois homens, as suas aves, a sua comida.

E os homens estão sorrindo,
e este alimento não se acaba,
e as aves, de cabeça baixa,
continuam para sempre comendo...

Pardal travesso

Este pardal travesso
pia toda manhã com fome exagerada.

Mesmo assim pequeno,
tenta voar dos galhos,
e salta desajeitado
entre as plantas baixas.

Mar Absoluto e Outros Poemas

Assusta-se com qualquer ruído,
foge aos pulos pelas sebes,
e, quando encontra uma poça d'água,
faz movimentos de nadador medroso.

À tarde, espreita para todos os lados,
desce da árvore, espaneja-se na areia,
rápido, assustadiço,
pronto para a evasão.

Vai pulando,
inquieto com a sua travessura,
sobe de galho em galho,
até sentir-se em segurança.

Põe-se então a sacudir as areias das penas,
como as crianças limpando os bolsos dos aventais.

Joguinho na varanda

O meu parceiro joga com as bolas encarnadas:
"Se eu não ganhar desta vez, não dormirei a noite inteira.
O inimigo está avançando. Mas eu tenho um plano estratégico.
Estou imobilizado? Parece que caí num bolsão.
Que fazer? Andar para trás. Depois, darei um grande salto.
Conquistei uma posição. Isso agora é uma cabeça-de-ponte..."

E a lua, que sobrevoa terras e mares incendiados,
assiste ao jogo inocente, num quadrado de papelão.

Ilumina as bolas vermelhas, verdes, amarelas e pretas
com a mesma luz que envolveu os feridos, longe, de bruços,
e os mortos solitários que o sol amanhecente encontra.

O aquário

O aquário tem um bosque verde submerso,
que não conhece pássaros nem ventos.

Areias douradas e limosas
prendem raízes pálidas,
que se prolongam em finas palmas,
em longas folhas ovais,
em crespos filamentos hirtos.

Nesse mundo sem voz,
navegam os peixes vermelhos.

Seus olhos cegos são dois preguinhos de ferro,
e é apenas um peso de prata o seu abdome
para equilíbrio do corpo incerto e transparente.

No circo líquido,
são trapezistas de malhas de ouro
em exercícios livres.
Descem de cabeça até o chão de areia,
sobem à superfície densa
onde beijam seu reflexo.

Deslizam horizontais,
movendo a mandíbula triste,
mostrando pelo contorno do lábio prateado
a cavidade escarlate que são.

Às vezes, em súbito pânico,
atravessam toda a água em correria brusca,
ou mordem a poeira verde que está sobre as folhas frias.

Seu olho sem pálpebra resvala imóvel,
e seus tênues enfeites plissados
esvoaçam frenéticos.

Suspendem-se em trapézios invisíveis,
e à luz da manhã cintilam em nudez de coral.

Alta noite, estão quietos,
colados aos vidros,
ou de lábio plantado na arcia,
ou boiando como pétalas encarnadas.

Mas, se alguém passa,
voam sonâmbulos de um lado para outro,
tão fluidos, tão ágeis,
que nunca se tocam,
não tocam as plantas,
e nem na água deixam a menor oscilação.

Todos os dias pergunto às plantas,
pergunto aos peixes do aquário
a razão de sua existência
ali no meio da sala.

Inclino à beira do vidro
minhas perguntas sem palavras.

Pode ser que me estejam respondendo,
e que suas respostas silenciosas
sejam também perguntas a respeito do meu rosto,
do meu rosto que sentem, mas não vêem.

Edite

Cantemos Edite, a minha loura, branca e azul,
cujo avental de linho é a alegre vela de um barco
num domingo de sol, e cuja coifa é uma gaivota
planando baixa, pelo quarto.

Cantemos Edite, a anunciadora da madrugada,
que passa carregando os lençóis e as bandejas,
deixando pelos longos corredores
frescuras de jardim e ar de nuvem caseira.

Cantemos Edite, a de mãos rosadas, que caminha
com sorriso tão calmo e palavras tão puras:

sua testa é um canteiro de lírios
e seus olhos, miosótis cobertos de chuva.

Cantemos Edite, a muito loura, branca e azul,
que à luz ultravioleta se converte em ser abstrato,
em anjo roxo e verde, com pestanas incolores,
que sorri sem nos ver e nos fala calado.

Cantemos Edite, a que trabalha silenciosa
preparando todas as coisas desta vida,
porque a qualquer momento a porta deste mundo se abre
e chega de repente o esperado Messias.

Alvura

Cantemos também os frescos lençóis e as colchas brancas,
estes campos de malmequeres engomados
onde o sono nem sonha.

Cantemos os flocos das cortinas,
as nuvens que adornam o céu de nácar,
as dálias com seus colares de orvalho,
e os mármores da porta, onde um raio de sol inscreve o dia.

Cantemos, cantemos estes ladrilhos cintilantes,
e o claro esmalte por onde escorrem, tumultuosos,
matinais jorros de água, de precipitada espuma.

Cantemos a faiança lisa, os guardanapos ofuscantes,
e o perfumado arroz-doce, e o leite, e a nata, e o sal e o açúcar,
e os punhos de Edite, lustrosos e duros como a louça,

e seus dez dedos paralelos com umas belas unhas nítidas,
que encrustam de cada lado da espelhante bandeja cromada
cinco finas, tênues, alvas luas crescentes.

Jornal, longe

Que faremos destes jornais, com telegramas, notícias,
anúncios, fotografias, opiniões...?

Caem as folhas secas sobre os longos relatos de guerra:
e o sol empalidece suas letras infinitas.

Que faremos destes jornais, longe do mundo e dos homens?
Este recado de loucura perde o sentido entre a terra e o céu.

De dia, lemos na flor que nasce e na abelha que voa;
de noite, nas grandes estrelas, e no aroma do campo serenado.

Aqui, toda a vizinhança proclama convicta:
"Os jornais servem para fazer embrulhos."

E é uma das raras vezes em que todos estão de acordo.

Elegia

À memória de
Jacinta Garcia Benevides
Minha avó

"...le sang de nos ancêtres qui forme
avec le nôtre cette chose sans équivalence
qui d'ailleurs ne se répétera pas..."

R. M. Rilke
Lettres à un jeune poète

1

Minha primeira lágrima caiu dentro dos teus olhos.
Tive medo de a enxugar: para não saberes que havia caído.

No dia seguinte, estavas imóvel, na tua forma definitiva,
modelada pela noite, pelas estrelas, pelas minhas mãos.

Exalava-se de ti o mesmo frio do orvalho; a mesma claridade
[da lua.

Vi aquele dia levantar-se inutilmente para as tuas pálpebras,
e a voz dos pássaros e a das águas correr,
— sem que a recolhessem teus ouvidos inertes.

Onde ficou teu outro corpo? Na parede? Nos móveis? No teto?
Inclinei-me sobre o teu rosto, absoluta, como um espelho.
E tristemente te procurava.
Mas também isso foi inútil, como tudo mais.

2

Neste mês, as cigarras cantam
e os trovões caminham por cima da terra,
agarrados ao sol.
Neste mês, ao cair da tarde, a chuva corre pelas montanhas,
e depois a noite é mais clara,
e o canto dos grilos faz palpitar o cheiro molhado do chão.

Mas tudo é inútil,
porque os teus ouvidos estão secos como conchas vazias,
e a tua narina imóvel
não recebe mais notícia
do mundo que circula no vento.

Neste mês, sobre as frutas maduras cai o beijo áspero das vespas...
— e o arrulho dos pássaros encrespa a sombra,
como água que borbulha.

Neste mês, abrem-se cravos de perfume profundo e obscuro;
a areia queima, branca e seca,
junto ao mar lampejante:
de cada fronte desce uma lágrima de calor.

Mas tudo é inútil,
porque estás encostada à terra fresca,
e os teus olhos não buscam mais lugares
nesta paisagem luminosa,
e as tuas mãos não se arredondam já
para a colheita nem para a carícia.

Neste mês, começa o ano, de novo,
e eu queria abraçar-te.
Mas tudo é inútil:
eu e tu sabemos que é inútil que o ano comece.

3

Minha tristeza é não poder mostrar-te as nuvens brancas,
e as flores novas, como aroma em brasa,
com suas coroas crepitantes de abelhas.

Teus olhos sorririam,
agradecendo a Deus o céu e a terra:
eu sentiria teu coração feliz
como um campo onde choveu.

Minha tristeza é não poder acompanhar contigo
o desenho das pombas voantes,
o destino dos trens pelas montanhas,
e o brilho tênue de cada estrela
brotando à margem do crepúsculo.

Tomarias o luar nas tuas mãos,
fortes e simples como as pedras,
e dirias apenas: "Como vem tão clarinho!"

E nesse luar das tuas mãos se banharia a minha vida,
sem perturbar sua claridade,
mas também sem diminuir minha tristeza.

4

Escuto a chuva batendo nas folhas, pingo a pingo.
Mas há um caminho de sol entre as nuvens escuras.
E as cigarras sobre as resinas continuam cantando.

Tu percorrerias o céu com teus olhos nevoentos,
e calcularias o sol de amanhã,
e a sorte oculta de cada planta.

E amanhã descerias toda coberta de branco,
brilharias à luz como o sal e a cânfora,
tomarias na mão os frutos do limoeiro, tão verdes,
e entre o veludo da vinha verias armar-se o cristal dos bagos.

E olharias o sol subindo ao céu com asas de fogo.
Tuas mãos e a terra secariam bruscamente.
Em teu rosto, como no chão,
haveria flores vermelhas abertas.

Dentro do teu coração, porém, estavam as fontes frescas,
sussurrando.
E os canteiros viam-te passar
como a nuvem mais branca do dia.

5

Um jardineiro desconhecido se ocupará da simetria
desse pequeno mundo em que estás.

Suas mãos vivas caminharão acima das tuas, em descanso,
das tuas que calculavam primaveras e outonos,
fechadas em sementes e escondidos na flor!

Tua voz sem corpo estará comandando,
entre terra e água,
o aconchego das raízes tenras,
a ordenação das pétalas nascentes.

À margem desta pedra que te cerca,
o rosto das flores inclinará sua narrativa:
história dos grandes luares,
crescimento e morte dos campos,
giros e músicas de pássaros,
arabescos de libélulas roxas e verdes.
Conversareis longamente,
em vossa linguagem inviolável.

Os anjos de mármore ficarão para sempre ouvindo:
que eles também falam em silêncio.

Mas a mim — se te chamar, se chorar — não me ouvirás,
por mais perto que venha, não sou mais que uma sombra
caminhando em redor de uma fortaleza.

Queria deixar-te aqui as imagens do mundo que amaste:
o mar com seus peixes e suas barcas;
os pomares com cestos derramados de frutos;
os jardins de malva e trevo, com seus perfumes brancos e vermelhos.

E aquela estrela maior, que a noite levava na mão direita.
E o sorriso de uma alegria que eu não tive,
mas te dava.

6

Tudo cabe aqui dentro:
vejo tua casa, tuas quintas de frutas,
as mulas deixando descarregarem seirões repletos,
e os cães de nomes antigos
ladrando majestosamente
para a noite aproximada.

Range a atafona sobre uma cantiga arcaica:
e os fusos ainda vão enrolando o fio
para a camisa, para a toalha, para o lençol.

Nesse fio vai o campo onde o vento saltou.
Vai o campo onde a noite deixou seu sono orvalhado.
Vai o sol com suas vestimentas de ouro
cavalgando esse imenso gavião do céu.

Tudo cabe aqui dentro:
teu corpo era um espelho pensante do universo.
E olhavas para essa imagem, clarividente e comovida.
Foi do barro das flores, o teu rosto terreno,
e uns liquens de noite sem luzes
se enrolaram em tua cabeça de deusa rústica.

Mas puseram-te numa praia de onde os barcos saíam
para perderem-se.
Então, teus braços se abriram,
querendo levar-te mais longe:
porque eras a que salvava.
E ficaste com um pouco de asas.

Teus olhos, porém, mediram a flutuação do caminho.
Por isso, tua testa se vincou de alto a baixo,
e tuas pálpebras meigas
se cobriram de cinza.

7

O crepúsculo é este sossego do céu
com suas nuvens paralelas
e uma última cor penetrando nas árvores
até os pássaros.

É esta curva dos pombos, rente aos telhados,
este cantar de galos e rolas, muito longe;
e, mais longe, o abrolhar de estrelas brancas,
ainda sem luz.

Mas não era só isto o crepúsculo:
faltam os teus dois braços numa janela, sobre flores,
e em tuas mãos o teu rosto,
aprendendo com as nuvens a sorte das transformações.

Faltam teus olhos com ilhas, mares, viagens, povos,
tua boca, onde a passagem da vida
tinha deixado uma doçura triste,
que dispensava palavras.

Ah, falta o silêncio que estava entre nós,
e olhava a tarde, também.

Nele vivia o teu amor por mim,
obrigatório e secreto.
Igual à face da Natureza:
evidente, e sem definição.

Tudo em ti era uma ausência que se demorava:
uma despedida pronta a cumprir-se.

Sentindo-o, cobria minhas lágrimas com um riso doido.
Agora, tenho medo que não visses
o que havia por detrás dele.

Aqui está meu rosto verdadeiro,
defronte do crepúsculo que não alcançaste.
Abre o túmulo, e olha-me:
dize-me qual de nós morreu mais.

8

Hoje! Hoje de sol e bruma,
com este silencioso calor sobre as pedras e as folhas!

Hoje! Sem cigarras nem pássaros.
Gravemente. Altamente.
Com flores abafadas pelo caminho,
entre essas máscaras de bronze e mármore
no eterno rosto da terra.

Hoje.

Quanto tempo passou entre a nossa mútua espera!
Tu, paciente e inutilizada,
contando as horas que te desfaziam.
Meus olhos repetindo essas tuas horas heróicas,
no brotar e morrer desta última primavera
que te enfeitou.

Oh, a montanha de terra que agora vão tirando do teu peito!

Alegra-te, aqui estou,
fiel, neste encontro,
como se do modo antigo vivesses
ou pudesses, com a minha chegada, reviver.

Alegra-te, que já se desprendem as tábuas que te fecharam,
como se desprendeu o corpo
em que aprendeste longamente a sofrer.

E, como o áspero ruído da pá cessou neste instante,
ouve o amplo difuso rumor da cidade em que continuo,
— tu, que resides no tempo, no tempo unânime!

Ouve-o e relembra
não as estampas humanas: mas as cores do céu e da terra,
o calor do sol,
a aceitação das nuvens,
o grato deslizar das águas dóceis.
Tudo o que amamos juntas.
Tudo em que me dispersarei como te dispersaste.
E mais esse perfume de eternidade,
intocável e secreto,
que o giro do universo não perturba.

Apenas não podemos correr, agora,
uma para a outra.

Não sofras, por não te poderes levantar
do abismo em que te reclinas:
não sofras, também,
se um pouco de choro se debruça nos meus olhos,
procurando-te.

Não te importes que escute cair,
no zinco desta humilde caixa,
teu crânio, tuas vértebras,
teus ossos todos, um por um...

Pés que caminham comigo,
mãos que me iam levando,
peito do antigo sono,
cabeça do olhar e do sorriso...

Não te importes. Não te importes...

Na verdade, tu vens como eu te queria inventar:
e de braço dado desceremos por entre pedras e flores.
Posso levar-te ao colo, também,
pois na verdade estás mais leve que uma criança.

— Tanta terra deixaste porém sobre o meu peito!
irás dizendo, sem queixa,
apenas como recordação.

E eu, como recordação, te direi:
— Pesaria tanto quanto o coração que tiveste
o coração que herdei?

Ah, mas que palavras podem os vivos dizer aos mortos?

E hoje era o teu dia de festa!
Meu presente é buscar-te.
Não para vires comigo:
para te encontrares com os que, antes de mim,
vieste buscar, outrora.
Com menos palavras, apenas.
Com o mesmo número de lágrimas.
Foi lição tua chorar pouco,
para sofrer mais.

Aprendi-a demasiadamente.

Aqui estamos, hoje.
Com este dia grave, de sol velado.
De calor silencioso.
Todas as estátuas ardendo.
As folhas, sem um tremor.

Não tens fala, nem movimento nem corpo.
E eu te reconheço.

Ah, mas a mim, a mim,
quem sabe se me poderás reconhecer!

CECILIA MEIRELES

RETRATO
NATURAL

LIVROS DE PORTUGAL, S.A. RIO DE JANEIRO
M.CM.XLIX.

Retrato natural. Rio de Janeiro: Livros de Portugal, 1949. 184 p.

Na página anterior:
capa da primeira edição de *Retrato natural*.

Retrato Natural
(1949)

Canção no meio do campo

Lá vai, sem qualquer palavra,
seguindo o pranto,
pequeno arado que lavra
tão grande campo.

Torvos pássaros dos ares
gritam sombra
aos caminhos singulares
que o sonho apronta.

Ó terra tão delicada
que estás sofrendo,
não é nada, não é nada:
setas de vento.

No dia da primavera,
longe anda o corvo.
E a flor mostrará como era
seu grito morto.

Ar livre

A menina translúcida passa.
Vê-se a luz do sol dentro dos seus dedos.
Brilha em sua narina o coral do dia.

Leva o arco-íris em cada fio do cabelo.
Em sua pele, madrepérolas hesitantes
pintam leves alvoradas de neblina.

Evaporam-se-lhe os vestidos, na paisagem.
É apenas o vento que vai levando seu corpo pelas alamedas.
A cada passo, uma flor, a cada movimento, um pássaro.

E quando pára na ponte, as águas todas vão correndo,
em verdes lágrimas para dentro dos seus olhos.

Apelo

Abri na noite as grandes águas
criadas no tempo de chorar.
Levantai os mortos do sonho
que trouxestes para viajar.
Fechai os olhos, despedi-vos,
atirai os mortos ao mar!

Por amor às vossas estrelas,
chamai ventos de solidão.
Em voz alta, dizei responsos,
descarregai o coração!
Aos mortos que descem nas águas,
mandai amor, pedi perdão!

Fazei-vos marinheiros límpidos,
isentos do bem e do mal.

Dizei que, à procura dos deuses,
com um rumo sobrenatural,
necessitais da despedida
de toda lembrança mortal.

Ide, com o esbelto movimento,
a graça da libertação,
à proa das naves solenes
que aos deuses vos transportarão.

Mas não fiteis a densa vaga
que se arquear em redor de vós!
— O rosto dos mortos flutua
para sempre. E é um longo cometa
a aérea franja da sua voz.

Cantata matinal

Acordai, descuidadas,
que se abriram as portas,
e passaram as cabras.

Acorrei, descuidosas,
que já comem às pressas
as palmeiras e as rosas.

Veio a luz da alvorada
e brilhou nas palmeiras
que eram pura esmeralda.

Vão-se as nuvens da aurora,
e só ficam as palhas
e os espinhos das rosas!

Ai, que berram as cabras,
e não posso feri-las
e não posso enxotá-las!

Ai, que meus olhos choram,
vendo a sua alegria
sobre tanta derrota!

Acorrei, descuidadas,
vede as portas abertas,
e os canteiros e as cabras!

Acorrei, descuidosas,
vede a terra assaltada
e o sol, que desabrocha!

Desenho

Árvore da noite
com ramos azuis
até o horizonte.

Estendi meus braços,
e apenas achei
nevoeiros esparsos.

O resto era sonho
no profundo fim
da vida e da noite.

A memória em pranto
os ramos azuis
fica procurando.

E de olhos fechados
vejo longe, sós,
meus alados braços.

Ó noite, azul, árvore...
Suspiro a subir
muro de saudade!

Melodia para cravo

(Alfombras de prata
na varanda azul.
Que morre e quem mata
à celeste luz?)

Dama de seda amarela,
aqui estou a vossos pés,
sonhando a não poder mais.

Recontai vossa novela,
do tempo em que os laranjais
se chamavam laranjués!

(Longos cortinados
de aéreo marfim
— sois, de ambos os lados,
anjos a cair.)

Dama de aljofre guarnida,
a história que me contais
é a minha própria história!

Sou eu a infanta perdida
debaixo dos laranjais,
no meio da narachória!

(Os mosquitos quase
morrem de afinar
com arcos de gaze
violas de cristal.)

Sou eu a infanta encontrada!
Mas só línguas de aravia
em meus ouvidos guardei.

Retrato Natural

Mandai trazer uma espada,
que eu quero andar minha via,
chegar à casa do Rei.

Apresentação

Aqui está minha vida — esta areia tão clara
com desenhos de andar dedicados ao vento.

Aqui está minha voz — esta concha vazia,
sombra de som curtindo o seu próprio lamento.

Aqui está minha dor — este coral quebrado,
sobrevivendo ao seu patético momento.

Aqui está minha herança — este mar solitário,
que de um lado era o amor e, do outro, esquecimento.

Canção quase triste

Brilhou a rosa
no espinhoso galho.
Quem a viu? Ninguém.

Nuvens muito altas
lágrimas de orvalho
deram-lhe: — de além.

Seca os teus olhos,
no amargo trabalho,
que a noite já vem.

Vê-te a ti mesmo,
sê teu agasalho,
pobre Pero Sem.

Cantarão os galos

Cantarão os galos, quando morrermos,
e uma brisa leve, de mãos delicadas,
tocará nas franjas, nas sedas
mortuárias.

E o sono da noite irá transpirando
sobre as claras vidraças.

E os grilos, ao longe, serrarão silêncios,
talos de cristal, frios, longos ermos,
e o enorme aroma das árvores.

Ah, que doce lua verá nossa calma
face ainda mais calma que o seu grande espelho
de prata!

Que frescura espessa em nossos cabelos,
livres como os campos pela madrugada!

Na névoa da aurora,
a última estrela
subirá pálida.

Que grande sossego, sem falas humanas,
sem o lábio dos rostos de lobo,
sem ódio, sem amor, sem nada!

Como escuros profetas perdidos,
conversarão apenas os cães, pelas várzeas.
Fortes perguntas. Vastas pausas.

Nós estaremos na morte
com aquele suave contorno
de uma concha dentro d'água.

Elegia a uma pequena borboleta

Como chegavas do casulo,
— inacabada seda viva! —
tuas antenas — fios soltos
da trama de que eras tecida,
e teus olhos, dois grãos da noite
de onde o teu mistério surgia,

como caíste sobre o mundo
inábil, na manhã tão clara,
sem mãe, sem guia, sem conselho,
e rolavas por uma escada

como papel, penugem, poeira,
com mais sonho e silêncio que asas,

minha mão tosca te agarrou
com uma dura, inocente culpa,
e é cinza de lua teu corpo,
meus dedos, tua sepultura.
Já desfeita e ainda palpitante,
expiras sem noção nenhuma.

Ó bordado do véu do dia,
transparente anêmona aérea!
não leves meu rosto contigo:
leva o pranto que te celebra,
no olho precário em que te acabas,
meu remorso ajoelhado leva!

Choro a tua forma violada,
miraculosa, alva, divina,
criatura de pólen, de aragem,
diáfana pétala da vida!
Choro ter pesado em teu corpo
que no estame não pesaria.

Choro esta humana insuficiência:
— a confusão dos nossos olhos,
— o selvagem peso do gesto,
— cegueira — ignorância — remotos
instintos súbitos — violências
que o sonho e a graça prostram mortos.

Retrato Natural

Pudesse a etéreos paraísos
ascender teu leve fantasma,
e meu coração penitente
ser a rosa desabrochada
para servir-te mel e aroma,
por toda a eternidade escrava!

E as lágrimas que por ti choro
fossem o orvalho desses campos,
— os espelhos que refletissem
— vôo e silêncio — os teus encantos,
com a ternura humilde e o remorso
dos meus desacertos humanos!

As valsas

Como se desfazem as valsas
por longos pianos aéreos
que a noite envolve em suas chuvas!
Que ternura nas nossas pálpebras,
pelo exílio suave dos gestos
e dos perfis de antigas músicas!

Os marfins opacos recordam,
com uma graça desiludida,
a aura da morta formosura.
Gente de sonho, sem memória,
entrelaçada, conduzida
por salões de esperanças e dúvida.

E eram tão leves, nessas valsas!
E levavam lágrimas entre
seus colares e suas luvas!
E falavam de suas mágoas,
valsando, e delicadamente,
com a voz presa e as pestanas úmidas!

Ah, tão longe, tão longe, as salas...
Levados os lustres e as vidas,
o amor triste, a humilde loucura...
Ficaram apenas as valsas,
girando cegas e sozinhas,
sem os habitantes da música!

Vigília

Como o companheiro é morto,
todos juntos morreremos
um pouco.

O valor de nossas lágrimas
sobre quem perdeu a vida
não é nada.

Amá-lo, nesta tristeza,
é suspiro numa selva
imensa.

Retrato Natural

Por fidelidade reta
ao companheiro perdido,
que nos resta?

Deixar-nos morrer um pouco
por aquele que hoje vemos
todo morto.

Palavras

Espada entre flores,
rochedo nas águas,
assim firmes, duras,
entre as coisas fluidas,
fiquem as palavras,
as vossas palavras.

Pois se por acaso
dentro dos sepulcros
acordassem as almas
e em sonhos confusos
suspirassem rumos
de histórias passadas
e houvesse um tumulto
de ânsias e de lágrimas,

— lembrassem as lágrimas
caídas no mundo
nas noites amargas

cercadas dos muros
das vossas palavras.
Todas as palavras.

Nos espelhos puros
que a memória guarda,
fique o rosto surdo,
a música brava
do humano discurso.
De qualquer discurso.

Só de morte exata
sonharão os justos,
saudosos de nada,
isentos de tudo,
pascendo auras claras,
livres e absolutos,
nos campos de prata
dos túmulos fundos.

No meio das águas,
das pedras, das nuvens,
verão as palavras:
estrelas de chumbo,
rochedos de chumbo.
A cegueira da alma.
O peso do mundo.

Adeus, velhas falas
e antigos assuntos!

Retrato Natural

Pequena meditação

Chorai, negras águas,
à sombra das pontes,
na raiz das árvores.

Tempo melancólico
amarrando os braços
dos altos relógios.

Cresceriam lágrimas,
se não se abolissem
as lembranças cálidas.

Noites antiqüíssimas
até nós esperam
nomes de carícia.

Seremos idênticos
ao passado enorme,
de amor e silêncio,

ao jamais recíproco
sonho que resvala
para precipícios.

Só triste matéria
lembrará mais tarde
nossa descendência.

Em ruas contrárias,
vereis negros tetos,
como velhas máscaras.

Mas não esta fluida
verdade da vida.
As mãos — sem a música.

Chorai, negras águas,
a dor, vagarosa,
e a memória, rápida.

Cantata vesperal

Cerrai-vos, olhos, que é tarde, e longe,
e acabou-se a festa do mundo:
começam as saudades hoje.

Longos adeuses pelas varandas
perdem-se; e vão fugindo em mármore
cascatas céleres de escadas.

Pelos portões não passam mais sombras,
nem há mais vozes que se entendam
nas distâncias que o céu desdobra.

As ruas levam a mares densos.
E pelos mares fogem barcas
sem esperanças de endereços.

Tempo viajado

Dos meus retratos rasgados
me recomponho,
com minhas espumas de acaso,
meus solos vivos de fogo.

Muito se sofre.
As doces uvas sabem a enxofre.

Vulcões mordem as raízes
das minhas plantas.
Em barcos postos a pique,
naufragaram muitas lembranças.

Dizei-me por que lugares
que pastores pastoreiam
até sempre estas saudades
a mim mesma tão alheias.

Muito se pena.
E vimos na areia morrer a sirena.

Procuro pelo meu rosto
o tempo que se desprende.
Que agulhas de desencontro
separaram minha gente?

Dos meus retratos rasgados
me levanto.
E acho-me toda em pedaços,
e assim mesmo vou cantando.

Muito se perde:
pela terra negra ou pela água verde.

(Se Deus agora me visse,
abaixaria seus olhos
e ficaria mais triste.)

Balada das dez bailarinas do cassino

Dez bailarinas deslizam
por um chão de espelho.
Têm corpos egípcios com placas douradas,
pálpebras azuis e dedos vermelhos.
Levantam véus brancos, de ingênuos aromas,
e dobram amarelos joelhos.

Andam as dez bailarinas
sem voz, em redor das mesas.
Há mãos sobre facas, dentes sobre flores
e os charutos toldam as luzes acesas.
Entre a música e a dança escorre
uma sedosa escada de vileza.

Retrato Natural

As dez bailarinas avançam
como gafanhotos perdidos.
Avançam, recuam, na sala compacta,
empurrando olhares e arranhando o ruído.
Tão nuas se sentem que já vão cobertas
de imaginários, chorosos vestidos.

As dez bailarinas escondem
nos cílios verdes as pupilas.
Em seus quadris fosforescentes,
passa uma faixa de morte tranqüila.
Como quem leva para a terra um filho morto,
levam seu próprio corpo, que baila e cintila.

Os homens gordos olham com um tédio enorme
as dez bailarinas tão frias.
Pobres serpentes sem luxúria,
que são crianças, durante o dia.
Dez anjos anêmicos, de axilas profundas,
embalsamados de melancolia.

Vão perpassando como dez múmias
as bailarinas fatigadas.
Ramo de nardos inclinando flores
azuis, brancas, verdes, douradas.
Dez mães chorariam, se vissem
as bailarinas de mãos dadas.

O enorme vestíbulo

Deixai-me andar por muito tempo
neste vosso enorme vestíbulo,
quando os lacaios não existam
e a luz do lustre, que é tão plácida,
envolva em mãos de brando sono
a alva, pregueada escadaria,
límpido vestido sem dono.

Quero mirar minhas distâncias
nos espelhos de cada lado,
e ouvir o sonho das resinas
nas curvas cômodas lustrosas
como uns estranhos contrabaixos
que, em vez de música, dão rosas.

Deixai meu passo amortecido
ir e vir pelo branco e preto
mármore calmo, que outros pisam
sem ver... — levados pela pressa
de alcançar a festa, nas salas
onde perfis, sedas e risos,
copos de oscilantes topázios,
criam ruidosos paraísos.

Deixai-me aqui, livre e sozinha,
diante das portas encantadas
que anulam os jardins da noite.

Pelo balaústre, florescem
lírios verdes, que nunca morrem
nem nunca viveram. E a abstrata
luz inviolável dos espelhos
dorme sem uma só presença
de lábios, perguntas, olhares,
agasalhada no silêncio
de seus sucessivos lugares.

Neste vosso longo vestíbulo,
vou-me esquecendo do meu nome,
vou desconhecendo meu rosto,
vou-me perdendo e libertando
em pura matéria divina.
Nas teias de sonho que teço
— quem fico sendo, em meu limite,
sem ver meu fim nem meu começo?

Deixai-me neste solitário
recinto, onde tudo ressoa
como se atrás do mundo houvesse
uns alarmados moradores
de olhos eternamente abertos.
Deixai-me escutar seus clamores,
que são como os dos meus desertos.

No desnudo mármore, o tempo
deixa o rosto perseverante.
Pela transparência dos vidros,

vejo caminhos sem muralhas.
O ar é de apelo e confidência.
Tudo dissolve seus segredos.
Entre todos os convidados,
eu só guardo a sombra da festa:
pequena bússola em meus dedos.

Serenata

Dize-me tu, montanha dura,
onde nenhum rebanho pasce,
de que lado na terra escura
brilha o nácar de sua face.

Dize-me tu, palmeira fina,
onde nenhum pássaro canta,
em que caverna submarina
seu silêncio em corais descansa.

Dize-me tu, ó céu deserto,
dize-me tu se é muito tarde,
se a vida é longe e a dor é perto
e tudo é feito de acabar-se!

Comentário do estudante de desenho

Entre o eixo e as pontas do compasso,
meu Deus, que distância penosa,

Retrato Natural

que giro difícil,
que pesado manejo!

É certo que a circunferência está pronta,
por toda a eternidade
aqui no imóvel parafuso do alto,
sonhada, prevista na perfeição total da auréola?

Meu Deus, meu Deus, é certo que só no caminho do traço
é que se vai assim de ponto em ponto,
de dor em dor,
com medos de começo e fim,
rodando cautelosamente?

Pranto no mar

Eu sempre te disse que era grande o oceano
para a nossa pequena barca.
Cantavas, quando eu te dava o desengano
de partir por água tão larga.

Não, tu não devias ter ido.
Mas foi tempo perdido.

Eu sempre te disse que os olhos de um morto
ficavam nas águas suspensos,
procurando os vivos, os mastros, o porto,
na oscilação de águas e ventos.

Não, tu não devias ter ido.
Mas era amor perdido.
Teço velas negras para a barca nova,
redes de prata para as ondas.
Ensinai-me, peixes, sua funda cova
nestas escuridões tão longas!

Não, tu não devias ter ido.
E isto é pranto perdido.

Canção romântica às virgens loucas

Éreis tão fluidas, tão inquietas,
que, diante dos vossos caprichos,
pensava-se em rios, em frondes
ao vento, por jardins floridos.

Sofria-se por vosso encanto,
com remota felicidade:
éreis uma longa esperança,
éreis o amor para mais tarde.

E não fostes! Vossa inquietude
era de rios sem destino,
de vento, sem jardim de flores...
Puro pensamento perdido!

Retrato Natural

Quem vos amava no passado
recorda o tempo dos amores...
Íeis, vínheis, fluidos fantasmas
— e nunca soubestes quem fostes.

E morrereis levianamente,
tendo ouvido falar por alto
do amor, da tristeza, da vida...
Como quem ouviu, longe, um pássaro.

Emigrantes

Esperemos o embarque, irmão.

Chegamos sem esperança,
só com relíquias de séculos
na palma da mão.

Pela terra endurecida,
não há campo que aproveite.
Mesmo os rios vão morrendo
pela solidão.

Não sofras por teres vindo.
Alguém nos mandou de longe
para ver como ficava
um rosto humano banhado
de desilusão.

Olhemos esses desertos
onde é impossível deixar-se
mesmo o coração.

Ah, guardemos nossos olhos
duráveis como as estrelas
e seguramente secos
como as pedras do chão.

Iremos a outros lugares,
onde talvez haja tempo,
misericórdia, viventes,
amor, ocasião.

Esperemos, esperemos.
Relógios além das nuvens
moem as horas e as lágrimas
para a salvação.

Pássaro

Aquilo que ontem cantava
já não canta.
Morreu de uma flor na boca:
não do espinho na garganta.

Ele amava a água sem sede,
e, em verdade,

Retrato Natural

tendo asas, fitava o tempo,
livre de necessidade.

Não foi desejo ou imprudência:
não foi nada.
E o dia toca em silêncio
a desventura causada.

Se acaso isso é desventura:
ir-se a vida
sobre uma rosa tão bela,
por uma tênue ferida.

Canção

Eras um rosto
na noite larga
de altas insônias
iluminada.

Serás um dia
vago retrato
de quem se diga:
"o antepassado".

Eras um poema
cujas palavras
cresciam dentre
mistério e lágrimas.

Serás silêncio,
tempo sem rastro,
de esquecimentos
atravessado.

Disso é que sofre
a amargurada
flor da memória
que ao vento fala.

Canção do Amor-Perfeito

Eu vi o raio de sol
beijar o outono.
Eu vi na mão dos adeuses
o anel de ouro.
Não quero dizer o dia.
Não posso dizer o dono.

Eu vi bandeiras abertas
sobre o mar largo
e ouvi cantar as sereias.
Longe, num barco,
deixei meus olhos alegres,
trouxe meu sorriso amargo.

Bem no regaço da lua,
já não padeço.

Retrato Natural

Ai, seja como quiseres,
Amor-Perfeito,
gostaria que ficasses,
mas, se fores, não te esqueço.

Improviso

Eu mesma sou a culpada
dos malefícios alheios.
A quem não podia nada
eu é que fui dar os meios
para me ver maltratada.

Vai correndo, fonte pura,
não mires quem te bebeu.
Não queiras ver a criatura
que se nutriu do que é teu.
Salva-te da desventura!

Canção

A palavra que te disse,
talvez por ser tão pequena,
em tais desprezos perdeu-se
que não deixou nem pena.

Murmurei-a a uma cisterna
de turvas águas antigas

e foi-se de cova em cova
em múltiplas cantigas.

Amadores deste mundo,
nas águas vosso amor ponde;
que elas vos darão resposta,
quando ninguém responde.

Canção póstuma

Fiz uma canção para dar-te;
porém tu já estavas morrendo.
A Morte é um poderoso vento.
E é um suspiro tão tímido a Arte...

É um suspiro tímido e breve
como o da respiração diária.
Choro de pomba. E a Morte é uma águia
cujo grito ninguém descreve.

Vim cantar-te a canção do mundo,
mas estás de ouvidos fechados
para os meus lábios inexatos
— atento a um canto mais profundo.

E estou como alguém que chegasse
ao centro do mar, comparando
aquele universo de pranto
com a lágrima da sua face.

E agora fecho grandes portas
sobre a canção que chegou tarde.
E sofro sem saber de que Arte
se ocupam as pessoas mortas.

Por isso é tão desesperada
a pequena, humana cantiga.
Talvez dure mais do que a vida.
Mas à Morte não diz mais nada.

Fui mirar-me

Fui mirar-me num espelho
e era meia-noite em ponto.
Caiu-me o cristal das mãos
como as lembranças no sono.
Partiu-se meu rosto em chispas
como as estrelas num poço.
Partiu-se meu rosto em cismas
— que era meia-noite em ponto.

Dizei-me se é morte certa,
que me deito e me componho,
fecho os olhos, cruzo os dedos
sobre o coração tão louco.
E digo às nuvens dos anjos:
"Ide-vos pelo céu todo,
avisai a quem me amava
que aqui docemente morro.

Pedi que fiquem amando
meu coração silencioso
e a música dos meus dedos
tecida com tanto sonho.

De volta, achareis minha alma
tranqüila de estar sem corpo.
Rebanhos de amor eterno
passarão pelo meu rosto."

Canção

Há uma canção que já não fala,
que se recolhe dolorida.
Onde, o lábio para cantá-la?
Onde, o tempo de ser ouvida?

Quando alguém passa e ainda murmura,
abro os olhos, quase assustada.
A voz humana é absurda, obscura,
sem força para dizer nada.

Qual será sobre a nossa poeira
o lugar dessa flor secreta,
— da frágil canção derradeira
murcha no silêncio do poeta?

Retrato Natural

Que abstrata mão clarividente
levantará do chão mortuário
esse arabesco altivo e ardente
morto num sonho solitário?

Inclina o perfil

Inclina o perfil amado
nos veludos do silêncio
e apaga sobre esse quadro
as velas do pensamento.

E fecha a porta da sala
e desce a escada profunda
e sai pela rua clara
onde não façam perguntas.

E vai por praias desertas
desmanchando os teus caminhos,
cortando o fio às conversas
dos teus próprios labirintos.

E ao chão diz: "Sou de areia."
E às ondas diz: "Sou de água."
E em valas de ausência deita
a alma de outroras magoada.

Sem propósito de sonho
nem de alvoradas seguintes,

esquece teus olhos tontos
e teu coração tão triste.

Talvez nem a sobre-humana
mão que tece o ar e a floresta
perturbe alguém que descansa
de tão duras controvérsias.

Talvez fiques tão tranqüila,
ó vida, entre o mar e o vento,
como o que ninguém divisa
de uma lágrima num lenço.

Sorriso

Levanta meu lábio
um mar extenuado,
um mar já sem barco,
sem alma de náufrago,
sem ilha nem viagem
para qualquer lado,
sem qualquer miragem
de estrela ou sereia.

Que sal vagaroso
na voz do meu sonho!
no silêncio longo
em que exausta pouso!

Que arejado gosto
de espuma, de noite
modela meu rosto
de serena areia!

O leme partiu-se!
Marinheiros tristes
contam, pensativos,
os mortos antigos
e os inúteis vivos.
Só conservo a minha
solidão marinha,
despojada e alheia.

Infância

Levaram as grades da varanda
por onde a casa se avistava.
As grades de prata.

Levaram a sombra dos limoeiros
por onde rodavam arcos de música
e formigas ruivas.

Levaram a casa de telhado verde
com suas grutas de conchas
e vidraças de flores foscas.

Levaram a dama e o seu velho piano
que tocava, tocava, tocava
a pálida sonata.

Levaram as pálpebras dos antigos sonhos,
deixaram somente a memória
e as lágrimas de agora.

Comunicação

Pequena lagartixa branca,
ó noiva brusca dos ladrilhos!
sobe à minha mesa, descansa,
debruça-te em meus calmos livros.

Ouve comigo a voz dos poetas
que agora não dizem mais nada,
— e diziam coisas tão belas! —
ó ídolo de cinza e prata!

Ó breve deusa de silêncio
que na face da noite corres
como a dor pelo pensamento
— e sozinha miras e foges.

Pequena lagartixa, — vinda
para quê? — pousa em mim teus olhos.
Quero contemplar tua vida,
a repetição dos teus mortos.

Retrato Natural

Como os poetas que já cantaram,
e que já ninguém mais escuta,
eu sou também a sombra vaga
de alguma interminável música!

Pára em meu coração deserto!
Deixa que te ame, ó alheia, ó esquiva...
Sobre a torrente do universo,
nas pontes frágeis da poesia.

Improviso

Minha canção não foi bela:
minha canção foi só triste.
Mas eu sei que não existe
mais canção igual àquela.

Não há gemido nem grito
pungentes como a serena
expressão da doce pena.

E por um tempo infinito
repetiria o meu canto
— saudosa de sofrer tanto.

Dia submarino

No fundo do mar
estão entretidos
os náufragos.

Tão entretidos, tão entretidos,
que não sentem a água pelos seus vestidos.

E não precisam chorar,
porque o mar é só de lágrimas.
Só de lágrimas, o mar.

A água é diamante em seus olhos parados.
E há mágicas luzes por todos os lados.

Não têm sede, nem fome.
Livres agora, para sempre, os lábios,
sem palavras, sem sorriso,
sem memória nem do seu nome.

Ah, tudo livre agora,
que não se fala nem se chora.

Mas os braços dos meninos
movem-se ao peso das águas,
pois são leves, são de limbo,
líquido limbo das mágoas.

E as mães pensam
que talvez as crianças
precisem colher as algas,

e que estão sofrendo as crianças
por inúteis esperanças,
sem palavras e sem lágrimas...

Isso é que tolda a alegria
no paraíso dos náufragos.

Retrato em luar

Meus olhos ficam neste parque,
minhas mãos no musgo dos muros,
para o que um dia vier buscar-me,
entre pensamentos futuros.

Não quero pronunciar teu nome,
que a voz é o apelido do vento,
e os graus da esfera me consomem
toda, no mais simples momento.

São mais duráveis a hera, as malvas,
que a minha face deste instante.
Mas posso deixá-la em palavras,
gravada num tempo constante.

Nunca tive os olhos tão claros
e o sorriso em tanta loucura.
Sinto-me toda igual às árvores:
solitária, perfeita e pura.

Aqui estão meus olhos nas flores,
meus braços ao longo dos ramos:
e, no vago rumor das fontes,
uma voz de amor que sonhamos.

Improviso do Amor-Perfeito

Naquela nuvem, naquela,
mando-te meu pensamento:
que Deus se ocupe do vento.

Os sonhos foram sonhados,
e o padecimento aceito.
E onde estás, Amor-Perfeito?

Imensos jardins da insônia,
de um olhar de despedida,
deram flor por toda a vida.

Ai de mim, que sobrevivo
sem o coração no peito.
E onde estás, Amor-Perfeito?

Longe, longe, atrás do oceano
que nos meus olhos se alteia,
entre pálpebras de areia...

Longe, longe... Deus te guarde
sobre o seu lado direito,
como eu te guardava do outro,
noite e dia, Amor-Perfeito.

Canção

Não te fies do tempo nem da eternidade,
que as nuvens me puxam pelos vestidos,
que os ventos me arrastam contra o meu desejo!
Apressa-te, amor, que amanhã eu morro,
que amanhã morro e não te vejo!

Não demores tão longe, em lugar tão secreto,
nácar de silêncio que o mar comprime,
ó lábio, limite do instante absoluto!
Apressa-te, amor, que amanhã eu morro,
que amanhã morro e não te escuto!

Aparece-me agora, que ainda reconheço
a anêmona aberta na tua face
e em redor dos muros o vento inimigo...
Apressa-te, amor, que amanhã eu morro,
que amanhã morro e não te digo...

Inscrição

Nem sei se é lua, se apenas um rastro de nuvem
no azul triste do dia.

Nem sei se é flor, se uma estrela caída da chuva
no jardim desfolhado.

Nem sei se é meu, se de outrem, o acenar da loucura
com mãos de poesia.

Nem sei que dizem, ou que responda, se perguntam...
que o presente é passado.

Pomba em Broadway

Naquele reino cinzento
veio a pomba bater asas
contra muros de cimento.

Veio a pomba bater asas
naquele reino severo
com portas negras nas casas.

O rumor de suas penas
era um sussurro de fontes
brancas em tardes morenas.

Retrato Natural

Era um sussurro de fontes,
mas ai! por densas paredes
e verticais horizontes!

Que mensagem conduzia
subindo e descendo os ares,
pela fronteira do dia,

subindo e descendo os ares,
estrangulada nos muros
daqueles densos lugares,

por onde vultos escuros,
o ouro do mundo levavam
fechado nos punhos duros?

Batia as asas, batia,
jorrava auroras de prata
no peito morto do dia.

Mas uma noite sem data
vinha dobrando as esquinas
com acautelada pata.

Transformação do dançarino

Nasce da sombra o dançarino,
de um ovo de seda e mistério.

E seu perfil é transparente
e sua carne é a de um inseto.

E eu o amo como às borboletas,
à asa das libélulas — e erro
no seu mundo sem solo, reino
que se vai tornando sidéreo.

Suas tênues mãos nada tocam,
e olha entre verdes águas, cego.
Cada posição de seu corpo
é um símbolo instantâneo e hermético.

Toma nos lábios o silêncio
e é um peixe bebendo o mar, quieto.
Gira, e súbito se divide,
como espelho que cai de um prego.

Canção

Não por mim, pelo teu rosto
que encontrei nas mãos do vento.
Pensas que te está beijando,
e eu sei que te vai corroendo.

Não por mim, pelas palavras
que o teu lábio está dizendo.
Pensas que as fico escutando
e escuto é o teu pensamento.

Não por mim, mas por ti choro
— por teu pálido momento.
Vou-te dando a vida toda,
e assim mesmo vais morrendo...

Canção do Amor-Perfeito

O tempo seca a beleza,
seca o amor, seca as palavras.
Deixa tudo solto, leve,
desunido para sempre
como as areias nas águas.

O tempo seca a saudade,
seca as lembranças e as lágrimas.
Deixa algum retrato, apenas,
vagando seco e vazio
como estas conchas das praias.

O tempo seca o desejo
e suas velhas batalhas.
Seca o frágil arabesco,
vestígio do musgo humano,
na densa turfa mortuária.

Esperarei pelo tempo
com suas conquistas áridas.
Esperarei que te seque,

não na terra, Amor-Perfeito,
num tempo depois das almas.

Improviso para Norman Fraser

O músico a meu lado come
o pequeno peixe prateado.

Percorre-lhe a pele brilhante,
abre-a, leve, de lado a lado.

Úmido deus de água e alabastro,
aparece o peixe despido.

E, como os deuses, pouco a pouco,
vai sendo pelo homem destruído.

Ah, mas que delicado culto,
que elegante, harmonioso trato

se pode dispensar a um peixe
como um deus exposto num prato!

Vinde ver, tiranos do mundo,
esta suprema gentileza

de comer! — que deixa perdoado
o gume da faca na mesa!

Retrato Natural

Em sua pele cintilante,
nítido, fino, íntegro, certo,

jaz o peixe, — ramo de espinhos
musicalmente descoberto.

Ó fim venturoso! Invejai-o,
corais, anêmonas, medusas!

Vede como era, além da carne,
frase secreta, em semifusas!

O ramo de flores do museu

1

Ó cinérea Princesa, as vossas flores
ficarão para sempre mais perfeitas,
já que o tempo extinguiu brilhos e cores;

já que o tempo extinguiu a habilidosa
mão que elevou, serenas e direitas,
a tulipa sucinta e a ardente rosa.

Não há mais ilusão de outra presença
que a do Amor, que inspirou graças tão finas
— que ninguém viu e em que ninguém mais pensa —
porque os homens e o mundo são de ruínas.

E este ramo de pétalas franzinas,
leve, liberto da mortal sentença,
tinha, ó Princesa, fábulas divinas
em cada flor, sobre o nada suspensa.

2

Que fantasmas lerão, nas incolores
pétalas, as mensagens não aceitas
em nítidos momentos anteriores?

Que fantasmas verão a vossa airosa
figura erguendo as claras mãos desfeitas,
noutro império, a uma luz mais gloriosa?

Ó cinérea Princesa, é muito densa
no mundo humano a trama das neblinas...
A floresta do absurdo é negra, é imensa,
e as sibilas se escondem, repentinas.

Crepitam os junquilhos e as boninas
a um vento secular de indiferença.
Mas, entre vãs paredes vespertinas,
o ramo existe, sem que a morte o vença.

Os gatos da tinturaria

Os gatos brancos, descoloridos,
passeiam pela tinturaria,
miram polícromos vestidos.

Retrato Natural

Com soberana melancolia,
brota nos seus olhos erguidos
o arco-íris, resumo do dia,

ressuscitando dos seus olvidos,
onde apagado cada um jazia,
abstratos lumes sucumbidos.

No vasto chão da tinturaria,
xadrez sem fim, por onde os ruídos
atropelam a geometria,

os grandes gatos abrem compridos
bocejos, na dispersão vazia
da voz feita para gemidos.

E assim proclamam a monarquia
da renúncia, e, tranqüilos vencidos,
dormem seu tempo de agonia.

Olham ainda para os vestidos,
mas baixam a pálpebra fria.

Balada de Ouro Preto

Parei a uma porta aberta
para mirar um ladrilho.
Veio de dentro o leproso
como quem sai de um jazigo.

Caminhava ao meu encontro,
sinistramente sorrindo.

Mas vi-lhe os braços de líquen,
e as duas mãos desfolhadas,
que cauteloso escondia
nos fundos bolsos das calças.
Chamas de um secreto inferno
em seu sorriso oscilavam.

Fora menos triste a lepra
do que o fogo do sorriso.
E era linda aquela casa
com o vestíbulo vazio;
e era alegre aquela porta
de claro azulejo antigo.

Ó santos da Idade Média,
descei por esta ladeira,
parai a esta porta suave,
que de azul toda se enfeita,
tocai estes braços fluidos
que vão sendo rosa e areia,

tornai-os firmes e pulcros,
com mãos lisas, dedos novos,
para que este homem não fite
ninguém mais com os mesmos olhos,
e seja outro o seu sorriso
per sæcula sæculorum.

Ausência

Por mais tarde que seja,
estou vendo a alvorada,
em cravos restituída
e em safiras molhada.

Tão certa é a minha vida
que em cego mar escuro
encontro o que procuro
e não me atrevo a nada.

De esplendores ferida,
fecho os olhos. Que ausente
quero ser. Tão distante
que eu mesma não me veja
— à morte indiferente,
para qualquer instante.

Improviso

A lua nos nossos ombros
e a sombra que não se encontra
despedaçada no chão.

O resto, passos altivos
nos labirintos do tempo
que não se sabe aonde irão.

Faixas de silêncio dobram
sobre os olhos que estão vendo
jardins de recordação.

Deixai que cantem as fontes,
ao menos, sobre esta pedra
que põem no meu coração.

Caminho

Pela estrada de Santiago,
dura estrada!
vou caminhando em meu sangue
como quem vai a cavalo.

Ordena-me a estrela que ande;
alta estrela!
Ai, por ordens de bem longe
morremos a cada instante.

Sonho, sonho, e ninguém me ouve.
Longo sonho.
O mundo inteiro está dentro
de uma redoma de bronze.

Mesmo o Apóstolo em silêncio,
em silêncio,
deixa passarem as sombras,
pequenas formas do vento...

Retrato Natural

Levo mãos em vez de conchas,
mãos pacientes,
onde verto, de olhos graves,
minha vida em verdes ondas.

Faço tudo que me dizes,
faço tudo! —
Estrela do céu — e apenas
de esquecimento me cinges.

E eu com chapéu de obediência,
de obediência,
pela estrada de Santiago,
esporas de amor nas veias,

por meu coração cavalgo.
Ai, coração...
Quando meu sangue for poeira,
então, Apóstolo, paro.

Entusiasmo

Por uns caminhos extravagantes,
irei ao encontro desses amores
— por que suspiro — distantes.

Rejeito os vossos, que são de flores.
Eu quero as vagas, quero os espinhos
e as tempestades, senhores.

Sou de ciganos e de adivinhos.
Não me conformo com os circunstantes
e a cor dos vossos caminhos.

Ide com os zoilos e os sicofantes.
Mas respeitai vossos adversários,
que nem querem ser triunfantes.

Vou com sonâmbulos e corsários,
poetas, astrólogos, e a torrente
dos mendigos perdulários.

E cantamos fantasticamente,
pelos caminhos extravagantes,
para Deus, nosso parente.

Paisagem mexicana

Passei pela terra seca,
sem árvore e sem arroio,
com suas casas caídas,
sua pena sem socorro.

O que avistei de mais vivo
foi o cemitério plano
onde uma índia cor da terra
de joelhos ia chorando.

A agüinha da sua lágrima
tão cansada vinha andando
como se arrastara séculos
essa carreta de pranto.

Ali no meio do mundo,
toda para o céu voltada,
única fonte na areia,
sozinha, a mulher chorava.

Talvez perguntasse aos santos:
"Por que se morre?" e sentisse
que do céu lhe perguntavam
também: "Para que se vive?"

Postal

Por cima de que jardim
duas pombinhas estão,
dizendo uma para outra:
"Amar, sim; querer-te, não"?

Por cima de que navios
duas gaivotas irão
gritando a ventos opostos:
"Sofrer, sim; queixar-se, não"?

Em que lugar, em que mármores,
que aves tranqüilas virão

dizer à noite vazia:
"Morrer, sim; esquecer, não"?

E aquela rosa de cinza
que foi nosso coração,
como estará longe, e livre
de toda e qualquer canção!

Desenho

Pescador tão entretido
numa pedra ao sol,
esperando o peixe ferido
pelo teu anzol,

há um fio do céu descido
sobre o teu coração:
de longe estás sendo ferido
por outra mão.

O afogado

Pelo mar azul,
pela água tão clara,
caminhava o morto
esta madrugada.

Subia nas vagas,
bordado de espuma,
seu corpo sem roupa,
sem força nenhuma.

O sol cor-de-rosa,
nascido nas águas,
via o navegante
procurar a praia.

Sem voz e sem olhos,
chegava de longe.
Chegava — e ficara
além do horizonte.

Por dias e noites
viera atravessando
caminhos salgados
como o suor e o pranto.

Dançarino estranho
de passos macabros,
com o corpo despido
e grossos sapatos.

Dançando e dançando,
por noites e dias,
chegou dentro da alva
às areias frias.

O mar e a neblina
que um morto navega
são muito mais fáceis
que, aos vivos, a terra.

Vencera a inconstante
planície intranqüila
numa silenciosa,
cega acrobacia.

E então se deteve
seu corpo dobrado
por aquele imenso,
póstumo cansaço.

Era como os peixes
finalmente quietos:
o peito, gelado
e os olhos, abertos.

Um fio de sangue
corria em seu rosto
irreconhecível
de secreto morto.

Miravam com pena
sua dúbia face.
Quem era? Quem fora?
Nas ondas gastara-se.

Retrato Natural

Nu como nascera
ali se caía.
Só tinha os sapatos:
lembrança da vida.

Retrato de uma criança
com uma flor na mão

Quem lhe ensinara o sorriso
e a graça de assim ficar
com as luzes do paraíso
sustentadas no olhar?

Naquele instante divino,
com a tênue flor na mão,
recebeu seu destino
palma e galardão.

Não se repete na vida
a hora clara existida
livre de tempo e dor.

Era tão linda! E estou triste.
Deus, por que permitiste
sobrevivesse à flor?

Profundidade

Que o alado capitel e a serena cornija em nuvens
se desenrolem,
e a alta janela desate os seus braços e em céus tênues
perca seu gesto,
que a estátua com seu nome se veja partida em grandes
escombros neutros,
que as escadas não tenham mais finalidade e os olhos
não as entendam
— ah, tudo isso é um vago desastre de andaimes e poeira...

Mas o alicerce enterrado persiste, embora os homens
sintam somente
um musgo mais denso que enreda os passos da loucura
e atrasa a morte.

Resíduo

Quando passarem os dias,
e não mais se avistar
nosso rosto, e o sereno
modo nosso de olhar,

e a nossa evaporada
voz não viver mais no ar,
e as sombras esquecerem
a que era a do nosso andar,

Retrato Natural

vai ser doce pensar-se
— em que secreto lugar? —
nos sonhos que inventávamos,
ternos e devagar,

no perfil que tivemos,
tão fino e singular,
e no louro e nas rosas
que o poderiam coroar,

e nos vergéis que sentíamos,
quando íamos a par,
ouvindo o amor, que nunca
chegou a sussurrar.

Inscrição

Quem se deleita em tornar minha vida impossível
por todos os lados?
Certamente estás rindo de longe,
ó encoberto adversário!

Mas a minha paciência é mais firme
que todas as sanhas da sorte:
mais longa que a vida, mais clara
que a luz no horizonte.

Passeio no gume de estradas tão graves
que afligem o próprio inimigo.

A mim, que me importam espécies de instantes,
se existo infinita?

Faisão prateado

Quem trouxe o faisão prateado
para a sombra de meus ramos?
Não é meu, não se demora,
e estão meus olhos chorando.

Tem longas plumas de adeuses,
tem asas tênues de cinza.
Tem uma voz de lonjura
dilatada na pupila.

Ah, o faisão prateado!

Com seus modos de safira,
em finos corais pousado,
vai fugindo e vai cortando
meu coração, como um barco.

Não te quero! Não te quero!
Só pergunto quem te trouxe.
Tristezas de nunca e sempre
não se comparam às de hoje.

Ah, o faisão prateado!

Retrato Natural

Bem que canto "Não te quero",
como alguém que nada sofre.
Deus sabe quanto me custa.
Deus sabe e não me socorre.

Canção

Quero um dia para chorar.
Mas a vida vai tão depressa!
— e é preciso deixar contida
a tristeza, para que a vida,
que acaba quando mal começa,
tenha tempo de se acabar.

Não quero amor, não quero amar...
Não quero nenhuma promessa
nem mesmo para ser cumprida.
Não quero a esperança partida,
nem nada de quanto regressa.
Quero um dia para chorar.

Quero um dia para chorar.
Dia de desprender-me dessa
aventura mal-entendida
sobre os espelhos sem saída
em que jaz minha face impressa.
Chorar sem protesto. Chorar.

O rosto

Não faleis nesse rosto
caído no denso lago
do vosso mundo.

Quem na onda o terá deposto?
Não me faleis, que o não trago
lá do fundo.

Não vos posso dizer onde
jaz o rosto verdadeiro
do grande afogado.

Nem pergunteis. Não responde
a boca do companheiro
que esteve a seu lado.

Apenas digo: era feito
pelas mãos do próprio dono.
E tão exato

que — maltratado e perfeito —
morreu de altivo abandono,
sem retrato.

Tempo celeste

Relógios certeiros:
a noiva já desce,
e está pronta a morta.

Por sombra de flores
os carros deslizam,
as portas afastam-se.

O mundo rescende,
cercado de lua,
vacilante rosa.

Num grande silêncio
a terra se fecha,
e as sedas e as pálpebras.

Dorme o pensamento.
Riram-se? Choraram?
Ninguém mais recorda.

Na parede lisa,
resta a mariposa
de asas sossegadas.

Ária

Na noite profunda,
deixa-me existir
como os loucos em nuvens,
como os cegos em flores.

Na profunda noite,
deixa-me chorar
sobre os rios convulsos.
Na noite profunda,
deixa-me cair
entre os céus imponentes.
Na profunda noite,
deixa-me morrer
como um pássaro inábil.
Na noite profunda.

Quem nos vai recordar
na noite profunda?
Pensamento tão gasto,
amor sem milagre
na profunda noite.
Os amigos se extinguem.

Deixa-me sofrer
na profunda noite.
Ó mãos separadas
que ninguém reconhece
na profunda noite.

Retrato Natural

Na noite profunda,
deixa para sempre,
deixa agonizar
solitário meu rosto,
na noite profunda,
na profunda noite
que a memória levar.

O impassível marinheiro

Sonhaste as ilhas, a vaga, a lua
— e qual foi tua?

Coisas tão simples. Pura beleza.
Onde está presa?

Quiseste um mundo de ordem celeste.
Quando o tiveste?

Curtiste em prantos a noite e o dia.
Quem te entendia?

Dentro das tuas pálpebras mansas,
tens esperanças?

Já viste os homens, já viste as feras.
Que mais esperas?

Ó marinheiro de mil tormentas,
como sustentas

teu frágil pulso na velha nave
de um mar tão grave?

Como sustentas olhos, palavras,
na água que lavras?

Como conduzes teu próprio vulto
a um reino oculto,

com o lábio curvo, com o rosto liso
de um habitante do paraíso?

O andrógino

Sua face é o corpo
de uma dúbia pomba:
uma asa de luz
e outra de sombra.

Seus olhos — balança
ainda oscilante,
entre o que o homem pese
e o que Deus mande.

Vive como em sonho,
antes de nascido,

Retrato Natural

quando a vida e a morte
estavam consigo.

Pois seu corpo de anjo,
impuro e casto,
leva a mão da glória
e a do pecado.

Une o Céu e o Inferno,
e Deus e o Demônio:
entre Adão e Eva
busca seu nome.

Em certa hora horrível,
enegrece e pensa
na razão do mundo
da ambivalência.

Espelhos atrozes
refletem seu corpo.
Só ele pergunta
se está vivo ou morto.

O principiante

Sua mão mal se movimenta,
custa a escorregar pela mesa,
caracol no jardim da ciência,

desenrolando letra a letra
a obscura linha do seu nome.

Ah, como é leve o átomo puro,
e ágil o equilíbrio do mundo,
e rápido, e célere, o curso
do céu, do destino de tudo!

Mas na terra o pálido aluno
devagar escreve o seu nome.

Canção

Se de novo passares,
não procures por mim.
Preservemos o fim
dos saudosos olhares.

Bem sei que a noite e os rios
engendram muita flor
parecida com amor,
em seus ermos sombrios.

Mas nem penso aonde vais.
Adormeço nos prados
com os lábios ocupados
no néctar do jamais.

Um tempo sem fronteiras
se abriu diante de nós.
Quando tiveram voz
as verdades inteiras?

Ai, talvez noutro instante
chegue perto de ti,
para ver que perdi
minha alma antiga — e cante.

Talvez chegue, talvez,
mas que não seja agora,
quando quem foste chora
aquilo que não vês.

Uma vaga canção
cantarei com doçura,
e será morte escura
sobre o meu coração.

Declaração de amor em tempo de guerra

Senhora, eu vos amarei numa alcova de seda,
entre mármores claros e altos ramos de rosas,
e cantarei por vós leves árias serenas
com luar e barcas, em finas águas melodiosas.

(Na minha terra, os homens, Senhora,
andavam nos campos, agora.)

Para ver vossos olhos, acenderei as velas
que tornam suaves as pestanas e os diamantes.
Caminharão pelos meus dedos vossas pérolas
— por minha alma, as areias destes límpidos instantes.

(Na minha terra, os homens, Senhora,
começam a sofrer, agora.)

Estaremos tão sós, entre as compactas cortinas,
e tão graves serão nossos profundos espelhos
que poderei deixar as minhas lágrimas tranqüilas
pelas colinas de cristal de vossos joelhos.

(Na minha terra, os homens, Senhora,
estão sendo mortos, agora.)

Vós sois o meu cipreste, e a janela e a coluna
e a estátua que ficar — com seu vestido de hera;
o pássaro a que um romano faz a última pergunta,
e a flor que vem na mão ressuscitada da primavera.

(Na minha terra, os homens, Senhora,
apodrecem no campo, agora...)

Se eu fosse apenas...

Se eu fosse apenas uma rosa,
Com que prazer me desfolhava,

Retrato Natural

já que a vida é tão dolorosa
e não te sei dizer mais nada!

Se eu fosse apenas água ou vento,
com que prazer me desfaria,
como em teu próprio pensamento
vai desfazendo a minha vida!

Perdoa-me causar-te a mágoa
desta humana, amarga demora!
— de ser menos breve do que a água,
mais durável que o vento e a rosa...

Fragilidade

Teu nome nas águas
tão fundas, tão grandes

perde-se na espuma,
castelo de instantes.

No aço azul da noite
teu firme retrato

acorda entre nuvens
já desbaratado.

A sorte da pedra
é tornar-se areia.

Mas quem não soluça
pensando em teu rosto
reduzido a poeira...

Imagem

Tão brando é o movimento
das estrelas, da lua,
das nuvens e do vento,
que se desenha a tua
face no firmamento.

Desenha-se tão pura
como nunca a tiveste,
nem nenhuma criatura.
Pois é sombra celeste
da terrena aventura.

Como um cristal se aquieta
minha vida no sono,
venturosa a completa.
E teu rosto aprisiono
em grave luz secreta.

Teu silêncio em meu peito
de tal maneira existe,
reconhecido e aceito,
que chego a ficar triste
de vê-lo tão perfeito.

Retrato Natural

E não pergunto nada.
Espero que amanheça,
e a cor da madrugada
pouse na tua cabeça
uma rosa encarnada.

Recordação

Vejo o cavalo parado
ao pé do tanque de limo.
Cai-lhe por cima a tristeza
de um cipreste muito antigo.

Rolou no vale de pedra
seu ginete assassinado.
Oh, como pulsa, na tarde,
o coração do cavalo.

O tanque não tem mais água
e o corpo do cavaleiro,
no vale, não vale nada.

Mas o cavalo é uma sombra
para sempre, de olhos tristes,
sacudindo a crina longa.

Desenho leve

Via-se morrer o amor
de braços abertos.

Uma espuma azul andava
nas areias desertas.

Nos galhos frescos das árvores,
recentemente cortadas,
meninas todas de branco
se balançavam.
O eco partia o baralho
de suas risadas.

Via-se morrer o amor
de mãos estendidas.

Uma lua sem memória
pelas águas transparentes
arrastava seus vestidos.

Via-se morrer o amor
de solidões cercado.

Via-se e tinha-se pena
sem se poder fazer nada.

E era uma tarde de lua,
com vento pelas estrelas
esquecidas.

E ao longe riam-se as crianças:
no princípio do mundo,
no reino da infância.

O cavalo morto

Vi a névoa da madrugada
deslizar seus gestos de prata,
mover densidades de opala
naquele pórtico de sono.

Na fronteira havia um cavalo morto.

Grãos de cristal rolavam pelo
seu flanco nítido; e algum vento
torcia nas crinas pequeno,
leve arabesco, triste adorno

— e movia a cauda ao cavalo morto.

As estrelas ainda viviam
e ainda não eram nascidas
ai! as flores daquele dia...
—   mas era um canteiro o seu corpo:
um jardim de lírios, o cavalo morto.

Muitos viajantes contemplaram
a fluida música, a orvalhada
das grandes moscas de esmeralda
chegando em rumoroso jorro.

Adernava triste o cavalo morto.

E viam-se uns cavalos vivos,
altos como esbeltos navios,
galopando nos ares finos,
com felizes perfis de sonho.

Branco e verde via-se o cavalo morto,

no campo enorme e sem recurso
— e devagar girava o mundo
entre as suas pestanas, turvo
como em luas de espelho roxo.

Dava o sol nos dentes do cavalo morto.

Mas todos tinham muita pressa,
e não sentiram como a terra
procurava, de légua em légua,
o ágil, o imenso, o etéreo sopro
que faltava àquele arcabouço.

Tão pesado, o peito do cavalo morto!

Retrato Natural

Ramo de adeuses

Pequeno ramo
de um campo antigo
que a abelha esquece;
com o denso orvalho
que a lua forma
e, se desliza,
ninguém recorda;
laços do vento
desamarrado
de claros rios,

leva, Memória!
por esses mundos,
para as imagens
inesquecíveis
que atravessaram
sonhos reclusos,
dando e tomando
pela penumbra
silêncio e enigmas.

A flor e o ar

A flor que atiraste agora,
quisera trazê-la ao peito;
mas não há tempo nem jeito...
Adeus, que me vou embora.

Sou dançarina do arame,
não tenho mão para flor.
Pergunto, ao pensar no amor,
como é possível que se ame.

Arame e seda, percorro
o fio do tempo liso.
E nem sei do que preciso,
de tão depressa que morro.

Neste destino a que vim,
tudo é longe, tudo é alheio.
Pulsa o coração no meio
só para marcar o fim.

Pastora descrida

Eu, pastora, que apascento
estrelas da madrugada
pelas campinas do vento,

fui falar ao eco antigo,
a cuja voz fui criada,
e que supus meu amigo.

"Sou sempre a de antigamente",
murmurei-lhe, enternecida.
E ele anunciou longe: "Mente!"

Retrato Natural

Mas era a minha verdade
e, vendo-me assim descrida,
padeci com a falsidade.

"Eco amigo, eu não te iludo:
pastora sou destes prados
onde se confunde tudo;

mas sou de ontem e de agora,
dentro dos despedaçados
instantes de nenhuma hora...

A amargura não me aumentes..."
E o eco antigo, infiel e exato,
repetiu-me perto: "Mentes..."

Vergada em móveis espelhos,
vi nas águas meu retrato,
chorei sobre mim, de joelhos.

Mas o gado que pascia
pelas colinas da aurora,
mascando as margens do dia,

veio a mim sem que o esperasse
lambeu-me os olhos de outrora
— reconheceu minha face.

Canção

Mais que a mão do amor,
é tépida a terra
que guarda sem guerras
a caveira e a flor.

Melhor que os amigos,
fala a solidão,
sem opinião
sobre o que lhe digo.

Sozinha me vi,
sozinha me vejo.
Que tristes desejos
pascem mais aqui?

Tanto que te amava!
Mas amava a quem?
Mais doçura têm
águas do mar, bravas.

Só depois do adeus,
arrependimentos.
Com as fitas do vento
amarra-me os teus!

A alegria

No fundo de um poço
deitei a Alegria,
dizendo-lhe: "Espera,
que volto algum dia,
com louros e rosas,
Amor e Poesia."

No fundo de um poço
por que a deitaria?
Por que desprezava
sua companhia?
Pensei que no mundo
tudo padecia.
Ai, como o pensava!
E não a queria.

No fundo de um poço
deitei a Alegria.
Chegaram os tristes
por quem eu sofria.
Consigo a levaram
— e de longe o via! —
Nunca perguntaram
a quem pertencia.

Sofrer por sofrer,
somente eu sofria.

Os outros — apenas
querendo alegria.

À beira do poço
voltarei um dia.
Pousarei meu rosto
na água negra e fria,
em ramos serenos
de Amor e Poesia.
Direi meu segredo
sem melancolia.
E na água profunda,
sem noite nem dia,
eu mesma serei
minha companhia.

Eu quis outra coisa
que ninguém queria.
Nem tenho saudade
da antiga Alegria.

Os outros

Irei por saudade
pisando os meus dias,
os dias guardados
sob lajes frias.

Retrato Natural

Irei pela margem
dos muros fechados,
com brancas estátuas
nos longos telhados.

Que som pelas pedras,
e que breve susto
nos bichos que saltam
pelo fofo musgo!

Verei pelas portas,
sem cachos nem tranças,
a sombra dos rostos
das antigas crianças.

E em jardins de densos,
verdes corredores,
as netas das águas
e as netas das flores.

Ninguém me pergunta
quem sou, de onde venho.
Passo, e não percebem,
vestida de vento.

Escuto cantigas
em redor da lua.
Ó pobres fantasmas,
quem vos continua?

Noivas esquecidas,
velhinhos enfermos,
vinde ouvir os sinos
de festas e enterros!

Mas todos levantam
uma eterna face,
como se a existência
nunca se acabasse.

Mirai vossas mãos
e vossos cabelos!
E o líquen do tempo
entre os vossos dedos!

Ah, ninguém me escuta...
Todos são felizes,
agarrando a vida
com finas raízes.

Fantasmas tranqüilos
em suas cadeiras,
esquecendo a morte
entre tantas queixas.

Talvez seja eu mesma
que ande aqui perdida.
Onde vejo a morte
todos vêem a vida...

Retrato Natural

Presença

Não mais a pessoa: o interstício do tempo
habitado por ela,
outrora, quando a presença era visível e esquecível.

A memória padece
nesse lugar, que pertencia a algum destino,
pelas coisas estranhas
e no entanto banais que representam a existência.

Custa a cerrar o oceano
de onde aflorava a imagem desnuda e desprezada.
Inutilmente a levam...
que a solidão respira, anuncia seu nome,
seu rosto inviolado.
E a secreta evidência
perturba os que vão morrer, agora que a notaram,
e alucina seus olhos
com a tentação raramente possível da efígie eterna.

Cecília Meireles

AMOR
em
LEONORETA

EDIÇÕES
HIPOCAMPO

Amor em Leonoreta. Niterói: Edições Hipocampo, 1951. Poema em 7 partes, em folhas soltas não-numeradas. Tiragem de 116 exemplares em papel Ingres, autenticados pela autora. Xilogravura (fora do texto) de Yllen Kerr.

Na página anterior:
capa da primeira edição de *Amor em Leonoreta*.

Amor em Leonoreta
(1951)

A
João de Castro Osório
e
José Osório de Oliveira

Leonoreta, fin'roseta,
bela sobre toda fror,
fin'roseta, non me meta
en tal coita vosso amor!
  (do "Amadis de Gaula")

I

Pela noite nemorosa,
só por alma te procuro,
ai, Leonoreta!
Leva a seta um rumo claro,
desfechada no ar escuro...
O licorne beija a rosa,
canta a fênix do alto muro:
mas é tal meu desamparo,
Leonoreta, fin'roseta,
que a chamar não me aventuro.

Rondo em sonho a tua porta,
por silêncios esvaída.
Ai, Leonoreta,
sejas viva, sejas morta,
apesar de sofrer tanto,
puro amor é minha vida.
Com três séculos de pranto,
fez-se de sal a espineta
que me acompanhava o canto.

Leonoreta, fin'roseta,
branca sobre toda flor,
ai, Leonoreta,
nos bosques atrás do mundo,
por mais que eu não to prometa,
encontrarás meu amor,
desgraçado mas jucundo,

sem desgosto e sem favor.
Leonoreta, não te meta
en gran coita a minha dor!

O licorne beija a rosa,
canta a fênix do alto muro...
Ai, Leonoreta,
salamandras e quimeras
vêm saber o que procuro.
Pela noite nemorosa,
tornam-se os picos das eras
vales rasos de violeta...
Não me digas que me esperas!
Não me acenes com o futuro...

Eu sou das sortes severas,
Leonoreta, fin'roseta.
Ai, Leonoreta,
e só do sonho inseguro.

II

Do teu nome não sabia,
mas buscava tua face.
E, algum dia,
se de ti me aproximasse,
Leonoreta, fin'roseta,
"Leonoreta!" —
exclamaria.

Meus olhos, ricos de amor,
sofriam de indiferença.
De que estrela,
ou que mundo, ou que planeta,
Leonoreta,
é nascida a branca flor
em que, antes de a amar, se pensa,
mesmo sem precisar vê-la...?

Das varandas da alta lua,
recordo o estremecimento:
era a tua
voz que me trazia o vento.
Fin'roseta!
Esta, que apenas flutua,
mais leve que borboleta;
que, longe, nada insinua...
— esta é a voz de Leonoreta!

Podia morrer de pena.
E comecei a cantar-te.
Amor é arte.
Mas a vida é tão pequena,
bela sobre toda flor!
— tão pequena para amar-te...
E em toda parte
causa espanto o meu amor.

Se como te ouvi me ouviras,
mais feliz não me fizeras.

Amor em Leonoreta

Sei que é tanto
meu amor que, noutras eras,
Leonoreta,
viverás por esse encanto.
Mas é tão de outras esferas,
fin'roseta,
que não se ama, por enquanto...

Nem de ti desejo nada
senão saber que exististe.
A adorada
ausência não me põe triste.
Nem te meta
en gran coita, Leonoreta,
se te vi mas não me viste:
que foste a mais derrotada...

Pois, se vi que me não queres,
tu não viste como te amo...
Leonoreta,
só terei do que me deres,
que, por mim, nada reclamo.
Meu amor é flor sem ramo,
fin'roseta!
Por alheia não me feres:
sei teu nome e não te chamo.

Leonoreta, que doçura,
andar por onde estiveste!

A mais pura
imagem do amor celeste,
Leonoreta,
é minha humana aventura.
Sem fogo que o lírio creste,
sem que o sangue comprometa
o sonho, pela criatura...

Ai, Leonoreta, quem eras,
Leonoreta, fin'roseta,
entre esfinges e quimeras,
branca sobre toda flor?
Teu semblante choraria
de alegria,
se te visses debuxada
pelo meu poder de amor.

Tu, que me não deste nada!
Que nem viste quem te via!

Leonoreta,
não te meta
en gran coita a minha dor:
se te amava, não sofria...

III

Leonoreta,
fin'roseta,

longe vai teu vulto amado.
Porém resiste ao meu lado
o espaço que ocuparias.

Leonoreta,
fin'roseta,
como poderei ser triste,
se a tua sombra resiste
e tu não resistirias?

Leonoreta,
fin'roseta,
não mais penso por onde andas...
Guardo por altas varandas
tua fala em meus ouvidos.

Leonoreta,
fin'roseta,
como os puros amadores,
eu vivo a bordar de flores
a sombra dos teus vestidos.

Leonoreta,
fin'roseta,
feliz da barca e da vela,
do vento que leva a bela
mão sobre saudosos mares...

Leonoreta,
fin'roseta,

não me vês, mas eu te vejo.
Não te quero nem desejo:
morrerei, se suspirares.

IV

Morrerei, se suspirares.
Pois, se és o meu grande bem,
se eu te vejo sobre os mares,
Leonoreta,
se mais ninguém
para mim valia tem,
fin'roseta,
sofrendo por te afastares,
bela sobre toda flor
(que todos os meus pesares
são por saudade do amor),
Leonoreta,
se também
por mim visse que sofrias,
quando tudo é tão de além...

Leonoreta,
não te meta
en gran coita a minha dor...

Não venhas por onde eu for,
que eu nunca fui por onde ias!
Não venhas, que és o meu bem,
ai!

Amor em Leonoreta

outras são as companhias,
porém.

Leonoreta,
fin'roseta:
olha os sonhos singulares
que existem porque não vêm...

V

Pela celeste ampulheta,
flui-me a vida em cinza breve,
sem que eu saiba aonde me leve,
Leonoreta,
o enlevo — que foi tão raro,
o sonho — que era tão certo,
o amor — que, apesar de claro,
nem foi visto, de encoberto.

Desconheço a quem remeta
a experiência a que me entrego:
todos querem amor cego,
Leonoreta,
e o meu é clarividente.
Amor cego, fiel, cativo,
todos querem. E eu, somente,
sei do isento e sem motivo...

Grave amor que não submeta
asas próprias nem alheias,

amor de límpidas veias,
Leonoreta,
onde o tempo é eternidade,
e alegrias e tristezas
são igual felicidade,
indelevelmente acesas.

Que meteoro, que cometa
conhece campo florente
em que prospere a semente,
Leonoreta,
deste amor que te proponho?
Amor que apenas contemplo,
em que sou meu próprio sonho,
flor de meu silêncio e exemplo?

VI

Leonoreta,
fin'roseta,
deixo meus olhos fechados
sobre os acontecimentos.

Não te meta
en gran coita o meu amor:

podem, por todos os lados,
duros, tenebrosos ventos
quebrar muitas tentativas.

Mas, para que eterna vivas,
que é preciso?
Que pensem meus pensamentos.

E entre pólos inviolados,
entre equívocos momentos,
vem e volta a vida humana,
que se engana e desengana
em redor do Paraíso.

Branca sobre toda flor,
a Verônica levanto,
num transparente estandarte:
celebro por toda parte
a alegria de adorar-te
com o meu pranto.

VII

Pela celeste ampulheta,
cai a cinza dos meus dias.
Cai a cinza do meu corpo,
da minha alma, Leonoreta,
e o tempo é um límpido sopro
que liberta de alegrias
e de queixas...

Leonoreta,
fin'roseta,
alta estrela, a minha sorte!

Pela celeste ampulheta,
vai-se a luz da primavera...
A ventura que se aprende
nos adeuses, Leonoreta,
vale o que neles se perde...
Tudo quanto sou te espera,
e me deixas...

Leonoreta,
não te meta
en gran coita a minha dor.

Puro sonho, a minha morte,
pura morte, o meu amor.

CECÍLIA MEIRELES

DOZE NOTURNOS
da Holanda
&
O AERONAUTA

LIVROS DE PORTUGAL ✻ RIO DE JANEIRO
1952

Doze noturnos da Holanda & O aeronauta. Rio de Janeiro: Livros de Portugal, 1952. 60 p.

Na página anterior:
capa da primeira edição de *Doze noturnos da Holanda & O aeronauta*.

Doze Noturnos da Holanda
&
O Aeronauta
(1952)

Doze Noturnos da Holanda

Um

O rumor do mundo vai perdendo a força,
e os rostos e as falas são falsos e avulsos.
O tempo versátil foge por esquinas
de vidro, de seda, de abraços difusos.

A lua que chega traz outros convites:
inclina em meus olhos o celeste mapa,
desmorona os punhos crispados do dia,
desenha caminhos, transparente e abstrata.

Árvores da noite... Pensamento amante...
— Transporta-me a sombra, na altura profunda,
aos campos felizes onde se desprende
o diurno limite de cada criatura.

É a noite sem elos... Inocência eterna,
isenta de mortes e natividades,
pura e solitária, deslembrada, alheia,
mudamente aberta para extremas viagens.

Eu mesma não vejo quem sou, na alta noite,
nem creio que SEJA: perduro em memória,
à mercê dos ventos, das brumas nascidas
nos dormentes lagos que ao luar se evaporam.

Recebo teu nome também repartido,
quebrado nos diques, levado nas flores...

Quem sabe teu nome — tão longe, tão tarde,
tão fora do tempo, do reino dos homens...?

Dois

Abraçava-me à noite nítida,
à alta, à vasta noite estrangeira,
e aos seus ouvidos sucessivos murmurava:
"Não quero mais dormir, nunca mais, noite, esparsas
nuvens de estrelas sobre as planícies detidas,
sobre sinuosos canais, balouçantes e frios,
sobre os parques inermes, onde a bruma e as folhas ruivas
sentem chegar o outono e, reunidas, esperam
sua lei, sua sorte, como as pobres figuras humanas."

E aos seus ouvidos sucessivos murmurava:
"Não quero mais dormir, nunca mais, quero sempre
mais tempo para os meus olhos, — vida, areia, amor
                                    [profundo... —
conchas de pensamentos sonhando-se desertamente."

E a noite dizia-me: "Vem comigo, pois, ao vento das dunas,
vem ver que lembranças esvoaçam na fronte quieta do sono,
e as pálpebras lisas, e a pálida face, e o lábio parado
e as livres mãos dos vagos corpos adormecidos!
Vem ver o silêncio que tece e destece ordens sobre-humanas,
e os nomes efêmeros de tudo que desce à franja do horizonte!
Oh! os nomes... — na espuma, na areia, no limite incerto
                                    [dos mundos,
plácidos, frágeis, entregues à sua data breve,

irresponsáveis e meigos, boiando, boiando na sombra das almas,
suspiro da primavera na aresta súbita dos meses..."

E a linguagem da noite era velhíssima e exata.
E eu ia com ela pelas dunas, pelos horizontes,
entre moinhos e barcos, entre mil infinitos noturnos leitos.

Meus olhos andavam mais longe do que nunca,
voavam, nem fechados nem abertos,
independentes de mim,
sem peso algum, na escuridão,
e liam, liam, liam o que jamais esteve escrito,
na rasa solidão do tempo, e sem qualquer esperança
— qualquer.

Três

A noite não é simplesmente um negrume sem margens nem
[direções.
Ela tem sua claridade, seus caminhos, suas escadas, seus andaimes.
A grande construção da noite sobe das submarinas planícies
aos longos céus estrelados
em trapézios, pontes, vertiginosos parapeitos,
para obscuras contemplações e expectativas.

Então, a noite levava-me... — por altas casas, por súbitas ruas,
e sob cortinas fechadas estavam cabeças adormecidas,
e sob luzes pálidas havia mãos em morte,
e havia corpos abraçados, e imensos desejos diversos,

dúvidas, paixões, despedidas
— mas tudo desprendido e fluido,
suspenso entre objetos e circunstâncias,
com destrezas de arco-íris e aço.

E os jogadores de xadrez avançavam cavalos e torres,
na extremidade da noite, entre cemitérios e campos...
— mas tudo involuntário e tênue —
enquanto as flores se modelavam e, na mesma obediência,
os rebanhos formavam leite, lã,
eternamente leite, lã, mugido imenso...
Enquanto os caramujos rodavam no torno vagaroso das ondas
e a folha amarela se desprendia, terminada: ar, suspiro, solidão.

A noite levava-me, às vezes, voando pelos muros do nevoeiro,
outras vezes, boiando pelos frios canais, com seus calados barcos
ou pisando a frágil turfa ou o lodo amargo.

E belas vozes ainda acordadas iam cantando casualmente.
E jovens lábios arriscavam perguntas sobre dolorosos assuntos.
Também os cães passavam com sua sombra, lúcidos e pensativos.
E figuras sem realidade extraviadas de domicílios,
atravessadas pela noite, pela hora, pela sorte,
flutuavam com saudade, esperando impossíveis encontros,
em que países, meu Deus, em que países além da terra,
ou da imaginação?

A noite levava-me tão alto
que os desenhos do mundo se inutilizavam.

Doze Noturnos da Holanda & O Aeronauta

Regressavam as coisas à sua infância e ainda mais longe,
devolvidas a uma pureza total, a uma excelsa clarividência.

E tudo queria ser novamente. Não o que era, nem o que fora
— o que devia ser, na ordem da vida imaculada.
E tudo talvez não pensasse: porém docemente sofria.

Abraçava-me à noite e pedia-lhe outros sinais, outras certezas:
a noite fala em mil linguagens, promiscuamente.

E passava-se pelo mar, em sua profunda sepultura.
E um grande pasmo de lágrimas preparava palavras e sonhos,
essas vastas nuvens que os homens buscam...

Quatro

Em que longos abismos dançavam? Em que longos salões
belos rostos sorriam, tão loucos,
tão infelizes, entre ouro e seda — lavor do esquecimento! —
e os cristais e o lume erguido e móvel
no caule de cera das flores unipétalas?

Ah... também pareciam vivas as sombras deslizantes
nos límpidos, impecáveis, para sempre vazios espelhos,
brilhantes jardins fictícios, de enganoso pórtico.

A noite arrastava-me e dizia:
"Meu caminho é sempre além de tudo:
que vêm a ser estes olhos e estes lábios e estas mãos cintilantes?

E estas danças — por onde deslizam, que vêm a ser, se desenrolo
meus repentinos aposentos?
E estas sombras que farão, se de repente fecho
as minhas límpidas portas?"

A noite elevava-me em si como água dócil de imenso moinho.
E comigo rodava por seu mundo silencioso e liberto.
Não havia mais nada: somente seu poder, sua grandeza,
[sua solidão.
Era deserta, ausente, e, ao mesmo tempo, repleta e palpitante.
Alastrava e secava miragens, e não ficavam mais vestígios.
E era uma estranha surdez, penetrante,
sorvendo todas as falas e músicas.

Cinco

Claro rosto inexplicável,
límpido rosto de outrora,
quase de água, só de areia,
o que vai seguindo a noite,
pelas nuvens, pelas dunas,
desmanchado no ar do outono,
dolorido e sorridente,
livre de amor e de sono...

Pobre rosto quase em cinza,
transformado no nevoeiro
em flor de sal e de vento,
com seu perfil estrangeiro.

O mar do Norte está perto,
pelas dunas abraçado.
E vê passar esse rosto
de si mesmo deslembrado.
Entre as estrelas e a lua,
passa pelo mar do Norte
um breve rosto sem datas,
curta pétala de morte.

Passa já de olhos fechados...
Intermináveis cortinas,
silêncio da água nas flores,
versões de coisas divinas...

Seis

E a noite passava sobre palácios e torres.
Mas tudo era idêntico à planície,
pois a noite voa muito longe,
e as altitudes ficam esmaecidas.

Sim, a noite podia ser um barco imenso,
com um vago sentimento de tristeza
encrespando-lhe nos flancos silenciosa espuma exígua
e bordando-lhe a passagem de suspiros.

Porque tudo não era igual
— ah! como se sentia que tudo jamais seria igual,

apesar da distância, da altura, do silêncio...
— porém tudo era equivalente,
equivalente e provisório:
espada, música, cifra, lágrima, pássaro nas dunas.

E ao mesmo tempo era belo,
e a uniforme, aparente fraternidade
inclinava tudo num unânime sono.

E as idéias desmanchavam-se em galerias obscuras,
porque a noite passava cada vez mais longe,
e tudo quanto ao sol toma relevo
na noite é mundo submerso, nevoento e generalizado.

E eu me sentia à proa da noite,
envolta naquele sopro melancólico,
eflúvio da humana reflexão.

E desejava mergulhar, descer por aquela torrente de sombra,
sentir os sonhos, ardentemente,
em cada casa, em cada quarto,
entre os cabelos esparsos nos largos travesseiros.

Mas o sonho é uma propriedade inefável:
e nem se poderia sentir a sua exalação,
como nas flores, ao menos, essa notícia, que é o perfume,
ou seu movimento,
como, às vezes, na pequena palavra que se confessa,
na pequena lágrima que, às vezes, cai.

Os sonhos não pertencem nem às cabeças adormecidas:
porque a noite os absorve, leva, anula,
ou continua, transfere, confunde
— longe, alta, poderosa, inumana.

Sete

Tudo jaz, diluído e cintilante, numa profunda névoa.
Nada, porém, se perde ou esquece, embora tão finamente
disperso nessa grandeza.
Gastam-se as imagens e os símbolos; mas a essência resiste.
Realejos e sinos vibram, com as hélices, os cânticos e os gritos,
e tudo é som, naqueles silenciosos corredores,
e a doce luz habita mil esconderijos,
tal como foi em seus inúmeros momentos,
em olhos, flor, seda, chaga e pedra preciosa.
E em diáfanas balanças pairam diamante e pólen,
bibliotecas e arsenais.

Tudo se encontra nesta bruma:
o burburinho histórico, a vítima e o carrasco;
a melodia da sereia nórdica, à proa do barco da conquista;
plumas e arcabuzes,
o passo do fantasma por aéreas escadas,
praga e suspiro, acontecimento e remorso...

Tudo paira na estrutura da noite,
em seus arquivos superpostos.

Tão longe vai o rastro exíguo das gaivotas
como o odor das praias e o rumor grandioso das máquinas.

Rarefeita anatomia da paisagem,
onde cada elemento se faz translúcido,
frágil e rijo como a asa dos insetos e a flexão do pensamento.

Finíssimas pontes transpõem a noite:
desenhos agudos prendendo as disjunções.

E quem segura a noite, assim carregada desses escombros
que à luz do sol parecem grandiosos bens indispensáveis?

Homem, objeto, fato, sonho,
tudo é o mesmo, em substância de areia,
tudo são paredes de areia, como neste solo inventado:
mar vencido, fauna extenuada, flora dispersa,
tudo se corresponde:
zune o caramujo na onda com o mesmo som do lábio de amor
e da voz de agonia.
Os abraços, as nuvens, o outono pelo parque
têm o mesmo gesto, grave, precário, fluido.

Ah, e os louros cabelos cariciosos, e a luminosa pálpebra,
e as raízes pertinazes, e os ossos foscos,
e a minha deslumbrada vigília,
e a memória do universo,
tudo está ali, mais a luz confusa que envolve a lua,
mais o clarão do pólo e as híbridas águas,
e tudo se desfolha sobre lugares invisíveis
num outro reino que apenas a noite alcança.

Oito

Quem tem coragem de perguntar, na noite imensa?
E que valem as árvores, as casas, a chuva, o pequeno transeunte?

Que vale o pensamento humano,
esforçado e vencido,
na turbulência das horas?

Que valem a conversa apenas murmurada,
a erma ternura, os delicados adeuses?

Que valem as pálpebras da tímida esperança,
orvalhadas de trêmulo sal?

O sangue e a lágrima são pequenos cristais sutis,
no profundo diagrama.
E o homem tão inutilmente pensante e pensado
só tem a tristeza para distingui-lo.

Porque havia nas úmidas paragens
animais adormecidos, com o mesmo mistério humano:
grandes como pórticos, suaves como veludo,
mas sem lembranças históricas,
sem compromissos de viver.

Grandes animais sem passado, sem antecedentes,
puros e límpidos,
apenas com o peso do trabalho em seus poderosos flancos

e noções de água e de primavera nas tranqüilas narinas
e na seda longa das crinas desfraldadas.

Mas a noite desmanchava-se no oriente,
cheia de flores amarelas e vermelhas.
E os cavalos erguiam, entre mil sonhos vacilantes,
erguiam no ar a vigorosa cabeça,
e começavam a puxar as imensas rodas do dia.

Ah! o despertar dos animais no vasto campo!
Este sair do sono, este continuar da vida!
O caminho que vai das pastagens etéreas da noite
ao claro dia da humana vassalagem!

Nove

Vi teus vestidos brilharem
sem qualquer clarão do dia.
Disseram ser luz de flores,
flores de campos extensos,
cujos nomes nem sabiam...

Vi teu rosto luminoso
inclinar-se em meu silêncio.
Mas disseram ser a lua,
prismas de estrelas, areias,
marinha fosforescência...

E tua voz me falava
em grandes raios profusos.
Mas diziam ser o vento,
o outono pelas ramagens,
o idioma cego dos búzios...

E andei contigo em minha alma
como os reis levam coroas
e as mães carregam seus filhos
e o mar o seu movimento
e a floresta seus aromas.

Diziam que era da noite,
da miragem dos desejos...
Hei de banhar os meus olhos
nas mil ribeiras da aurora,
para ver se ainda te vejo.

Dez

Há muito mais noite do que sobre as torres e as pontes:
e dela se avistam de outra maneira os longos prados sucessivos,
o limo, as conchas, os frágeis esqueletos,
a crespa vaga paralisada em húmus,
despedida para sempre do mar.

Para quem trabalha o flamejante universo?
Para quem se afadiga amanhã o corpo do homem transitório?

Para quem estamos pensando, na sobre-humana noite,
numa cidade tão longe, numa hora sem ninguém?
Para quem esperamos a repetição do dia,
e para quem se realizam estas metamorfoses,
todas as metamorfoses,
no fundo do mar e na rosa-dos-ventos,
numa vigília humana e na outra vigília,
que é sempre a mesma, sem dia, sem noite,
incógnita e evidente?

Abraçava-me à noite nítida,
à exata noite que aparece e desaparece no seu justo limite,
à noite que existe e não existe,
e murmurava aos seus ouvidos sucessivos:
"Não quero mais dormir, nunca mais... nunca..." E a noite
levava meus olhos e meu pensamento,
levava-os, entre as estrelas antigas,
entre as estrelas nascentes
— e eram muito menores
que as letras das palavras do meu grito.

Onze

Mas a pequena areia caminha com seu passo invisível;
do cristal quebrado, da montanha submersa,
a areia sobe e forma paisagens, campos, países...

Mas o esquema do peixe e da concha modela seus desenhos
e desenrola-se a anêmona,
e o fundo do mar imita o inalcançável firmamento.

Mas a flor está subindo, próxima,
cheia de sutis arabescos.

Mas a água está palpitando entre o pólo e o canal,
viva e sem nome e sem hora.

Mas o sonho está sendo alargado como as imensas redes,
ao vento do mundo, à espuma do tempo,
e todas as metamorfoses caídas aí se agitam,
resvalando entre as malhas muito exíguas
que separam o que é vida do que é morte.

E a mão que dorme está sendo lavrada pela noite,
pela noite que conhece todas as veias,
que protege e destrói pétala e cartilagem,
a pequena larva da água
e o touro que investe contra o nascer do dia...

Porque o dia vem.
E a nossa voz é um som que se prolonga,
através da noite.
Um som que só tem sentido na noite.
Um som que aprende, na noite,
a ser o absoluto silêncio.

Doze

Sem podridão nenhuma, jazerá um afogado
nos canais de Amsterdão.

Quem passar entre as casas triangulares,
quem descer estas breves escadas,
quem subir para as barcas oscilantes,
repetirá perplexo:
"Há um claro afogado nos canais de Amsterdão."

É um pálido afogado, sem palavras nem datas,
sem crime nem suicídio, um lírico afogado,
com os olhos de cristal repletos de horizontes móveis,
e os longínquos ouvidos recordando na água trêmula
realejos grandes como altares,
festivos carrilhões,
mansos campos de flores.

Sem podridão nenhuma,
jazerá um afogado nos canais de Amsterdão.

Os lapidários podem vir mirar seus olhos:
não houve esmeralda assim, nem diamante, nem ditosa safira.
Mas ninguém pode tocar nesses olhos transparentes,
que se tornariam viscosos e opacos, fora desse descanso
onde encantados cintilam.

Poderão os profetas vir mirar seus finos vestidos:
bordados de mil desenhos comuns e desconhecidos;
ah! seus vestidos de água, com todas as miragens do mundo,
seus tênues vestidos como não há nos museus, nos palácios
nem nas sinagogas...
Mas não se pode tocar nesse ouro, nessa prata,
nessa resplandecente seda:

pois apenas se encontraria limo, areia, lodo.
Porque a morte é que o veste dessa maneira gloriosa,
a morte que o guarda nos braços como um belo defunto sagrado.

Sem podridão nenhuma, jazerá um afogado
nos canais de Amsterdão.

Para sempre jazerá, e quem quiser pode vir vê-lo,
com seus cabelos estrelados,
com suas brandas mãos flutuantes, livres de tudo,
sem qualquer posse,
com sua boca de sorriso outonal, cor de libélula,
e o coração luminoso e imóvel, detido como grande jóia,
como o nácar mutável, pela inclinação das horas.

Todo o mundo o verá, com lua, com chuva, com escuridão,
navegar nos canais, recostado em sua própria leveza e claridade.

Sem podridão nenhuma,
jazerá um afogado nos canais de Amsterdão.

E eu sei quando ele caiu nessas águas dolentes.
Eu vi quando ele começou a boiar por esses líquidos caminhos.
Eu me debrucei para ele, da borda da noite,
e falei-lhe sem palavras nem ais,
e ele me respondia tão docemente,
que era felicidade esse profundo afogamento,
e tudo ficou para sempre numa divina aquiescência
entre a noite, a minha alma e as águas.

Sem podridão nenhuma, jazerá um afogado
nos canais de Amsterdão.

Não há nada que se possa cantar em sua memória:
qualquer suspiro seria uma nuvem sobre essa nitidez.

O Aeronauta

Um

Agora podeis tratar-me
como quiserdes:
não sou feliz nem sou triste,
humilde nem orgulhoso
— não sou terrestre.

Agora sei que este corpo,
insuficiente, em que assiste
remota fala,
mui docemente se perde
nos ares, como o segredo
que a vida exala.

E seu destino é ir mais longe,
tão longe, enfim, como a exata
alma, por onde
se pode ser livre e isento,
sem atos além do sonho,
dono de nada,

mas sem desejo e sem medo,
e entre os acontecimentos
tão sossegado!
Agora podeis mirar-me
enquanto eu próprio me aguardo,
pois volto e chego,

por muito que surpreendido
com os seus encontros na terra
seja o Aeronauta.

Dois

Daquele que antes ouvistes,
vede o que volta:
alguém que pisa no mundo
tonto em seu grande tumulto
de concha morta.

Que rostos incompreensíveis,
que sepultadas palavras
aqui me esperam?
Não sei dos vossos motivos.
Eu caminhava nas nuvens,
além da terra.

Na minha fluida memória,
meu tempo não sabe de hora.
Apenas sabe
de grandes campos sem teto.
Nos céus tão vastos e abertos,
que é porta ou chave?

Que corredores me apertam?
De que paredes me cerca

vossa hospedagem?
Que existe por estas salas?
Meu nome agora é diverso.
Indeclinável.

Três

Eu vi as altas montanhas
ficarem planas.
E o mar não ter movimento
e as cidades irem sendo
teias de aranha.

Por mais que houvesse, dos homens,
gritos de amor ou de fome,
não se escutava
nem a expressão nem o grito
— que tudo fica perdido
quando se passa.

Eu vi meus sonhos antigos
não terem nenhum sentido,
e recordava
tantas nações de cativos
estendendo em seus jazigos
duras garras.

Rios de pranto e de sangue
que pareceram tão grandes,

onde é que estavam?
A asa, que longe se move,
desprende-se, quando sobe,
da humana larva.

Quatro

Agora chego e estremeço.
E olho e pergunto.
E estranho o aroma da terra,
as cores fortes do mundo
e a face humana.

Compreendo, entre o que me espera,
violências que reconheço
mas que não sinto.
Sem paixões e sem desprezo,
gasto-me todo em lembranças,
neste tumulto.

Porque chego despojado
e humilho-me de ter vindo
como estrangeiro;
— de ser apenas um vulto
que tudo que sabe é de alma,
— ao resto, alheio.

As portas dos meus armários,
que guardam dentro? Esqueci-me.

De que me servem?
Por mais que tudo examine,
vejo bem que já não tenho
laços e heranças.

Perdoai-me chegar tão leve,
eu, passageiro
dos céus, de límpido vento.

Cinco

Como um pastor apascento
minhas distâncias.
Mas logo me recupero,
para viver entre os vivos,
que estão cativos.

Meu corpo de esquecimento
mede as torres de abundância,
livres e abertas
dos seus antigos despojos.
Que hei de fazer do que tinha,
ó sombra minha?

Nem feliz nem desgraçado,
pouso por fatalidade,
e ainda respondo,
embora saiba que é longe

para sempre quanto digo
ao mundo antigo.

E tudo que me respondem
fica também noutras eras,
vem de outra idade.

Pastor que contempla ocasos,
eu mesmo sou o meu caminho,
claro e sozinho.

Seis

Vede por onde passava
a minha sombra,
de tudo tão separada,
subida por uma escada
etérea e longa,
no céu desaparecida.

As coisas da minha vida
abandonara:
o que tivera não tinha,
nem fazia falta à minha
sorte mais nada,
nesse amorável deserto.

E agora desço e estou perto
e não entendo;

entre máscaras me vejo,
e, entre gritos de desejo,
saudoso penso
nos transparentes lugares

onde fui rastro dos ares,
sem roupa ou fome,
sem nação, família, idade,
imerso noutra verdade
tão pura que o homem
não a aceita sem tristeza...

Mas sento-me à vossa mesa,
pesada e presa,
por limite e densidade.

Sete

E assim no vosso convívio
o hóspede novo
sorri como antigo vivo,
ultrapassado, vencido,
o tempo em que foi, na terra,
escravo e dono.

E é tão póstumo e tão livre
que cuidadoso
se inclina para quem vive
e no seu mundo invisível

as asas cerra
e pisa o chão com denodo.

E é póstumo e redivivo
e não foi morto
e nunca esteve fugido
nem se evadiu, nem foi visto
desertar de alguma guerra
ou de algum posto.

Nem ele sabe o motivo
de ser outro,
de ter subido em suspiros,
arrebatado à planície
por onde erra
a tradição do seu corpo.

E só por estar convosco
de amor se mata
submisso e mudo o Aeronauta.

Oito

Ó linguagem de palavras
longas e desnecessárias!
Ó tempo lento
de malbaratado vento
nessas desordens amargas
do pensamento...

Vou-me pelas altas nuvens
onde os momentos se fundem
numa serena
ausência feliz e plena,
liso campo sem paludes
de febre ou pena.

Por adeuses, por suspiros,
no território dos mitos,
fica a memória
mirando a forma ilusória
dos precipícios
da humana e mortal história.

E agora podeis tratar-me
como quiserdes — que é tarde,
que a minha vida,
de chegada e de partida,
volta ao rodízio dos ares,
sem despedida.

Por mais que seja querida,
há menos felicidade
na volta do que na ida.

Nove

Eu estava livre de imagens
e de mim mesmo.

Alto, longe, tão seguro,
só por solidões suspenso:
ah, o passageiro absoluto
do eterno tempo!

Deixei de ver o meu rosto
diluído pelas viagens.
Há um rosto imenso
que emerge, fúlgido e obscuro,
retrato exposto
sobre as fábulas e os mitos.

E eu já não dizia nada,
pois só é puro
o silêncio — e exato e claro.
Sempre uma sombra estremece
entre os pensamentos ditos.
E eu não falava.

No rio das nebulosas,
num vertiginoso leito,
tudo se esquece.
Nem o amor no nosso peito
é mais luminosa espada.
Que sois, coisas luminosas,

da terra ou do sonho humano,
nesses caminhos
de divino desengano?

Dez

Ai daquele que é chegado
e que não chega...
Por mais que aqui me equilibre,
e vos faça companhia,
tudo são queixas
de que me sentis tão livre
como alguém cuja morada
é além do dia.

Provo do vosso alimento,
retomo as humanas vestes.
Já nem suspiro
por esses rumos celestes,
jardim do meu pensamento.
Quase não vivo,
por ficar ao vosso lado.
E acusais-me de ir tão alto!

Ai, que nomes têm as coisas!
Que nomes tendes?
São vossas fontes copiosas,
mas outras são minhas sedes.
E assim me vedes
como estranho que se esquece
dos seus parentes
e que em si desaparece.

Do que pedis que me lembre,
disso me esqueço.
Mas o que recordo sempre
é o vosso nome profundo.
Esse é que tenho
só, comigo, além do mundo
e reconheço.
E, esse, mal sabeis qual seja...

Onze

Com desprezo ou com ternura,
podereis tratar-me, agora.
Tudo vos digo:
chorais o que não se chora.
E os olhos guardais esquivos
ao que a vida mais procura,
por eterno compromisso.

Sob o vosso julgamento,
com o meu segredo
tão sem mistério,
tão no rosto desenhado,
paro como um condenado.
E logo volto.
Subo ao meu doce degredo.

Como exígua lançadeira,
vou sendo o que melhor posso

de novo e antigo,
do que é meu e do que é vosso,
dos mortos como dos vivos,
por salvar a vida inteira,
que me tem a seu serviço.

E agora podeis seguir-me,
sem mais tormento,
sem mais perguntas.
Tudo é tão longe e tão firme!
Além da estrela e do vento
passa o Aeronauta
com sua mitologia.

Não clameis por sua sorte!
Tanto é noite quanto é dia.
E vida e morte.

ROMANCEIRO
DA INCONFIDÊNCIA.

POR

Cecília Meireles.

LIVROS DE PORTUGAL, RIO DE JANEIRO.
ANO M.CM.LIII.

Romanceiro da Inconfidência. Rio de Janeiro: Livros de Portugal, 1953. 300 p.
O desenho da capa é reprodução de uma vinheta do século XVIII.

Na página anterior:
capa da primeira edição do *Romanceiro da Inconfidência*.

Romanceiro da Inconfidência
(1953)

Fala inicial

*Não posso mover meus passos
por esse atroz labirinto
de esquecimento e cegueira
em que amores e ódios vão:
— pois sinto bater os sinos,
percebo o roçar das rezas,
vejo o arrepio da morte,
à voz da condenação;
— avisto a negra masmorra
e a sombra do carcereiro
que transita sobre angústias,
com chaves no coração;
— descubro as altas madeiras
do excessivo cadafalso
e, por muros e janelas,
o pasmo da multidão.*

*Batem patas de cavalos.
Suam soldados imóveis.
Na frente dos oratórios,
que vale mais a oração?
Vale a voz do Brigadeiro
sobre o povo e sobre a tropa,
louvando a augusta Rainha
— já louca e fora do trono —
na sua proclamação.*

Ó meio-dia confuso,
ó vinte-e-um de abril sinistro,
que intrigas de ouro e de sonho
houve em tua formação?
Quem ordena, julga e pune?
Quem é culpado e inocente?
Na mesma cova do tempo
cai o castigo e o perdão.
Morre a tinta das sentenças
e o sangue dos enforcados...
— liras, espadas e cruzes
pura cinza agora são.
Na mesma cova, as palavras,
o secreto pensamento,
as coroas e os machados,
mentira e verdade estão.

Aqui, além, pelo mundo,
ossos, nomes, letras, poeira...
Onde, os rostos? onde, as almas?
Nem os herdeiros recordam
rastro nenhum pelo chão.

Ó grandes muros sem eco,
presídios de sal e treva,
onde os homens padeceram
sua vasta solidão...

Não choraremos o que houve,
nem os que chorar queremos:

contra rocas de ignorância
rebenta a nossa aflição.

Choramos esse mistério,
esse esquema sobre-humano,
a força, o jogo, o acidente
da indizível conjunção
que ordena vidas e mundos
em pólos inexoráveis
de ruína e de exaltação.

Ó silenciosas vertentes
por onde se precipitam
inexplicáveis torrentes,
por eterna escuridão!

Cenário

Passei por essas plácidas colinas
e vi das nuvens, silencioso, o gado
pascer nas solidões esmeraldinas.

Largos rios de corpo sossegado
dormiam sobre a tarde, imensamente
— e eram sonhos sem fim, de cada lado.

Entre nuvens, colinas e torrente,
uma angústia de amor estremecia
a deserta amplidão na minha frente.

Que vento, que cavalo, que bravia
saudade me arrastava a esse deserto,
me obrigava a adorar o que sofria?

Passei por entre as grotas negras, perto
dos arroios fanados, do cascalho
cujo ouro já foi todo descoberto.

As mesmas salas deram-me agasalho
onde a face brilhou de homens antigos,
iluminada por aflito orvalho.

De coração votado a iguais perigos,
vivendo as mesmas dores e esperanças,
a voz ouvi de amigos e inimigos.

Vencendo o tempo, fértil em mudanças,
conversei com doçura as mesmas fontes,
e vi serem comuns nossas lembranças.

Da brenha tenebrosa aos curvos montes,
do quebrado almocafre aos anjos de ouro
que o céu sustêm nos longos horizontes,

tudo me fala e entende do tesouro
arrancado a estas Minas enganosas,
com sangue sobre a espada, a cruz e o louro.

Tudo me fala e entendo: escuto as rosas
e os girassóis destes jardins, que um dia
foram terras e areias dolorosas,

por onde o passo da ambição rugia;
por onde se arrastava, esquartejado,
o mártir sem direito de agonia.

Escuto os alicerces que o passado
tingiu de incêndio: a voz dessas ruínas
de muros de ouro em fogo evaporado.

Altas capelas contam-me divinas
fábulas. Torres, santos e cruzeiros
apontam-me altitudes e neblinas.

Ó pontes sobre os córregos! ó vasta
desolação de ermas, estéreis serras
que o sol freqüenta e a ventania gasta!

Rubras, cinéreas, tenebrosas terras
retalhadas por grandes golpes duros,
de infatigáveis, seculares guerras...

Tudo me chama: a porta, a escada, os muros,
as lajes sobre mortos ainda vivos,
dos seus próprios assuntos inseguros.

Assim viveram chefes e cativos,
um dia, neste campo, entrelaçados
na mesma dor, quiméricos e altivos.

E assim me acenam por todos os lados.
Porque a voz que tiveram ficou presa
na sentença dos homens e dos fados.

Cemitério das almas... — que tristeza
nutre as papoulas de tão vaga essência?
(Tudo é sombra de sombras, com certeza...

O mundo, vaga e inábil aparência,
que se perde nas lápides escritas,
sem qualquer consistência ou conseqüência.

Vão-se as datas e as letras eruditas
na pedra e na alma, sob etéreos ventos,
em lúcidas venturas e desditas.

E são todas as coisas uns momentos
de perdulária fantasmagoria
— jogo de fugas e aparecimentos.)

Das grotas de ouro à extrema escadaria,
por asas de memória e de saudade,
com o pó do chão meu sonho confundia.

Armado pó que finge eternidade,
lavra imagens de santos e profetas
cuja voz silenciosa nos persuade.

E recompunha as coisas incompletas:
figuras inocentes, vis, atrozes,
vigários, coronéis, ministros, poetas.

Retrocedem os tempos tão velozes,
que ultramarinos árcades pastores
falam de Ninfas e Metamorfoses.

E percebo os suspiros dos amores
quando por esses prados florescentes
se ergueram duros punhos agressores.

Aqui tiniram ferros de correntes;
pisaram por ali tristes cavalos.
E enamorados olhos refulgentes

— parado o coração por escutá-los —
prantearam nesse pânico de auroras
densas de brumas e gementes galos.

Isabéis, Dorotéias, Eliodoras,
ao longo desses vales, desses rios,
viram as suas mais douradas horas

em vasto furacão de desvarios
vacilar como em caules de altas velas
cálida luz de trêmulos pavios.

Minha sorte se inclina junto àquelas
vagas sombras da triste madrugada,
fluidos perfis de donas e donzelas.

Tudo em redor é tanta coisa e é nada:
Nise, Anarda, Marília... — quem procuro?
Quem responde a essa póstuma chamada?
Que mensageiro chega, humilde e obscuro?
Que cartas se abrem? Quem reza ou pragueja?
Quem foge? Entre que sombras me aventuro?

Que soube cada santo em cada igreja?
A memória é também pálida e morta
sobre a qual nosso amor saudoso adeja.

O passado não abre a sua porta
e não pode entender a nossa pena.
Mas, nos campos sem fim que o sonho corta,

vejo uma forma no ar subir serena:
vaga forma, do tempo desprendida.
É a mão do Alferes, que de longe acena.

Eloqüência da simples despedida:
"Adeus! que trabalhar vou para todos!..."

(Esse adeus estremece a minha vida.)

Romance I ou Da revelação do ouro

Nos sertões americanos,
anda um povo desgrenhado:

gritam pássaros em fuga
sobre fugitivos riachos;
desenrolam-se os novelos
das cobras, sarapintados;
espreitam, de olhos luzentes,
os satíricos macacos.

Súbito, brilha um chão de ouro:
corre-se — é luz sobre um charco.

A zoeira dos insetos
cresce, nos vales fechados,
com o perfume das resinas
e desse mel delicado
que se acumula nas flores
em grãos de veludo e orvalho.

*(Por onde é que andas, ribeiro,
descoberto por acaso?)*

Grossos pés firmam-se em pedras:
sob os chapéus desabados,
o olhar galopa no abismo,
vai revolvendo o planalto;
descobre os índios desnudos,
que se escondem, timoratos;
calcula ventos e chuvas;
mede os montes, de alto a baixo;
em rios a muitas léguas
vai desmontando o cascalho;

em cada mancha de terra,
desagrega barro e quartzo.

Lá vão pelo tempo adentro
esses homens desgrenhados:
duro vestido de couro
enfrenta espinhos e galhos;
em sua cara curtida
não pousa vespa ou moscardo;
comem larvas, passarinhos,
palmitos e papagaios;
sua fome verdadeira
é de rios muito largos,
com franjas de prata e de ouro,
de esmeraldas e topázios.

*(Que é feito de ti, montanha,
que a face escondes no espaço?)*

E é por isso que investigam
toda a brenha, palmo a palmo;
é por isso que se entreolham
com duras pupilas de aço;
que uns aos outros se destroçam
com seus facões e machados:
companheiros e parentes
são rivais e amigos falsos.

*(Que é feito de ti, caminho,
em teu segredo enrolado?)*

Por isso, descem as aves
de distantes céus intactos
sobre corpos sem socorro,
pela sombra apunhalados:
por isso, nascem capelas
no mudo espanto dos matos,
onde rudes homens duros
depositam seus pecados.
Por isso, o vento que gira
assombra as onças e os veados:
que seu sopro, antigamente,
era perfume tão grato,
e, agora, é cheiro de morte,
de feridos e enforcados...

(Que é feito de ti, remoto
Verbo Divino Encarnado?)

Selvas, montanhas e rios
estão transidos de pasmo.
É que avançam, terra adentro,
os homens alucinados.
Levam guampas, levam cuias,
levam flechas, levam arcos;
atolam-se em lama negra,
escorregam por penhascos,
morrem de audácia e miséria,
nesse temerário assalto,
ambiciosos e avarentos,

abomináveis e bravos,
para fortuitas riquezas
estendendo inquietos braços
— os olhos já sem clareza,
— os lábios secos e amargos.

(Que é feito de vós, ó sombras
que o tempo leva de rastos?)

E, atrás deles, filhos, netos,
seguindo os antepassados,
vêm deixar a sua vida,
caindo nos mesmos laços,
perdidos na mesma sede,
teimosos, desesperados,
por minas de prata e de ouro
curtindo destino ingrato,
emaranhando seus nomes
para a glória e o desbarato,
quando, dos perigos de hoje,
outros nascerem, mais altos.
Que a sede de ouro é sem cura,
e, por elas subjugados,
os homens matam-se e morrem,
ficam mortos, mas não fartos.

(Ai, Ouro Preto, Ouro Preto,
e assim foste revelado!)

Romance II ou Do ouro incansável

Mil bateias vão rodando
sobre córregos escuros;
a terra vai sendo aberta
por intermináveis sulcos;
infinitas galerias
penetram morros profundos.

De seu calmo esconderijo,
o ouro vem, dócil e ingênuo;
torna-se pó, folha, barra,
prestígio, poder, engenho...
É tão claro! — e turva tudo:
honra, amor e pensamento.

Borda flores nos vestidos,
sobe a opulentos altares,
traça palácios e pontes,
eleva os homens audazes,
e acende paixões que alastram
sinistras rivalidades.

Pelos córregos, definham
negros, a rodar bateias.
Morre-se de febre e fome
sobre a riqueza da terra:
uns querem metais luzentes,
outros, as redradas pedras.

Ladrões e contrabandistas
estão cercando os caminhos;
cada família disputa
privilégios mais antigos;
os impostos vão crescendo
e as cadeias vão subindo.

Por ódio, cobiça, inveja,
vai sendo o inferno traçado.
Os reis querem seus tributos
— mas não se encontram vassalos.
Mil bateias vão rodando,
mil bateias sem cansaço.

Mil galerias desabam;
mil homens ficam sepultos;
mil intrigas, mil enredos
prendem culpados e justos;
já ninguém dorme tranqüilo,
que a noite é um mundo de sustos.

Descem fantasmas dos morros,
vêm almas dos cemitérios:
todos pedem ouro e prata,
e estendem punhos severos,
mas vão sendo fabricadas
muitas algemas de ferro.

Romance III ou Do caçador feliz

Caçador que andas na mata,
bem sei por que vais contente,
com grandes olhos felizes:
vês que é de reino encantado,
pelo vale, pela serra,
qualquer caminho que pises.
Tropeças em seixos de ouro,
em cascalho de diamantes,
nunca em singelas raízes.

Os grãos da tua escopeta
— e como vai carregada!
para a caça que precises,
são pepitas de ouro puro...
E está cheio de ouro o papo
das codornas e perdizes...

Caçador que andas na mata,
são bichos que vais caçando,
ou caças o que não dizes?

Caçador que andas na mata...

Romance IV ou Da donzela assassinada

"Sacudia o meu lencinho
para estendê-lo a secar.
Foi pelo mês de dezembro,

pelo tempo do Natal.
Tão feliz que me sentia,
vendo as nuvenzinhas no ar,
vendo o sol e vendo as flores
nos arbustos do quintal,
tendo ao longe, na varanda,
um rosto para mirar!

Ai de mim, que suspeitaram
que lhe estaria a acenar!
Sacudia o meu lencinho
para estendê-lo a secar.
Lencinho lavado em pranto,
grosso de sonho e de sal,
de noites que não dormira,
na minha alcova a pensar
— porque o meu amor é pobre,
de condição desigual.

Era no mês de dezembro,
pelo tempo do Natal.
Tinha o amor na minha frente,
tinha a morte por detrás:
desceu meu pai pela escada,
feriu-me com seu punhal.
Prostrou-me a seus pés, de bruços,
sem mais força para um ai!
Reclinei minha cabeça
em bacia de coral.
Não vi mais as nuvenzinhas

que pasciam pelo ar.
Ouvi minha mãe aos gritos
e meu pai a soluçar,
entre escravos e vizinhos
— e não soube nada mais.

Se voasse o meu lencinho,
grosso de sonho e de sal,
e pousasse na varanda,
e começasse a contar
que morri por culpa do ouro
— que era de ouro esse punhal
que me enterrou pelas costas
a dura mão de meu pai —
sabe Deus se choraria
quem o pudesse escutar,
— se voasse meu lencinho
e se pudesse falar,
como fala o periquito
e voa o pombo torcaz...

Reclinei minha cabeça
em bacia de coral.
Já me esqueci do meu nome,
por mais que o queira lembrar!

Foi pelo mês de dezembro,
pelo tempo do Natal.
Tudo tão longe, tão longe,
que não se pode encontrar.

Mas eu vagueio sozinha,
pela sombra do quintal,
e penso em meu triste corpo,
que não posso levantar,
e procuro o meu lencinho,
que não sei por onde está,
e relembro uma varanda
que havia neste lugar...

Ai, minas de Vila Rica,
santa Virgem do Pilar!
dizem que eram minas de ouro...
— para mim, de rosalgar,
para mim, donzela morta
pelo orgulho de meu pai.
(Ai, pobre mão de loucura,
que mataste por amar!)
Reparai nesta ferida
que me fez o seu punhal:
gume de ouro, punho de ouro,
ninguém o pode arrancar!
Há tanto tempo estou morta!
E continuo a penar."

Romance V ou Da destruição de Ouro Podre

Dorme, meu menino, dorme,
que o mundo vai se acabar.
Vieram cavalos de fogo:

são do Conde de Assumar.
Pelo Arraial de Ouro Podre,
começa o incêndio a lavrar.

O Conde jurou no Carmo
não fazer mal a ninguém.
(Vede agora pelo morro
que palavra o Conde tem!
Casas, muros, gente aflita
no fogo rolando vêm!)

D. Pedro, de uma varanda,
viu desfazer-se o arraial.
Grande vilania, Conde,
cometes para teu mal.
Mas o que agüenta as coroas
é sempre a espada brutal.

Riqueza grande da terra,
quantos por ti morrerão!
(Vede as sombras dos soldados
entre pólvora e alcatrão!
Valha-nos Santa Ifigênia!
— E isto é ser povo cristão!)

Dorme, meu menino, dorme...
Dorme e não queiras sonhar.
Morreu Felipe dos Santos
e, por castigo exemplar,

depois de morto na forca,
mandaram-no esquartejar!
Cavalos a que o prenderam,
estremeciam de dó,
por arrastarem seu corpo
ensangüentado, no pó.
Há multidões para os vivos:
porém quem morre vai só.

Dentro do tempo há mais tempo,
e, na roca da ambição,
vai-se preparando a teia
dos castigos que virão:
há mais forcas, mais suplícios
para os netos da traição.

Embaixo e em cima da terra,
o ouro um dia vai secar.
Toda vez que um justo grita,
um carrasco o vem calar.
Quem não presta fica vivo:
quem é bom mandam matar.

Dorme, meu menino, dorme...
Fogo vai, fumaça vem...
Um vento de cinzas negras
levou tudo para além...
Dizem que o Conde se ria!
Mas quem ri chora também.

Quando um dia fores grande
e passares por ali,
dirás: "Morro da Queimada,
como foste, nunca vi;
mas, só de te ver agora,
ponho-me a chorar por ti:

por tuas casas caídas,
pelos teus negros quintais,
pelos corações queimados
em labaredas fatais
— por essa cobiça de ouro
que ardeu nas minas gerais."

764

Foi numa noite medonha,
numa noite sem perdão.
Dissera o Conde: "Estais livres".
E deu ordem de prisão.
Isso, Dom Pedro de Almeida,
é o que faz qualquer vilão.

Dorme, meu menino, dorme...
Que fumo subiu pelo ar!
As ruas se misturaram,
tudo perdeu seu lugar.
Quem vos deu poder tamanho,
Senhor Conde de Assumar?

*"Jurisdição para tanto
não tinha, Senhor, bem sei..."*

(Vede os pequenos tiranos
que mandam mais do que o Rei!
Onde a fonte do ouro corre,
apodrece a flor da Lei!)

Dorme, meu menino, dorme
— que Deus te ensine a lição
dos que sofrem neste mundo
violência e perseguição.
Morreu Felipe dos Santos:
outros, porém, nascerão.

Não há Conde, não há forca,
não há coroa real
mais seguros que estas casas,
que estas pedras do arraial,
deste Arraial do Ouro Podre
que foi de Mestre Pascoal.

Romance VI ou Da transmutação dos metais

Já se preparam as festas
para os famosos noivados
que entre Portugal e Espanha
breve serão celebrados.
Ai, quantas cartas e acordos
redigidas e assinados!
Ai, que confusos assuntos

são, para os Reis, seus reinados...
Ai, quantos embaixadores
para tamanhos recados!

D. João V, rei faustoso,
entre fidalgos e criados,
calcula as grandes despesas
para os festins projetados.
Ai, quanto veludo e seda,
e quantos finos brocados!
Ai, quantos rubis do Oriente
e diamantes lapidados!
Ai, quantos vasos e jóias,
cinzelados, marchetados...

E, embora tenha o seu reino
limites tão dilatados,
e seja Rei tão faustoso
entre os demais potentados,
ai, como está com seus cofres
completamente arrasados!
Ai, quantos ricos presentes
para outros reinos enviados!
Ai, que mosteiro, ali, que torres,
ai, que sinos afinados!

Eis que recebe a notícia
de que ao porto são chegados
os quintos de ouro das minas

que do Brasil são mandados.
Ai, que alegria ressumam
seus olhos aveludados...
Ai, que pressa, que alvoroço,
por catorze mil cruzados!
Ai, que ventura tão grande,
depois de tantos cuidados!

Mas, quando, em sua presença,
os caixões são despregados,
apesar do lacre e selos,
os fidalgos assombrados
ai! só vêem de grãos de chumbo
cunhetes acogulados...
Ai, que os monarcas traídos
não soltam pragas nem brados.
Ai, que as forcas e os degredos
são feitos para os culpados.

Cuiabanos e paulistas,
nobres, escravos, soldados,
discutem pelos caminhos
os quintos falsificados.
— Ai, que é D. Rodrigo César
(fidalgo dos mais honrados)...
— Ai, que é Sebastião Fernandes
(com muitos crimes passados)!
Ai, que o Monarca procura
os que vão ser castigados.

(E diz um homem que a troca,
dentro dos caixões fechados,
obra foi da Providência
contra o Rei, mais seus pecados...
Ai, que tanta arroba de ouro
deixa os sertões extenuados...
Ai, que tudo é muito longe,
e os reis têm olhos fechados...
Ai, que a Providência fala
pelos homens desgraçados...)

Sebastião Fernandes Rego
andara pelos povoados
com grandes olhos severos,
sempre a perseguir malvados.
Ai, porém só perseguia
bandidos endinheirados...
Ai, conhecia os segredos
dos cofres aferrolhados...
E ai! trocara em grãos de chumbo
o ouro, nos caixões selados...

Romance VII ou Do negro nas catas

Já se ouve cantar o negro,
mas inda vem longe o dia.
Será pela estrela-d'alva,
com seus raios de alegria?

Será por algum diamante
a arder, na aurora tão fria?

Já se ouve cantar o negro,
pela agreste imensidão.
Seus donos estão dormindo:
quem sabe o que sonharão!
Mas os feitores espiam,
de olhos pregados no chão.

Já se ouve cantar o negro.
Que saudade, pela serra!
Os corpos, naquelas águas
— as almas, por longe terra.
Em cada vida de escravo,
que surda, perdida guerra!

Já se ouve cantar o negro.
Por onde se encontrarão
essas estrelas sem jaça
que livram da escravidão,
pedras que, melhor que os homens,
trazem luz no coração?

Já se ouve cantar o negro.
Chora neblina, a alvorada.
Pedra miúda não vale:
liberdade é pedra grada...

(A terra toda mexida,
a água toda revirada...

Deus do céu, como é possível
penar tanto e não ter nada!)

Romance VIII ou Do Chico-Rei

Tigre está rugindo
nas praias do mar.
Vamos cavar a terra, povo,
entrar pelas águas:
O Rei pede mais ouro, sempre,
para Portugal.

O trono é de lua,
de estrela e de sol.
Vamos abrir a lama, povo,
remexer cascalho,
guarda na carapinha, negra,
o véu do ouro em pó!

Muito longe, em Luanda,
era bom viver.
Bate a enxada comigo, povo,
desce pelas grotas!
— Lá na banda em que corre o Congo
eu também fui Rei.

Toda a terra é mina:
o ouro se abre em flor...
Já está livre o meu filho, povo
— vinde libertar-nos,
que éreis, meu Príncipe, cativo,
e ora forro sois!

Mais ouro, mais ouro,
ainda vêm buscar.
Dobra a cabeça, e espera, povo,
que este cativeiro
já nos escorrega dos ombros,
já não pesa mais!

Olha a festa armada:
é vermelha e azul.
Canta e dança agora, meu povo,
livres somos todos!
Louvada a Virgem do Rosário,
vestida de luz.

Tigre está rugindo
nas praias do mar...
Hoje, os brancos também, meu povo,
são tristes cativos!
Virgem do Rosário, deixai-nos
descansar em paz.

Romance IX ou De vira-e-sai

Santa Ifigênia, princesa núbia,
desce as encostas, vem trabalhar,
por entre as pedras, por entre as águas,
com seu poder sobrenatural.

Santa Ifigênia levanta o facho,
procura a mina do Chico-Rei:
negros tão dentro da serra negra
que a Santa negra quase os não vê.

Ai destes homens, princesa núbia,
rompendo as brenhas, pensando em vós!
Que as vossas jóias, que as vossas flores
aqui se ganham com ferro e suor!

Santa Ifigênia, princesa núbia,
pisa na mina do Chico-Rei.
Folhagens de ouro, raízes de ouro
nos seus vestidos se vêm prender.

Santa Ifigênia fica invisível,
entre os escravos, de sol a sol.
Ouvem-se os negros cantar felizes.
Toda a montanha faz-se ouro em pó.

Ninguém descobre a princesa núbia,
na vasta mina do Chico-Rei.

Depois que passam o sol e a lua,
Santa Ifigênia passa, também.
Santa Ifigênia, princesa núbia,
sobe a ladeira quase a dançar.
O ouro sacode dos pés, do manto,
chama seus anjos, e vira-e-sai.

Romance X ou Da donzelinha pobre

Donzelinha, donzelinha
dos grandes olhos sombrios,
teus parentes andam longe,
pelas serras, pelos rios,
tentando a sorte nas catas,
em barrancos já vazios!

Donzelinha, donzelinha,
mira os santos nos altares,
que apontam, compadecidos,
para celestes lugares,
onde são de ouro e diamante
quantas lágrimas chorares!

Donzelinha, donzelinha,
fecha esses olhos sombrios.
As montanhas são tão altas!
Os ribeiros são tão frios!

O reino de Deus, tão longe
dos humanos desvarios!

Romance XI ou Do punhal e da flor

Rezando estava a donzela,
rezando diante do altar.
E como a viam mirada
pelo Ouvidor Bacelar!
Foi pela Semana Santa.
E era sagrado o lugar.

Muito se esquecem os homens,
quando se encantam de amor.
Mirava em sonho à donzela
o enamorado Ouvidor.
E em linguagem de amoroso
arremessou-lhe uma flor.

Caiu-lhe a rosa no colo.
Girou malícia pelo ar.
Vem, raivoso, Felisberto,
seu parente, protestar.
E era na Semana Santa.
E estavam diante do altar.

Mui formosa era a donzela.
E mui formosa era a flor.

Mas sempre vai desventura
onde formosura for.
Vede que punhal rebrilha
na mão do Contratador!

Sobe pela rua a tropa
que já se mandou chamar.
E era à saída da igreja,
depois do ofício acabar.
Vede a mão que há pouco esteve
contrita, diante do altar!

Num botão resvala o ferro:
e assim se salva o Ouvidor.
Todo o Tejuco murmura
— uns por ódio, uns por amor.
Subir um punhal nos ares,
por ter descido uma flor!

Romance XII ou De Nossa Senhora da Ajuda

Havia várias imagens
na capela do Pombal:
e portada de cortinas
e sanefa de damasco
e, no altar, o seu frontal.

São Francisco, Santo Antônio
olhavam para Jesus

que explicava, noite e dia,
com sua simples presença,
a aprendizagem da cruz.

Havia prato e galhetas,
panos roxos e missal;
e dois castiçais de estanho
e vozes puxando rezas,
na capela do Pombal.

(Pequenas imagens
de pouco valor,
os Santos, a Virgem
e Nosso Senhor.)

Aquilo que mais valia
na capela do Pombal
era a Senhora da Ajuda,
com seu cetro, com seu manto,
com seus olhos de cristal.

Sete crianças, na capela,
rezavam, cheias de fé,
à grande Santa formosa.
Eram três de cada lado,
os filhos do almotacé.

Suplicam as sete crianças
que a Santa as livre do mal.

Três meninas, três meninos...
E um grande silêncio reina
na capela do Pombal.

*(Mas esse, do meio,
tão sério, quem é?
— Eu, Nossa Senhora,
sou Joaquim José.)*

Ah! como ficam pequenos
os doces poderes seus!
Este é sem Anjo da Guarda,
sem estrela, sem madrinha...
Que o proteja a mão de Deus!

Diante deste solitário,
na capela do Pombal,
Nossa Senhora da Ajuda
é uma grande imagem triste,
longe do mundo mortal.

(Nossa Senhora da Ajuda,
entre os meninos que estão
rezando aqui na capela,
um vai ser levado à forca,
com baraço e com pregão!)

*(Salvai-o, Senhora,
com o vosso poder,*

do triste destino
que vai padecer!)

(Pois vai ser levado à forca,
para morte natural,
esse que não estais ouvindo,
tão contrito, de mãos postas,
na capela do Pombal!)

Sete crianças se levantam.
Todas sete estão de pé,
fitando a Santa formosa,
de cetro, manto e coroa.
— No meio, Joaquim José.

(Agora são tempos de ouro.
Os de sangue vêm depois.
Vêm algemas, vêm sentenças,
vêm cordas e cadafalsos,
na era de noventa e dois.)

(Lá vai um menino
entre seis irmãos.
Senhora da Ajuda,
pelo vosso nome,
estendei-lhe as mãos!)

Romance XIII ou Do Contratador Fernandes

Eis que chega ao Serro Frio,
à terra dos diamantes,
o Conde de Valadares,
fidalgo de nome e sangue,
José Luís de Meneses
de Castelo Branco e Abranches.
Ordens traz do Grão-Ministro
de perseguir João Fernandes.
Tudo pela febre e o medo
do ouro — febre e medo que, antes,
deceparam no ar a estrela
dos contratadores Brantes.

Chega o Conde mui cansado.
Chega o Conde mui fingido.
(Ai, quem possuíra a riqueza
que borbulha no Distrito
— sem descer do seu cavalo...
— sem meter os pés no rio...
Quem, do dia para a noite,
ficara podre de rico!)
Lá vem cavalgando o Conde,
com modo imponente e altivo.
Lá vem cobrindo o Tejuco
seu cobiçoso suspiro.

— Conde, por que estais tão triste?
Confessai-me a vossa pena.

(Assim fala João Fernandes,
dono da terra opulenta.)
Aqui tendes meu palácio,
os vinhos da minha mesa,
os meus espelhos dourados,
cama coberta de seda,
o aroma da minha quinta,
a minha capela acesa,
e, fora a Chica da Silva,
minhas mulatas e negras.

Poderoso e hospitaleiro,
assim João Fernandes fala.
Suspira o Conde enganoso.
Já vos digo o que pensava:

> *"Deste Tejuco não volto*
> *sem ter metade das lavras,*
> *metade das lavras de ouro,*
> *mais outro tanto das catas;*
> *sem meu cofre de diamantes,*
> *todos estrelas sem jaça*
> *— que para os nobres do Reino*
> *é que este povo trabalha!"*

Continuava João Fernandes,
tratando-o em termos de amigo:
— Vinde ver minhas cascatas,
minhas conchas, meu navio!

Se o Burgalhau vos desgosta,
cortá-lo-ei deste caminho
— pois damos ordens à terra,
mudamos o curso aos rios,
atravessamos as rochas,
saltamos sobre os abismos,
e, na vida que levamos,
só temos certo — o perigo.

Escutava o Conde, imóvel,
como quem traz seu segredo.
Bem sabe as ordens escritas
que existem, para prendê-lo,
caso resista ao convite
de ir prestar contas ao Reino.
Escutava o Conde infido,
calculando voz e jeito
com que comover Fernandes,
subjugando-o a seu desejo,
arrancando-lhe ouro e pedras
como qualquer bandoleiro.

De cotovelo na mesa,
e, grave, inclinando a face,
ao Contratador responde
o astucioso Valadares:
— Pelas provas que já tenho
da vossa honrosa amizade,
dir-vos-ei que muito sofro
a longura desta viagem.

Com as inconstâncias do tempo,
minha casa se debate:
que a Fortuna raramente
favorece os que mais valem!

Pensativo, João Fernandes,
dizem que assim lhe responde:
— A Fortuna é sempre cega,
e vária, a sorte dos homens.
Inda que aos da vossa raça
nem deslustre nem desonre
o Fado, com seus contrastes,
quero segurar-vos, Conde,
que em mim tendes um amigo,
entre os vossos servidores.
Alegrai, porém, os olhos,
que alegrareis tudo, ao longe.

— Vinde esquecer a tristeza
ao calor do meu teatro,
onde representam vivos
os dramas de Metastásio
glórias e vícios do mundo
em luminoso retrato.
Vinde espairecer os sonhos,
e distrair os cuidados.
Nas palavras dos poetas
reclinai vosso cansaço.
Estes sítios tornam doce
o coração mais amargo!

Mas em vão fala Fernandes
palavras de tanto acerto.
Sério permanece o Conde,
carregando o sobrecenho.
E quando, à mesa, mais tarde,
com Fernandes toma assento,
não se lhe ilumina o rosto
com o claro cristal aceso
dos finos vinhos copiosos.
Que desejo, que tormento
ensombra a luz de seus olhos
entre os dourados espelhos?

Mas, depois de fruta e doce,
mas, depois de doce e fruta,
colocam diante do Conde
uma terrina ampla e funda,
para que os dedos distraia
de saudades e de angústias...
Agora, o jovem fidalgo
descerra a máscara astuta:
entre suspiro e sorriso,
toma nas mãos e calcula
os folhelhos de ouro, e acalma
a fingida desventura.

(Ai, ouro negro das brenhas,
ai, ouro negro dos rios...
Por ti trabalham os pobres,

por ti padecem os ricos.
Por ti, mais por essas pedras
que, com seu límpido brilho,
mudam a face do mundo,
tornam os reis intranqüilos!
Em largas mesas solenes,
vão redigindo os ministros
cartas, alvarás, decretos,
e fabricando delitos.)

Romance XIV ou Da Chica da Silva

(Isso foi lá para os lados
do Tejuco, onde os diamantes
transbordavam do cascalho.)

Que andor se atavia
naquela varanda?
É a Chica da Silva:
é a Chica-que-manda!

Cara cor da noite,
olhos cor de estrela.
Vem gente de longe
para conhecê-la.

(Por baixo da cabeleira,
tinha a cabeça rapada
e até dizem que era feia.)

Vestida de tisso,
de raso e de holanda
— é a Chica da Silva:
é a Chica-que-manda!

Escravas, mordomos
seguem, como um rio,
a dona do dono
do Serro do Frio.

      (Doze negras em redor
      — como as horas, nos relógios.
      Ela, no meio, era o sol!)

Um rio que, altiva,
dirige e comanda
a Chica da Silva,
a Chica-que-manda.

Esplendem as pedras
por todos os lados:
são flechas em selvas
de leões marchetados.

      (Diamantes eram, sem jaça,
      por mais que muitos quisessem
      dizer que eram pedras falsas.)

Mil luzeiros chispam,
à flexão mais branda

da Chica da Silva,
da Chica-que-manda!

E curvam-se, humildes,
fidalgos farfantes,
à luz dessa incrível
festa de diamantes.

> *(Olhava para os reinóis*
> *e chamava-os "marotinhos"!*
> *Quem viu desprezo maior?)*

Gira a noite, gira,
dourada ciranda
da Chica da Silva,
da Chica-que-manda.

E em tanque de assombro
veleja o navio
da dona do dono
do Serro do Frio.

> *(Dez homens o tripulavam,*
> *para que a negra entendesse*
> *como andam barcos nas águas.)*

Aonde o leva a brisa
sobre a vela panda?
— À Chica da Silva:
à Chica-que-manda.

À Vênus que afaga,
soberba e risonha,
as luzentes vagas
do Jequitinhonha.

*(À Rainha de Sabá
num vinhedo de diamantes
poder-se-ia comparar.)*

Nem Santa Ifigênia,
toda em festa acesa,
brilha mais que a negra
na sua riqueza.

Contemplai, branquinhas,
na sua varanda,
a Chica da Silva,
a Chica-que-manda!

*(Coisa igual nunca se viu.
Dom João Quinto, rei famoso,
não teve mulher assim!)*

Romance XV ou Das cismas da Chica da Silva

Na sua cama dourada,
Chica da Silva não dorme.
Pensa nas falas do Conde,
pensa no ouro, e desta sorte

aconselha a João Fernandes:
— Hoje, todo o mundo corre,
Senhor, atrás de riquezas:
nem é doutro mal que sofre
esse vosso falso amigo,
esse Conde de má morte.
Quem sabe o que o traz tão longe?
Quais serão as suas ordens?

E o Contratador responde
(imagino o que dizia):
— O Conde de Valadares
de mágoa e pesar definha,
por ter a família ausente
e a nobre Casa em ruínas.
Aqueles folhelhos de ouro
iluminaram-lhe a vista.
Se é de pobreza que sofre,
que custa dar-lhe alegria?
Não se há de dizer que a um nobre
não deram socorro as Minas...

Responde a Chica da Silva
(assim dizem que pensava):
— Estes marotos do Reino
só chegam por estas lavras
 para recolher o fruto
das grotas e das gupiaras.
Eles gastando na corte,
e a Morte aqui pelas catas,

desmoronando barrancos,
engrossando as enxurradas...
Não sei que tem este Conde:
não gosto da sua cara!

E assim vão passando os dias.
E o Conde de Valadares,
que chegara tão sombrio
— pela liberalidade
do Contratador Fernandes
vai perdendo seus pesares.
Em caçadas e passeios,
galga serras, desce vales,
manda lapidar diamantes
por flamengo lapidário,
e — ao ter a fortuna feita
adeus, formosos lugares!

E diz a Chica da Silva
ao ricaço do Tejuco:
— Eu neste Conde não creio;
com seus modos não me iludo;
detrás de suas palavras,
anda algum sentido oculto.
Os homens, à luz do dia,
olham bem, mas não vêem muito:
dentro de quatro paredes,
as mulheres sabem tudo.
Deus me perdoe, mas o Conde
vem cá por outros assuntos.

Assim murmurava a Chica.
E as mulheres não se enganam.
João Fernandes escutava-a
mais simples do que uma criança.
Iam girando as bateias,
ia crescendo a abundância,
iam subindo as gupiaras:
braço, almocafre, alavanca
reviravam pela terra
a sementeira de chamas
para as futuras florestas
de fogo que se levantam...

Romance XVI ou Da traição do Conde

Já chega um próprio de longe:
já chega um próprio a cavalo,
por entre nuvens de poeira
e montanhas de cascalho,
e a negrada que se volve
de almocafres levantados,
e a algazarra de protesto
dos grandes cães alarmados,
sob o espanto dos tropeiros,
e a alegria dos vassalos
que esperam novas da Vila.
Chega e apeia-se de um salto.

À porta de João Fernandes,
pára, em demanda do Conde.
Sacode o chapéu e as botas,
conta mentiras de longe,
enquanto o cavalo bebe,
na água, as nuvens do horizonte.
Que novas serão chegadas?
Que novas traz aquele homem?
O Conde a andar pela sala,
com um fundo sulco na fronte.
Soam-lhe os passos nas tábuas
como passadas de bronze.

Mas, entre as doze mulatas
que a servem, resmunga a Chica:
"Oxalá não traga o próprio
más novidades da Vila.
Tenho o coração parado
como se não fosse viva.
Que este maroto, do Reino
ao Tejuco, não viria,
senão por algum segredo,
por alguma fina intriga.
Vamos a ver se minha alma
fala verdade ou mentira."

Na sala passeia o Conde,
para trás e para diante.
— Por que me levais, amigo?
(Era a voz de João Fernandes.)

Dei-vos o ouro que quisestes;
ouro vos dei, mais diamantes,
para a Casa dos Meneses
de Castelo Branco e Abranches
não soçobrar arruinada
enquanto andáveis distante.
Como me levais agora
a prestar contas com os Grandes?

Fala o Conde de má morte:
— Ordens são, que hoje recebo...
Fala o Conde mui fingido:
— Padece por vós meu zelo:
de um lado, o dever de amigo,
mas, de outro, a lealdade ao Reino...
João Fernandes não responde:
ouve e recorda em silêncio
o que lhe dissera a Chica,
em tom de pressentimento.
Como as palavras se torcem,
conforme o interesse e o tempo!
(Como se fazem de honrados
os Condes, de bolsos cheios!)

Romance XVII ou Das lamentações do Tejuco

Ai, que rios caudalosos,
e que montanhas tão altas!

Ai, que perdizes nos campos,
e que rubras madrugadas!
Ai, que rebanhos de negros,
e que formosas mulatas!
Ai, que chicotes tão duros,
e que capelas douradas!
Ai, que modos tão altivos,
e que decisões tão falsas...
Ai, que sonhos tão felizes...
que vidas tão desgraçadas!

E lá seguiu para a Corte
o dono do Serro Frio.
Com suas doze mucamas,
ficava a Chica em suspiros.
Grossas vagas tenebrosas
nascem no humano destino!
Uns, ali, nas rudes catas,
a apodrecerem nos rios
— e outros, ao longe, com os lucros
dessas minas de martírio.
Ai, que o coração não mente!

Maldito o Conde, e maldito
esse ouro que faz escravos,
esse ouro que faz algemas,
que levanta densos muros
para as grades das cadeias,
que arma nas praças as forcas,

Romanceiro da Inconfidência

lavra as injustas sentenças,
arrasta pelos caminhos
vítimas que se esquartejam!

(Doze mucamas em volta
gemiam com surda pena.
Pranto e diamantes caídos
era tudo um mar de estrelas.)

Romance XVIII ou Dos velhos do Tejuco

Ainda vai chegar o dia
de nos virem perguntar:
— Quem foi a Chica da Silva,
que viveu neste lugar?

(Que tudo passa...
O prazer é um intervalo
na desgraça...)

Já vereis noutro navio,
levado por homens grandes,
igual a um negro fugido,
o Contratador Fernandes.

(Que tudo acaba!
Quem diz que montanha de ouro
não desaba?)

Se o vento dá no Tejuco,
leva coluna e varanda,
leva a pompa, leva o luxo
e mais a Chica-que-manda.

(Que tudo engana.
Gente, só a morte, mesmo,
é soberana!)

Nós aqui movendo as águas
e as pedras, desta maneira!
— Pois não deixaremos nada:
nem o nome da caveira.

(Que a nossa vida
é a mesma coisa que a morte,
— noutra medida...)

Mas os homens e as mulheres
vivem neste desvario...
Não há febre como a febre
que corta o Serro do Frio...

Romance XIX ou Dos maus presságios

Acabou-se aquele tempo
do Contratador Fernandes.
Onde estais, Chica da Silva,
cravejada de brilhantes?

Não tinha Santa Ifigênia
pedras tão bem lapidadas,
por lapidários de Flandres...

Sobre o tempo vem mais tempo.
Mandam sempre os que são grandes:
e é grandeza de ministros
roubar hoje como dantes.
Vão-se as minas nos navios...
Pela terra despojada,
ficam lágrimas e sangue.

Ai, quem se opusera ao tempo,
se houvesse força bastante
para impedir a desgraça
que aumenta de instante a instante!
Tristes donzelas sem dote
choram noivos impossíveis,
em sonhos fora do alcance.

Mas é direção do tempo...
E a vida, em severos lances,
empobrece a quem trabalha
e enriquece os arrogantes
fidalgos e flibusteiros
que reinam mais que a Rainha
por estas minas distantes!

Cenário

*Eis a estrada, eis a ponte, eis a montanha
sobre a qual se recorta a igreja branca.*

Eis o cavalo pela verde encosta.

Eis a soleira, o pátio, e a mesma porta.

*E a direção do olhar. E o espaço antigo
para a forma do gesto e do vestido.*

*E o lugar da esperança. E a fonte. E a sombra.
E a voz que já não fala, e se prolonga.*

*E eis a névoa que chega, envolve as ruas,
move a ilusão de tempos e figuras.*

*— A névoa que se adensa e vai formando
nublados reinos de saudade e pranto.*

Fala à antiga Vila Rica

*Como estes rostos
dos chafarizes,
foram cobertos
os vossos olhos
de véus de limo,
de musgo e liquens,*

*paralisados
no frio tempo,
fora das sombras
que o sol regula.*

*Mas, ai! não fala
a vossa língua
como estas fontes
— palavras d'água,
rápidas, claras,
precipitadas,
intermináveis.*

*Ou fala? E apenas
o nosso ouvido,
na terra surda
que os homens pisam,
já nada entende
do vosso longo,
triste discurso
— amáveis sombras
que aqui jogastes
vosso destino,
na obrigatória,
total aposta
que às vezes fazem
secretas vidas,
por sobre-humanas
fatalidades?*

Romance XX ou Do país da Arcádia

O país da Arcádia
jaz dentro de um leque:
existe ou se acaba
conforme o decrete
a Dona que o entreabra,
a Sorte que o feche.

É sonho que guarda
em pálpebra leve,
diáfana e parada,
a emoção campestre
de suspiro d'água
em flor que fenece.
— Desejo que afaga.
— Dom que se oferece.
(Ó rápida aljava,
não sejas tão breve,
que o amor chega, passa
e logo se esquece!)

O país da Arcádia
jaz dentro de um leque:
sob mil grinaldas,
verde-azul floresce.
Por ele resvala,
resvala e se perde,
a aérea palavra

que o zéfiro escreve.
A luz é sem data.
Nomes aparecem
nas fitas que esvoaçam:
Marília, Glauceste,
Dirceu, Nise, Anarda...
— O bosque estremece:
nos arroios, claras
ovelhinhas bebem.
Sanfonas e flautas
suspiros repetem.

O país da Arcádia,
súbito, escurece,
em nuvem de lágrimas.
Acabou-se a alegre
pastoral dourada:
pelas nuvens baixas,
a tormenta cresce.

*(O tempo é indelével,
mas não há mais nada.
Em cinza adormece
a festa de nácar,
o assomo celeste
do país da Arcádia,
no partido leque...)*

Romance XXI ou Das idéias

A vastidão desses campos.
A alta muralha das serras.
As lavras inchadas de ouro.
Os diamantes entre as pedras.
Negros, índios e mulatos.
Almocafres e gamelas.
Os rios todos virados.
Toda revirada, a terra.
Capitães, governadores,
padres, intendentes, poetas.
Carros, liteiras douradas,
cavalos de crina aberta.
A água a transbordar das fontes.
Altares cheios de velas.
Cavalhadas. Luminárias.
Sinos. Procissões. Promessas.
Anjos e santos nascendo
em mãos de gangrena e lepra.
Finas músicas broslando
as alfaias das capelas.
Todos os sonhos barrocos
deslizando pelas pedras.
Pátios de seixos. Escadas.
Boticas. Pontes. Conversas.
Gente que chega e que passa.
E as idéias.

Amplas casas. Longos muros.
Vida de sombras inquietas.
Pelos cantos das alcovas,
histerias de donzelas.
Lamparinas, oratórios,
bálsamos, pílulas, rezas.
Orgulhosos sobrenomes.
Intricada parentela.
No batuque das mulatas,
a prosápia degenera:
pelas portas dos fidalgos,
na lã das noites secretas,
meninos recém-nascidos
como mendigos esperam.
Bastardias. Desavenças.
Emboscadas pela treva.
Sesmarias. Salteadores.
Emaranhadas invejas.
O clero. A nobreza. O povo.
E as idéias.

E as mobílias de cabiúna.
E as cortinas amarelas.
D. José. D. Maria.
Fogos. Mascaradas. Festas.
Nascimentos. Batizados.
Palavras que se interpretam
nos discursos, nas saúdes...
Visitas. Sermões de exéquias.
Os estudantes que partem.

Os doutores que regressam.
(Em redor das grandes luzes,
há sempre sombras perversas.
Sinistros corvos espreitam
pelas douradas janelas.)
E há mocidade! E há prestígio.
E as idéias.

As esposas preguiçosas
na rede embalando as sestas.
Negras de peitos robustos
que os claros meninos cevam.
Arapongas, papagaios,
passarinhos da floresta.
Essa lassidão do tempo
entre embaúbas, quaresmas,
cana, milho, bananeiras
e a brisa que o riacho encrespa.
Os rumores familiares
que a lenta vida atravessam:
elefantíases; partos;
sarna; torceduras; quedas;
sezões; picadas de cobras;
sarampos e erisipelas...
Candombeiros. Feiticeiros.
Ungüentos. Emplastos. Ervas.
Senzalas. Tronco. Chibata.
Congos. Angolas. Benguelas.
Ó imenso tumulto humano!
E as idéias.

Banquetes. Gamão. Notícias.
Livros. Gazetas. Querelas.
Alvarás. Decretos. Cartas.
A Europa a ferver em guerras.
Portugal todo de luto:
triste Rainha o governa!
Ouro! Ouro! Pedem mais ouro!
E sugestões indiscretas:
tão longe o tronco se encontra!
Quem no Brasil o tivera!
Ah, se D. José II
põe a coroa na testa!
Uns poucos de americanos,
por umas praias desertas,
já libertaram seu povo
da prepotente Inglaterra!
Washington. Jefferson. Franklin.
(Palpita a noite, repleta
de fantasmas, de presságios...)
E as idéias.

Doces invenções da Arcádia!
Delicada primavera:
pastoras, sonetos, liras
— entre as ameaças austeras
de mais impostos e taxas
que uns protelam e outros negam.
Casamentos impossíveis.
Calúnias. Sátiras. Essa

paixão da mediocridade
que na sombra se exaspera.
E os versos de asas douradas,
que amor trazem e amor levam...
Anarda. Nise. Marília...
As verdades e as quimeras.
Outras leis, outras pessoas.
Novo mundo que começa.
Nova raça. Outro destino.
Plano de melhores eras.
E os inimigos atentos,
que, de olhos sinistros, velam.
E os aleives. E as denúncias.
E as idéias.

Romance XXII ou Do diamante extraviado

Um negro desceu do Serro.
(E era um negro alto bastante.)
Vinha escondido no negro
certo diamante.

(Como a noite negra leva
um luminoso planeta
parado na sua treva.)

Um negro desceu do Serro.
Tinha roupa de encerado,
com forro azul de vaqueta:

e está provado
que o negro desceu do Serro
para vender o diamante.
Sabe-se-lhe o peso e o preço,
e que o viajante,
esse tal negro do Serro,
pode ainda ser encontrado,
se à Vila mandam depressa
algum soldado.

(Mas quem é que tem coragem
de fazer parar o negro
nessa escandalosa viagem?)

806

Um negro desceu do Serro.
Toda a Vila, vigilante,
viu que brilhava no negro
certo diamante.
Se o negro o trouxe do Serro,
devia ser condenado.
Mas todo o mundo tem medo,
e está calado.
Que o negro desceu do Serro
mais que os brancos arrogante.
Vende a pedra com sossego
e passa adiante.

(E mais ninguém, lá na Vila,
por essa pedra extraviada,
pode ter vida tranqüila!)

Um negro desceu do Serro,
soberbamente montado.
Ninguém dorme, com o desejo
alvoroçado...

*(Com grandes penas de pato,
os mais invejosos fazem
seu minucioso relato...)*

Romance XXIII ou Das exéquias do Príncipe

Já plangem todos os sinos,
pelo Príncipe, que é morto.
Como um filho de Rainha
pode assim morrer tão moço?
Dizem que foi de bexigas;
de veneno — dizem outros —
que lhe deram os ministros
para o não verem no trono.
Triste ano para a esperança,
este ano de 88!

Triste ano por estas Minas,
onde existem vários loucos
que do Príncipe esperavam
governo mais a seu gosto:
mações de França e Inglaterra,
libertinos sem decoro,
homens de idéias modernas,

coronéis, vigários doutos,
finos ministros e poetas
que fazem versos e roubos.

Já plangem todos os sinos!
Já repercutem os morros.
(Deus sabe por que se chora,
por que há vestidos de nojo!
O padre que lê Voltério
é que vem pregar ao povo!
Estas Minas enganosas
andam cheias de maus sonhos.
Já ninguém quer ser vassalo.
Todos se sentem seus donos!)

Correm avisos nos ares.
Há mistério, em cada encontro.
O Visconde, em seu palácio,
a fazer ouvidos moucos.
Quem sabe o que andam planeando,
pelas Minas, os mazombos?
A palavra Liberdade
vive na boca de todos:
quem não a proclama aos gritos,
murmura-a em tímido sopro.

Já plangem todos os sinos,
pelo Príncipe, que é morto.
Ó grande melancolia!
Ó profundíssimo assombro!

— Perdida a oportunidade
para qualquer alvoroço.
Lá se foi quem poderia
governar o tempo novo!
Lá se foi com seus poderes,
para mundo sem retorno.

Ai, terras de Vila Rica,
os tempos andam revoltos!
Neste levante das almas,
trabalham sábios e tolos.
Uns avançam com prudência,
outros partem, com denodo.
E alguns, de esguelha, calculam,
com finos olhares torvos:
da sorte dos companheiros
fazem seu negócio e jogo.

Já plangem todos os sinos!
Cobri-vos, montes, de roxo!
Calai, mulheres e crianças,
que o vosso é mal sem socorro!
Exéquias hoje rezadas
serão vossas, dentro em pouco.
Morto o Príncipe, já tudo
é loucura e desacordo...
(Perdeu-se a oportunidade,
neste ano de 88!)

Romance XXIV ou
Da bandeira da Inconfidência

Através de grossas portas,
sentem-se luzes acesas
— e há indagações minuciosas
dentro das casas fronteiras:
olhos colados aos vidros,
mulheres e homens à espreita,
caras disformes de insônia,
vigiando as ações alheias.
Pelas gretas das janelas,
pelas frestas das esteiras,
agudas setas atiram
a inveja e a maledicência.
Palavras conjeturadas
oscilam no ar de surpresas,
como peludas aranhas
na gosma das teias densas,
rápidas e envenenadas,
engenhosas, sorrateiras.

Atrás de portas fechadas,
à luz de velas acesas,
brilham fardas e casacas,
junto com batinas pretas.
E há finas mãos pensativas,
entre galões, sedas, rendas,
e há grossas mãos vigorosas,
de unhas fortes, duras veias,

e há mãos de púlpito e altares,
de Evangelhos, cruzes, bênçãos.
Uns são reinóis, uns, mazombos;
e pensam de mil maneiras;
mas citam Vergílio e Horácio,
e refletem, e argumentam,
falam de minas e impostos,
de lavras e de fazendas,
de ministros e rainhas
e das colônias inglesas.

Atrás de portas fechadas,
à luz de velas acesas,
uns sugerem, uns recusam,
uns ouvem, uns aconselham.
Se a derrama for lançada,
há levante, com certeza.
Corre-se por essas ruas?
Corta-se alguma cabeça?
Do cimo de alguma escada,
profere-se alguma arenga?
Que bandeira se desdobra?
Com que figura ou legenda?
Coisas da Maçonaria,
do Paganismo ou da Igreja?
A Santíssima Trindade?
Um gênio a quebrar algemas?

Atrás de portas fechadas,
à luz de velas acesas,

Romanceiro da Inconfidência

entre sigilo e espionagem,
acontece a Inconfidência.
E diz o Vigário ao Poeta:
"Escreva-me aquela letra
do versinho de Vergílio..."
E dá-lhe o papel e a pena.
E diz o Poeta ao Vigário,
com dramática prudência:
"Tenha meus dedos cortados,
antes que tal verso escrevam..."

LIBERDADE AINDA QUE TARDE

ouve-se em redor da mesa.
E a bandeira já está viva,
e sobe, na noite imensa.
E os seus tristes inventores
já são réus — pois se atreveram
a falar em Liberdade
(que ninguém sabe o que seja).

Através de grossas portas,
sentem-se luzes acesas
— e há indagações minuciosas
dentro das casas fronteiras.
"Que estão fazendo, tão tarde?
Que escrevem, conversam, pensam?
Mostram livros proibidos?
Lêem notícias nas Gazetas?
Terão recebido cartas
de potências estrangeiras?"
(Antiguidades de Nîmes

em Vila Rica suspensas!
Cavalo de La Fayette
saltando vastas fronteiras!
Ó vitórias, festas, flores
das lutas da Independência!
Liberdade — essa palavra
que o sonho humano alimenta:
que não há ninguém que explique,
e ninguém que não entenda!)

E a vizinhança não dorme:
murmura, imagina, inventa.
Não fica bandeira escrita,
mas fica escrita a sentença.

Romance XXV ou Do aviso anônimo

Veio uma carta de longe,
não se sabe de que mão.
Atravessou esses campos,
caiu como flor ao vento
sobre a Vila de São João.

Correi, senhores da terra,
Ouvidor e Coronéis,
enterrai vossas riquezas,
mandai para longe os trastes,
escondei vossos papéis.

Veio uma carta de longe.
Aproximai-vos e ouvi:
fala de rios propínquos,
rios de lágrima e sangue
que vão correr por aqui.

Parte, cabra, vai-te embora,
vai levar a teu patrão
as notícias que chegaram
sobre a desgraça que cerca
este povo de São João.

Veio uma carta de longe.
O que dizia, não sei.
Há calúnias, há suspeitas...
(Vede as janelas fechadas!
Confabulam! Querem Rei!)

Escondei jóias e alfaias!
(Que tropa é que vai chegar?)
Parece que vão ser presos
os grandes, os poderosos,
os donos deste lugar.

Veio uma carta de longe.
Abriu-se muito colchão,
queimou-se o que estava escrito,
escreveu-se o que era falso,
nesta Vila de São João.

E o Lenheiro vai correndo
com fita de cristal
sobre as pedras, sob as pontes,
entre o rumor e o silêncio
do sobressalto geral.

Veio uma carta de longe.
— Fortes ecos tem a dor!
que os escravos já souberam,
no fundo de suas brenhas
desse aviso de terror...

Mas os meninos risonhos
pelas varandas estão
— quase órfãos! — mirando as nuvens, 815
como os belos anjos de ouro
das igrejas de São João.

Romance XXVI ou Da Semana Santa de 1789

Lembrai-vos dos altares,
destes anjos e santos,
com seus olhos audazes
nos mundos sobre-humanos.

*(Haverá sombra e umidade
em vossas pálpebras tristes,
com o céu preso numa grade.)*

Vede esses panos roxos
que envolvem as imagens!
Desaparecem todos
os vultos, em saudade.

> *(Lutuoso véu de horizonte*
> *aguarda a fria fadiga*
> *da vossa pálida fronte.)*

Recordai pelos ares
o alvo incenso que sobe.
Que diáfana paragem
atingirá quem sofre?

> *(Os pensamentos mais puros*
> *estremecerão fechados*
> *por inabaláveis muros.)*

Oh!, como é triste a carne,
e triste o sangue, e o pranto
com que Deus se reparte,
incompreendido e manso.

> *(Como pedras sem ruído*
> *cairão as vossas rezas*
> *por desertos sem ouvido.)*

Pois o amor não é doce,
pois o bem não é suave,

pois amanhã, como ontem,
é amarga a Liberdade.

*(Gemei, sobre estes Ofícios,
que eles são, transfigurados,
vossos próprios sacrifícios.)*

Romance XXVII ou Do animoso Alferes

Pelo monte claro,
pela selva agreste
que março, de roxo,
místico enfloresce,
cavalga, cavalga
o animoso Alferes.

Não há planta obscura
que por ali medre
de que desconheça
virtude que encerre
— ele, o curandeiro
de chagas e febres,
o hábil Tiradentes,
o animoso Alferes.

Por aqui, descansa;
ali, se despede,
que por toda a parte
o povo o conhece.

Adeuses e adeuses,
sinceros e alegres:
a amigos, mulatas,
cativos e chefes,
coronéis, doutores,
padres e almocreves...
Adeuses e adeuses
— que rápido segue,
a mover os rios,
a botar moinhos
e barcos a frete,
lá longe, lá longe,
o animoso Alferes.

A bússola mira.
Toma para leste.
Dez dias de marcha
até que atravesse
campinas e montes
que com os olhos mede:
tão verdes... tão longos...
(E ninguém percebe
como é necessário
que terra tão fértil,
tão bela e tão rica
por si se governe!)
Águas de ouro puro
seu cavalo bebe.
Entre sede e espuma,
os diamantes fervem...

(A terra tão rica
e — ó almas inertes! —
o povo tão pobre...
Ninguém que proteste!
Se fossem como ele,
a alto sonho entregue!)
Suspiram as aves.
A tarde escurece.
(Voltará fidalgo,
livre de reveses,
com tantos cruzados...)
Discute. Reflete.
Brinda aos novos tempos!
Soldados, mulheres,
estalajadeiros 819
— a todos diverte.
(Por todos trabalha,
a todos promete
sossego e ventura
o animoso Alferes.)

No rancho descansa.
Deita-se. Adormece.
Penosa, a jornada,
mas o sono, leve:
qualquer sopro acorda
o animoso Alferes.
Deus, no céu revolto,
seu destino escreve.
Embaixo, na terra,

ninguém o protege:
é o talpídeo, o louco
— o animoso Alferes.

*

Mas, dourado e roxo,
o campo alvorece.
Desmancham-se as brumas
nos prados celestes.
Acordam as aves
e as pedras repetem
músicas, rumores,
do dia que cresce.
Move-se a tropilha:
que outra vez se apreste
o macho rosilho
do animoso Alferes.

Adeuses e adeuses...
Talvez não regresse.
(Mas que voz estranha
para a frente o impele?)
Cavalga nas nuvens.
Por outros padece.
Agarra-se ao vento...
Nos ares se perde...
(E um negro demônio
seus passos conhece:
fareja-lhe o sonho

e em sombra persegue
o audaz, o valente,
o animoso Alferes.)

Que importa que o sigam
e que esteja inerme,
vigiado e vencido
por vulto solerte?
Que importa, se o prendem?
A teia que tece
talvez em cem anos
não se desenrede!
Toledo? Gonzaga?
Alceus e Glaucestes?
— Nenhum companheiro
seu lábio revele.
Que a língua se cale.
Que os olhos se fechem.
(Lá vai para a frente
o que se oferece
para o sacrifício,
na causa que serve.
Lá vai para sempre
o animoso Alferes!)

Adeus aos caminhos!
— montes, águas, sebes,
ouro, nuvens, ranchos,
cavalos, casebres... —
Olham-no de longe

os homens humildes.
E nos ares ergue
a mão sem retorno
que um dia os liberte.
(Pois que importa a vida?
Aqui se despede
do sol da montanha,
do aroma silvestre:

— venham já soldados
que a prender se apressem;
venham já meirinhos
que os bens lhe seqüestrem;
venham, venham, venham...
— que sua alma excede
escrivães, carrascos,
juízes, chanceleres,
frades, brigadeiros,
maldições e preces!

Venham, venham, matem:
ganhará quem perde.
Venham, que é o destino
do animoso Alferes.)

De olhos espantados,
do rosilho desce.
Terra de lagoas
onde a água apodrece.
Janelas, esquinas,

escadas... — parece
que há sombras que o espreitam,
que há sombras que o seguem...

Falas sem sentido
acaso repete
— pois sente, pois sabe
que já se acha entregue.

Perguntas, masmorras,
sentença... Recebe
tudo além do mundo...

E em sonho agradece,
o audaz, o valente,
o animoso Alferes.

Romance XXVIII ou
Da denúncia de Joaquim Silvério

No palácio da Cachoeira,
com pena bem aparada,
começa Joaquim Silvério
a redigir sua carta.
De boca já disse tudo
quanto soube e imaginava.

Ai, que o traiçoeiro invejoso
junta às ambições a astúcia.

Vede a pena como enrola
arabescos de volúpia,
entre as palavras sinistras
desta carta de denúncia!

Que letras extravagantes,
com falsos intuitos de arte!
Tortos ganchos de malícia,
grandes borrões de vaidade.
Quando a aranha estende a teia,
não se encontra asa que escape.

Vede como está contente,
pelos horrores escritos,
esse impostor caloteiro
que em tremendos labirintos
prende os homens indefesos
e beija os pés aos ministros!

As terras de que era dono
valiam mais que um ducado.
Com presentes e lisonjas,
arrematava contratos.
E delatar um levante
pode dar lucro bem alto!

Como pavões presunçosos,
suas letras se perfilam.
Cada recurvo penacho
é um erro de ortografia.

Pena que assim se retorce
deixa a verdade torcida.

(No grande espelho do tempo,
cada vida se retrata:
os heróis, em seus degredos
ou mortos em plena praça;
— os delatores, cobrando
o preço das suas cartas...)

Romance XXIX ou Das velhas piedosas

Dizem que atrás dele
ia um cavaleiro
muito bem montado,
levando consigo
um papel escrito
com o maior cuidado.

Na Semana Santa,
enquanto as imagens
estavam cobertas,
traçara altas letras,
encaracoladas,
mas não muito certas.

(Ai de quem na sua casa
se deixa estar, sem supor
o que em Sexta-Feira Santa
escreve a mão de um traidor!)

O papel aceita
o que os homens traçam...
E a mão inimiga
como aranha estende
com fios de tinta
as teias da intriga.

E lá ficam presos,
na viscosa trama,
os padres, os poetas,
os sábios, os ricos,
e outros, invejados
por causas secretas.

826

(Ai de quem, na sua casa,
se deixa estar, sem supor
que já vai por serra acima,
tão bem montado, o traidor!)

Dizem que cavalga
ostensivamente
e também proclama
que por sua causa
já não há levante,
pois não há Derrama.

Diz que leva cartas
que o senhor Visconde
lhe terá confiado.

Que, com seus haveres,
se fosse na Europa,
teria um ducado!

(Ai de quem na sua casa
se deixa estar, sem supor
que já partiu desta terra,
tão bem montado, o traidor!)

(Acorrei, vizinhos,
com toda a prudência,
com o maior mistério:
notai a passagem,
muito suspeitosa,
de Joaquim Silvério!

E ouvi, pelos sítios,
por lavras e igrejas,
varandas e muros
— que já se apropinquam,
de choro e de sangue,
os dias escuros!)

(Ai de quem na sua casa
se deixa estar, sem supor
que, no Rio de Janeiro,
saltou da sela o traidor.)

Romance XXX ou Do riso dos tropeiros

Passou um louco, montado.
Passou um louco, a falar
que isto era uma terra grande
e que a ia libertar.

Passou num macho rosilho.
E, sem parar o animal,
falava contra o governo,
contra as leis de Portugal.

Nós somos simples tropeiros,
por estes campos a andar.
O louco já deve ir longe:
mas inda o vemos pelo ar...

Mostrando os montes, dizia
que isto é terra sem igual,
que debaixo destes pastos
é tudo rico metal...

— Por isso é que assim nos rimos,
que nos rimos sem parar,
pois há gente que não leva
a cabeça no lugar.

Ah! se conosco estivesse
o capitão-general!

E também nos disse o louco:
"Levai bem pólvora e sal!"

Por isso que rimos tanto...
Mas, quando ele aqui tornar,
teremos a terra livre
— salvo se, por um desar,

o metem numa enxovia,
e, por sentença real,
o fazem subir à forca,
para morte natural...

Romance XXXI ou De mais tropeiros

Por aqui passava um homem
— e como o povo se ria! —
que reformava este mundo
de cima da montaria.

Tinha um machinho rosilho.
Tinha um machinho castanho.
Dizia: "Não se conhece
país tamanho!"

"Do Caeté a Vila Rica,
tudo ouro e cobre!
O que é nosso vão levando...
E o povo aqui sempre pobre!"

Por aqui passava um homem
— e como o povo se ria! —
que não passava de Alferes
de cavalaria!

"Quando eu voltar — afirmava —
outro haverá que comande.
Tudo isto vai levar volta,
e eu serei grande!"

"Faremos a mesma coisa
que fez a América Inglesa!"
E bradava: "Há de ser nossa
tanta riqueza!"

Por aqui passava um homem
— e como o povo se ria! —
"Liberdade ainda que tarde"
nos prometia.

E cavalgava o machinho.
E a marcha era tão segura
que uns diziam: "Que coragem!"
E outros: "Que loucura!"

Lá se foi por esses montes,
o homem de olhos espantados,
a derramar esperanças
por todos os lados.

Por aqui passava um homem...
— e como o povo se ria! —
Ele, na frente, falava,
e, atrás, a sorte corria...

Dizem que agora foi preso,
não se sabe onde.
(Por umas cartas entregues
ao Vice-Rei e ao Visconde.)

Pois parecia loucura,
mas era mesmo verdade.
Quem pode ser verdadeiro,
sem que desagrade?

Por aqui passava um homem...
— e como o povo se ria! —
No entanto, à sua passagem,
tudo era como alegria.

Mas ninguém mais se está rindo,
pois talvez ainda aconteça
que ele por aqui não volte,
ou que volte sem cabeça...

(Pobre daquele que sonha
fazer bem — grande ousadia —
quando não passa de Alferes
de cavalaria!)

Por aqui passava um homem...
— e o povo todo se ria.

Romance XXXII ou Das pilatas

"Vou-me a caminho do Rio,
minha boa camarada,
meter canoa de frete,
levantar moinhos d'água;
quando voltar, volto rico,
e esta gente desgraçada
que padece em terra de ouro,
por minhas mãos será salva.

Vou-me a caminho do Rio,
minha boa camarada:
não te aflijas por teu filho,
pois lhe mando assentar praça.
(Que o general me protege,
com muitas pessoas gradas!)"

(Tudo isto ia levar volta...
Tudo isto volta levava...)

"Vou-me a caminho do Rio,
minha boa camarada..."

(Era assim que ele dizia...
— vai comentando a mulata.
E batia-lhe nas costas,

e dava uma gargalhada,
e saltava para a sela,
e entre adeuses se afastava.)

"Vou-me a caminho do Rio,
minha boa camarada..."

(O tempo passava. O filho
sem poder assentar praça...
Nos rios de ouro, perdidas
muitas lágrimas salgadas.
Nem canoas nem moinhos:
só prisões e mais desgraças...)

"Vou-me a caminho do Rio,
minha boa camarada..."

(Para mim, foi perseguido.
Para mim, por lá se acaba.
Não deve sonhar o pobre,
que o pobre não vale nada...
Se o sonho do pobre é crime,
quanto mais qualquer palavra!)

Romance XXXIII ou
Do cigano que viu chegar o Alferes

Não vale muito o rosilho:
mas o homem que vem montado,

embora venha sorrindo,
traz sinal de desgraçado.

Parece vir perseguido,
sem que se veja soldado;
deixou marcas no caminho
como de homem algemado.
Fala e pensa como um vivo,
mas deve estar condenado.
Tem qualquer coisa no juízo,
mas sem ser um desvairado.

A estrela do seu destino
leva o desenho estropiado:
metade com grande brilho,
a outra, de brilho nublado;
quanto mais fica um sombrio,
mais se ilumina o outro lado.

Duvido muito, duvido
que se deslinde o seu fado.
Vejo que vai ser ferido
e vai ser glorificado:
ao mesmo tempo, sozinho,
e de multidões cercado;
correndo grande perigo,
e de repente elevado:
ou sobre um astro divino
ou num poste de enforcado.

Vem montado no rosilho.
No rosilho vem montado.
Mas, atrás dele, o inimigo
cavalga em sombra, calado.
Vejo, no alto, o fel e o espinho
e a mão do Crucificado.
Ah! cavaleiro perdido,
sem ter culpa nem pecado...
— Pobre de quem teve um filho
pela sorte assinalado!
Vem galopando e sorrindo,
como quem traz um recado.
Não que o traga por escrito:
mas dentro em si: — consumado.

Romance XXXIV ou De Joaquim Silvério

Melhor negócio que Judas
fazes tu, Joaquim Silvério:
que ele traiu Jesus Cristo,
tu trais um simples Alferes.
Recebeu trinta dinheiros...
— e tu muitas coisas pedes:
pensão para toda a vida,
perdão para quanto deves,
comenda para o pescoço,
honras, glórias, privilégios.

E andas tão bem na cobrança
que quase tudo recebes!

Melhor negócio que Judas
fazes tu, Joaquim Silvério!
Pois ele encontra remorso,
coisa que não te acomete.
Ele topa uma figueira,
tu calmamente envelheces,
orgulhoso e impenitente,
com teus sombrios mistérios.
(Pelos caminhos do mundo,
nenhum destino se perde:
há os grandes sonhos dos homens,
e a surda força dos vermes.)

Romance XXXV ou Do suspiroso Alferes

Terra de tantas lagoas!
Terra de tantas colinas!
No fundo das águas podres,
o turvo reino das febres...
    "*Ah! se eu me apanhasse em Minas...*"

Nos palácios, vãos fidalgos.
Santos vãos, pelas esquinas.
Pelas portas e janelas,
as bocas murmuradoras...
    "*Ah! se eu me apanhasse em Minas...*"

Rios inchados de chuva,
serra fusca de neblinas...
Quem tivera uma canoa,
quem correra, quem remara...
   "Ah! se eu me apanhasse em Minas..."

(Que vens tu fazer, Alferes,
com tuas loucas doutrinas?
Todos querem liberdade,
mas quem por ela trabalha?)
   "Ah! se eu me apanhasse em Minas..."

(O humano resgate custa
pesadas carnificinas!
Quem morre, para dar vida?
Quem quer arriscar seu sangue?)
   "Ah! se eu me apanhasse em Minas..."

Minas das altas montanhas,
das infinitas campinas...
Quem galopara essas léguas!
Quem batera àquelas portas!
   "Ah! se eu me apanhasse em Minas..."

Mas os traidores labutam
nas funestas oficinas:
vão e vêm as sentinelas,
passam cartas de denúncia...
   "Ah! se eu me apanhasse em Minas..."

(E tudo é tão diferente
do que em saudade imaginas!
Onde estão os teus amigos?
Quem te ampara? Quem te salva,
mesmo em Minas? Mesmo em Minas?)

Romance XXXVI ou Das sentinelas

De noite e de dia,
por todos os lados,
caminham dois homens,
que vão disfarçados,
pois são granadeiros
e — sendo soldados —
alguém lhes permite
bigodes rapados.

Ai, pobre do Alferes,
que gira inocente,
sonhando outro mundo,
amando outra gente...
Vai jogando sonhos:
— lúdica semente! —
brotam sentinelas,
miseravelmente...

Ao sair das portas,
diante dos sobrados,

em qualquer esquina,
sempre ali postados.
São dois? São duzentos?
São dois mil? Lavrados
em febre parecem,
e multiplicados...

(Esses vultos que me seguem,
Joaquim Silvério, quem são?

Devem ser as sentinelas
que amanhã me prenderão?

Quem as pôs sobre os meus passos?
Quem comete essa traição?

Responde, Joaquim Silvério,
quem nos leva à perdição?)

Mas não há resposta
— que o traidor prudente
desliza nas sombras,
não fala de frente...
A um deserto surdo
clama, inutilmente,
o animoso Alferes...
— Só ele — presente.

Romance XXXVII ou De maio de 1789

Maio das frias neblinas,
maio das grandes canseiras.
Os coronéis suspirando
à vaga luz das candeias;
os poetas mirando versos
e hipotéticas idéias;
Joaquim Silvério sonhando
dinheiro, mercês, comendas...

Vão cavalos, vêm cavalos,
por cima da Mantiqueira.
Donas espreitando as ruas,
pelas grades de urupema.
Padres escrevendo cartas,
doutores lendo Gazetas...
Uns querendo ouro e diamantes,
outros, liberdade, apenas...

Ó maio dos grandes sustos
por barrancos e ladeiras!
Avisos a toda a pressa!
Dissimulações e senhas.
Soldados pelos caminhos.
Caras e cartas suspeitas.
Os oratórios dos santos
com altas velas acesas.

1º de maio

Passou por aqui o Alferes?
Sim, passou, mas já vai longe.
Quem vem agora atrás dele?
Quem voa pelo horizonte?
Dizem que é Joaquim Silvério!
(Maldito seja tal homem:
tem vilania de Judas
com arrogância de Conde.)

Mesmo na Semana Santa,
esteve escolhendo os nomes
dos que vão ser perseguidos.
E venceu vales e montes
no encalço de um condenado,
para que de perto o aponte
(e o Tempo, que é só memória,
com sua sombra se assombre).

9 de maio

Toda a cidade já sabe
que o Alferes anda fugido.
— No sótão de que sobrado?
Em que fazenda? Em que sítio?
Embarcado em que canoa?
Atravessando que rio?
Por detrás de que montanha?
Por cima de que perigo?

Quebrados anjos de prata
miraram seu rosto aflito:
entre espadins e fivelas,
castiçais e crucifixos,
parou — tristemente humano,
tristemente perseguido.
Tinha o mundo todo na alma
— e mendigava um abrigo!

10 de maio

Noite escura. Duros passos.
Já se sabe quem foi preso.
Ninguém dorme. Todos falam,
todos se benzem de medo.
Passos da escolta nas ruas
— que grandes passos, no Tempo!
Mas o homem que vão levando
é quase só pensamento:

— Minas da minha esperança,
Minas do meu desespero!
Agarram-me os soldados,
como qualquer bandoleiro.
Vim trabalhar para todos,
e abandonado me vejo.
Todos tremem. Todos fogem.
A quem dediquei meu zelo?

Meados de maio

Furriel, ordenança, alferes,
soldado, porta-estandarte,
quem vai por léguas e léguas
propagando a novidade?
Por onde passa a notícia,
com guardas por toda a parte,
com sentinelas severas
nas saídas da cidade?

Se é fogueira, quem a acende
com tanta fidelidade?
Se é mensageiro, com que ordem,
com que propósito parte?
Por que as Minas estremecem
com dolorosa ansiedade?
— Foi preso um simples Alferes,
que só tinha um bacamarte.

Fim de maio

Andam as quatro comarcas
em grande desassossego:
vão soldados, vêm soldados;
tremem os brancos e os negros.
Se já levaram Gonzaga
e Alvarenga, mais Toledo!
Se a Cláudio mandam recados
para que se esconda a tempo!

Sentam-se na cama os doentes.
Choram de susto os meninos.
Mil portadores galopam.
Há mil corações aflitos.
Por aqui brilhava a Arcádia,
com flores, versos, idílios...

(Que querem dizer amores,
aos ouvidos dos meirinhos?)

Romance XXXVIII ou Do embuçado

Homem ou mulher? Quem soube?
Tinha o chapéu desabado.
A capa embrulhava-o todo:
Era o Embuçado.

Fidalgo? Escravo? Quem era?
De quem trazia o recado?
Foi no quintal? Foi no muro?
Mas de que lado?

Passou por aquela ponte?
Entrou naquele sobrado?
Vinha de perto ou de longe?
Era o Embuçado.

Trazia chaves pendentes?
Bateu com o punho apressado?

Viu a dona com o menino?
Ficou calado?

A casa não era aquela?
Notou que estava enganado?
Ficou chorando o menino?
Era o Embuçado.

"Fugi, fugi, que vem tropa,
que sereis preso e enforcado..."
Isso foi tudo o que disse
o mascarado?

Subiu por aquele morro?
Entrou naquele valado?
Desapareceu na fonte?
Era o Embuçado.

Homem ou mulher? Quem soube?
Veio por si? Foi mandado?
A que horas foi? De que noite?
Visto ou sonhado?

Era a morte, que corria?
Era o Amor, com seu cuidado?
Era o Amigo? Era o Inimigo?
Era o Embuçado.

Romance XXXIX ou De Francisco Antônio

Tão gordo, tão gordo
que vale por quatro,
lá vai para a Vila,
em sela formosa,
em grande cavalo,
o "Come-lhe os milhos",
esplêndido e farto.

Parentes famosos
por diversos lados,
do Rio das Mortes
ao Serro do Frio:
Pires e Camargos,
Oliveiras, Lopes,
tudo entrelaçado...

E sítios imensos,
e imensos escravos...
E pratas e louças,
e roupas e móveis
e espelhos dourados...
Tão gordo, tão gordo
que vale por quatro.

Lá vai para a serra,
comentando fatos:
"Haverá derrama?

Haverá levante?"
Já mandou recados.
Conspira, organiza,
anda em sobressalto.

Tão gordo, tão gordo
que vale por quatro!
E diz: "Quem não mente
não é boa gente!"
Lá vai pelo mato
caçar com os amigos
codornas e veados.

"Quem foi Mr. Franklin?"
Fala com brocardos:
"Os vis não se devem
meter nas empresas
que requerem atos.
Ou morrem na lama
que nem carrapato."

Inventa, confunde,
herói, mas velhaco.
É o "Come-lhe os milhos",
que irá para Angola
ruminar cuidados...
(Tão gordo, tão gordo
que vale por quatro!)

Romance XL ou Do Alferes Vitoriano

— Aonde é que vais, Vitoriano,
nem bem amanhece o dia?
Andarás de contrabrando,
serra abaixo, serra acima,
das areias de Ouro Branco
às sombras de Vila Rica?

(Esporeava o seu cavalo,
pela estrada mal segura.
— Vitoriano, tem cuidado,
de hora em hora a sorte muda!
Quanto mais o tempo é falso,
mais aparecem denúncias...)

— Eu, Senhor, vou nesta pressa
para as bandas de Mariana.
Nem vos direi quem me espera
nem vos direi quem me manda.
Subo e desço pela serra
que nem o vento me alcança!

(Tinha no bolso uma carta,
e um recado na cabeça.
Puxa o lenço, limpa a cara,
cai-lhe o papel, vê-se a letra.
— Vitoriano, se te agarram,
terás de cumprir sentença!)

— Eu, Senhor, digo a verdade:
vinha da Ponta do Morro,
mandado por meu compadre,
Coronel Francisco Antônio.
Mas, para o que vinha, é tarde:
e ele ou está preso ou está morto...

(E no alto da serra brava
dobrou sobre o seu caminho
o alfaiate, alferes, cabra
— sem ter chegado ao destino
o recado que levara,
para servir a um amigo.)

— Ai, Vitoriano Veloso,
como o tempo era nublado!
Partires com tal denodo,
voltares com tal cansaço!
— E, depois — o calabouço?
E, depois — o cadafalso?

(Não houve quem o livrasse
de dar três voltas à forca;
de gemer pela cidade
pena de açoites sem conta;
nem de partir para a viagem
de degredo, amarga e longa.)

(E a carta nem fora entregue!
Nem fora o recado escrito!

Romanceiro da Inconfidência

— No seu cavalo, tão leve!
— Na masmorra, tão perdido...
Que imensas lágrimas bebe,
por ter prestado um serviço!)

Romance XLI ou Dos delatores

O que andou preso me disse
que dissera o Carcereiro,
que dissera o Capitão...
(Mas pareceu-lhe parvoíce,
e não delatou primeiro
porque não teve ocasião...)

E mais: porque o Carcereiro
depois passara a Meirinho...
E o Capitão, do Ouvidor
fora sempre companheiro...
E que, por esse caminho,
ia-se ao Governador...

Mas agora, que o Meirinho,
o Capitão mais o preso
são da mesma condição...
Já que não têm mais padrinho,
posso fazer com desprezo
a minha declaração.

Digo o que me disse o preso,
que de outro já o tinha ouvido,
que o ouvira de outro... Não são
máximas de grande peso:
mas tudo, bem entendido,
pode envolver sedição.

Eu digo — por ter ouvido —
que os filhos do Reino, em breve,
cativos aqui serão.
Tenha ou não tenha sentido,
quem a dizê-lo se atreve
merece averiguação.

A minha denúncia é breve,
pois nem sei se houve delito,
nem se era conspiração.
Mas, se ninguém os escreve,
aqui deixo, por escrito,
os nomes que adiante vão.

Haja ou não haja delito,
esses nomes assinalo,
e escrevo esta relação.
O que outros dizem repito.
E apenas meu nome calo,
por ser o mais fiel vassalo,
acima de suspeição.

Romance XLII ou Do sapateiro Capanema

"Estes branquinhos do Reino
nos querem tomar a terra:
porém, mais tarde ou mais cedo,
os deitamos fora dela."

Foi na noite de São Pedro,
no arraial de Matosinhos;
debaixo do meu capote,
vinha tremendo de frio;
fui bater a uma taverna:
o dono estava dormindo.
Bati duas e três vezes,
porém não fui atendido.
Ele, lá dentro, na cama,
como novatinho rico;
e nós, romeiros, na rua,
miseráveis que nem bichos.
Por cima de nós, estrelas
como preguinhos de vidro.

"Estes branquinhos do Reino
nos querem tomar a terra:
porém, mais tarde ou mais cedo,
os deitamos fora dela."

A porta estava fechada,
e vinha um rancho comigo;
conversa puxa conversa,

alguém se lembrou do fisco.
Para a Vila vinha gente,
ia gente para o Rio;
nas Minas, só se falava
das prisões que tinha havido.
Diziam que era levante,
ou contrabando, ou extravio...
Falou-se em crimes, seqüestros,
em soldados e meirinhos.
(O taverneiro na cama,
e eu ali, com os meus amigos.)

"*Estes branquinhos do Reino*
nos querem tomar a terra:
porém, mais tarde ou mais cedo,
os deitamos fora dela."

Fosse de sono, canseira
ou receio de perigo
— o taverneiro, calado;
e nós, cá de fora, aos gritos.
Até pensei, de tão surdo,
que já não estivesse vivo.
Disse essas quatro verdades.
E o que disse ficou dito.
Cada qual à sua moda
repete o que tinha ouvido:
o taverneiro, a mulata,
o capitão e os vizinhos.
Coso a língua com uma agulha,
se deste enredo me livro!

> *"Estes branquinhos do Reino*
> *nos querem tomar a terra:*
> *porém, mais tarde ou mais cedo,*
> *os deitamos fora dela."*

Nada a acrescentar me resta
a quanto já se acha escrito.
Sou da Comarca do Serro,
sapateiro por ofício.
(Nunca um trago de aguardente
provocou tal rebuliço!
Nem sabia do levante;
mas, hoje, acho que é preciso.
Se eu só por quatro palavras
nele me vejo metido!
No fundo desta cadeia,
quando penso em meu serviço,
entendo muitas idéias
que antes não tinham sentido!)

> *"Estes branquinhos do Reino*
> *nos querem tomar a terra:*
> *porém, mais tarde ou mais cedo,*
> *os deitamos fora dela."*

Sou eu que retalho a sola,
e que desenrolo o fio;
mas nem o dono das botas
sabe qual é seu caminho.
Fui bater a uma taverna,

no arraial de Matosinhos:
vim parar numa Cadeia,
para fim desconhecido.
Quem se lembrou do meu nome
nem era meu inimigo!
Devem ser pontos da Sorte,
no couro do meu destino.
Levo açoites? Subo à forca?
Espero a sentença, e digo:

> "*Estes branquinhos do Reino*
> *nos querem tomar a terra:*
> *porém, mais tarde ou mais cedo,*
> *os deitamos fora dela.*"

(Assim dizem que falava
o sapateiro mulato.
As quatro razões são suas;
o resto deve ser falso...
Quatro disse — e logo foram
mais de quatro vezes quatro...)

Romance XLIII ou Das conversas indignadas

Eram muitos mais os sócios:
— a trempe tem muitas pernas... —
mas, por isto ou por aquilo,
por estas razões e aquelas,
agarraram-se, somente,

os que foram indicados
— pois mais pode quem governa...

Palavras sobre palavras...
(Não há nada que convença,
quando escrivães e juízes
trocam por vacas paridas,
por barras de ouro largadas,
as testemunhas que servem
de fundamento às sentenças...)

(Calem-se os apadrinhados!
Fujam parentes e amigos!
Contaremos esta história
segundo o preço que paguem;
e ao mais fraco escolheremos
para receber por todos
o justo e exemplar castigo!)

Esse que todos acusam,
sem amigo nem parente,
sem casa, fazenda ou lavras,
metido em sonhos de louco,
salvador que se não salva,
pode servir de resgate.

É o Alferes Tiradentes.

Romance XLIV ou Da testemunha falsa

Que importa quanto se diga?
Para livrar-me de algemas,
da sombra do calabouço,
dos escrivães e das penas,
do baraço e do pregão,
a meu pai acusaria.
Como vou pensar nos outros?
Não me aflijo por ninguém.
Que o remorso me persiga!
Suas tenazes secretas
não se comparam à roda,
à brasa, às cordas, aos ferros,
aos repuxões dos cavalos
que, mais do que as Majestades,
ordenarão seus Ministros,
com tanto poder que têm.

Não creio que a alma padeça
tanto quanto o corpo aberto,
com chumbo e enxofre a correrem
pelas chagas, nem consiga
o inferno inventar mais dores
do que os terrenos decretos
que o trono augusto sustêm.

Não sei bem de que se trata:
mas sei como se castiga.
Se querem que fale, falo;

e, mesmo sem ser preciso,
minto, suponho, asseguro...
É só saber que palavras
desejam de mim. — Se alguém
padecer, com tanta intriga,
que Deus desmanche os enredos
e o salve das conseqüências,
se for possível: mas, antes,
salvando-me a mim, também.

Talvez um dia se saibam
as verdades todas, puras.
Mas já serão coisas velhas,
muito do tempo passado...
Que me importa o que se diga,
o que se diga, e de quem?

Por escrúpulos futuros,
não vou sofrer desde agora.
Quais são torpes? Quais, honrados?
As mentiras viram lenda.
E não é sempre a pureza
que se faz celebridade...

Há mais prêmios neste mundo
para o Mal que para o Bem.

Direi quanto me ordenarem:
o que soube e o que não soube...

Depois, de joelhos suplico
perdão para os meus pecados,
fecho meus olhos, esqueço...
— cai tudo em sombras, além...

Talvez Deus não se conforme.
Mas o Inferno ainda está longe
— e a Morte já chega à praça,
já range, na Ouvidoria,
nas letras dos depoimentos,
e em cartas do Reino vem...

Vede como corre a tinta!
Assim correrá meu sangue...
Que os heróis chegam à glória
só depois de degolados.
Antes, recebem apenas
ou compaixão ou desdém.

Direi quanto for preciso,
tudo quanto me inocente...
Que alma tenho? Tenho corpo!
E o medo agarrou-me o peito...
E o medo me envolve e obriga...
— Todo coberto de medo,
juro, minto, afirmo, assino.
Condeno. (Mas estou salvo!)
Para mim, só é verdade
aquilo que me convém.

Romance XLV ou Do padre Rolim

De Vila Rica ao Tejuco,
lá vai carta, lá vem carta.
Prendem o padre ou não prendem?
Dificílima caçada!
Uns dizem que já vai longe,
pelo alto da serra brava;
outros, que só sai de noite,
fugindo, de casa em casa.

Se perguntam por que o prendem,
todos dão resposta vaga:
por ter arrombado a mesa
de um juiz, em certa devassa;
por extravio de pedras;
por causa de uma mulata;
por causa de uma donzela;
por uma mulher casada.

De Vila Rica ao Tejuco,
parte carta, volta carta...
— Algumas não chegam nunca;
nenhuma é bastante clara...

Soldados surdos e cegos,
enfim, cercaram-lhe a casa.
Pulando cercas e muros,
já bem longe o padre andava.
Nos seus colchões remexidos,

não se pôde encontrar nada,
que escondera as coisas todas
— em que mesa? armário? caixa?
teto? parede? alicerce?
com que amigo? com que amada?

De Vila Rica ao Tejuco,
sobe carta, desce carta.
(O padre na sua choça,
construída dentro da mata,
deixando passar o tempo,
deixando crescer a barba,
separado deste mundo
pela taipa de taquara!)

Não há rancho que proteja,
quando é tempo de desgraça.
Ao que mais foge da sorte,
sempre algum soldado o agarra:
lá vai pela estrada afora,
lá vai, pela íngreme estrada,
o padre Rolim, que sempre
tivera vida bizarra.

Sete pecados consigo
sorridente carregava.
Se setenta e sete houvera,
do mesmo modo os levara.
Por escândalos de amores,
sacerdote se ordenara.

Só Deus sabia os limites
entre seu corpo e sua alma!

Era um padre de aventuras
que, tendo ou não tendo barba,
conforme o que houvesse em frente,
mudava sempre de cara.
Padre de maçonaria,
que sonhava e conspirava,
cuja história fabulosa
corria cada comarca...

Padre amável e guloso
que ao louro poeta Gonzaga
mandava caixas do Serro
com docinho de mangaba...

Romance XLVI ou Do caixeiro Vicente

A mim, o que mais me doera,
se eu fora o tal Tiradentes,
era o sentir-me mordido
por esse em quem pôs os dentes.
Mal empregado trabalho,
na boca dos maldizentes!

Assim se forjam palavras,
assim se engendram culpados;

assim se traça o roteiro
de exilados e enforcados:
a língua a bater nos dentes...
Grandes medos mastigados...

O medo nos incisivos,
nos caninos, nos molares;
o medo a tremer nos queixos,
a descer aos calcanhares;
o medo a abalar a terra,
o medo a toldar os ares;

o medo a entregar amigos
à sanha dos potentados;
a fazer das testemunhas
algozes dos acusados;
a comprar os ouvidores,
os escrivães e os soldados...

Vicente Vieira da Mota,
muitos são teus descendentes!
Tu, com o rico patrão salvo,
acusas o Tiradentes.
Mordem a carne do fraco
teus rijos, certeiros dentes!

Dentes de marfim talhado,
que tão bem feitos fazia,
dentes de víbora foram,

pela tua covardia.
Que poderosa peçonha
por dentro deles subia!

Entre os dentes o tomaste,
como animal carniceiro,
nome e fama lhe mordeste
— tu, cúmplice e companheiro,
sabendo que não se salva
quem não dispõe de dinheiro!

E os dentes com que o ferias
eram, afinal, os dentes
que na boca te puseram
as suas mãos diligentes.
(Isso é o que a mim mais me doera,
se eu fora o tal Tiradentes!)

Romance XLVII ou Dos seqüestros

As ordens já são mandadas,
já se apressam os meirinhos.
Entram por salas e alcovas,
relatam roupas e livros:
tantas casacas de seda,
e tantos lençóis de linho;
tantos calções, tantas véstias
com bordados de ouro fino;
tantas fronhas de babados

e voltas de pescocinho...
Tantos volumes de Horácio,
de Júlio César, de Ovídio...
Compêndios e dicionários,
e tratados eruditos
sobre povos, sobre reinos,
sobre invenções e Concílios...
E as sugestões perigosas
de França e Estados Unidos,
Mably, Voltaire e outros tantos,
que são todos libertinos...

As ordens já são mandadas,
já se apressam os meirinhos.
Retiram das prateleiras
porcelana, prata, vidro;
puxam gavetas de mesas,
remexem nos escaninhos;
arregalam grandes olhos
sobre vastos manuscritos.
Não ficam lençóis nas camas,
tudo é visto e revolvido.
Nas caixas de mantimentos,
contam cada grão de milho;
arrolam bules sem asa,
sem asa, tampa nem bico!
Tantos mapas, tantos quadros
com seus vidros e caixilhos...
Tantas facas, tantos garfos,
tantas meias, tantos cintos...

As ordens já são mandadas...
Já se apressam os meirinhos.
Pobres figuras odiosas,
curvadas a um vil serviço,
com suas penas rombudas
que estendem grossos rabiscos,
horas e horas dedicados
ao monótono exercício
de executar os seqüestros,
por duro dever de ofício.
Versos, idéias, estudos
são palavras sem sentido.

Pobres coisas desamadas
— lembranças, presentes, mimos...
O que foi gala e beleza
tomba no rol, sem prestígio...
Qual será maior desgraça:
a dos réus, com seu prejuízo,
ou a dos trastes sem dono
em morto papel perdidos?

Fala aos pusilânimes

Se vós não fôsseis os pusilânimes,
recordaríeis os grandes sonhos
que fizestes por esses campos,
longos e claros como reinos;
contaríeis vossas conversas

nos lentos caminhos floreados,
por onde os cavalos, felizes
com o ar límpido e a lúcida água,
sacudiam as crinas livres
e dilatavam a narina,
sorvendo a úmida madrugada!

Se vós não fôsseis os pusilânimes,
revelaríeis a ânsia acordada
à vista dos córregos de ouro,
entre furnas e galerias,
sob o grito de aves esplêndidas,
com a terra palpitante de índios,
e a vasta algazarra dos negros
a chilrear entre o sol e as pedras,
na fina aresta do cascalho.
Também pela vossa narina
houve alento de liberdade!

Se vós não fôsseis os pusilânimes,
confessaríeis essas palavras
murmuradas pelas varandas,
quando a bruma embaciava os montes
e o gado, de bruços, fitava
a tarde envolta em surdos ecos.
Essas palavras de esperança
que a mesa e as cadeiras ouviram,
repetidas na ceia rústica,
misturadas à móvel chama

das candeias que suspendíeis,
desejando uma luz mais vasta.

Se vós não fôsseis os pusilânimes,
hoje em voz alta repetiríeis
rezas que fizestes de joelhos
— súplicas diante de oratórios,
e promessas diante de altares,
suspiros com asas de incenso
que subiam por entre os anjos
entrelaçados nas colunas.
Aos olhos dos santos pasmados,
para sempre jazem abertos
vossos corações — negros livros.

Mas ai! fechastes vossas janelas,
e os escaninhos de móveis e almas...

Escrevestes curtas anônimas,
apontastes vossos amigos,
irmãos, compadres, pais e filhos...
Queimastes papéis, enterrastes
o ouro sonegado, fugistes
para longe, com falsos nomes,
e a vossa glória, nesta vida,
foi só morrerdes escondidos,
podres de pavor e remorsos!

Vistes caídos os que matastes,
em vis masmorras, forcas, degredos,

indicados por vosso punho,
por vossa língua peçonhenta,
por vossa letra delatora...
— só por serdes os pusilânimes,
os da pusilânime estirpe,
que atravessa a história do mundo
em todas as datas e raças,
como veia de sangue impuro
queimando as puras primaveras,
enfraquecendo o sonho humano
quando as auroras desabrocham!

Mas homens novos, multiplicados
de hereditárias, mudas revoltas,
bradam a todas as potências
contra os vossos míseros ossos,
para que fiqueis sempre estéreis,
afundados no mar de chumbo
da pavorosa inexistência.
E vós mesmos o quereríeis,
ó inevitáveis criminosos,
para que, odiados ou malditos,
pudésseis ter esquecimento...

Chega, porém, do profundo tempo,
uma infinita voz de desgosto,
e com o asco da decadência,
entre o que seríeis e fostes,
murmura imensa: "Os pusilânimes!"
"Os pusilânimes!" repete

o breve passante do mundo,
quando conhece a vossa história!

Em céus eternos palpita o luto
por tudo quanto desperdiçastes...
"Os pusilânimes!" — suspira
Deus. E vós, no fundo da morte,
sabeis que sois — os pusilânimes.
E fogo nenhum vos extingue,
para sempre vos recordardes!

Ó vós, que não sabeis do Inferno,
olhai, vinde vê-lo, o seu nome
é só — PUSILANIMIDADE.

Romance XLVIII ou Do jogo de cartas

Grandes jogos são jogados
entre a terra e o firmamento:
longas partidas sombrias,
por anos, meses e dias,
independentes do tempo...

Soldados e marinheiros,
camponeses e fidalgos,
ministros, gente da Igreja,
não há mais ninguém que esteja
fora dos vastos baralhos.

Batem as cartas na mesa,
na curva mesa da terra.
Partida sobre partida,
perde-se renome ou vida:
mas a perdição é certa.

Lá vêm corações em sangue,
lá vêm tenebrosos chuços:
defrontam-se ouros e espadas,
saltam coroas quebradas,
morrem culpados e justos.

Batem as cartas na mesa...
Cruzam-se naipes e pontos:
não se avista quem baralha
esta confusa batalha
de enigmas, quedas e assombros.

Grandes jogos são jogados.
E os silenciosos parceiros
não sabem, a cada lance,
que o jogo, fora de alcance,
pertence a dedos alheios.

Mesas de Queluz cobertas
de ouros, paus, espadas, copas...
(Minas, sangue, sofrimento...)
No baralho bate o vento
e o jogo segue outras voltas.

Romanceiro da Inconfidência

Romance XLIX ou de Cláudio Manuel da Costa

Que fugisse, que fugisse...
— bem lhe dissera o embuçado!
que não tardava a ser preso,
que já estava condenado,
que, os papéis, queimasse-os todos...
Vede agora o resultado:
mais do que preso, está morto,
numa estante reclinado,
e com o pescoço metido
num nó de atilho encarnado.

— Isso é o que conta o vizinho
que ouviu falar o soldado.
Mas do corpo ninguém sabe:
anda escondido ou enterrado?
Dizem que o viram ferido,
ferido, e não sufocado:
de borco em poça de sangue,
por um punhal traspassado.

— Dizem que não foi atilho
nem punhal atravessado,
mas veneno que lhe deram,
na comida misturado.
E que chegaram doutores,
e deixaram declarado
que o morto não se matara,
mas que fora assassinado.

E que o Visconde dissera:
"Dai-me outro certificado,
que aquele ficou perdido,
por um tinteiro entornado!"
E quem vai saber agora
o que se terá passado?

— Talvez o morto fosse outro,
em seu lugar colocado.
A sombra da noite escura
encobre muito pecado.
Talvez pelo subterrâneo
fosse ao Palácio levado...
Era homem de muitas luzes,
pelo povo respeitado;
Secretário do Governo,
que vivia em grande estado:
casa de trinta aposentos,
muito dinheiro emprestado,
e do velho João Fernandes,
dono do Serro, afilhado!

— Não creio que fosse morto
por um atilho encarnado,
nem por veneno trazido,
nem por punhal enterrado.
Nem creio que houvesse dito
o que lhe fora imputado.
Sempre há um malvado que escreva
o que dite outro malvado,

e por baixo ponha o nome
que se quer ver acusado...

Entre esta porta e esta ponte,
fica o mistério parado.
Aqui, Glauceste Satúrnio,
morto, ou vivo disfarçado,
deixou de existir no mundo,
em fábula arrebatado,
como árcade ultramarino
em mil amores enleado.

Romance L ou De Inácio Pamplona

Por aqui passou Pamplona,
homem de força e de orgulho.
Por aqui passou Pamplona,
grande pressa, cara alegre,
no dia 4 de julho.

Disse que fora mandado
a uns descobertos distantes.
Disse que fora mandado
lá para uma serra brava,
atrás de ouro e de diamantes.

Não porque ele o referisse,
mas toda a Vila sabia

— não porque ele o referisse
que se achara o Doutor Cláudio
morto, nesse mesmo dia.

Passou como um fugitivo,
e levava ao lado um vulto.
Passou como um fugitivo:
e talvez seu companheiro
fosse o Doutor Cláudio, oculto.

Quando os Ministros chegaram
para a Devassa, nas Minas,
quando os Ministros chegaram,
sua sombra se perdera
além daquelas colinas.

Por aqui passou Pamplona,
homem de força e de orgulho.
Por aqui passou Pamplona,
a falar em longas viagens,
no dia 4 de julho.

Mas ficara ali por perto...
Nem ouro nem serra brava...
Mas ficara ali por perto.
E a morte do Doutor Cláudio
ninguém, na Vila, explicava...

Romance LI ou Das sentenças

Já vem o peso do mundo
com suas fortes sentenças.
Sobre a mentira e a verdade
desabam as mesmas penas.
Apodrecem nas masmorras,
juntas, a culpa e a inocência.
O mar grosso irá levando,
para que ao longe se esqueçam,
as razões dos infelizes,
a franja das suas queixas,
o vestígio dos seus rastros,
a sua inútil presença.

Já vem o peso da morte,
com seus rubros cadafalsos,
com suas cordas potentes,
com seus sinistros machados,
com seus postes infamantes
para os corpos em pedaços;
já vem a Jurisprudência
interpretar cada caso
— e o Reino está muito longe
— e há muito ouro no cascalho
— e a Justiça é mais severa
com os homens mais desarmados.

Já vem o peso da usura,
bem calculado e medido.

Vice-reis, governadores,
chanceleres e ministros,
por serem tão bons vassalos,
não pensam mais nos amigos:
mas há muita barra de ouro,
secretamente, a caminho;
mas há pedras, mas há gado
prestando tanto serviço
que os culpados com dinheiro
sempre escapam aos castigos.

Já vem o peso da vida,
já vem o peso do tempo:
pergunta pelos culpados
que não passarão tormentos,
e pelos nomes ocultos
dos que nunca foram presos.
Diante do sangue da forca
e dos barcos do desterro,
julga os donos da Justiça,
suas balanças e preços.
E contra os seus crimes lavra
a sentença do desprezo.

Romance LII ou Do carcereiro

Isso é o que diz o embargo.
Mas eu, cá para mim,

acho que, nesta história,
ele vai ter mau fim.

A esse é que levarão,
pelas ruas afora,
com baraço e pregão.

Nunca lhe deram nada.
Quem lhe daria agora
perdão?

Nunca o escrivão escreve
o que a vítima diz.
Não tem lei nem justiça
quem nasceu infeliz.

A verdade não vem
defender acusados...
Não se entende ninguém.

Tudo isto é enredo grande,
e, por todos os lados,
falsidades se vêem.

A roda anda e desanda,
e não pode parar.
Jazem no fundo, as culpas:
morrem os justos, no ar.

Romance LIII ou Das palavras aéreas

Ai, palavras, ai, palavras,
que estranha potência, a vossa!
Ai, palavras, ai, palavras,
sois de vento, ides no vento,
no vento que não retorna,
e, em tão rápida existência,
tudo se forma e transforma!

Sois de vento, ides no vento,
e quedais, com sorte nova!

Ai, palavras, ai, palavras,
que estranha potência, a vossa!
Todo o sentido da vida
principia à vossa porta;
o mel do amor cristaliza
seu perfume em vossa rosa;
sois o sonho e sois a audácia,
calúnia, fúria, derrota...

A liberdade das almas,
ai! com letras se elabora...

E dos venenos humanos
sois a mais fina retorta:
frágil, frágil como o vidro
e mais que o aço poderosa!

Reis, impérios, povos, tempos,
pelo vosso impulso rodam...

Detrás de grossas paredes,
de leve, quem vos desfolha?
Pareceis de tênue seda,
sem peso de ação nem de hora...
— e estais no bico das penas
— e estais na tinta que as molha
— e estais nas mãos dos juízes
— e sois o ferro que arrocha
— e sois o barco para o exílio
— e sois Moçambique e Angola!

Ai, palavras, ai, palavras,
íeis pela estrada afora,
erguendo asas muito incertas,
entre verdade e galhofa,
desejos do tempo inquieto,
promessas que o mundo sopra...

Ai, palavras, ai, palavras,
mirai-vos: que sois, agora?

— Acusações, sentinelas,
bacamarte, algema, escolta;
— o olho ardente da perfídia,
a velar, na noite morta;
— a umidade dos presídios
— a solidão pavorosa;

— duro ferro de perguntas,
com sangue em cada resposta;
— e a sentença que caminha
— e a esperança que não volta
— e o coração que vacila
— e o castigo que galopa...

Ai, palavras, ai, palavras,
que estranha potência, a vossa!
Perdão podíeis ter sido!
— sois madeira que se corta
— sois vinte degraus de escada
— sois um pedaço de corda...
— sois povo pelas janelas
cortejo, bandeiras, tropa...

Ai, palavras, ai, palavras,
que estranha potência, a vossa!
Éreis um sopro na aragem...
— sois um homem que se enforca!

Romance LIV ou Do enxoval interrompido

Aqui esteve o noivo,
de agulha e dedal,
bordando o vestido
do seu enxoval.

Em maio, era em maio,
num maio fatal;
feneciam rosas
pelo seu quintal.
Por estrada e monte,
neblina total.
No perfil da lua,
um nimbo mortal.
(Mas quem lê na névoa
o amargo sinal?)

A noite na Vila
é densa e glacial.
O sono, embuçado
em cada beiral.
Quem não dorme, sonha
com seu enxoval.

A agulha, de prata,
e de ouro, o dedal.
Em haste de cera,
ergue o castiçal
para a turva noite
lírio de cristal.

"Sabeis, ó pastora,
daquele zagal
que andava num prado
sobrenatural?

Teria inimigo?
Teria rival?"

O sono conversa
em cada poial.

"Sabeis, ó pastora,
quem seja o chacal
que os passos arrasta
de longe arraial?

Eu vi sua língua:
é um negro punhal.
Que mortes fareja
o imundo animal?"

De prata era a agulha,
e de ouro, o dedal.
Em sonho traçava,
com doce espiral
de brilhantes flores,
novo madrigal.

"Sabeis, ó pastora,
por que o maioral
manda pôr algemas
no louro zagal
que tranqüilo borda
lírico enxoval?"

Estrela da aurora,
fonte matinal,
já vistes e ouvistes
desventura igual?
A agulha partiu-se.
Quebrou-se o dedal.
Romperam-se as flores
— a que vendaval?

"*Procurais os rastos
do infame chacal?
Sumiram-se embaixo
do trono real!*"

Soluçam as águas
em seu manancial.
E em sedas que foram
de seda e coral
vai rolando um triste
orvalho de sal.

"*Sabeis, ó pastora,
daquele zagal,
que agora não borda
seu rico enxoval?*"

Romance LV ou
De um preso chamado Gonzaga

Quem sabe o que pensa o preso
que todas as leis conhece,
e continua indefeso!

Aquele magistrado
que digno fora, e austero,
agora te aparece
criminoso. E pondero:
Tudo no mundo mente.
(Daqui nem ouro quero...)

Pode ser que assim falasse
e pode ser que corressem
lágrimas, por sua face.

No remoto Passado
fica o semblante vero
do que hoje aqui padece.
Mas não me desespero,
que a vida é sem Presente.
(Daqui nem ouro quero...)

Mas eram falas perdidas,
que havia léguas e léguas
de sua vida e outras vidas...

Inocente, culpado?
Enganoso? Sincero?
Por muito que o confesse,
o amor não recupero.
No entanto, ó surda gente,
daqui nem ouro quero...

Romance LVI ou
Da arrematação dos bens do Alferes

Arrematai o machinho
castanho rosilho! Custa
10 mil-réis: o que o algebrista
lhe pôs na avaliação.
Ai! corta rios e espinhos,
e já nada mais o assusta:
só ele sabe o que leva
na sua imaginação.

Arrematai as esporas,
com seu jogo de fivelas!
Pesam 39 oitavas
e uma pequena fração.
E ireis pelo mundo afora
aprumado em qualquer sela,
propalando a sanha brava
dessa história de traição.

Arrematai as navalhas
e a tabaqueira de chifre!
Neste corredor de trevas,
nossos passos aonde irão?
Feliz aquele que leve
um ponteiro que o decifre!
Arrematai-o! — Não falha
este relógio marcão.

Arrematai, juntamente,
esta bolsinha dos ferros:
por menos de 3 cruzados,
ficareis tendo a ilusão
de, por entre escuma e berro,
arrancar os duros dentes
a qualquer monstro execrando
ou peçonhento dragão!

Arrematai, sobretudo,
este pobre canivete.
São 30 réis, 30 apenas...
E com que satisfação
aparareis vossa pena!
Quem sabe em que papéis mudos
ela, a correr, interprete
esta vã conspiração.

E este espelho, surpreendido
por não sentir mais a cara
de entusiasmo, dor e espanto

daquele homem de paixão?
Arrematai-o! Um gemido,
que antes nunca se escutara,
e turvas gotas de pranto
em sua lâmina estão.

Arrematai a fivela
da volta do pescocinho,
que para sempre recorda
definitiva aflição!
Pois estão marcados nela
o sítio certo e o caminho
por onde cutelo e cordas
cumprem sua obrigação.

Arrematai essas horas
guardadas pelos ponteiros,
arrancadas ao seu dono,
rogando consumação!
Interrogai-as, agora
que os reis tremem nos seus tronos,
e os antigos prisioneiros
de cinza e de glória são.

Romance LVII ou Dos vãos embargos

"Este é o homem loquaz
e sem reputação,
sem créditos nem bens

que o tornassem capaz
de semelhante ação.

Só por indiscrição,
quiméricas idéias
proferiu — sem escolha
de tempo ou de lugar
— e pela condição
de temerário insano
que se deve perdoar.

Pois assim reza a Lei
desses imperadores
Teodósio, Arádio, Honório
— quanto àqueles que vão
maldizendo do Rei
por fúria da razão.

Ficava para trás,
por sério e desvalido,
em toda promoção.
Era um homem loquaz,
e quis fazer das Minas
uma grande Nação."

(Ninguém faz o que quer.
Ninguém sabe o que faz.
E os culpados quem são?)

Romance LVIII ou Da grande madrugada

Se já vai longe a alvorada,
então, por que tarda o dia?
Que negrume se levanta,
e com sua forma espanta
a luz que o mar anuncia?

Não é nuvem nem rochedo:
detende as rédeas ao medo!
— *É o negro Capitania.*

Olhai, vós, os condenados,
a grande sombra que avança:
livre de pasmo e alvoroço,
este é o que aperta o pescoço
aos réus faltos de esperança.

E, para gerais assombros,
ainda lhes cavalga os ombros,
e nos ares se balança!

Ah, não fecheis vossos olhos,
que hoje é tempo de agonia!
Lembrai-vos deste momento,
neste sinistro aposento
onde a morte principia!

Vede o mártir como fita
sereno a sua desdita
e o negro Capitania!

"Ó, permite que te beije
os pés e as mãos... Nem te importe
arrancar-me este vestido...
Pois também na cruz, despido,
morreu quem salva da morte!"

Vede o carrasco ajoelhado,
todo em lágrimas lavado,
lamentar a sua sorte!

Já vai o mártir andando,
cercado da clerezia.
Franjas, arreios dourados,
clarins, cavalos, soldados,
e uma carreta sombria,

que lhe vai seguindo os passos,
e onde há de vir em pedaços,
com o negro Capitania.

Ah, quanto povo apinhado
pelos morros e janelas!
Ouvidores e ministros
carregam perfis sinistros
no alto de faustosas selas.

Ondulam colchas ao vento
e — brancas de sentimento —
rezam donas e donzelas.

Ah, quantos degraus puseram
para a fúnebre alegria
de ver um morto lá no alto,
de assistir ao sobressalto
dessa afrontosa agonia!

E ver levantar-se o braço,
e ver pular pelo espaço
o negro Capitania!

"Nem por pensamento traias
teu Rei..." Mas, na grande praça,
há um silencioso tumulto:
grito do remorso oculto,
sentimento da desgraça...

Pára o tempo, de repente.
Fica o dia diferente.
E agora a carreta passa.

Romance LIX ou Da reflexão dos justos

Foi trabalhar para todos...
— e vede o que lhe acontece!
Daqueles a quem servia

já nenhum mais o conhece.
Quando a desgraça é profunda,
que amigo se compadece?

Tanta serra cavalgada!
Tanto palude vencido!
Tanta ronda perigosa,
em sertão desconhecido!
— E agora é um simples Alferes
louco — sozinho e perdido.

Talvez chore na masmorra.
Que o chorar não é fraqueza.
Talvez se lembre dos sócios
dessa malograda empresa.
Por eles, principalmente,
suspirará de tristeza.

Sábios, ilustres, ardentes,
quando tudo era esperança...
E, agora, tão deslembrados
até da sua aliança!
Também a memória sofre,
e o heroísmo também cansa.

Não choram somente os fracos.
O mais destemido e forte,
um dia, também pergunta,
contemplando a humana sorte,

se aqueles por quem morremos
merecerão nossa morte.

Foi trabalhar para todos...
Mas, por ele, quem trabalha?
Tombado fica seu corpo,
nessa esquisita batalha.
Suas ações e seu nome,
por onde a glória os espalha?

Ambição gera injustiça.
Injustiça, covardia.
Dos heróis martirizados
nunca se esquece a agonia.
Por horror ao sofrimento,
ao valor se renuncia.

E, à sombra de exemplos graves,
nascem gerações opressas.
Quem se mata em sonho, esforço,
mistérios, vigílias, pressas?
Quem confia nos amigos?
Quem acredita em promessas?

Que tempos medonhos chegam,
depois de tão dura prova?
Quem vai saber, no futuro,
o que se aprova ou reprova?
De que alma é que vai ser feita
essa humanidade nova?

Romance LX ou Do caminho da forca

Os militares, o clero,
os meirinhos, os fidalgos
que o conheciam das ruas,
das igrejas e do teatro,
das lojas dos mercadores
e até da sala do Paço;
e as donas mais as donzelas
que nunca o tinham mirado,
os meninos e os ciganos,
as mulatas e os escravos,
os cirurgiões e algebristas,
leprosos e encarangados,
e aqueles que foram doentes
e que ele havia curado
— agora estão vendo ao longe,
de longe escutando o passo
do Alferes que vai à forca,
levando ao peito o baraço,
levando no pensamento
caras, palavras e fatos:
as promessas, as mentiras,
línguas vis, amigos falsos,
coronéis, contrabandistas,
ermitões e potentados,
estalagens, vozes, sombras,
adeuses, rios, cavalos...

Ao longo dos campos verdes,
tropeiros tocando o gado...
O vento e as nuvens correndo
por cima dos montes claros.

Onde estão os poderosos?
Eram todos eles fracos?
Onde estão os protetores?
Seriam todos ingratos?
Mesquinhas almas, mesquinhas,
dos chamados leais vassalos!

Tudo leva nos seus olhos,
nos seus olhos espantados,
o Alferes que vai passando
para o imenso cadafalso,
onde morrerá sozinho
por todos os condenados.

Ah, solidão do destino!
Ah, solidão do Calvário...
Tocam sinos: Santo Antônio?
Nossa Senhora do Parto?
Nossa Senhora da Ajuda?
Nossa Senhora do Carmo?
Frades e monjas rezando.
Todos os santos calados.

(Caminha a Bandeira
da Misericórdia.

Caminha, piedosa.
Caísse o réu vivo,
rebentasse a corda,
que o protegeria
a santa Bandeira
da Misericórdia!)

Dona Maria I,
aqueles que foram salvos
não vos livram do remorso
deste que não foi perdoado...
(Pobre Rainha colhida
pelas intrigas do Paço,
pobre Rainha demente,
com os olhos em sobressalto,
a gemer: "Inferno... Inferno..."
com seus lábios sem pecado.)

    Tudo leva na memória
    o Alferes, que sabe o amargo
    fim do seu precário corpo
    diante do povo assombrado.

(Águas, montanhas, florestas,
negros nas minas exaustos...
— Bem podíeis ser, caminhos,
de diamantes ladrilhados...)
Tudo leva na memória:
em campos longos e vagos,
tristes mulheres que ocultam

seus filhos desamparados...
Longe, longe, longe, longe,
no mais profundo passado...
— pois agora é quase um morto,
que caminha sem cansaço,
que por seu pé sobe à forca,
diante daquele aparato...

Pois *agora é quase um morto,
partido em quatro pedaços,
e — para que Deus o aviste —
levantado em postes altos.*

*(Caminha a Bandeira
da Misericórdia.
Caminha, piedosa,
nos ares erguida,
mais alta que a tropa.
Da forca se avista
a Santa Bandeira
da Misericórdia.)*

Romance LXI ou Dos domingos do Alferes

Quando sua mãe sonhava,
como uma simples menina,
já falava nesse nome
DOMINGOS.

Domingos Xavier Fernandes,
que era o nome de seu pai.

Quando a menina dizia,
agora, já mulher feita,
DOMINGOS
— era Domingos da Silva
dos Santos. Outro Domingos.
Domingos com quem casou.

E quando, depois, sorria,
estudando para mãe,
DOMINGOS,
Domingos — ia dizendo.
E assim ao primeiro filho
Domingos chamou, também.

899

*Esse nome de Domingos
por toda parte o seguira.
DOMINGOS:
na infância ao longe deixada,
na adolescência perdida,
em todo tempo e lugar...*

— Ah, Domingos de Abreu Vieira,
quem batizará meu filho?
DOMINGOS!
Meu amigo poderoso,
as coisas vão levar volta,
quem sabe o que vou passar!

Romanceiro da Inconfidência

Domingos sobre domingos
nas folhas dos calendários:
DOMINGOS
— para a carta de Silvério,
para a subida à Cachoeira,
para a denúncia vocal...

Ai! de domingo em domingo,
chega ao caminho do Rio.
DOMINGOS!
Encontra Domingos Pires:
"Leva pólvora, Domingos,
que a venderás muito bem!"

Domingos conta a Domingos...
(É nome predestinado!)
DOMINGOS!
Já se desenrola a história...
Já vem da Vila à Cidade,
do Visconde ao Vice-Rei...

E, como vê sentinelas
sobre os seus passos rodarem,
DOMINGOS!
Sobe por aquela escada,
envolto na noite escura
como um criminoso vil.

E era a casa de Domingos,
na Rua dos Latoeiros:

DOMINGOS!
Entre as imagens de prata,
banquetas e crucifixos,
Domingos Fernandes Cruz.

Era a casa de Domingos...
e era em dia de domingo...
DOMINGOS!
— último dia de sonho,
que, agora, os domingos todos
são domingos de prisão.

Certa manhã tenebrosa,
no Campo de São Domingos,
DOMINGOS!
(Sempre o nome de Domingos)
lhe apontaram a alta forca
de vinte e cinco degraus.

E num dia de domingo
seus quartos foram salgados
DOMINGOS!
— despachados para os sítios
onde alguém o tinha ouvido
falar de conspiração...

Lá vai cortado em pedaços,
lá vai pela serra acima...
DOMINGOS:
Domingos Rodrigues Neves,

Romanceiro da Inconfidência

com os oficiais de justiça,
tranqüilamente o conduz.

Romance LXII ou Do bêbedo descrente

Vi o penitente
de corda ao pescoço.
A morte era o menos:
mais era o alvoroço.
Se morrer é triste,
por que tanta gente
vinha para a rua
com cara contente?

(Ai, Deus, homens, reis, rainhas...
Eu vi a forca — e voltei.
Os paus vermelhos que tinha!)

Batiam os sinos,
rufavam tambores,
havia uniformes,
cavalos com flores...
— Se era um criminoso,
por que tantos brados,
veludos e sedas
por todos os lados?

(Quando me respondereis?)

Parecia um santo,
de mãos amarradas,
no meio de cruzes,
bandeiras e espadas.
— Se aquela sentença
já se conhecia,
por que retardaram
a sua agonia?

(Não soube. Ninguém sabia.)

Traziam-lhe cestas
de doce e de vinho,
para ganhar forças
naquele caminho.
— Se era condenado
e iam dar-lhe morte,
por que ainda queriam
que morresse forte?

(Ninguém sabia. Não sei.)

Não era uma festa.
Não era um enterro.
Não era verdade
e não era erro.
— Então por que se ouvem
salmo e ladainha,
se tudo é vontade
da nossa Rainha?

(Deus, homens, rainhas, reis...
Que grande desgraça a minha!
— Nunca vos entenderei!)

Romance LXIII ou Do silêncio do Alferes

"Vou trabalhar para todos!"
— disse a voz no alto da estrada.
Mas o eco andava tão longe!
E os homens, que estavam perto,
não repercutiam nada...

"Bebamos, pois, ao futuro!"
— exclamara na pousada.
Todos beberam com ele,
todos estavam de acordo.
E agora não sabem nada.

"Levai bem pólvora e chumbo!"
— disse a voz aos da boiada.
Mas o rosilho passava,
e os homens riam-se dela,
sem lhe responderem nada.

"Quem me segue? Que me querem?"
— pergunta a voz espantada.
Mas o traidor escondido
e as sentinelas esquivas
não lhe esclarecem mais nada.

Já se afastam os amigos,
e já não tem mais amada.
Leva uma dobla no bolso,
leva uma estrela no sonho,
e uma tristeza sem nada.

("Ah se eu me apanhasse em Minas...")
— suspira a voz fatigada.
Mas largo é o rio na serra!
"Quem tivesse uma canoa..."
(Não servira para nada...)

*(Já vão subindo os algozes,
com duros passos na escada.
No bacamarte que empunha,
há quatro dedos de chumbo,
porém não dispara nada.*

*Tanto tempo na masmorra!
Tanta coisa mal contada!
Os outros têm privilégios,
amigos, ouro, parentes...
Só ele é que não tem nada.*

*E vós bem sabeis, ó Vilas,
e tu bem sabes, estrada,
quem galopava essa terra,
quem servia, quem sofria,
por quem não fazia nada!*

*Dizem que por sua língua
anda a terra emaranhada...
Pois quem quiser faça agora
perguntas sobre perguntas,
— que já não responde nada.*

*Já lhe vão tirando a vida.
Já tem a vida tirada.
Agora é puro silêncio,
repartido aos quatro ventos,
já sem lembrança de nada.)*

Romance LXIV ou De uma pedra crisólita

Dizem que saiu dessa casa
com uma crisólita na mão.
Era de noite, era já tarde,
era numa triste ocasião.
As sentinelas escutavam
seu passo pela escuridão.

Trazia de volta essa pedra
que não pôde ser lapidada.
Frustrada jóia — de quem era?
a quem seria destinada?
A morte sempre está com pressa,
e os anéis não lhe dizem nada...

Entrou pela sombra da rua
com o peso da pedra nos dedos.
E a cidade era muito escura,
e o tempo cheio de segredos,
e a noite era uma trama surda
de negras denúncias e medos.

Caminhou por ali acima,
sozinho, veemente, calado,
com sua crisólita fria
que tinha dentro um sol fechado.
E seguiu por aquela esquina,
com seu passo já condenado.

Dias depois é que foi preso,
entre uma parede e uma cama,
segundo os rigores do tempo
e os elos da noturna trama.
E rolou pelo esquecimento
sua crisólita sem chama.

Talvez nem crisólita fosse...
As pedras sempre enganam tanto!
Há muitos aleives na noite...
Havia espiões em cada canto...
(Às vezes, pela mão de um homem
podem brilhar gotas de pranto...)

Ele era o Alferes Tiradentes,
enforcado naquela praça:

Romanceiro da Inconfidência

muitas coisas não se compreendem,
tudo se esquece, o tempo passa...
Mas essa crisólita, sempre,
parece diamante sem jaça.

E era uma simples pedra fosca,
e ficou sem lapidação.
Quando se fala nela, a sombra
desfaz-se como cerração.
E sua luz bate no rosto
do homem que a levava na mão.

Cenário

*No jardim que foi de Gonzaga,
a pedra é triste, a flor é débil,
há na luz uma cor amarga.*

*Os espinhos selvagens crescem,
única sorte destas árvores
destituídas de primavera,
secas, na seca terra ingrata,
que é uma cinza de inúteis ervas
solta sob os pés de quem passa.*

*No jardim que foi de Gonzaga,
oscila o candeeiro sem lume,
apodrece a fonte sem água.
Longas aranhas fulvinegras*

flutuam nas moles alfombras
do antípoda universo aéreo.

Um flácido silêncio adeja
sobre esses restos de uma história
de sonho, amor, prisões, seqüestros,
degredos, morte, acabamento...

Vagas mulheres sem notícias,
pobres meninos inocentes
circulam por essas escadas,
pisam as folhas secas, mostram
portas de anil desmoronado...

A névoa que enche os aposentos
não vem do dia nem da noite:
vem da cegueira: ninguém sente
o ranger da pena, na sombra,
o luzir da seda das véstias,
à luz de altos caules de cera...

Ninguém vê nenhum livro aberto.
Ninguém vê mão nenhuma erguida,
com fios de ouro sobre o mundo,
para um bordado sem destino,
improvável e incompreensível
remate de fátuo vestido...

Apenas um cacho de rosas,
que nascem pálidas e murchas,

habita um desvão solitário,
quer falar, porque veio a custo
de antigas lágrimas guardadas
num chão sem ouro nem diamantes...

Mas inclina-se à tarde, ao vento,
e como um rosto humano morre,
sem dizer nada, inerme e triste,
ao peso do seu pensamento
— como acontece entre os amantes.

Romance LXV ou Dos maldizentes

910
— Ouves no papel a pena?
Agora, acumula embargos
à sentença que o condena
o que outrora, em altos cargos,
pelo mais breve conceito,
as rendas do Real Erário
revertia em seu proveito!

— Assim o destino é vário!
Grande fim para habitantes
de um país imaginário,
que falam por consoantes...
— E que usam nomes fingidos.
(Aquilo havia mistério
nas letras dos apelidos...)

— Tanto ler o Voltério...
— E se não fosse o ladino
capitão Joaquim Silvério!
— Assim é vário o destino:
negro, porém, é o desterro,
e há de arranjar palavreado
com que se lhe escuse o erro.

— Tanto impou de namorado!
E agora, quando se mira,
vê-se um mísero coitado...
(como lá diz numa lira...)
— Se nas águas se mirasse,
veria ralo o cabelo
e murcha e pálida, a face.

— Falta-lhe aquele desvelo
da sua pastora terna...
— Deveria socorrê-lo...
— ...a quem dará glória eterna!...
— Ai, que ricos libertinos!
Tudo era Inglaterra e França,
e, em redor, versos latinos...

— Já se lhes foi a esperança!
— Mas segue com seus embargos.
(Quem porfia, sempre alcança...)
— Os argumentos são largos.
— Que tem luzes, ninguém nega.

— *Mas são coisas da Fortuna,*
que bem se sabe ser cega...

— *Não lhe sendo a hora oportuna,*
perder-se-á tudo que alega.

Romance LXVI ou De outros maldizentes

A nau que leva ao degredo
apenas do porto larga,
já põem a pregão os trastes
que os desterrados deixaram.

— *Que fica daquele poeta*
Tomás Antônio Gonzaga?

— *Somente este par de esporas:*
um par de esporas de prata.
Por mais que se apure o peso,
não chega a quarenta oitavas!

(Nem terçados nem tesouras,
canivetes ou navalhas;
nada do ferro que corta,
nada do ferro que mata:
só as esporas que ensinam
o cavalo a abrir as asas...
Espelho? — para que rosto?
Relógio? — para que data?)

— Que fica, na fortaleza,
daquele poeta Gonzaga?

— Um par de esporas, somente.
Um par de esporas de prata.
E Vossa Mercê repare
que outras há, mais bem lavradas!

— Pelos modos, me parece
que lhe hão de fazer bem falta!

Dizem que tinha um cavalo
que Pégaso se chamava.
Não pisava neste mundo,
mas nos planaltos da Arcádia!

— Agora, agora veremos
como do cavalo salta!

— Entre pastores vivia,
à sombra da sua amada.
Ele dizia: "Marília!"
Ela: "Dirceu!" balbuciava...

—Já se ouviu mais tola história?

— Já se viu gente mais parva?

— Hoje não é mais nem sombra

dos amores que sonhava...
Anda longe, a pastorinha...
e agora já não se casa!

— Tanto amor, tanto desejo...
Desfez-se o fumo da fábula,
que isso de amores de poetas
são tudo aéreas palavras...

— Foi-se o monção da ventura,
chega o barco da desgraça.
Que deixa na fortaleza?
Um par de esporas de prata!

(Ai, línguas de maldizentes,
nos quatro cantos das praças!
Se mais deixasse, diriam
que eram roubos que deixava.
Ai, línguas, que sem fadiga
arquitetais coisas falsas!)

— Tanta seda que vestira!

— Tanto verso que cantara!

— Maior que César se via...

— Mais que Alexandre, pensava...

— Escorregou-se-lhe a sela...

— Restam-lhe cavalos d'água!

— Mais devagar, cavaleiro,
que vais dar contigo em África!

Puseram pregões agora.
Vamos ver quem arremata.

— Quem compra este par de esporas
que eram do poeta Gonzaga?

— Já ninguém sonha ir tão longe,
que hoje são duras escarpas
esses caminhos de flores
de antigos campos da Arcádia...

— Só deixou na fortaleza
o par de esporas de prata!

— Quem sabe se alcança terra?
Quem sabe se desembarca?
Anda a peste das bexigas
até na gente fidalga...

— Pois ia dar leis ao mundo!
Era o que as leis fabricava!
E o par de esporas não chega
nem a 39 oitavas.

— Para tão longa carreira,
vê-se que eram coisa fraca...

— Já lá vai pelo mar fora,
lá vai, com toda a prosápia,
o ouvidor e libertino
desembargador peralta...

(Ai de ti que hoje te firmas
no arção das ondas salgadas!
Segura a rédea de espuma,
Tomás Antônio Gonzaga.
Escapaste aqui da forca,
da forca e das línguas bravas;
vê se te livras das febres,
que se levantam nas vagas,
e vão seguindo o navio
com seus cintilantes miasmas...)

Romance LXVII ou Da África dos setecentos

Ai, terras negras d'África,
portos de desespero...
— quem parte, já vai cativo;
— quem chega, vem por desterro.

(Ai, terras negras d'África!
ai, litoral dos medos...)

Aqui falece a audácia
e chega a morte cedo:
que as febres são grandes barcas
movendo esbraseados remos...

(Aqui falece a audácia,
finda qualquer apelo...)

Ai, terras negras d'África,
selva de pesadelos!
Os presos lutam com os sonhos
como entre curvos espelhos...

(Ai, terras negras d'África,
noite grossa de enredos...)

Rolam de longe lágrimas
para o horizonte negro:
saudade — pena de morte
para cumprir-se em degredo.

(Rolam de longe lágrimas...
Quereis saber seu peso?)

Ai, terras negras d'África,
céu de angústia e segredo:
laje de sombra caída
sobre o suspiro dos presos!

Romance LXVIII ou De outro maio fatal

Era em maio, foi em maio,
sem calhandra ou rouxinol,
quando se acaba nos campos
da roxa quaresma a cor,
e às negras montanhas frias
vagaroso sobe o sol,
embuçado em névoa fina,
sem vestígio de arrebol.

Era em maio, foi por maio,
quando a ti, pobre pastor,
te vieram cercar a casa,
de prisão dando-te voz.

Iguais corriam as fontes,
como em dias de primor:
mas seu chorar, sob os liquens,
pareceria maior,
e em teus ouvidos iria
como suspiro de amor
— que o resto eram rudes ordens,
que o resto era o duro som
de algemas, patas e bulha
de mazombos e reinóis.

Era em maio, foi por maio,
sem calhandra ou rouxinol:
somente o correr das fontes

nos tanques largos da dor,
entre a fala dos amigos
e as palavras do traidor.
Saudoso sussurro d'água
nas pedras úmidas, por
onde os olhos dos cavalos
pousam como branda flor.

Adeus, adeus, Vila Rica,
onde é de ouro o próprio pó!
Adeus, que tudo nos tira
o bravo tempo agressor.
Adeus, que já vêm meirinhos
com seus papéis para o rol
dos seqüestros... Nada fica,
seja qual seja o valor.

Adeus, pontes sonolentas,
adeus, riachos torcidos,
de malsinado esplendor.
Adeus, montes levantados...
Voltarão meus passos, ou
dessas profundas masmorras
já não se volta, depois?
Veio maio, foi-se maio,
sem calhandra ou rouxinol.

As pedras das fortalezas
são as de pesada mó,
comprimindo, comprimindo

num desgraçado torpor
o coração contra o tempo
que o Amor faria veloz.

Ai, como ao pé destas penhas
roda o mar e escuma, triste,
com boca cheia de dó!
Noite e dia são pisados
pelo sinistro rumor
dos passos do carcereiro;
e em sonhos assoma a forma
indefinida do algoz.

Veio maio, foi-se maio,
sem calhandra ou rouxinol.
Apagou-se pelas matas
da quaresma a triste cor.
Quantos anos já passaram,
espelho desilusor?
O corpo sempre mais gasto,
sempre a saudade maior.
Quem sou, que me não conheço?
Já não me encontro: onde estou?
Onde é que ficava a Arcádia?
Que é feito do seu pastor?

Era em maio, foi por maio,
sem calhandra ou rouxinol,
depois da forca e da festa,
com soldados em redor.

Lá vai a nau pelos mares,
sem adeuses nem clamor.
(Este era o vento da alheta?
Quem o pudera supor!)
Que porto espera no Oriente
o réu que navega só,
com seu silêncio no peito,
e a angústia do que se foi?

*(Ouro nas Minas fechado,
dizem que és o causador
destes males, desta pena,
deste severo rigor...)*

Era em maio, foi por maio,
sem calhandra ou rouxinol:
quando choram as amadas
e blasona o delator.
Quando as ondas vão passando
e broslam, com seu lavor,
a quilha da nau que leva
para o degredo o Ouvidor.

Como tudo agora fica
tão separado de nós!
Os negros, pelo cascalho,
misturando ouro e suor;
nos jardins, o alto relógio
do amarelo girassol;
as fontes gorjeando às pedras

seu transparente frescor;
os santos falando aos anjos
nos canteiros do altar-mor;
as mulheres esvaídas
em silencioso estupor;
os homens mentindo aos homens,
entre canalhas e heróis.

Em maio! Fora por maio!
Mundo de fraco valor...
Quem de novo te salvara!
Mas ah! nem Deus te salvou...
Olhos d'água... fonte d'água...
Água do mar... Amargor.
Semana Santa na Vila.
O Mártir no seu andor...

(Por este mar de agonia
com minha cruz também vou.)

Romance LXIX ou Do exílio de Moçambique

Por terras de Moçambique,
quem passeia,
de cabeça descoberta,
sem sentir o que está perto,
desinteressado e alheio?
Vira a Sorte o leme rápido,

de repente:
sem mais rota que se explique.

Entre negros, tristes montes,
a morada
abre em sonhos a janela
e surge o semblante belo
que fora amado e cantado.
E ao som das águas esfumam-se,
tenuemente,
igrejas, cavalos, pontes...

Que clara lua desperta,
erma e pura,
sobre essa impossível casa?
Dize, Amor, qual é teu prazo?
Quem se fia no futuro?
Entre as mãos dos dias pálidos,
tudo mente.
Acabou-se a estrela certa.

E pode ser que se fique
exilado
para sempre, errante e calmo,
como um homem já sem nada,
que vai matando a memória,
que ainda o alente,
por terras de Moçambique.

E a lua longe atravessa,
entre igrejas,
a Vila de ouro e de espanto...
...ah! por onde ninguém canta
seus amores e desejos...
Assim branca a noite, e límpida!
Mas, no Oriente,
que negro dia começa?

Romance LXX ou Do lenço do exílio

Hei de bordar-vos um lenço
em lembrança destas Minas;
ramo de saudade, imenso...
lágrimas bem pequeninas.

       (Ai, se ouvísseis o que penso!)

Ai, se ouvísseis o que digo,
entre estas quatro paredes...
Mas o tempo é vosso amigo,
que não me ouvis nem me vedes.

       (Minha dor é só comigo.)

E esta casa é grande e fria,
com toda a sua nobreza.
Ai, que outra coisa seria,
se preso estais, ver-me presa.

(Porém tudo é covardia.)

Sei que ireis por esses mares.
Sonharei vosso degredo,
sem sair destes lugares,
por fraqueza, pejo, medo

(e imposições familiares.)

Hei de bordar tristemente
um lenço, com o que recordo...
A dor de vos ter ausente
muda-se na flor que bordo.

(Flor de angustiosa semente.)

Muito longe, em terra estranha,
se chorais por Vila Rica,
neste lenço de bretanha,
pensai no pranto que fica

(à sombra desta montanha!).

Romance LXXI ou De Juliana de Mascarenhas

Juliana de Mascarenhas,
que andas tão longe, a cismar,
levanta o rosto moreno,
lança teus olhos ao mar,

que já saiu barra afora,
grande e poderosa nau,
Senhora da Conceição,
Princesa de Portugal.
Vai para o degredo um homem
que breve irás encontrar
— claros olhos de turquesa,
finos cabelos de luar.

Vai para o degredo um poeta
que se não pôde livrar
de Vice-Reis e Ministros
e Capitão-General.
E era a flor do nosso tempo!
E era a flor deste lugar!

Lá se vai por essas ondas,
por essas ondas se vai.
Seca-lhe o vento nos olhos
perolazinhas de sal;
seca-lhe o tempo no peito
sua força de cantar;
as controvérsias dos homens
secam-lhe no lábio os ais;
e as saudades e os amores
não sabe o que os fez secar.

Juliana de Mascarenhas,
distante rosa oriental,
estende os teus negros olhos

por essas praias do mar:
vê se já não vai baixando,
vê se já não vai baixar,
dentre as velas, dentre as cordas,
dentre as escadas da nau,
aquele que vem de longe,
aquele que a sorte traz
— quem sabe, para teu bem,
— quem sabe, para seu mal...

Ai, terras de Moçambique,
ilha de fino coral,
prestai atenção às falas
que vão correndo pelo ar:

"Aquele é o que vem de longe,
que se mandou degredar?
Por três anos as masmorras
o viram, triste, a pensar.
Os amigos que tivera,
amigos que não tem mais,
foram para outros degredos;
— Deus sabe quem voltará!
A donzela que ele amava
entre lavras de ouro jaz;
na grande arca do impossível
deixou dobrado o enxoval,
uma parte, já bordada,
outra parte, por bordar.

Muito longe é Moçambique...
— Que saudade a alcançará?"

Juliana de Mascarenhas,
Deus sempre sabe o que faz:
põe teu vestido de tisso,
bracelete, anel, colar.
Mais do que Marília, a bela,
poderás aqui brilhar.
Vem ver este homem tranqüilo
que mandaram degredar.

Imaginária serenata

Vejo-te passando
por aquela rua
mais aquele amigo
que encontraram morto.
E pergunto quando
poderei ser tua,
se vens ter comigo,
de tão negro porto.

Ah, quem põe cadeias
também nos meus braços?
Quem minha alma assombra
com tanto perigo?
Em sonho rodeias
meus ocultos passos.

Ouve a tua sombra
o que, longe, digo?

Vejo-te na igreja,
vejo-te na ponte,
vejo-te na sala...
Todo o meu castigo
é que não me veja,
também, no horizonte.
Que ouça a tua fala
sem me ver contigo.

Na minha janela
pousa a luz da lua.
Já não mais consigo
descanso em meu sono.
Pela noite bela,
o amor continua.
Deita-me consigo
aos pés do seu dono.

Romance LXXII ou De maio no Oriente

Em maio, outra vez em maio,
depois de anos de terror.
Não mais guardas nem correntes
de ordem do Governador;
não mais, por serras e bosques,
longo caminho de dor;

não mais escuras masmorras,
não mais perguntas de algoz;
não mais a nau do degredo,
não mais o tempo anterior.
— Juliana de Mascarenhas
desposa o antigo Ouvidor.

*Pela Sé de Moçambique
murmuram a meia-voz;
"Não tinha amor... Nunca o teve...
Loucura que já passou.
Tudo eram sonhos de Arcádia,
ilusões da vida em flor...
Palavras postas em verso,
doce, melodioso som...
Festival em prados verdes
com o ouro a crescer ao sol."*

Em maio, outra vez em maio,
depois de anos de terror.
Juliana de Mascarenhas
levantou-se do altar-mor.
Sobre os Santos Evangelhos,
o antigo noivo jurou.
(É certo que hoje está sendo
alguém que outrora não foi.
O coração que já teve,
quem lho tirou e onde o pôs?)

*Eis que a voz murmuradeira
recomeça o seu rumor:*

"Como era aquele vestido
que com sua mão bordou?
Todo de cetim precioso
recamado de esplendor?
O dedal com que o bordava
no seqüestro se encontrou!"

Mas outros vão respondendo
à murmuradeira voz:
"Bordado só de quimeras,
com suspiros em redor..."
"Dizem que muito pesava
tão portentoso lavor..."

"Ai, pesava como ferro,
e era tudo vento e pó!"

Em maio, outra vez em maio,
quando o mundo é todo amor!

Maio que vais e que voltas,
quanto tempo já passou!
Pelas Minas enganosas,
quem soluçará de dor?

Levantai-vos, negros montes,
faze-te, oceano, maior!
— Tomás Antônio Gonzaga,
longe, no exílio, casou.

Romance LXXIII ou Da inconformada Marília

Pungia a Marília, a bela,
negro sonho atormentado:
voava seu corpo longe,
longe, por alheio prado.
Procurava o amor perdido,
a antiga fala do amado.
Mas o oráculo dos sonhos
dizia a seu corpo alado:
"Ah, volta, volta, Marília,
tira-te desse cuidado,
que teu pastor não se lembra
de nenhum tempo passado..."
E ela, dormindo, gemia:
"Só se estivesse alienado!"

Entre lágrimas se erguia
seu claro rosto acordado.
Volvia os olhos em roda,
e logo, de cada lado,
piedosas vozes discretas
davam-lhe o mesmo recado:
"Não chores tanto, Marília,
por esse amor acabado:
que esperavas que fizesse
o teu pastor desgraçado,
tão distante, tão sozinho,
em tão lamentoso estado?"

A bela, porém, gemia:
"Só se estivesse alienado!"

E a névoa da tarde vinha
com seu véu tão delicado
envolver a torre, o monte,
o chafariz, o telhado...
Ah, quanta névoa de tempo
longamente acumulado...
Mas os versos! Mas as juras!
Mas o vestido bordado!
Bem que o coração dizia
— coração desventurado —
"Talvez se tenha esquecido..."
"Talvez se tenha casado..."
Seu lábio, porém, gemia:
"Só se estivesse alienado!"

Romance LXXIV ou Da Rainha prisioneira

Ai, a filha da Marianinha!
Ai, a neta do Rei D. João!
— suave princesa de mãos postas,
resplandecente de oração...
Que lindas letras desenhava
a sua delicada mão:
grandes verticais majestosas,
curvas de tanta mansidão!
MARIA — nome de esperança,

MARIA — nome de perdão
— a melancólica princesa
livre de toda ostentação,
que há de subir a um trono amargo,
como todos os tronos são!

A que crescera entre as intrigas
de validos, nobres, criados,
a que conversara com os santos,
a que detestara os pecados!
A que soube de tanto sangue,
por engenhos de altos estrados,
quando a nobreza sucumbia,
nos fidalgos esquartejados!
A que vira o pasmo do povo
e a estupefação dos soldados...

A que, amarrada em seus protestos,
pusera silenciosos brados
em grandes lágrimas abertas
nos olhos, para o céu voltados...

A que um dia fora aclamada,
envolta em vestes lampejantes,
onde o que não fosse ouro e prata
era de flores de brilhantes...
A que de olhos tristes mirara
paisagens, multidões, semblantes,
sentindo a turba alucinada,
em vãos transportes delirantes,

sabendo que reis e reinados
são sempre penosos instantes...
A que em missal e crucifixo
a mão pousara, e aos circunstantes
fizera ouvir seu juramento,
sob estandartes palpitantes!

A que mandara abrir masmorras,
a que desprendera correntes,
a que escutara os condenados
e libertara os inocentes;
a que aos sofredores antigos
levara consolos urgentes;
a que salvava os desvalidos,
a que socorria os doentes;
a que dava a comer aos pobres
com suas próprias mãos clementes;
a que chorava pelas culpas
de seus mortos impenitentes,
e suplicava a Deus piedade
para seus ilustres parentes!...

A que se preservara isenta
sobre os desencontros humanos:
sem soldados e sem navios,
entre os irados soberanos
de Espanha, de França e Inglaterra
e os rebeldes americanos
— com os olhos além deste mundo,
nessa evasão de meridianos

Romanceiro da Inconfidência

que não compreendem os ministros
— e muito menos os tiranos —
de quem vê na terra a falência
de todos os mortais enganos...
A que achava, no ódio, o pecado.
A que achava, na guerra, os danos...

A que tentara erguer-se a esferas
de Arte, de Ciência e Pensamento...
A que ao serviço de seu povo
dedicara cada momento...
A que se acreditara livre
de qualquer decreto sangrento...
— quando os horizontes moviam
grandes ondas de roxo vento;
— quando em cada livro se abriam
outras leis e outro ensinamento;
— quando o tempo da realeza,
em súbito baque violento,
desabava das guilhotinas,
sobre um grosso mar de tormento.

Ei-la, sem pai, marido, filhos,
confessor, — ninguém — acordada
em seu Palácio, à densa noite
erguendo voz desesperada,
perguntando pelos seus mortos,
pela sua ardente morada...
Ei-la a sentir o Inferno vivo,
a família toda abrasada,

e os Demônios com rubros garfos,
esperando a sua chegada.
E seu corpo já transparente,
e já dentro dele mais nada.
E os corcéis da Morte e da Guerra
a escumarem na sua escada.

Ei-la, a estender pelas paredes
sua desvairada figura...
A que, embora piedosa e meiga,
pelo poder da desventura,
degredava e matava — longe —
com sua clara assinatura...
Ei-la aos gritos, à sombra verde
dos jardins de aquosa frescura.
Clamam por ela Inconfidentes
que a funda masmorra tortura.
E ela clama aos ares esparsos...
E a Liberdade que procura
é por flutuantes horizontes,
no fusco império da loucura.

Ai, a neta de D. João Quinto,
filha de D. José Primeiro,
presa em muros de fúria brava,
mais do que qualquer prisioneiro!
— Terras de Angola e Moçambique,
mais doce é o vosso cativeiro!
— Transparentes, vossas paredes,
prisões do Rio de Janeiro!

Ai, que a filha da Marianinha
jaz em cárcere verdadeiro,
sem grade por onde se aviste
esperança, tempo, luzeiro...
Prisão perpétua, exílio estranho,
sem juiz, sentença ou carcereiro...

Fala à Comarca do Rio das Mortes

Onde, o gado que pascia
e onde, os campos e onde, as searas?
Onde a maçã reluzente,
ao claro sol que a dourava?
Onde, as crespas águas finas,
cheias de antigas palavras?
Onde, o trigo? Onde, o centeio,
na planície devastada?
Onde, o girassol redondo
que nas cercas se inclinava?
Mesmo as pedras das montanhas
parecem podres e gastas.
As casas estão caindo,
muito tristes, abraçadas.
As cores estão chorando
suas paredes tão fracas,
e as portas sem dobradiças,
e as janelas sem vidraças.

*Já desprendidos do tempo,
assomam pelas sacadas,
que oscilam soltas ao vento,
velhos de nublosas barbas.
Não se sabe se estão vivos,
ou se apenas são fantasmas.
Já são pessoas sem nome,
quase sem corpo nem alma.*

*As ruas vão-se arrastando,
extremamente cansadas,
com suas saias escuras
todas de lama, na barra.
Ai, que lenta morte, a sua,
lenta, deserta e humilhada...
(Um céu de azul silencioso
muito longe bate as asas.)*

*Onde, os canteiros de flores
e as fontes que os refrescavam?
Onde, as donas que subiam,
para a missa, estas escadas?
Onde, os cavalos que vinham
por essas verdes estradas?
Onde, o Vigário Toledo
com seus vários camaradas?
E as cadeiras de cabiúna,
que se viam nesta sala?
E os seus brilhantes damascos,
de ramagens encarnadas?*

Onde, as festas? Onde, os vinhos?
Onde, as temerárias falas?

"Qual de nós vai ser Rainha?"
"E qual de nós vai ser Papa?"
Onde, o brilho dos fagotes?
Onde, as famosas bravatas?

Onde, os lábios que sorriam?
Onde, os olhos que miravam
as pinturas destes tetos,
agora quase apagadas?
Dona Bárbara Eliodora,
falai!... (Quem vos escutara!)
Dizei-me, do Norte Estrela,
onde assistem vossas mágoas!

Vinde, coronéis, doutores,
com vossas finas casacas,
respirai! — que já vai longe
a vossa vida passada.
Falai de leis e de versos,
e de pastores da Arcádia!

Mas que fizeram das mesas
onde outrora se jogava?
Livros de França e Inglaterra,
por onde será que os guardam?

Quem falou de povos livres?
Quem falou de gente escrava?
A Gazeta de Lisboa
pelo vento foi rasgada.

Cantai, pássaros da sombra,
sobre as esvaídas lavras!
Cantai, que a noite se apressa
pelas montanhas esparsas,
e acendem os vaga-lumes
suas leves luminárias,
para imponderáveis festas
nas solidões desdobradas.

Onde, ó santos, vossos olhos,
por esta igreja encantada,
com paredes de ouro puro
e longas franjas de lágrimas?

(Era de seda vermelha
o sobrecéu que o velava:
no seu catre com pinturas,
de cabeceira dourada,
dormia o Padre Toledo...

A mesma fonte cantava.
O céu tinha a mesma lua
— grande coroa de prata.
Há dois séculos dormia.
Há dois séculos sonhava...

Olhos de ler o Evangelho,
pelas minas se alongavam;
mãos de tocar sacrifícios
desciam pelas gupiaras...
Rios de ouro e de diamante
de seus ombros deslizavam...
— Que era paulista soberbo,
paulista de grande raça,
mação, conforme o seu tempo,
e a alegoria pintara
das leis dos Cinco Sentidos
nos tetos de sua casa...

Dormia o Padre Toledo...

— Que negros vultos cortaram
seus grandes sonhos altivos,
quando neles cavalgava,
de cruz de Cristo no peito
e armas debaixo da capa?

Nos seus altares, os santos,
pensativos, o esperavam.)

Onde estão seus vastos sonhos,
ó cidade abandonada?
De onde vinham? Para onde iam?
Por onde foi que passaram?

Romance LXXV ou De Dona Bárbara Eliodora

Há três donzelas sentadas
na verde, imensa campina.
O arroio que passa perto,
com palavra cristalina,
ri-se para Policena,
beija os dedos de Umbelina;
diante da terceira, chora,
porque é Bárbara Eliodora.

Córrego, tu por que sofres,
diante daquela menina?
Semelha o cisne, entre as águas;
na relva, é igual à bonina;
a seus olhos de princesa
o campo em festa se inclina:
vê-la é ver a própria Flora,
pois é Bárbara Eliodora!

*(Donzela de tal prosápia,
de graça tão peregrina,
oxalá não merecera
a aflição que lhe destina
a grande estrela funesta
que sua face ilumina.
Fôsseis sempre esta de agora,
Dona Bárbara Eliodora!*

Mas a sorte é diferente
de tudo que se imagina.
E eu vejo a triste donzela,
toda em lágrimas e ruína,
clamando aos céus, em loucura,
sua desditosa sina.
Perde-se quanto se adora,
Dona Bárbara Eliodora!)

Das três donzelas sentadas
naquela verde campina,
ela era a mais excelente,
a mais delicada e fina.
Era o engaste, era a coroa,
era a pedra diamantina...
Rolaram sombras na terra,
como súbita cortina.

Partiu-se a estrela da aurora:
Dona Bárbara Eliodora!

Romance LXXVI ou Do ouro fala

Ouro Fala.

Ouro vem à flor da terra,
Dona Bárbara Eliodora!
Como as rainhas e as santas,
sois toda de ouro, Senhora!

Ouro Fala.

Sois mais que a do Norte estrela
e que o diadema da Aurora!

Ouro Fala.

Trezentos negros nas catas,
mal a manhã principia.
Grossas mãos entre o cascalho,
pela enxurrada sombria.

Ouro Fala.

Mirai nos altos espelhos
vossa clara fidalguia!

Ouro Fala.

Sob altivos candelabros,
cintilais com criatura
a quem devia ser dado
o gosto só da ventura.

Ouro Fala.

(Laços de ouro nas orelhas,
no pescoço e na cintura.)

Ouro Fala.

Nos longos canais abertos,
ouro fala, ouro delira...
Por causa da fala do ouro,
deixa-se a balança e a lira.

Ouro Fala.

Mas, nas lavras do Ouro Fala,
o ouro fala e o ouro conspira.

Ouro Fala.

Muito além das largas minas,
há um sítio que é só segredo,
sem pessoas, sem palavras,
sem qualquer humano enredo...

Ouro Fala.

Ai, Coronel Alvarenga,
lá chegareis muito cedo.
(Não cuideis seja a masmorra...
Não cuideis seja o degredo...)

Ouro Fala.

Ouro fala... Ouro falavam
de mais longe a Morte e o Medo...

Romance LXXVII ou
Da música de Maria Ifigênia

Ecos do Rio das Mortes,
repeti com doce agrado
o exercício mal seguro
que anda naquele teclado.
Duas mãozinhas pequenas
procuram de cada lado
o sigiloso caminho
que está na solfa indicado.
Ai, como parece certo!...
E como vai todo errado...

Ecos do Rio das Mortes,
este som desafinado,
este nervoso manejo,
têm destino assinalado.
Triste menina, a que estuda
com tão penoso cuidado...
Tratada como Princesa,
para que estranho reinado?
Vai ver sua mãe demente,
vai ver seu pai degredado...

Ecos do Rio das Mortes,
são mais felizes, no prado,
o vento, em redor das flores,
a luz, em redor do gado,
o arroio que canta espumas

em suas lajes deitado...
E os brancos pombos redondos,
em cada curvo telhado;
e os ruidosos papagaios
gaguejando seu recado...

Ecos do Rio das Mortes,
recordai com doce agrado
o exercício vagaroso
que em breve será parado.
Frágeis dedos, tênues pulsos,
qual será vosso pecado?
Antes fôsseis cavalinhos
em trevo fino e orvalhado;
antes fôsseis borboletas
no horizontal descampado.

Ecos do Rio das Mortes,
nesse piano do passado
fica uma infância perdida,
um trabalho inexplicado.

Mãos de Maria Ifigênia,
fantasma inocente e alado...
— vosso compasso perdeu-se
por um tempo desgraçado...

(Ébano e marfim, que fostes?
Cemitério delicado.)

Romance LXXVIII ou De um tal Alvarenga

Veio por mar tempestuoso
a residir nestas Minas:
poeta e doutor, manejava,
por igual, as Leis e as rimas.
Desposara uma donzela
que era a flor destas campinas.

Andava por suas lavras
— como eram grandes e ricas!
Mas o ouro, que altera os homens,
deixa as vidas intranqüilas,
levava-o por esses montes,
a sonhar por essas Vilas...

Em salas, ruas, caminhos,
foram ficando dispersas
as histórias que sonhava
— e iam sendo descobertas
as mais longínquas palavras
das suas vagas conversas.

E por inveja e por ódio,
confusão, perversidade,
foi preso e metido em ferros.
Um homem de Leis e de Arte
foi preso só por ter sonhos
acerca da Liberdade.

E sua mulher tão bela,
e sua mulher tão nobre,
Bárbara — que ele dizia
a sua Estrela do Norte,
nem lhe dirigia a vida
nem o salvava da morte.

A morte foi muito longe,
numa negra terra brava.
Tinha tido tal nobreza,
tanto orgulho, tantas lavras!
E agora, do que tivera,
a vida, só, lhe restava.

Assim dele murmuravam
os soldados, no degredo,
sabendo quem dantes fora
e quem ficara, ao ser preso
— tão tristemente covarde
que só causava desprezo.

Era ele o tal Alvarenga,
que, apagada a glória antiga,
rolava em chãos de masmorra
sua sorte perseguida.
Fechou de saudade os olhos.
Deu tudo o que tinha: a vida.

Romance LXXIX ou
Da morte de Maria Ifigênia

Se o Brasil fosse um reinado,
poderia ser princesa
— tal era a sua linhagem.
Mas seu campo andava em luto,
e era seu reino a tristeza.

O cavalo que a levava
por arredondados montes
que viu, nos olhos de espanto,
nas negras terras de Ambaca,
sobre exaustos horizontes?

(Melhor que a desgraça é a morte.
Melhor que o opaco futuro.
E entre a vida e a morte, apenas
um salto — da terra de ouro
ao grande céu, puro e obscuro!)

E uma pequena amazona
perde a sua humanidade:
— para além de réus e culpas,
de sentenças, de seqüestros,
e da própria Liberdade.

Romance LXXX ou
Do enterro de Bárbara Eliodora

Nove padres vão rezando
— e com que tristeza rezam! —
atrás de um pequeno vulto,
mirrado corpo, que levam
pela nave, além das grades,
e ao pé do altar-mor enterram.

Dona Bárbara Eliodora,
tão altiva e tão cantada,
que foi Bueno e foi Silveira,
dama de tão alta casta
que em toda a terra das Minas
a ninguém se comparara,

lá vai para a fria campa,
já sem nome, voz nem peso,
entre palavras latinas,
velas brancas, panos negros
— lá vai para as longas praias
do sobre-humano degredo.

Nove padres vão rezando...
(Dizei-me se ainda é preciso!...
Fundos calabouços frios
devoraram-lhe o marido.
Quatro punhais teve n'alma,
na sorte de cada filho.

E, conforme a cor da lua,
viram-na, exaltada e brava,
falar às paredes mudas
da casa desesperada,
invocar Reis e Rainhas,
clamar às pedras de Ambaca.)

Ela era a Estrela do Norte,
ela era Bárbara, a bela...
(Secava-lhe a tosse o peito,
queimava-lhe a febre a testa.)
Agora, deitam-na, exausta,
num simples colchão de terra.

Nove padres vão rezando
sobre seu pálido corpo.
E os vultos já se retiram,
e a pedra cobre-lhe o sono,
e os missais já estão fechados
e as velas secam seu choro.

Dona Bárbara Eliodora
toma vida noutros mundos.
Grita a amigos e parentes,
quer saber de seus defuntos:
ronda igrejas e presídios,
fala aos santos mais obscuros.

Transparente de água e lua,
velha poeira em sonho de asa,

Dona Bárbara Eliodora
move seu débil fantasma
entre o túmulo e a memória:
mariposa na vidraça.

Nove padres já rezaram.
Já vão longe, os nove padres.
Uma porta vai rodando,
vão rodando grossas chaves.
Fica o silêncio pensando,
nessa pedra, além das grades.

Retrato de Marília em Antônio Dias

*(Essa, que sobe vagarosa
a ladeira da sua igreja,
embora já não mais o seja,
foi clara, nacarada rosa.*

*E seu cabelo destrançado,
ao clarão da amorosa aurora,
não era esta prata de agora,
mas negro veludo ondulado.*

*A que se inclina pensativa,
e sobre a missa os olhos cerra,
já não pertence mais à terra:
é só na morte que está viva.*

Contemplam todas as mulheres
a mansidão das suas ruínas,
sustentada em vozes latinas
de réquiens e de misereres.

Corpo quase sem pensamento,
amortalhado em seda escura,
com lábios de cinza murmura
"memento, memento, memento...",

ajoelhada no pavimento
que vai ser sua sepultura.)

Cenário

(Sentada estava a Rainha,
sentada em sua loucura.
Que sombras iam passando,
naquela memória escura?
Vagas espumas incertas
sobre afogada amargura...)

Andaram por estas casas
tristes réus que já morreram...
Longas lágrimas banharam
as pedras desta Cadeia.
Uma ferrugem de insônias
desgastava as fortalezas.

Daquele lado, elevaram
forca de grossas madeiras...
Choraram por estes ares
os sinos destas igrejas.
E houve séquito e carrasco...
E as ruas ainda se lembram...

E o retrato da Rainha,
por entre luzes acesas,
pairava sobre a agonia
daquelas inquietas cenas:
Ela — a imagem da Justiça!
Ela — a imagem da Clemência!

Naus de nomes venturosos,
navegando entre estas penhas,
buscaram terras de exílios,
com febres nas águas densas.
Homens que dentro levavam
iam para eterna ausência.

Por detrás daqueles morros,
por essas lavras imensas,
ouro e diamantes houvera...
— e agora só decadência,
e florestas de suspiros,
e campinas de tristeza...

(Sentada estava a Rainha,
sentada, a olhar a cidade.

Quando fora, tudo aquilo?
Em que lugar? Em que idade?
Vassalos, mas de que reino?
Reino de que Majestade?)

Romance LXXXI ou Dos ilustres assassinos

Ó grandes oportunistas,
sobre o papel debruçados,
que calculais mundo e vida
em contos, doblas, cruzados,
que traçais vastas rubricas
e sinais entrelaçados,
com altas penas esguias
embebidas em pecados!

Ó personagens solenes,
que arrastais os apelidos
como pavões auriverdes
seus rutilantes vestidos
— todo esse poder que tendes
confunde os vossos sentidos:
a glória, que amais, é desses
que por vós são perseguidos.

Levantai-vos dessas mesas,
saí das vossas molduras,
vede que masmorras negras,
que fortalezas seguras,

que duro peso de algemas,
que profundas sepulturas
nascidas de vossas penas,
de vossas assinaturas!

Considerai no mistério
dos humanos desatinos,
e no pólo sempre incerto
dos homens e dos destinos!
Por sentenças, por decretos,
pareceríeis divinos:
e hoje sois, no tempo eterno,
como ilustres assassinos.

Ó soberbos titulares,
tão desdenhosos e altivos!
Por fictícia austeridade,
vãs razões, falsos motivos,
inutilmente matastes:
— vossos mortos são mais vivos;
e, sobre vós, de longe, abrem
grandes olhos pensativos.

Romance LXXXII ou
Dos passeios da Rainha louca

Entre vassalos de joelhos,
lá vai a Rainha louca,
por uma cidade triste

que já viu morrer na forca
ai, um homem sem fortuna
que falara em Liberdade...

Batedores e lacaios,
camarista, cavaleiros,
segue toda a comitiva,
nesses estranhos passeios
que oxalá fossem felizes
para Sua Majestade.

Colinas de esquecimento,
praias de ridentes águas,
palmas, flores, nada esconde
aquelas visões amargas
que noite e dia a Rainha
cercam de horror e ansiedade.

Ai, parentes, ai, ministros,
ai, perseguidos fidalgos...
Ai, pobres Inconfidentes,
duramente condenados
por que sombria sentença,
alheia à sua vontade!

"Vou para o Inferno!" — murmura.
"Já estou no Inferno!" "Não quero
que o Diabo me veja!"... — clama.
(É sobre chamas do Inferno

que rola a dourada sege,
com grande celeridade...)

Do cetro já não se lembra,
nem de mantos nem coroas,
nem de serenins do Paço,
nem de enterros nem de bodas:
só tem medo do Demônio,
de seu fogo sem piedade.

Toda vestida de preto,
solto o grisalho cabelo,
escondida atrás do leque,
velhinha, a chorar de medo,
Dona Maria Primeira
passeia pela cidade.

Romance LXXXIII ou Da Rainha morta

Ah! nem mais rogo nem promessa
nem procissão nem ladainha:
somente a voz do sino grande
que brada: "Está morta a Rainha!"
Ai, a neta de D. João Quinto!
Ai, a filha da Marianinha!
Tão gasta pela idade, apenas
a amarga loucura a sustinha.

E eram ecos da artilharia,
dos navios, das fortalezas...
Bandeiras tristes, vasto pranto
de criados, fidalgos, princesas...
No altar, a cruz a abrir os braços
para a miséria das grandezas.
Em redor da cama, os tocheiros,
com chorosas tochas acesas.

Ordens de Cristo, Avis, São Tiago,
cobrindo-lhe o negro vestido.
Manto de veludo encarnado,
de estrelas de ouro guarnecido.
O braço esquerdo, sobre o peito,
o outro, nas sedas estendido:
e toda a corte prosternada,
nesse beija-mão comovido.

Em caixões de lhama e de chumbo
foi seu velho corpo guardado.
Mil perfumes o socorriam,
para manter-se embalsamado.
E o resto eram franjas e borlas
e veludo preto agaloado
e o cetro e a coroa marcando
o fim de um trágico reinado.

Era o clero, a nobreza, o povo
e, entre aspersões e responsórios,
estolas, reverências, velas,

a oscilação dos incensórios.
E cavalos de mantas pretas
levando a vagos territórios
um pequeno corpo sozinho,
perdido em régios envoltórios.

O resto era a noite, a lembrança
daquela mão, póstuma e pura,
que causara degredo e morte
com sua breve assinatura,
e logo lavara o seu gesto
no eterno fogo da loucura.

Coches negros nas ruas negras.
Lento ritmo de negros vultos.
Deslizava o enterro solene.
E, no enorme silêncio ocultos,
os pensamentos recordavam
tempos e rostos insepultos...

Romance LXXXIV ou
Dos cavalos da Inconfidência

Eles eram muitos cavalos,
ao longo dessas grandes serras,
de crinas abertas ao vento,
a galope entre águas e pedras.
Eles eram muitos cavalos,
donos dos ares e das ervas,

com tranqüilos olhos macios,
habituados às densas névoas,
aos verdes prados ondulosos,
às encostas de árduas arestas,
à cor das auroras nas nuvens,
ao tempo de ipês e quaresmas.

Eles eram muitos cavalos
nas margens desses grandes rios
por onde os escravos cantavam
músicas cheias de suspiros.
Eles eram muitos cavalos
e guardavam no fino ouvido
o som das catas e dos cantos,
a voz de amigos e inimigos
— calados, ao peso da sela,
picados de insetos e espinhos,
desabafando o seu cansaço
em crepusculares relinchos.

Eles eram muitos cavalos,
— rijos, destemidos, velozes —
entre Mariana e Serro Frio,
Vila Rica e Rio das Mortes.
Eles eram muitos cavalos,
transportando no seu galope
coronéis, magistrados, poetas,
furriéis, alferes, sacerdotes.
E ouviam segredos e intrigas,
e sonetos e liras e odes:

testemunhas sem depoimento,
diante de equívocos enormes.

Eles eram muitos cavalos,
entre Mantiqueira e Ouro Branco,
desmanchando o xisto nos cascos,
ao sol e à chuva, pelos campos,
levando esperanças, mensagens,
transmitidas de rancho em rancho.
Eles eram muitos cavalos,
entre sonhos e contrabandos,
alheios às paixões dos donos,
pousando os mesmos olhos mansos
nas grotas, repletas de escravos,
nas igrejas, cheias de santos.

Eles eram muitos cavalos:
e uns viram correntes e algemas,
outros, o sangue sobre a forca,
outros, o crime e as recompensas.
Eles eram muitos cavalos:
e alguns foram postos à venda,
outros ficaram nos seus pastos,
e houve uns que, depois da sentença,
levaram o Alferes cortado
em braços, pernas e cabeça.
E partiram com sua carga
na mais dolorosa inocência.

Eles eram muitos cavalos.
E morreram por esses montes,
esses campos, esses abismos,
tendo servido a tantos homens.
Eles eram muitos cavalos,
mas ninguém mais sabe os seus nomes,
sua pelagem, sua origem...
E iam tão alto, e iam tão longe!
E por eles se suspirava,
consultando o imenso horizonte!
— Morreram seus flancos robustos,
que pareciam de ouro e bronze.

Eles eram muitos cavalos.
E jazem por aí, caídos,
misturados às bravas serras,
misturados ao quartzo e ao xisto,
à frescura aquosa das lapas,
ao verdor do trevo florido.
E nunca pensaram na morte.
E nunca souberam de exílios.
Eles eram muitos cavalos,
cumprindo seu duro serviço.

A cinza de seus cavaleiros
neles aprendeu tempo e ritmo,
e a subir aos picos do mundo...
e a rolar pelos precipícios...

Romance LXXXV ou Do testamento de Marília

Triste pena, triste pena
que pelo papel deslizas!
— que cartas não escrevestes
— que versos não improvisas
— que entre cifras te debates
e em cifras te imortalizas...

Ai, fortunas, ai, fortunas...
Doblas, oitavas, cruzados,
vastos dinheiros antigos,
pelas paredes guardados,
prêmio de tantos traidores,
dor de tantos condenados!

Escreve Marília, escreve
seu pequeno testamento;
na verdade, por que vive,
se a morte é o seu alimento?
se para a morte caminha,
na sege do tempo lento?

Cortesias, cortesias
de quem diz adeus ao mundo:
breves lembranças; presentes
amáveis, de moribundo.
Que sois vós, ouro das Minas,
no oceano de Deus, tão fundo?

Reparti-vos, reparti-vos,
ouro de tantas cobiças...
(Tanto amor que separastes,
entre injúrias e injustiças!
E agora aqui sois contado
para a piedade das missas!)

Triste pena, triste pena...
Triste Marília, que escreve.
Tão longa idade sofrida,
para uma vida tão breve.
Muitas missas... Muitas missas...
(Que a terra lhe seja leve.)

Fala aos Inconfidentes mortos

Treva da noite,
lanosa capa
nos ombros curvos
dos altos montes
aglomerados...
Agora, tudo
jaz em silêncio:
amor, inveja,
ódio, inocência,
no imenso tempo
se estão lavando...

*Grosso cascalho
da humana vida...
Negros orgulhos,
ingênua audácia,
e fingimentos
e covardias
(e covardias!)
vão dando voltas
no imenso tempo
— à água implacável
do tempo imenso,
rodando soltos,
com sua rude
miséria exposta...*

*Parada noite,
suspensa em bruma:
não, não se avistam
os fundos leitos...
Mas, no horizonte
do que é memória
da eternidade,
referve o embate
de antigas horas,
de antigos fatos,
de homens antigos.*

*E aqui ficamos
todos contritos,
a ouvir na névoa*

*o desconforme,
submerso curso
dessa torrente
do purgatório...*

Quais os que tombam,
em crime exaustos,
quais os que sobem,
purificados?

Este livro foi impresso em São Paulo, em junho de 2009,
pela Lis Gráfica e Editora para a Editora Nova Fronteira.
O papel do miolo é offset 56g/m2.

Amsterdão, 31 de Outu[bro]

Dr   GO   A Holand[a]
Ex   A   me, — não
                              ficar aqui
                     garem de França
quem avião da K.L.M.
[de] partida, dando o n[úmero]
[...], mas há uma g[rande]
e sempre uma norm[a]
preciso... A Fernanda
[n]os separaremos, pois e[la]
da Companhia holandes[a]
Amsterdão. — Já come[...]
[hol]andeses que não vão [...]
[p]erder tanto tempo com [...]

Peço-lhes que me conser[vem]
[n]ão eu fujo para qualq[uer]
[...] haverá quem me de[...]
[...] que não lhe escrev[o]
[mo]mento, esteja em Espa[nha]
          Mande-me com [...]
[...] as cartas mais lindo[s]
[o]s fabulosos cavalos pre[...]
[...]levemente tocada por [...]
[á]gua, apenas... — Adeus!